Otto Köhler

Rudolf Augstein

DER SPIEGE
Was rette
Wirtscha
Sozialabbau Steuersenkung
11

Otto Köhler

Rudolf Augstein

Ein Leben für Deutschland

Redaktionelle Mitarbeit:
Monika Köhler

Droemer

Besuchen Sie uns im Internet:
www.droemer-weltbild.de

Die Folie des Schutzumschlages sowie die Einschweißfolie sind
PE-Folien und biologisch abbaubar.
Dieses Buch wurde auf chlor- und säurefreiem Papier gedruckt.

Umschlaggestaltung: ZERO Werbeagentur, München
Umschlagabbildung: dpa, München
Satz: Setzerei Vornehm GmbH, München
Druck und Bindung: Clausen & Bosse, Leck
Printed in Germany
ISBN 3-426-27253-9

2 4 5 3 1

»O Gott, ich habe das Große gewollt
Ich wollte den Himmel offenbaren
Der über den dunkelsten Tiefen schwebt
Ich wollte die weite Welt durchfahren
Und das Schöne preisen, das darin lebt.«

Rudolf Augstein (16jährig)

»Ich stehe relativ sprachlos vor der rein zeitlichen Ausdehnung dieses Lebenswerks. Sie hat etwas Unglaubwürdiges, und in Zeiten, in denen einem der *Spiegel* nicht das Pathos ausgetrieben hätte, wäre Augstein längst ein Wesen zum Anstaunen und Besichtigen geworden. Ich sage sachlich und im Versuch, untertreibend zu begründen: Seit mindestens vier Jahrzehnten hat Augstein den Diskurs der Republik bestimmt. Das ist, so weit ich sehe, ein nicht nur in der deutschen Pressegeschichte einmaliger Fall. Doch wo immer ich auf seine eigenen Äußerungen zu seiner Person stoße, sind sie abwehrend, untertreibend, fast herunterspielend.
Dass er eine mächtige und für viele auch Furcht erregende Institution geschaffen hat, weiß er. Sie hat noch vor der *Spiegel*-Affäre die Republik durchdrungen. Die Klinge, die er führte, war bei Börne, Heine und Tucholsky geschult, und wenn man für die Bundesrepublik Deutschland sagen kann, dass es wahrscheinlich ein Glück war, dass es einen Politiker wie Konrad Adenauer gab, so muss man es für die Publizistik ganz ohne jeden Zweifel aussprechen, dass es Glück und Segen war, dass es einen Publizisten wie Rudolf Augstein gab.«

Frank Schirrmacher über den 77jährigen

Inhalt

Teil II: Im Organ der Aufklärung

Vorwort

Es war eine Entscheidung fürs Leben: Spätsommer 1953. Ich war achtzehn Jahre alt und wusste noch nicht, was aus mir werden soll. Soeben hatte ich mich an der Julius-Maximilians-Universität in Würzburg für das Studium der Philosophie, der Volkswirtschaft, der Germanistik und der Geschichte eingeschrieben, saß nun in der Anlage zwischen Hauptgebäude und Mensa auf einer Parkbank und las Jens Daniel im *Spiegel*. Es kann aber auch eine rotgelbe Broschüre gewesen sein, die soeben in einem, wie ich damals noch nicht wusste, ganz besonderen Verlag erschienen war. Sie hieß *Deutschland – ein Rheinbund?* Ihr Autor – Jens Daniel.

Dann hob ich den Blick von meiner Lektüre und erschrak: Dem Mensaeingang entquoll ein Gebilde, wie ich es bisher nur aus der Literatur, aus den Werken Kurt Tucholskys kannte. Ein sechsbeiniges Wesen von aufdringlicher Buntheit, eine Einheit, die, wie ich mühsam erkannte, aus drei Teilen bestand.

Außen zwei – später erfuhr ich, man nennt sie Füchse –, die in einer unüberbietbar devoten Haltung zwischen sich eine torkelnde, kotzende Figur aufrechterhielten – etwas, was man, auch das sagte man mir, Fuchsmajor nennt. Alle Teile dieser Dreifaltigkeit mit blutigen Bändern vor der Brust, in grellen Uniformen und mit hoch sich auftürmenden Kokoloreskopfbedeckungen und irgendeinem bunten Gewackele in der Gemächtegegend – Bierzipfel, ermittelte ich, nennt man das.

Aber er war nicht komisch. Diese widerliche Ehrfurcht, mit der die Füchse ihren sinnlos betrunkenen Major vor sich hertrugen, habe ich mein Leben lang nicht vergessen. Die waren für mich ein lebendiges Symbol der Restauration, der Wiederaufrüstung, die Konrad Adenauer damals betrieb.

Und dagegen im *Spiegel* neben mir auf der Parkbank Jens Daniel – damals wusste ich noch nicht, dass dies Rudolf Augsteins Kampfname war –, der energisch und brillant Adenauer attackierte.

Keine Frage. Dieses akademische Gesindel, das ich hier erstmals sah – ich kam aus der Industriestadt Schweinfurt –, wollte ich mein Leben lang bekämpfen. Und so einer wie Jens Daniel, so einer würde ich gern werden. Mit einem Kasten im *Spiegel*, wie er.

Sechzehn Jahre später hatte ich den Kasten. Genau wie er natürlich nicht. Er schrieb über die große Politik. Ich machte etwas, was es damals als regelmäßige Einrichtung noch kaum gab: Medienkritik. Ich machte es gern, und ich fühlte mich wohl beim *Spiegel*.

* * *

Ich weiß, dass ich mich mit diesem Buch einem Verdacht aussetze. Ich habe mich gefreut, als mich Augstein 1966 als Kolumnisten zum *Spiegel* holte, ich habe mich gegrämt, als er mich 1972 entließ. Ich sah aber sehr schnell ein, dass er dies im Interesse des *Spiegel* tun musste (siehe das Ende von Kapitel 9) – er hat mich großzügig entschädigt.

Ich habe ihm also nichts nachzutragen. Das heißt nicht, dass ich es unterließ, Augstein, wo ich es für notwendig hielt, zu kritisieren, so wie ich es zuvor auch schon als sein Angestellter getan hatte. Aber ich bewahrte meinen Respekt für einen Mann, ohne den dieses Land noch ganz anders aussähe.

* * *

Eine neue Situation trat 1992 ein, als er selbst im Verfolgungseifer gegenüber den wiedergewonnenen, aber vom rechten Weg abgewichenen Brüdern im Osten auf die Frühgeschichte des *Spiegel* und auf die besondere Art von Aufklärung verwies, die das deutsche Nachrichtenmagazin von Anfang an betrieben habe. Hier entstand ein neues, ein anderes Bild von Rudolf Augstein und dem *Spiegel*, das er seither immer wieder auffrischte.

Zur Jahrtausendwende ernannte ein Gremium auserwählter Publizisten Rudolf Augstein zum Journalisten des Jahrhunderts. Ich halte es für möglich, dass er es – das ist kein Werturteil – tatsächlich ist.

Erst als dem *Spiegel*-Herausgeber 2001 ein Preis übergeben wurde, der nach allem, was ich über Rudolf Augstein weiß, nicht für ihn bestimmt sein kann, hielt ich es für richtig, diese Biographie zu schreiben. Es ist eine Biographie des Journalisten, dessen publizistisches Wirken in den nun fünfundfünfzig Jahren des *Spiegel* zwar bekannt scheint, es aber nicht wirklich ist.

Ein Urteil kann ich hier vorwegnehmen: Augstein hat mit Entschiedenheit stets deutsche Interessen vertreten, so wie er sie verstand. Sein Leben war bis heute ein Leben für Deutschland. Aber was heißt das?

* * *

Viele, die mir mit Auskünften geholfen haben, baten mich dringend, ihre Namen nicht zu veröffentlichen. Deshalb nenne ich keinen, danke aber allen, die mich unterstützten.

Otto Köhler Hamburg, im April 2002

Teil I

Am Sturmgeschütz der Demokratie

»... zu einer Art Leuchtturm geworden. Wer will, kann, im schmutzigen Meer der BRD treibend, auf ihn Kurs halten. Die Zeitgeschichte, die Soziologen und vor allem auch die Psychologen werden sich eines Tages an ihm die Zähne ausbeißen.«

Erich Kuby 1987 über Rudolf Augstein

KAPITEL 1

Kartoffelfusel und Rübenschnaps – Ein Salut dem *Spiegel*

»Der *Spiegel* war immerdar ein antifaschistisches Geschütz, von Anbeginn …«

Der Spiegel, *Sonderausgabe 1947–1997*[1]

Es klingelt. Frau Engelmann geht zur Wohnungstür. Frau Engelmann kommt zurück und sagt Herrn Engelmann, draußen stehe ein Herr Augustin aus Hannover, allem Augenschein nach ein Primaner.

Der Hausherr – es ist der in späteren Jahren sehr erfolgreiche Sachbuchautor Bernt Engelmann – lässt bitten, und siehe: »Der jeglicher Eleganz entratende Schüler Augustin war indessen niemand anders als der *Spiegel*-Herausgeber Rudolf Augstein.«

Engelmann stellt nach der ersten Überraschung einen aus erfrorenen Kartoffeln gebrannten kräftigen Begrüßungsschnaps auf den Tisch: »Meine Frau, immer noch skeptisch, raunt mir zu, dem Kleinen keinen Alkohol zu geben; er sei noch im Wachstum und könnte durch den Fusel in seiner hellwachen Intelligenz bleibend geschädigt werden.«[2]

Es ist Frühling. 1947. Ein sonniger Nachmittag in Düsseldorf. Zwei Jahre nach dem Krieg. Rudolf Augstein ist unterwegs, um Mitarbeiter und Redakteure für eine Zeitschrift zu finden, wie man sie in Deutschland bisher nicht kennt.

In Hannover, wo er herkommt, hat man am 6. April 1945 auf dem Seelhorster Friedhof noch eben mal schnell hundertdreiundfünfzig Männer, meist Kriegsgefangene aus dem Osten, und eine Frau umgebracht. Am 7. April gab es die letzte Ausgabe der *Hannoverschen Zeitung*. Am 8. April läuft Oberbürgermeister Egon Bönner zum Kampfkommandanten Generalmajor Paul Wilhelm Loehning, er möge doch, bitte, die Stadt kampflos übergeben. Am 9. April setzt sich der Gauleiter Hartmann Lauterbacher Richtung Süddeutschland ab. Am 10. April um 7 Uhr 30 wird der Kampfkommandant – auch Generale können das notfalls – vernünftig und empfiehlt seinen Soldaten, zu verschwinden oder sich zu ergeben. Seit zweieinhalb Stunden schon marschieren drei Regimenter der 84. US-Infanterie-Division in die ziemlich ramponierte Stadt ein, die sie gegen Mittag besetzt haben.[3]

Und am 24. Juni schließlich ist der einundzwanzigjährige Rudolf Augstein, der sich von der ehemaligen Ostfront davongemacht hatte, auf Umwegen zurück in seiner Heimatstadt an der Leine.

Er will studieren, aber die Universität im nahen Göttingen ist noch dicht. Hannovers Zentrum liegt in Trümmern, einsam erhebt sich darüber das Pressehochhaus an der Goseriede. Dort findet er Beschäftigung als Musik- und Theaterkritiker beim *Hannoverschen Nachrichtenblatt*, das viermal in der Woche von der britischen Besatzungsmacht herausgegeben wird. Augstein schreibt Theaterkritiken:

> »Wie diszipliniert doch in heutiger Zeit die Menschen noch sein können! Kommen in die Stadthalle und gucken einen ganzen Akt lang zu, wie ein Anti-Alkoholiker eine Spirituosenflasche nach der anderen mit der Frau seines Freundes ausleert, womit er seiner eigenen Frau, die

ihres ›Mustergatten‹ herzlich überdrüssig war, beweist, dass er eben doch ein ›Mann‹ ist.«[4]

Damit ist im Juni 1946 Schluss, das lokale Blatt in Hannover muss Platz machen für die *Welt* aus Hamburg, damals noch eine Qualitätszeitung, herausgegeben von den britischen Besatzungsbehörden.

Längst basteln in Hannover drei britische Soldaten an etwas Neuem. Der zweiundzwanzigjährige Major John Chaloner hatte die Idee zu einem Nachrichtenmagazin für die Deutschen. In den USA gibt es zwar schon seit Augsteins Geburtsjahr eine Vorlage dafür – *Time* heißt sie. Sein Vorbild aber ist das – kurzlebige – britische Magazin *News Review*. Der Unterschied: Während *Time* für US-Leser geschrieben ist, die keine Tageszeitung lesen, also keinerlei Kenntnisse voraussetzt, war *News Review* für den Leser bestimmt, der aus Tageszeitungen schon Bescheid weiß und im Magazin die Nachricht hinter der Nachricht sucht, Enthüllung also und Kritik.

Chaloners Mutter hatte lange vor der NS-Zeit sechs Jahre in Hannover gelebt. Seine beiden Helfer waren als Zivilisten vor Hitler geflohen: Sergeant Henry Ormond, Jurist und Betriebswissenschaftler, kam aus der Rheinpfalz und Sergeant Harry Bohrer aus Prag. Ormond sorgte für Organisation und Verlag und wurde später Rechtsanwalt der Opfer im IG-Farben- und im Auschwitz-Prozess, Bohrer, der sich um die Redaktion des geplanten Nachrichtenmagazins kümmerte, wurde später Chefredakteur in dem Pressereich, das Chaloner in London gründete.

Für die Redaktion brauchten sie deutsche Journalisten ohne braune Weste. Einen fanden sie schnell beim sterbenden *Hannoverschen Nachrichtenblatt*. Chaloner erinnerte sich: »Augstein saß da, blass, klein, in einem grauen Militärmantel, er machte nicht viel von sich her.«[5] Aber Augstein hatte den Vorteil, am selben Tag, bloß ein Jahr früher, Geburtstag zu haben wie Chaloner, und er stand in der alphabetischen Bewerberliste ganz oben.

Augstein erinnerte sich auch, 1980, in der Einleitung zur Faksimile-Ausgabe des ersten *Spiegel*-Jahrgangs: »Drei britische Soldaten in Hannover, ein Major und zwei Stabsfeldwebel, wollten die besiegten Deutschen für die menschliche Kultur zurückgewinnen, und das Instrument, das sie sich für diesen Zweck ausgedacht hatten, waren wir.«

Rudolf Augstein, Chaloners neuer Redakteur, fühlte sich vom Scheitel bis zur Stiefelsohle als besiegter Deutscher und wollte es den Siegern zeigen. Das Instrument, das er sich zu diesem Zweck ausgedacht hat, war ein überlebender Jude in London.

»Hunger an der Ruhr – Chaos über Deutschland«, das ist der Aufmacher auf Seite 1[6] von *Diese Woche*, als sie erstmals am 16. November 1946 mit einer im Nu ausverkauften Auflage von 16 000 Exemplaren erschien – die sechsundzwanzig Seiten wurden im Schwarzhandel für den fünfzehnfachen Preis gehandelt. Denn sie enthielten einen scharfen Angriff auf die »Schamlosigkeit der Regierung« in London, deren Besatzungsmacht die *Woche* herausgab, diese Schamlosigkeit der britischen Regierung werde »immer größer«. Und dann folgte eine wilde Attacke auf den britischen Ernährungsminister:

> »Puter und Geflügel, Extrafleisch, Süßigkeiten und Zucker kündigt Mr. Strachey für Weihnachten an. Haben denn diese christlichen Staatsmänner nicht die geringste Vorstellung von dem, was augenblicklich in Deutschland vorgeht? Augenscheinlich nicht, sonst würden sie nicht solch eine idiotische Erklärung abgeben.«[7]

So stand es auf Seite 1 des neuen Nachrichtenmagazins. Aber der Schimpf auf den für den Hunger der besiegten Deutschen verantwortlich gemachten britischen Ernährungsminister war ein Zitat aus einem Leserbrief. Den hatte der britische Verleger Victor Gollancz an *News Chronicle* geschrieben.

Und den Leserbrief eines solchen Mannes – bitte sehr, ein Jude – an eine große Zeitung im Heimatland der Besatzungsmacht wird man doch wohl als lernender Demokrat zitieren dürfen...

Gollancz, der als Gewährsmann auf der ersten Seite gut war, war auch gut geeignet als Kronzeuge auf der letzten. Dort besprach Rudolf Augstein[8] – Überschrift: »Kein Blatt vor dem Mund. Gollancz kämpft für bedrohte Werte« – dessen gerade erschienenes Buch *Our Threatened Virtues*. Wodurch waren die Werte bedroht? Durch »unsere Behandlung Deutschlands«. Augstein zitiert:

> »Diese Politik, für die wir zum Teil oder allein verantwortlich sind – Annexionen, Vertreibungen, wirtschaftliche Versklavung, Nichtverbrüderung und Hungersnot –, stammt mehr aus dem Geist Hitlers, den wir bekämpften, als aus dem des westlichen Liberalismus, um dessenwillen wir Hitler bekämpften.«

Kein Blatt vor den Mund nehme Gollancz, schrieb Augstein:

> »Gegen die Nürnberger Anklagen setzt er drei Einwände: Nur die Sieger klagen Besiegte an. Während wir sie anklagen, tun wir selbst Dinge, für die wir sie vor Gericht bringen. Die Teilnahme an einer Verschwörung zur Führung von Angriffskriegen ist überhaupt kein Verbrechen.«

Wohl aber ist die »Ausweisung Millionen Deutscher aus den Ostgebieten« eine »unauslöschliche Schande«. Besser noch: Den »Potsdamer Diktatoren« wirft Gollancz »die Beraubung und wirtschaftliche Versklavung Deutschlands« vor.

Augstein bedauert, dass das Buch wohl beachtet, seine Botschaft jedoch ignoriert werde:

»Vielen war es unbegreiflich, wie ein Jude, der ständig das Weltgewissen gegen Nazi-Deutschland aufzurütteln versuchte, heute dasselbe Weltgewissen an seine Pflicht gegenüber dem geschlagenen deutschen Volk erinnert.«[9]

In diesem Stil ging es munter weiter. Wieder zitierte Augstein den nützlichen Juden: Die tatsächliche Kalorienmenge, die viele Einwohner Düsseldorfs in der letzten Woche erhalten haben, schrieb Gollancz, schwanke zwischen vierhundert und tausend Kalorien. »Vierhundert«, sagte Gollancz, und Augstein zitierte das ja nur, »das ist die Hälfte der Ration von Belsen.«[10]

Von Bergen-Belsen, wo die Leichen bergeweise herumlagen, als das KZ am 15. April 1945, vor eineinhalb Jahren also, durch die britische Armee befreit wurde. Seit Januar waren fünfunddreißigtausend Menschen umgekommen, Bergen-Belsen war kein Vernichtungslager wie Majdanek oder Treblinka, man ließ die Menschen nur an Hunger sterben. Weitere achtundzwanzigtausend waren so entkräftet, dass sie noch in den folgenden Wochen starben – die »Ration von Belsen« war eine Fiktion. Und das alles geschah nicht weit von Hannover, wo dann unter den Engländern keiner verhungern musste.

Später, als der Jude ausgedient hatte, als Victor Gollancz 1960 den Friedenspreis des Deutschen Buchhandels erhielt, da fand der *Spiegel* als Nachfolger von *Diese Woche* dafür kein Wort. Und Leo Brawand,[11] offizieller *Spiegel*-Chronist und von den Mitkämpfern der ersten Stunde derjenige, der am längsten bei Augstein blieb, freute sich noch 1995: »Der frischgebackene Lizenzträger benötigt nun keinen Victor Gollancz mehr, um den Besatzern die Leviten zu lesen.«[12]

---

* * *

Lizenzträger Augstein. Es hatte zwar Krach unter den Engländern gegeben, dass *Diese Woche* mit solchen Redakteuren – außer Augstein waren es noch drei, allesamt Deutsche – als Nachrichtenmagazin der britischen Besatzungsmacht erscheinen konnte, aber verboten, nein, das wurde es nicht. Im Gegenteil. Da eine Vorzensur, wie sie ab Ausgabe Nr. 3 eingeführt wurde, auf die Dauer viel zu lästig war, übergaben die Engländer das unbequeme Nachrichtenmagazin nach der fünften Nummer an drei Deutsche – Augstein als Herausgeber.

Obwohl die *Spiegel*-Redakteure auch in Hungerzeiten von den Briten mit Bohnen, Speck und Erdnussbutter ausreichend ernährt wurden, zahlte Augstein keine fünf Jahre später, sieben Jahre nach Hitlers Krieg, den Briten den Hunger an der Ruhr genüsslich heim. Die Westdeutschen waren – nachdem man schon zwei Jahre zuvor die Lebensmittelrationierung aufgehoben hatte – immer fetter geworden. Da triumphierte der *Spiegel* über die zurückgebliebenen Briten mit einer Grafik: »England ist unterernährt«. Vier Teller: auf dem ersten fünfundachtzig Gramm Butter, auf dem zweiten hundertvierzig Gramm Speck, auf dem dritten achtundzwanzig Gramm Käse, auf dem vierten ein Stück Fleisch »im Wert v. 64 Pfg.«, dazu zwei Eier und zweihundertachtzig Gramm Zucker – »Englands Lebensmittel-Zuteilung pro Person und Woche«, mokierte sich der *Spiegel*.

»Wir sind hungrig nach Roastbeef«, so zitierte Deutschlands Nachrichtenmagazin den Brief eines schottischen Rechtsanwalts an das Ernährungsministerium der »leidenschaftlich Fleisch-vertilgenden Insel-Nation«. Dazu der hochnäsige Trost: »Es ist eine Reihe von Ärzten da, die nachweisen, dass die Umstellung von einer fleischessenden in eine vegetarische Nation keinerlei Schaden bedeute.« Und dann noch der feine Hohn für die britischen Hungerleider: »Andere Mediziner treten dieser These mit der Behauptung entgegen, dass sich Müdigkeit als Folge einseitiger und unzureichender Ernährungsweise zur nationalen Krankheit entwickelt habe.«[13]

Augstein trug für diesen Dünkel über den müden Mann am Kanal nur die Verantwortung als Herausgeber, auf den zuständigen Auslands-Ressortchef Georg Wolff kommen wir noch. Den Makel, von Briten gegründet zu sein, hatte der *Spiegel* 1952 damit endlich getilgt, die deutsche Rechnung war noch offen. Augstein schrieb dem »lieben *Spiegel*-Leser« in seinem Editorial »herzlichst«[14] zum Weihnachtsfest 1953:

> »Wir triumphieren, wir Einwohner der Bundesrepublik. Gleichzeitig regt sich das Gewissen, und namhafte Leute erinnern uns daran, dass wir besetztes Volk noch gar keine außenpolitische Bewegungsfreiheit haben, in dem Tenor etwa: ›Wir sind ja bloß so klein!‹ Hier wird die Angelegenheit tragisch: Ein großes Volk, das besser isst als seine Nachbarn, hat keine politische Bewegungsfreiheit. Es zieht sich aber entschuldigend hinter seine mangelnde Bewegungsfreiheit zurück, es freut sich gar seines Mangels, der ihm erspart, das Schicksal seiner Volks- und Artgenossen jenseits der künstlichen Grenzen in seine Hände zu nehmen.«[15]

Wie lange wird das gutgehen, fragte Augstein den *Spiegel*-Leser. Seine Anwort: »Solange es uns gutgeht.« Das Gewissen plagte ihn, weil sein gut genährtes Vaterland noch nicht wieder seine außenpolitischen Ellenbogen breit machte. Deutschland zuerst, das war seine Parole, die damals vielen selbstverständlich schien. Mit Nazis hatte das – auch wenn das Wort »Artgenossen« seinen eigenen Klang hatte – nichts zu tun, im Gegenteil. »Nazi-Verbrechen und Zusammenbruch hatten eine Einheitsfront gegen Krieg, Strammstehen und Ausbeuterkapitalismus geschmiedet«, so glaubte sich ein halbes Jahrhundert später Leo Brawand, Mann der ersten Stunde, zum fünfzigsten *Spiegel*-Jubiläum erinnern zu können, »die Verbundenheit mit den Opfern des Nationalsozialismus war von Scham diktiert.«[16]

Nein, man darf es dem jungen Augstein nicht verdenken. Es gab – anfangs – keine zentrale deutsche Regierung, an der sich der *Spiegel* hätte reiben können, und darum wurden erst einmal die Alliierten Opfer der frischerworbenen Pressefreiheit, der gerade erst anerzogenen und noch so ungewohnten Demokratie. Als Ende 1946 die *Spiegel*-Lizenz mit keinem erfrorenen Kartoffelfusel, sondern mit wertvollem Rübenschnaps gefeiert wurde, da gab es noch keine deutschen Regierungsvertreter, denen man guten Gewissens ins Bein beißen konnte. Auf der Treppe saß vielmehr, wie Augstein sich später erinnerte, Hinrich Wilhelm Kopf, erst seit wenigen Monaten Ministerpräsident Niedersachsens, und weinte, mehr oder weniger trunken, um Deutschlands Zukunft.

Der frischernannte Herausgeber verfolgte aufmerksam den Lauf dieser Tränen. Sie wurden zum Redaktionsprogramm für die erste Nummer eines durch und durch deutschen Nachrichtenmagazins:

Seite 1: Der Oberbefehlshaber der französischen Besatzungstruppen General Pierre Koenig hat zwölfhundert französische Zollbeamte an die Grenzen des Saargebiets gestellt; man kommt nur mit einem Pass mit dreisprachigem Visum ins Saargebiet; eine eigene Landeswährung steht auch bevor. Augstein setzte ein Foto von der Saarabstimmung aus dem Jahr 1935 dagegen: Kohlekumpel heben ein Transparent hoch (»Wir stimmen am 13. Januar für Deutschland«) und die Hand zum deutschen Gruß. Heil ...

Seite 5: Im Süden gibt es Pläne zu einer Donauföderation zwischen Bayern, Österreich und später auch Ungarn, die aus Deutschland das Stück von den Alpen bis zur Mainlinie herauszureißen droht.

Seite 6: Im Nordosten droht die »Wojewodschaft Hamburg«. Die »Slawische Agentur« in Breslau – »die Polen nennen es Wroclaw« – will die Ostgrenzen Deutschlands bis zur Elbe zurückverlegen. Berlin, Magdeburg, Kiel und Hamburg sollen die wichtigsten Städte eines slawischen Elbstaats werden.

Seite 8: Im Norden lockt Dänemark und stellt Gebietsansprüche auf Grund alter Verträge. Die Südschleswiger sollen darüber abstimmen, aber ohne Wahlrecht für die in Südschleswig lebenden Flüchtlinge.

Seite 14: Nicht zu vergessen die polnische Wirtschaft hinter der Oder. »Wiedererobertes« Gebiet nennen die Polen die deutschen Landstriche. Stettin trägt jetzt den für deutsche Zungen unaussprechlichen Namen Szczecin, und die völlige Entblößung des Landes von Deutschen hat zu katastrophalen Verhältnissen auch in der Landwirtschaft geführt, das Getreide und Obst verfault auf den Feldern und in den Gärten.

Gut, dass es jetzt den *Spiegel* gibt – Deutschland, dem man überall etwas wegnimmt, hat wieder eine Stimme.

Einen Lichtblick gibt es auch auf *Spiegel*-Seite 19, die deutsche Nofretete: Die US-Militärregierung hat entschieden, Ansprüche Ägyptens auf die königliche Büste zurückzuweisen, wohl weil die Nofretete deutsch ist und weil sie nicht zu den Kunstwerken gehört, die von den Nationalsozialisten entwendet wurden.

Das war die erste Nummer des *Spiegel*. Sie wurde zunächst mit einer Auflage von zweiundzwanzigtausend Exemplaren gedruckt. Inzwischen liegt sie in millionenfacher Auflage vor: Je ein Nachdruck war dem *Spiegel* vom 29. Dezember 1986 und dem Sonderheft zum fünfzigsten Jahrestag Ende 1996 beigeheftet.

Herausgegeben von Rudolf Augstein mit vorläufiger PR/ISC-Genehmigung 600/PR vom 1. Januar 1947, sodann ab 12. Juli mit der Zulassung Nr. 123 der Militär-Regierung. Sie bissen vergnügt in die Hand, die sie nährte – sie hatten Demokratie gelernt und Pressefreiheit. So war es gut. Taktvoll war es nicht – aber hatte ein *Spiegel* danach zu fragen? Deutschland hatte sich – anders als in den Hungerjahren des Ersten Weltkriegs – im Zweiten auf Kosten der besetzten Länder gut ernährt. Und da erwartete man eben, dass das so weitergeht.

* * *

Trotzdem, »der junge Augstein hatte nichts von dem miesepetrigen Ton und den Negativismen des *Spiegel*; der Umgang mit ihm war von Lebensfreude und Lebensgenuss geprägt, viel Heiterkeit und Witz«,[17] bemerkte der damalige Besatzungsoffizier Michael Thomas, Sohn des 1931 verstorbenen Schriftstellers Felix Hollaender, der Dramaturg bei Max Reinhardt am Deutschen Theater in Berlin war. Thomas, 1938 nach London emigriert, sollte nun die Lizenzzeitungen und -zeitschriften in der britischen Zone kontrollieren. Die erste Begegnung mit Augstein im August 1947 war eine Machtprobe. Thomas hatte vorher darum gebeten, höchstens zwei Mitarbeiter hinzuzuziehen, doch als er im obersten Stock des Pressehochhauses an der Goseriede ankam, war alles ganz anders:

> »Ich betrete ein rauchgeschwängertes Dachatelier. Es ist vollgestopft mit der ganzen Redaktion, die Redakteure hocken auf dem Fußboden, auf Stühlen, auf dem Tisch, dem Fenstersims. Sinnlos darauf zu bestehen, den Chefredakteur allein zu sehen. Auch weiß ich gar nicht, wen ich ansprechen soll. Da sitzen ein paar gestandene entnazifizierte Journalisten, ein paar Weltkriegsteilnehmer im Heimkehrerlook und ein kleiner bleicher blonder Jüngling mit leichtem Silberblick, der möglicherweise gerade Abitur gemacht hat.«

Thomas fand ihn sofort sympathisch:

> »Er spricht langsam, leise artikuliert, etwas metallisch, mit kompliziertem Satzbau, eine Mischung aus Schüchternheit und Bestimmtheit, wenn nicht Arroganz, immer etwas skeptisch, knallhart. Ich bin fasziniert wie seine Mitarbeiter. Die Diskussion ist intensiv, heftig, fruchtbar.«[18]

Fruchtbar, glaubte Thomas. Seine Aufgabe war es, den feindlichen Ton, den die gerade erst lizenzierte Presse gegen die britische Besatzungsmacht anschlug, mit Argumenten zu dämpfen. Zensur betrachteten die Briten als falsches Mittel. Drei Zivilisten deutscher Herkunft im Range von Oberstleutnanten wurden zu »Wanderpredigern« in den deutschen Redaktionen bestellt, Thomas war einer von ihnen. Er sollte Augstein und seine Leute über die katastrophale Welternährungslage informieren. Ihnen sagen, dass auch im Siegerland Großbritannien strikte Rationierung herrscht und dass die Engländer trotzdem einen erheblichen Anteil ihrer knappen Devisen dazu verwenden, um für die Deutschen ihrer Besatzungszone das Nötigste an Nahrungsmitteln herbeizuschaffen. Doch gerade beim *Spiegel* verfingen solche Argumente nicht. Deutschland zuerst, das war die Parole. Die Engländer wollten ja nur die alte Blockadepolitik beider Weltkriege fortsetzen und Deutschland verhungern lassen.

Trotzdem wurden Thomas und Augstein bald Freunde. Viel später kam es zu einer zweiten Machtprobe, die scheinbar zugunsten des Neuengländers verlief. »Wetten«, sagte Augstein, »dass ich mehr Klimmzüge schaffe als du?« Sie zogen beide ihre Jacken aus und er ließ artig dem älteren Thomas den Vortritt. Michael Thomas schaffte mit Mühe sechs.

Da zog sich der *Spiegel*-Gründer sofort seine Jacke wieder an und sagte: »Danke, du hast gewonnen.«

Der Verlierer war schlauer als der Gewinner, so überwand

er ihn bald. Der Mann, dem es mit seinem *Spiegel* immer nur um das erniedrigte, am Boden liegende Deutschland ging, war der Sieger.

* * *

Als Rudolf Augstein sich ein anderes Mal an einem Klimmzug versuchte, ging die Sache schief. Das war im ersten Jahr des *Spiegel*. Im August 1947 – Niedersachsens Landesherr Hinrich Wilhelm Kopf zierte den Titel – berichtete der *Spiegel* unter der Überschrift »100 000 Francs für Camus – 13 Männer entschieden sich« über einen sensationellen Erfolg des französischen Dichters:

> »Am Abend vor dem Tage, an dem der ›Preis der Kritiker 1947‹ vergeben werden sollte, hetzte der Verlag Gallimard dreizehn Boten in alle Gegenden von Paris. Sie brachten den dreizehn Kunstrichtern das neueste Werk des Verlages. Es war soeben ausgedruckt und roch noch intensiv nach Druckerschwärze. Das Buch hieß *Die Pest*, sein Verfasser Albert Camus.« [19]

Und, natürlich, er bekam den Preis.

Rudolf Augstein, der damals den *Spiegel* auch las, mag ihm mit Interesse entnommen haben, dass »Frankreichs bester Schriftsteller« – ein Mann mit »mattgelber Hautfarbe« – ein »bedeutendes und bleibendes Buch« geschrieben habe, »bedeutend als Roman und bedeutend in seiner moralischen Haltung«. Es handelt – wie der Titel schon sagt – von der Pest, die in der nordafrikanischen Stadt Oran ausgebrochen sei, in der nun Verzweiflung und Chaos aufflackern – »aber unermüdlich tun wenige Einzelne auf verlorenem Posten ihre Pflicht«.

Wollen wir wetten, musste sich Augstein wieder einmal gesagt haben – und diesmal machte er Ernst. Knapp drei Monate später stand auf dem Spielplan der Landesbühne

Hannover das Drama *Die Zeit ist nahe*... Untertitel: Ein »szenisches Gleichnis«.

Die *Spiegel*-Kritik berichtete:

»... das szenische Gleichnis macht einen sehr vergänglichen Eindruck. Die Pest bedroht die Stadt, auch das ist ein Gleichnis. Die Pest steht für die Pest in jedem Sinn, auch für die Pestilenzen der Seele und des Geistes. Das Gleichnis dauert fast drei Stunden, dem Publikum kam es länger vor. Es saß, als sich zum Schluss auf der Bühne alle Figuren verlaufen hatten (was ihnen nicht zu verdenken war), ziemlich ratlos da.«

Wer war schuld? Wer begrub nun seine Dichterlaufbahn, obwohl er noch auf dem Programmzettel »kühnerweise mit einem neuen Stück droht«?

Der *Spiegel*:

»Auf der Bühne verneigte sich ... der Autor, ein nicht sehr großer Herr, der älter als seine 24 Jahre aussieht: Rudolf Augstein, Lizenzträger und Chefredakteur der sehr viel besseren Zeitschrift *Der Spiegel*.«[20]

Der Chef machte keinen Versuch, den Abdruck der Kritik zu verhindern, und die Leser wussten das als hochsinnige Tat zu würdigen. Allerdings, nach knapp fünf Jahren zog Augstein seine Jacke wieder an und verkündete dem »lieben *Spiegel*-Leser« im April 1952 zunächst herzlichst, der *Spiegel* müsse sparen, weil das Papier teurer geworden sei.[21] In der nächsten Nummer hatte er dann einen der zwei Redakteure für Kunst und Kultur eingespart: Hans Joachim Toll, Mitarbeiter der ersten Stunde – und Autor der Kritik am Dichter Augstein. In der Redaktion war denn auch von unterschiedlichen Auffassungen die Rede.

* * *

Denker oder Dichter – wer oder was ist Rudolf Augstein? Wo kam er her? Hatte er eigentlich – berühmte Strauß-Frage – Abitur?

> »A. wurde am 5. November 1923 in Hannover als Sohn eines kleinen Vorstadt-Photographen geboren. Angeblich besuchte er eine national-politische Erziehungsanstalt (Napola) und war während des Krieges Leutnant in einer Artillerie-Einheit. Doch sind darüber keine näheren Einzelheiten bekannt. Vielleicht war er auch nur Offiziersanwärter, also zukünftiger Leutnant. Ob A. einen Abitur-Schulabschluss besitzt, ist auch nicht bekannt. Eine Erwähnung seines kleinbürgerlichen Herkommens scheint A. jetzt peinlich zu sein. Jedenfalls geht er im Gespräch darüber hinweg. Sein Leben beginnt erst mit seinem Auftreten als Lizenzträger des *Spiegel.*«[22]

An dieser Ermittlung des BND-Agenten Nr. 12619, Deckname Hecht, bürgerlicher Name Günter Heysing, ist – vergleicht man die Angaben mit sonstigen Erkenntnissen des Bundesnachrichtendienstes – überraschend viel richtig: Augstein war tatsächlich im zweiten Weltkrieg Leutnant, und sogar das Geburtsdatum stimmt.

KAPITEL 2

»Deutschland, dem man etwas weggenommen hat« – Eine Schulbank, zwei Nachrichtenmagazine

»Dereinst wird der Herr Sohn auf Erden
Ein Mann von großem Ruhme werden.
Er wird ermahnen, wird belehren;
Einer wird reden und viele hören.
Die Schläfer wird er auferwecken.
Den Kranken ein Tröster, den Bösen ein Schrecken.«

Wilhelm Busch, Bilder zur Jobsiade

Der Tag, an dem Rudolf Karl Augstein, 2978 Gramm, in Hannover auf die Welt drängte, der 5. November 1923, war ein Montag – der später allseits gefürchtete *Spiegel*-Tag. Er kam als Enkel eines rheinischen Weingutbesitzers und als Sohn eines katholischen Fotofabrikanten auf die Welt. Seine Mutter Gertrude, eine geborene Staadten, hatte nach dem Tod ihrer Schwester den Schwager geheiratet. So kam es, dass Rudolf Karl eine Kinderfrau, fünf Schwestern und einen fünfzehn Jahre älteren Stiefbruder und Cousin Josef hatte, der ihn später als Rechtsanwalt gegen Strauß und Adenauer verteidigte.

* * *

Deutschland ist zerrissen. Während Rudolf Augstein um 2 Uhr 30 den Mutterleib verlassen hat, beginnen die Separatisten im Westen mit ihrer Arbeit, wenn es hell geworden ist, werden sie die »Rheinische Republik« ausrufen.

Augstein schreit schon in Hannover, doch in Berlin schläft noch der Reichspräsident Friedrich Ebert, wenn ihn nicht gerade die ihm stets gegenwärtige Sorge um Deutschland im Bett wälzen lässt. Sobald er aufgestanden ist, erlässt er zusammen mit der Reichsregierung einen Aufruf an das Volk, der den Einsatz von Machtmitteln gegen jeden Putschversuch ankündigt. Währenddessen marschiert die Reichswehr nicht in Bayern ein, wo sich dessen Generalstaatskommissar – man kann auch sagen Diktator – Gustav Ritter von Kahr weigert, die Anordnung des Reiches zur Festnahme von Fememördern zu befolgen. Nein, die Reichswehr marschiert vielmehr auf Eberts Befehl gegen Thüringen, um – wie wenige Tage zuvor in Sachsen – auch die dortige rotrote Koalitionsregierung unter seinem Parteifreund August Fröhlich ihres Amtes zu entheben. Reichswehrminister Otto Geßler stellt – eine nützliche flankierende Maßnahme – zugleich die öffentliche Beschimpfung der Reichswehr unter Strafe. Und in Bayern hängen Plakate: »An Franzosen, Belgier, Sowjet-Thüringer und Sowjet-Sachsen wird nichts verkauft.«[1] So erwachte Deutschland an dem Tage, an dem Rudolf Augstein geboren war.

Und das ist nicht alles. Konrad Adenauer, der bereits seit siebenundvierzig Jahren geboren und nunmehr Oberbürgermeister von Köln ist, hat schon zwei Tage vor Augsteins Geburt in einem Interview mit einer Brüsseler Zeitung dementiert, dass er für die Bildung eines rheinischen »Pufferstaates« zwischen dem Deutschen Reich einerseits und Frankreich/Belgien andererseits eintrete – doch das wird ihm nichts nutzen. Dreißig Jahre später veröffentlicht Augstein sein erstes Buch *Deutschland – ein Rheinbund?*, das Adenauer in den Ruch eines Separatisten bringt. Auch der achtjährige Franz

Josef Strauß hat noch keine Ahnung, dass Rudolf Augstein nunmehr da ist und ihn überleben wird.

Vier Tage später, Klein-Rudi hat schon einige Male kräftig in die Windeln gemacht, marschiert in München Adolf Hitler mit seinen Getreuen zur Feldherrnhalle. So kommt eins zum anderen.

Das Vierteljahresabonnement der *Weltbühne* kostet in Amerika, China und Japan einen Dollar, in Deutschland beziffert sich der Abopreis für den November auf sechzehn Milliarden Mark. Mitarbeiter Moritz Heimann beklagt sich im Heft, dass er für den Nachdruck eines *Weltbühne*-Beitrags durch zwei angesehene Tageszeitungen von der einen sechzig Milliarden Mark bekam, von der anderen hundertfünfzig Milliarden. Das waren, als ihm das Geld ausgehändigt wurde, beim ersten Mal knappe fünf Pfennig, und beim zweiten etwas mehr als ein Pfennig. Nun fragt er, wie er davon dem Landbriefträger, der das Geld auszahlt, ein Trinkgeld geben könne, ohne ihn zu beleidigen.[2]

Mit Augsteins Geburt ist nach Berechnungen des Statistischen Reichsamts der Lebenshaltungsindex gegenüber der Vorwoche um 620,5 Prozent gestiegen, auf jetzt den 98,5fachen Wert der Vorkriegszeit.

Siegfried Jacobsohn, damals noch der *Weltbühne*-Herausgeber, schreibt in der Geburtstagsnummer: »Da die Presse die Zustände nicht nur spiegelt, sondern auch macht, mögen diese sich bei jener bedanken, dass sie sind, wie sie sind.« Jacobsohn zitiert den von Regierungstruppen ermordeten sanften Revolutionär Gustav Landauer: »Wir brauchen ein völlig neues Zeitungswesen, und ich würde keinerlei Gewalttat scheuen, um die alte Presse zu vernichten.«[3]

Das ist die *Weltbühne* an Rudolf Augsteins Geburtstag. Der Neugeborene wird sechsundvierzig Jahre später schreiben:

»Das kapitalistische Pressesystem beruht auf dem unveräußerlichen Grundrecht jedes Kaufmanns, dumme Käufer aufzusuchen und sie noch dümmer zu machen ... Das Spektrum der westdeutschen Publikationsmittel in Privathand spiegelt den jammervollen Zustand der allgemeinen politischen Verhältnisse getreulich wider.«[4]

Augstein meinte damit die Konkurrenz.

* * *

Sein Urgroßvater war ein Bäckermeister, der, das unterstellen wir, etwas buk, was es heute in Deutschland nicht mehr gibt: richtiges Brot. Später allerdings fing er mit dem Handel von Rheinwein an, und sein Sohn, der Großvater, wurde damit reich: der reichste Mann in Bingen am Rhein. Er ließ sich aus Amerika eine Hausorgel besorgen und legte den ersten Tennisplatz im Ort an. Aber er war human. Nicht nur ersparte er seiner Umwelt das nervtötende Klack-Klack, denn weder er noch andere spielten auf seinem Platz, vor allem durfte ihm keiner ins Haus, der eine Uniform trug. Auch nicht sein eigener Sohn Friedrich, der, obwohl Preußenhasser, eine seltsame Leidenschaft zur soldatischen Verkleidung des Menschen entwickelt hatte und schließlich, als Rudolf schon da war, Zentrum wählte.

Er war ja Fabrikant, mithin Besitzer von Produktionsmitteln, Hersteller von Kameras und anderen fotografischen Geräten, und hielt sich – ganz privat – ein Artilleriepferd. Goldene Jahre, bis die Weltwirtschaftskrise zuschlug.

1930 musste Friedrich Augstein die Fabrik, bevor sie in Konkurs ging, für fünfunddreißigtausend Mark verkaufen. Und wurde – so Sohn Rudolf – »das Schlimmste, was man auf der Welt werden kann«, nämlich Handelsvertreter. Ein Leben in ständiger Demütigung. Schließlich konnte er 1936 günstig ein Fotogeschäft in der Vahrenwalderstraße 39 B an der Ecke Kriegerstraße einrichten, gleich beim Artilleriedepot, dort, wo vorher ein Schlachterladen war und heute im Neubau der

Bäcker Tinius seine Brötchen verkauft. Etwas weiter unten am Welfenplatz lagen die Kasernen. Und weiter oben zwischen Dragoner- und Husarenstraße stand die Kavallerieschule – möglicherweise hatte Friedrich Augstein dort sein Artilleriepferd untergebracht.

Das Wohnhaus stand zwanzig Laufminuten entfernt in der Podbielskistraße 310, heute 105, wo damals noch die Fischhandlung Hohtmann residierte und heute wie zu jener Zeit eine Filiale des Bestattungsinstituts August Wiese sich um das kümmert, was von uns bleibt. Wer noch lebte, kam in wenigen Schritten über die Viergrenzenstraße zum Hannoverschen Stadtwald, der Eilenriede, und konnte dort spazierengehen.

Zentrum wählte der Vater also, deutschnational war er, gemäßigter Antisemit bis 1933 und ab 1945 wieder, hasste die Nazis und hörte, wenn wir dem Sohn glauben dürfen, heimlich Radio Moskau. Und das schließlich mit einer gewissen Enttäuschung, denn als die Außenminister Ribbentrop und Molotow im August 1939 den Nichtangriffspakt abschlossen, kamen über die Ätherwellen allzu deutschfreundliche Töne.

Der junge Augstein wuchs in politische Gespräche hinein. Als Hitler 1934 Ernst Röhm und seine SA-Führer erschießen ließ, »da dachten wir«, er war zehn Jahre alt, »es wird nun besser, dabei wurde es schlimmer«. Diesen durch und durch widersprüchlichen und nonkonformen politischen Schliff hatte er vom Vater.

Von der Mutter bekam er eine durch und durch katholische Erziehung, und das prägt auch. Mir ging es – immer zwölf Jahre nach ihm – ebenso. Wenn ich als kleiner Junge Bibel las, konnte es schon mal passieren, dass ich auf die Wand guckte, ob da nicht …, aber ich sah immer nur die Schrecken der Blumentapete.

Augstein war da, wenn auch in reiferem Alter, klüger. Als vierundzwanzigjähriger Autor nahm er die Sache selbst in die Hand und für den *Spiegel* und für die Wiederherstellung der deutschen Einheit den deutsch-hebräischen Namen Jens Daniel an. Letzteres heißt: »Gott wird strafen.« Tatsächlich hatte der biblische Daniel zum Sturz des Königs Belsazar beigetragen, indem er das Menetekel erfand, auf Aramäisch »Mene tekel ufarsin«. Das war die Schrift an der Wand, die dem König nicht guttat und die auf Deutsch lautet: Gott hat das Reich gezählt, gewogen, geteilt.

Schon dem allerjüngsten Augstein tat es sehr weh, wenn er auf der Landkarte Deutschland in zwei Teile gerissen sah. Damals lag das andere Teilstück noch weiter im Osten. Jedenfalls erkannte der kleine Rudi frühreif, ja nach unseren heutigen Begriffen schon richtig erwachsen, dass »Deutschland etwas ist, dem man etwas weggenommen hat«. So erzählte er es später Erich Kuby und fügte hinzu: »Es waren Gebiete, auf die es Anspruch hatte, wie ich als Kind meinte.«[5]

* * *

Im Februar 1933 brennt der Reichstag. Augstein war neun Jahre alt und bekam, wie er sich später erinnerte, vom Vater zu hören: »Erst haben sie den Reichstag angezündet, später werden sie die Welt in Brand setzen.« Doch da sollte sich Rudolf noch eine sehr eigene Meinung bilden.

Wenige Wochen nachdem das deutsche Bürgertum, der nachmalige Bundespräsident Theodor Heuss mit an der Spitze, dem Führer die Macht übergeben hatte, fand sich der Neunjährige als Sextaner auf einer Zwei-Sitze-Schulbank des Gymnasiums in Hannover-Linden wieder, das damals seinen Namen nach Auguste Viktoria führte, der Tochter von Herzog Friedrich VIII. von Schleswig-Holstein-Sonderburg-Augustenburg, die nicht nur 1881 durch ihre Hochzeit mit dem nachmaligen und vorläufig letzten deutschen Kaiser Wilhelm II. die Versöhnung der Häuser Augustenburg und Hohenzollern betrieb und auch sonst durch wohltätige Bestrebungen und als vortreffliche Gattin aufgefallen war, sondern sich im Ersten

Weltkrieg energisch im Sinne einer starken Kriegsführung wie der Erhaltung der Rechte der Krone eingesetzt hatte.

So jedenfalls weiß es, da kann man nichts machen, der 1957 erschienene erste Band *(A-Beh)* jener *Neuen Deutschen Biographie*, die als Zierde und Erste Hilfe in jeder Universitätsbibliothek steht und bis heute noch lange nicht X,Y und Z erreicht hat, dafür aber getreulich vermeldet, dass 1921 bei Auguste Viktorias Beisetzung im antiken Tempel in Potsdam die Teilnahme von hunderttausenden deutscher Männer und Frauen die Beliebtheit bezeugte, die sie im Volke genoss.[6] Das ist lange her. Inzwischen musste das Gymnasium seinen Namen abgeben und heißt heute – das ist der Fortschritt – Helene-Lange-Schule nach der Vorsitzenden des »Allgemeinen deutschen Lehrerinnenvereins«. Helene Langes Hohn auf die Pädagogen, die meinten, das Mädchen sei zu bilden um des Gatten willen, auf dass sich der deutsche Mann am heimischen Herd nicht langweile, hat nachweislich auf den Auguste-Viktoria-Schüler Rudolf Augstein keinen schädlichen Einfluss mehr nehmen können.

Im Krieg wurde das Kaiserin-Auguste-Viktoria-Gymnasium mit dem Ratsgymnasium zusammengelegt. Für Schüler Rudolf bedeutete dies eine beachtliche Kürzung des Schulwegs, musste er vorher vom Nordosten durch ganz Hannover über Leine und Ihme in den Südwesten, so war die neue Schule nicht ganz so weit: Vom väterlichen Haus in der Podbielskistraße 310 kam er über die Vier-Grenzen-Straße in die nach Wilhelms Weltmarschall benannte Walderseestraße, von da, natürlich, in die Hohenzollernstraße, die Königstraße und die Prinzenstraße. Er konnte aber auch über den Stadtwald abkürzen, vorbei am Walderseedenkmal, vorbei am Königinnendenkmal, um dann beim Kriegerdenkmal vom Ende der Hohenzollernstraße ebenfalls in die Königstraße und Prinzenstraße zu gelangen. Wer so einen Schulweg hat, ist für sein Leben gezeichnet. Und wenn er dann endlich aus der Prinzenstraße am Ratsgymnasium ankommt, und das steht nicht mehr wie bis 1933 auf dem Georgsplatz, sondern auf dem Rustplatz – wie kann man diesem bedauernswerten Schüler, und heiße er auch Rudolf Augstein, da noch helfen?

Bernhard Rust, vierzig Jahre vor Rudolf Augstein in Hannover geboren, war von 1909 bis 1930 Studienrat am Ratsgymnasium. Er ging 1914 als Freiwilliger in den Krieg und holte sich dort einen weiteren Dachschaden, der zu einer ausgedehnten Betätigung in allen nur möglichen völkischen Gruppen Hannovers führte und schließlich zum Amt des NSDAP-Gauleiters. Wegen »zirkulären Irreseins« wurde er 1930 als Sechsundfünfzigjähriger in den vorzeitigen Ruhestand versetzt und noch im gleichen Jahr für die NSDAP in den Reichstag gewählt. Zum Führergeburtstag erfand er 1933 die Napolas, die Nationalpolitischen Erziehungsanstalten, die in manchem der aus ihnen hervorgegangenen Journalisten allerlei Wirrnis hinterlassen haben. 1934 schließlich wurde er Reichsminister für Wissenschaft, Erziehung und Volksbildung, wozu ihn insbesondere sein hoher Verbrauch geistiger Getränke befähigte. 1945 im April floh er zur Regierung Dönitz nach Mürwik, erschoss sich aber nach der Kapitulation, wodurch er sich, anders als der Hitler-Nachfolger selbst, um den Genuss seiner wohlverdienten Pension brachte. Da konnte die Schule froh sein, dass nur der Platz, auf dem sie stand, und nicht auch sie selbst nach Rust benannt worden war.

Aber noch ist es nicht soweit, noch sind wir im April 1933 im Kaiserin-Auguste-Viktoria-Gymnasium, das vor allem von katholischen Knaben besucht wurde. Neben dem Sextaner Augstein saß sein Mitschüler Helmut Ostermann. Klassen- und Religionslehrer Hesse rief die neuen Schüler auf, fragte nach dem Beruf des Vaters und nach der Konfession. Kein Problem bei Augstein, dem ersten im Alphabet: Religion katholisch. Dann, nach einiger Zeit, später im Alphabet, der Schüler Ostermann. Konfession jüdisch, der einzige in der Klasse, der einzige an der ganzen Schule. Schweigen. Schließlich brach es aus dem Klassenlehrer Hesse heraus: »Be'reschit barah elohim et ha'shamjim.« (»Am Anfang schuf Gott Himmel und Erde.«)

Der Schüler Ostermann verstand nur Bahnhof. Der Klassenlehrer war katholischer Pfarrer, hat Hebräisch gelernt, der neunjährige Schüler mit der auffälligen Konfession hatte davon keine Ahnung. Er nickte nur stumm.

»Ich muss daher Rudolf Augstein schon an diesem Tage aufgefallen sein«, schrieb er sechzig Jahre später. »Aber ich weiß nicht, ob das der Beginn unserer Freundschaft war oder ob sie sich ein paar Tage später angebahnt hat.« Jedenfalls ging der kleine Augstein fortan einen Teil des Schulwegs mit Ostermann zusammen, besuchte ihn zu Hause, aß Kuchen von seiner Mutter.[7] Was ihn übrigens nicht von Adolf Hitler unterschied – noch im März 1934 besuchte der Führer seinen Mentor, den Geopolitiker Karl Haushofer, zu jüdischem Kaffee und jüdischem Kuchen von dessen jüdischer Ehefrau Martha.

Eines Tages – es war im November – gab es für Schüler Rudolf den gewohnten Kuchen nicht mehr. Jahrzehnte später erzählte er Erich Kuby von dem Schulfreund Ostermann, »der auf rätselhafte Weise verschwand«.[8]

Doch im Unterschied zu vielen anderen blieb er nicht verschwunden. 1958 gab Uri Avnery, der Herausgeber und Chefredakteur des israelischen Nachrichtenmagazins *Haolam Haze* (»Diese Welt«) dem *Spiegel*-Korrespondenten Hans Germani Auskunft über einen mysteriösen Entführungsfall, den sein Redakteur Eli Tabor überlebt hatte. Avnery erwähnte dabei, dass er in Hannover geboren sei. Sein Chef auch, sagte Germani. Wie alt Herr Augstein sei, fragte Avnery, welche Konfession, ob er Schüler des Kaiserin-Auguste-Viktoria-Gymnasiums war, ob der Klassenlehrer Hesse geheißen habe. Alles stimmte. Uri Avnery war Helmut Ostermann, der als Zehnjähriger das Glück hatte, mit seinen Eltern Deutschland zu verlassen und in Israel ein neues Leben zu beginnen. Und im *Spiegel* vom 21. Mai 1958 war dann zu lesen:

»Für die Behauptung, sein Redakteur Tabor sei vom israelischen Geheimdienst entführt worden, glaubt der 34jährige Herausgeber des *Haolam Haze* gute Gründe zu haben: Uri Avnery, der 1933 als Helmut Ostermann die Bänke der Sexta im ›Kaiserin-Auguste-Viktoria-Gymnasium‹ in Hannover drückte, gilt als einer der schärfsten Kritiker des derzeitigen harten Regierungskurses gegenüber den Arabern.«[9]

Wer neben ihm die Schulbank in Hannover gedrückt hatte, stand damals allerdings nicht im *Spiegel*. »Der Zufall war beinah surrealistisch«, meinte Avnery später, »zwei Schüler in derselben Klasse, zwei Herausgeber und Chefredakteure von Nachrichtenmagazinen derselben Art.«[10] Beide hatten Probleme mit ihren Regierungen. Beide wurden ins Parlament gewählt. Augstein allerdings hielt es dort nur vier Monate aus, Avnery blieb zehn Jahre. Wie Augstein gegen Adenauer, so kämpfte Avnery gegen Ben Gurion.

Doch wirklich kurios war die Person des Mannes, der die Schulfreunde wieder zusammenbrachte. Germani arbeitete als *Spiegel*-Korrespondent zugleich auch für die judenfeindliche *Deutsche National- und Soldatenzeitung*, nahm als Journalist und Straßenkämpfer am Aufstand von Budapest teil, wurde verwundet, lieferte dem *Spiegel* als Trophäe drei grauenhafte ganzseitige Lynch-Fotos von einem kopfverletzten kommunistischen Offizier, der »im Zuge des ungarischen Freiheitskampfes« aus dem Krankenhaus gezerrt, zuerst an den Füßen aufgehängt und zu Tode gequält, und dann, das dritte Foto, mit einer Lederschlinge am Kopf aufgehängt wurde – die Schuhe hatte man ihm ausgezogen und zwischen die in die Hosentaschen geschobenen Arme gesteckt.[11] Schließlich ging Germani zu Springers *Welt*, wo er auch hingehörte. Aus Johannesburg lieferte er fortan Berichte über die Segnungen der südafrikanischen Apartheid und schrieb 1966 für Ullstein ein Buch, das den unbändigen Freiheitsdrang der im Kongo marodierenden europäischen Soldateska würdigte *(Weiße Söldner im schwarzen Land)*.

* * *

Es war Herbst geworden im Jahr 1933. Zeit der Zeugnisse. Sextaner Augstein, dessen Verhalten im Kaiserin-Auguste-Viktoria-Gymnasium an der Hohen Straße »gut« und dessen Beteiligung am Unterricht »lebhaft« war, brachte in allen normalen Fächern ein »Gut« nach Hause. Nur für Handschrift, Zeichnen und für Leibesübungen gab es ein flaues »Genügend«. In Musik aber war Augstein »sehr gut«.

Kein Wunder, zu Hause sang er Kirchenlieder. Aber er sang auch Lieder von Schubert, Schumann und von Hugo Wolf. Und das Lied vom Prinzen Eugen, dem edlen Ritter, das für seine politische Sozialisation so wichtig werden sollte. Zunächst aber wollte er Dirigent werden.

In der Sexta wurde auch deutsches Liedgut gelehrt, das sich der jüdische Schulfreund im Gedächtnis bewahrt hat. – Darunter auch dieses Lied vom geknechteten, belogenen Volk, betrogen von Verrätern und Juden, die den Gewinn haben, das mit der Frage anhebt: »Siehst du im Osten das Morgenrot?« und drauf antwortet: »Ein Zeichen zur Freiheit zur Sonne«, worauf ihm im Volke ein Führer entstand. Ebendieses Lied gehörte zu denen, an die sich Uri Avnery sehr gut erinnern konnte und das er auch heute manchmal »zum Entsetzen meiner deutschen Freunde« laut vorzusingen beginnt. Es endet mit den zeitgemäßen rotgrünen Versen:

»Warum jetzt noch zweifeln,
hört auf mit dem Hadern,
noch fließt uns deutsches Blut in den Adern.
Volk ans Gewehr, Volk ans Gewehr.«

Augstein begann schon bald Richard Wagner zu lieben – dass er aber später für den *FAZ*-Fragebogen die Frage nach seinem Lieblingskomponisten mit »Ehedem Wagner«[12] beantwortete, ist ein noch schönerer Zug an ihm. Damals hatte der Bayreuther Sachse für den aufblühenden Körper des jungen Augstein eine sehr gesunde Funktion. Noch als nahezu Sechzigjähriger erinnerte sich der einstige Messdiener wehmütig an die frühen Warnungen des Jesuitenpaters Mertens in Hannover: Wagners Musik sei sinnlich und schwül. Augstein: »Eben, eben deshalb stand der Ministrant ja Schlange.«[13]

Stand er. Während er weniger gefälligen Damen nachdichtete (»Mädchen gehen am Hag, / süß von Schauern durchschwellt. / Herz, dein brausender Schlag / füllt die goldene Welt«), verlor Rudolf Augstein nach einer späteren Bekanntmachung des Kollegen Leo Brawand als Sechzehnjähriger seine geschlechtliche Unschuld an eine Prostituierte.[14] Aber er war schon immer das Hähnchen im Korb, dafür sorgten die fünf Schwestern, nur eine jünger als er. Von ihnen weiß er: Frauen sind dazu da, ihn zu verwöhnen. Bruder Josef hatte das Haus verlassen, bevor Rudolf in die Schule kam.

Im sechzehnten Lebensjahr legte er auch seine politische Reifeprüfung ab. Die Klasse war bereits umgezogen in das Ratsgymnasium am Platz des zirkulären Irreseins. Am 1. Juli 1940, einem Montag, schrieb dort der sechzehnjährige Unterprimaner Rudolf Augstein einen Klassenaufsatz über »Die politische, wirtschaftliche und militärische Lage Englands nach dem Ausscheiden Frankreichs«. Er schrieb ihn in der deutschen, der Sütterlinschrift. Wenige Monate später wurde sie durch lateinische Buchstaben ersetzt – man sollte lesen können, was Deutsche schreiben, denn morgen gehörte uns doch die ganze Welt. Noch heute bringt Augstein die Redakteure im eigenen Haus in Verlegenheit – sie können seine deutschen Buchstaben nicht lesen.

Während Augstein seinen Aufsatz schrieb, tat sich einiges. Joseph Goebbels, der Volksaufklärungsminister, hatte am Wochenende die Niederlande und Belgien besucht und befand sich nun in Paris. »Holländisches Volk benimmt sich gut«, hatte er notiert. Belgien: »Nicht ganz so sauber wie Holland. Stimmung positiv.« Denn: »Allgemeiner Hass auf London.« Auf dem Weg nach Paris hielt er in Compiègne, der »Schandstätte und Stätte der nationalen Auferstehung« – eine Woche zuvor mussten dort die Franzosen den Waffenstillstand unterzeichnen wie 1918 die Deutschen. Goebbels schrieb auf: »Soldaten stehen dort in Massen herum. Nur eine Frage: wann geht's nach England.«

Gegen Mittag, Goebbels war in Paris, ein Telegramm des Führers: »Am nächsten Tag zu ihm kommen. Also wohl eine wichtige Sache.«[15] Um diese Zeit, mutmaßlich, muss Augstein seinen Klassenaufsatz abgegeben haben, in dem er eine »einseitige Unterrichtung durch die Presse« beklagte und dann fortfuhr:

> »Wir wollen es uns nicht verhehlen. England ist noch nicht besiegt, ja es ist noch nicht einmal wirksam geschlagen worden. Nichts wäre verderblicher, als zu glauben, die zähen und tüchtigen Angelsachsen der germanischen Völkerfamilie würden genauso rasch und geschlagen um Frieden bitten wie ... Frankreich.«

Deutschland hatte allein im Monat zuvor im Handelskrieg gegen Großbritannien – wie in immer neuen Sondermeldungen bekanntgegeben wurde – dreiundsechzig Handelsschiffe mit insgesamt 355 431 Bruttoregistertonnen versenkt, doch Schüler Augstein schrieb:

> »Eine Hoffnung mögen wir getrost zu Grabe tragen, dass das britische Empire in einem längeren Kampf aus sich heraus zusammenfallen würde. Der Riesenapparat des Weltreichs im Verein mit den Industrien und Agrarprodukten des ganzen amerikanischen Kontinents und vermehrt durch die Kolonialgebiete Frankreichs, Belgiens und Hollands reicht vollkommen aus, selbst die ange-

spanntesten Bedürfnisse der Kriegswirtschaft zu befriedigen.«

Während Augstein seinen Aufsatz verfertigte, besetzten deutsche Truppen die britischen Kanalinseln. Und zwei Wochen später gab der Führer und Oberste Befehlshaber der Wehrmacht die Weisung Nr. 16 über die »Vorbereitungen einer Landungsoperation gegen England«, für die er den Decknamen »Seelöwe« vorsah. Hitlers »Geheime Kommandosache« befahl: »Die Landung muss sich in Form eines überraschenden Überganges in breiter Front etwa von Ramsgate bis in die Gegend westlich der Insel Wight vollziehen ...«

Im Reichssicherheitshauptamt wurde schon seit Ende Juni – von sehr kompetenten Leuten, wie Augstein später erfahren konnte – eine »Sonderfahndungsliste G. B.« ausgearbeitet, die schließlich rund zweitausendsiebenhundert Namen enthielt. Winston Churchill stand darauf, aber auch Virginia Woolf, H. G. Wells und, klar, General de Gaulle. Juden, Freimaurer, Emigranten, Sozialisten, Kommunisten, Liberale. Die sollten sofort nach der Invasion Großbritanniens festgenommen werden. Ein »Informationsheft G. B.« legte fest, welche Industrieanlagen, Behörden, Gebäude jüdischer Organisationen zuerst zu besetzen waren.[16]

Schüler Rudolf hatte Glück. Er bekam einen Tadel und seinen Aufsatz unzensiert zurück. Als er im nächsten Jahr – durchweg mit Note 1 – das Abitur machte, ließ man ihn, den besten Schüler der Anstalt, besser nicht die Abiturrede halten.

* * *

Dreieinhalb Monate nach dem defätistischen Schulaufsatz stand Rudolf Augsteins Name öffentlich in einem Blatt – gemeinsam mit dem des Propagandaministers, der in seinem vertraulichen Tagebuch schon längst zweifelte, ob der Seelöwe überhaupt noch hochkommt (»So, fürchte ich, bekommen wir die Engländer nicht klein.«).[17] Wie jeden Sonntag erschien am 13. Oktober 1940 in Berlin das erst im März gegründete große Qualitätspapier des Dritten Reiches *Das Reich*. Vorne rechts wie immer der Leitartikel von Reichsminister Dr. Goebbels. Innen eine wichtige Abhandlung über »Aufbau und Ausbau der deutschen Reichsverfassung« von Professor Dr. Ernst Rudolf Huber, Leipzig, der später von Göttingen und Freiburg aus Maßgebendes über die richtige Auslegung der freiheitlich-demokratischen Grundordnung des Grundgesetzes verfügte. Hier und jetzt verkündete er erst einmal das »Führerprinzip« als obersten Verfassungsgrundsatz und freute sich über die »Ausscheidung des Judentums aus dem Volkskörper« und über die »Ausmerzung der Juden aus dem Wirtschaftsleben«. Weiter hinten aber verhöhnte der noch kaum siebzehnjährige Schüler Rudolf Augstein an diesem 13. Oktober anlässlich einer Auseinandersetzung über Nietzsche alles, was von Goebbels bis Huber im *Reich* stand, mit der Feststellung des Skeptikers, »dass es einen endgültigen Wahrheitsmaßstab kraft der Verschiedenheit der Standpunkte eben nicht geben kann«.

Jene Lehrer in Hannover, die so dachten wie der klügste Schüler des Gymnasiums, freuten sich – und angesichts des Orts der Augstein-Veröffentlichung freute sich achtundvierzig Jahre später auch der Bundesnachrichtendienst. Einer seiner Mitarbeiter bat den BND-Vertrauensmann und Journalisten *(Soldat im Volk)* Gerhard Baumann, Deckname Bally, ein Manuskript über ein deutsches Nachrichtenmagazin zu prüfen. Der bedauerte: »Ziel der Veröffentlichung soll doch sein, es aus den Angeln zu heben.« Das aber werde mit dieser Arbeit nicht erreicht: »Der Versuch, Augstein in die NS-Ecke zu stellen, weil er einmal einen kleinen Beitrag in *Das Reich* veröffentlichte, ist läppisch. Dazu bedürfte es ganz anderer Fakten …«[18]

Die Broschüre blieb ungedruckt. Vier Jahre später, 1992, versuchte das Wiener *Forum* den *Spiegel*-Herausgeber mit einem Beitrag aus dem Zentralorgan der NSDAP, dem *Völkischen Beobachter*, in Verlegenheit zu bringen. Für jeden, der sich das anschaute, war dieser Vorwurf töricht. Aber etwas in Rudolf Augstein war – verständlicherweise – verletzt, und darum setzte er sich auf vier *Spiegel*-Spalten (»In eigener Sache«) mit dem albernen Vorwurf aus Wien auseinander.

Die Vorgeschichte: Nach dem Kriegsabitur im April 1941 – »Der Führer schenkt euch ein Jahr« – war der siebzehnjährige Augstein, um dem Zwang zum Arbeitsdienst zu entgehen, Volontär beim *Hannoverschen Anzeiger* geworden und kam dort gleich in die richtigen Hände: Friedrich Rasche, der Feuilletonchef, war kein Freund des Regimes. Bei Theaterpremieren ließ er stets den Platz neben sich frei. Seine Frau – nach den zoologischen Kategorien von Adenauers späterem Staatssekretär Hans Globke eine »Halbjüdin« – durfte nicht ins Theater. Augstein kannte ihn lange, weil Rasche auch für den *H.A. Jugendfreund* zuständig war, die Jugendseite des *Anzeigers*, für die er vorher als Schüler schrieb.

Von November 1941 bis Februar 1942 musste er dann doch nach Chelmno an der Weichsel, das damals Kulm genannt wurde und unter deutscher Besatzung stand, zum Arbeitsdienst, den er sich kommod gestaltete. »Die Butter wird knapper und das Fleisch auch, da ist nichts zu machen«, schrieb er im Januar seinem ehemaligen Klassenlehrer Bernhard Haake und fuhr stolz fort: »Nur nicht bei mir. Ich bin Kantinenwirt und Postordonnanz für das 3 km entfernte Kulm und habe es wieder einmal gedeichselt.« Erfreut war der nun achtzehnjährige Augstein auch über ein Honorar, das er gerade bekommen hatte: »Vor kurzem für Artikel, der im *Reich* gestanden hat, 35 RM gekriegt, ganz anständige Bezahlung für so ein kleines Lumpending.«

Der Autor – man gönnt sich doch sonst nichts – macht sich hier die Freude, an die Lumpendinger zu erinnern, für die Augsteins *Spiegel* sechzehn Jahre später jeweils dreißig bis vierzig D-Mark an den FU-Studenten Otto Köhler zahlte (das waren mehr als zwanzig Mensa-Essen mit Getränk oder auch die halbe Monatsmiete für eine schöne Bude in der Dahlemer Villa des ehemaligen Chefs der Deutschen Bank Arthur von Gwinner, Im Dol 50, dort, wo später auch Rudi Dutschke wohnte), viel Geld also damals, und das floss wg. – nein, das schicken wir besser in die Fußnote.[19]

Denn eigentlich sind wir bei Augstein und der war vom Arbeitsdienst schon zurück in Hannover und half seinem Mentor Rasche bei der Gestaltung des Blatts, versuchte eigene Beiträge in das Feuilleton des *Hannoverschen Anzeigers* zu schmuggeln, doch Rasche kam ihm stets auf die Schliche. Augstein schickte daraufhin seine Artikel an die Wiener Feuilleton-Agentur RO-MI.

Erst im Dezember 1992 konnte sich Rudolf Augstein vorstellen, wie er, nachdem er seine Artikel 1942 der Agentur RO-MI anvertraut hatte, sich im *Völkischen Beobachter* wiederfand:

> »Ich war inzwischen Soldat geworden und hörte nichts mehr von der Agentur, bis mir jetzt die Wiener Zeitschrift *Forum* die Maske vom Gesicht riss und mich zum Mitarbeiter des *Völkischen Beobachter* erklärte. Ich blätterte darauf in alten Papieren und fand ein Belegexemplar der *Metzer Zeitung am Abend,* die es zwischen 1940 und 1944 gegeben hat. Es muss der Agentur damals also tatsächlich gelungen sein, ein und denselben Text von mir gleich zweimal unterzubringen.«

Damit sich jeder selbst ein Bild machen konnte, druckte er daneben den Sechsundachtzig-Zeilen-Text »Frau aus der Fremde – Von Rudolf Augstein« im Faksimile. Er hebt an: »Ich saß ihr im Wartesaal auf dem Bahnsteig gegenüber. Mein Blick fiel auf ihre Erscheinung, kaum, dass ich meinen Koffer unter die Bank geschoben und mich niedergesetzt hatte.« In der Mitte erreicht der Text den Höhepunkt: »Blauschwarzes, in der Mitte gescheiteltes Haar fiel an ihrer hellbronzenen Wange herunter und verschlang sich hinten zu einem Knoten.«

Weder davor noch danach steht irgendetwas Völkisches, und auch der möglicherweise deutsche Haarknoten wird durch die Blauschwärze der Haare spielend entwertet. Der Text endet nach einem Pfeifensignal des Bahnhofsvorstehers, das die Dame nach einem erschreckten Blick zur Bahnhofsuhr aufstehen und hinausgehen lässt: »Fahre wohl, unbekannte Frau! Die Sonne, die so stark in dir strahlt, wird auch draußen in der fremden Welt nicht aufhören dir zu scheinen. Fahre wohl!«

Selbst wenn Rudolf Augstein damals dem Chefredakteur des *Völkischen Beobachters* diesen Text persönlich übergeben hätte, und das hat er glaubhaft nicht, dann wären nur sechsundachtzig kostbare *VB*-Zeilen der NS-Propaganda entzogen worden. Augstein hatte es wirklich nicht nötig, sich nach einem halben Jahrhundert gegen die Vorwürfe aus Wien zu verteidigen, aber er tat es, verletzt wie er war, doch: »Kann man mich nun also als Mitarbeiter jenes Kampfblattes der NSDAP bezeichnen?«, fragte er 1992 im *Spiegel*, konnte den Freispruch dem Leser überlassen und fuhr fort:

> »Den Text, den ich mit 17 oder 18 Jahren geschrieben habe, finde ich gar nicht so schlecht, für den *Völkischen Beobachter* habe ich ihn nicht geschrieben. Das höchste Honorar bis Kriegsende strich ich für einen Leserbrief an *Das Reich* ein, in dem es um ein angeblich neues Nietzsche-Bild ging (er ist übrigens bekannt). Das waren 35 Mark, damals viel Geld für mich; beim *Hannoverschen Anzeiger* verdiente ich 75 Mark im Monat. Auch das war mehr als nichts.«

* * *

Im April 1942 wurde er doch noch zur Wehrmacht eingezogen. Als Kanonier musste er in den Krieg im Osten, wurde

Leutnant und antwortete später – ein schöner Zug – auf die *FAZ*-Frage nach den militärischen Leistungen, die er am meisten bewundere: »Meinen Rückzug aus der Ukraine.«[20]

Verständlich also, dass ihm im Dezember 1992 angesichts der Wiener Verdächtigung die Galle überlief und er ein für allemal für sich und auch gleich für sein Blatt feststellte:

> »Die beiden von Deutschen verursachten Weltkriege sind von Historikern dieses Hauses gründlich aufgearbeitet worden wie kaum sonstwo. In umfangreichen Serien hat der *Spiegel* den Deutschen ihre Vergangenheit nahegebracht. Ein heuchlerisch nazistisches Magazin ist er nie gewesen. Das Gegenteil ist der Fall.«[21]

KAPITEL 3

»Ab 100 000 Mark müsste ein Köfferchen drin sein« – Wie Bonn wurde, was es war

> »Ich bedauere, dass wir nicht einmal wissen, wie es denn eigentlich kommt, dass etwas unklare und sehr bescheidene Mittelsmänner in den Besitz dieses Originals gekommen sind, um es dann der Sensationspresse zuzuspielen, die leider Gottes allzu viele Kollegen nur allzu gierig kaufen, offenbar um ihre eigene schmutzige Weste bewundern zu können (Heiterkeit), womit dann der große Skandal anhob.«
>
> *Der Bundestagsabgeordnete Hans Ewers (Deutsche Partei) in der Fünfeinhalb-Stunden-Debatte des Deutschen Bundestages zum Schlussbericht des* Spiegel-*Ausschusses.*[1]

Rudolf Augstein saß auf einem Felsen der Grotta Byron beim damals vom Tourismus noch unentdeckten Fischerort Porto Venere. »Weißt du«, sagte er dem Freund Michael Thomas, »ich habe im Leben alles erreicht, was man erreichen kann.«

Da war Augstein gerade mal siebenundzwanzigeinhalb Jahre alt, erst zum zweiten Mal verheiratet, und bis das Jahrhundert, in dessen Mitte er sich gerade befand, zu Ende gehen sollte, würde er Journalist ebendesselben geworden sein und ebensoviele Ehefrauen absolviert haben wie Axel Springer, der 1985 verstorbene Konkurrent in manchen Lebenslagen. Einen richtigen Freund fürs Leben hatte Augstein: Michael Thomas, der 1948 als britischer Pressekontrolloffizier nach Hannover gekommen war.

Thomas hatte schnell erkannt, dass der »schmächtige bleiche Jüngling« die »dominierende Figur« war, dass er das Sagen hatte: »Selbst seine Mit-Lizenzträger« – es gab anfangs noch zwei, die bald hinausgekauft waren – »behandelten den sehr viel Jüngeren deutlich als Vorgesetzten; Augstein führte im wesentlichen das Wort.«

Diese Führungseigenschaften lagen bei Augstein nicht in irgendwelchen Genen, sondern in den Fingern. Danken musste er dafür der HJ. Er hatte sich damals gedrückt, solange er konnte, was er über den Geländedienst gehört hatte, machte ihm angst. Mir auch. Obwohl ich Adolf Hitler liebte, dachte ich mit Schrecken an die Strapazen und Schikanen bei der Hitlerjugend. Kampf und Krieg erlebte ich lieber – und begeistert – auf dem Papier in den bunten Heften der *Kriegsbibliothek für die Deutsche Jugend* als im Dreck auf dem Lande. Mich, den Zehnjährigen, bewahrten die einrückenden Amerikaner vor den Beschwerden der HJ. Den zwölf Jahre älteren Augstein aber bewahrte, wie er später erzählte, der Vater vor jedweder Liebe zu Hitler, und der häusliche Bücherschrank bescherte ihm bessere Lektüre. Doch vor der Hitlerjugend konnten ihn keine Amerikaner oder Engländer retten – die spielten damals mit Hitler Olympia. Augstein entwand sich dem gefürchteten Geländedienst, indem er sich freiwillig zur Marionettenspielschar der Hitlerjugend meldete. Eine wertvolle Schule fürs Leben. Er wusste, wie und wo man die Strippen zu ziehen hat, um bei den Figuren die Bewegungen hervorzubringen, die man sehen will. Für die Leitung eines Nachrichtenmagazins eine unentbehrliche Berufsqualifikation, ja und wenn er seinen Kleist richtig gelesen hatte, dann wusste er auch, dass die Bewegungen von Marionetten ungleich kunstvoller sein können als die von richtigen Schauspielern.

Aber das führt zu weit, wir sind noch im Jahr 1947 in Hannover, wo sich Augstein und Thomas eben zum ersten Mal begegnen. Augstein führte den Kontrolleur zum Fahrstuhl. Der überlegte: Kann er das, kann er das nicht, wird der das nicht beleidigt zurückweisen, und Fraternisieren ist ja eigentlich auch verboten. Aber dann tat er es doch. Am Fahrstuhl zog er – so erzählte er es jedenfalls später – ein Stück Seife aus der Hosentasche und drückte es dem *Spiegel*-Chef in die Hand. Nicht, dass heute einer meint, der Controller habe damals gedacht, Augstein sei unreinlich. Das wäre die falsche Idee. Im Hamburger *Spiegel*-Hochhaus hat er seit Jahrzehnten nicht nur sein eigenes Klo, sondern auch – darauf kommen wir später noch – seine eigene Luft. Das Stück Seife war damals – vor der Währungsreform – nicht als Reinigungsmittel gedacht, sondern als Zahlungsmittel, bestens geeignet für den schwarzen Markt.

Jedenfalls: Augstein und Thomas wurden Freunde und machten des öfteren gemeinsam Urlaub. In langsam dicker werdenden Wagen fuhren sie – nach dem VW der Gründerjahre war das zum Beispiel der »Kaiser Frazer«, ein grundhässlicher, riesiger Amischlitten (etwa dreimal so lang wie Augstein) – und gegebenenfalls auch mit den Ehefrauen, die bei Augstein jetzt, 1951, Katrin heißt, geborene Luthard, und vor der Hochzeit *Spiegel*-Mitarbeiterin war, eine, wie Kollege Brawand recherchierte, »sinnliche und begabte Journalistin«, die »Rudolf um Haupteslänge überragt«. Augsteins Liebe zu hohen Frauen wird noch gewürdigt werden.

Es war also im Sommer 1951 auf dem Grotta-Felsen von Porto Venere, als den Herausgeber, der soeben erzählte, dass er alles erreicht habe, was man im Leben erreichen könne, ebendesselben Überdruss plagte. »Der *Spiegel* fängt an mich zu langweilen«, klagte er dem Freund.[2]

Das war nicht lieb von ihm. Und gerecht schon gar nicht. Denn Rudolf Augstein hatte gerade erst fast ein Jahr lang mit seinem *Spiegel* den deutschen Bundestag derart aufgemischt, dass der einen eigenen Untersuchungsausschuss über sich selbst einrichten musste, den schnell so genannten *Spiegel*-Ausschuss. Im Juni hatte dieser Ausschuss sich mühselig auf einen Abschlussbericht geeinigt. Vier Abgeordneten der Bayernpartei wurde empfohlen, ihr Mandat niederzulegen, alle übrigen – von hundert betroffenen Parlamentariern war die Rede – konnten weitermachen. Es ging darum, wie Bonn wurde, was Bonn bis zu seinem Ende als Bundeshauptstadt blieb: Wallfahrtsort der Korruption.

* * *

Am 27. September 1950 waren bei den Händlern im Bundeshaus innerhalb von achtundvierzig Minuten hundertfünfzehn Exemplare des gerade erschienenen *Spiegel* verkauft. Auf dem Titel stand »Berückender Schurke« – der Schauspieler Douglas Fairbanks in einer mutmaßlich afghanischen Verkleidung mit dem Krummesser in der Hand. Das zugehörige Stück begann auf Seite 35. Die Bonner Abgeordneten interessierten sich mehr für die Seite 5: Rubrik Bundeshauptstadt. Überschrift: »Klug sein und mundhalten.« In der *Spiegel*-Geschichte stand, dass Regierung und Bundestag jetzt in Frankfurt säßen, wäre nicht ein Jahr zuvor bei der Wahl der Bundeshauptstadt Geld geflossen. Und zwar an Abgeordnete, die ohne diese Honorierung eine Hauptstadt am Main gewollt hätten und nicht die nunmehrige Hauptstadt am Rhein.

»Wenn der Vorwurf der Unlauterkeit, der Korruption, der Bestechung in der jungen deutschen Bundesrepublik auftaucht, so müssen wir ihm nachdrücklich nachgehen«, erklärte Gebhard Seelos von der Bayernpartei im Plenum des Bundestags. Und er erläuterte: »In einem Presseorgan ist die Behauptung wiedergegeben worden, dass in der Hauptstadtfrage an Abgeordnete aller Fraktionen etwa 2 Millionen gezahlt worden seien, wobei Namensnennungen erfolgten.«

Es handele sich hier, glaubte der Münchner Abgeordnete in jener lang vergangenen Zeit des Oktober 1950, um den »schwersten Vorwurf«, der einem Volksvertreter gemacht werden könne, nämlich dass »er seine Entscheidungen nicht gemäß seinem Gewissen trifft, sondern gemäß den Zuwendungen von Interessenten«. Und er beantragte die Einsetzung eines fünfzehnköpfigen Untersuchungsausschusses.

Der SPD-Jurist Adolf Arndt verlangte, den Ausschuss noch am selben Tag zu konstituieren, denn man könne durchaus der Auffassung sein, dass dieses Hohe Haus überhaupt nicht weiter tagen solle, bis die Frage geklärt sei. Als dann auch noch Heinrich von Brentano, der Fraktionsvorsitzende der Union, darin einstimmte, dass der Ausschuss keinerlei Verzögerung vertrage, wurde er sofort konstituiert.[3]

* * *

Rudolf Augstein, der wusste, dass man ihn in der Redaktion immer noch den »Kleinen« nannte, freute sich im darauffolgenden Heft: »Seit 14 Tagen ist der kleine *Spiegel* Hahn im (Maul-)Korb der öffentlichen Meinung.« Dem »FDP-Abgeordneten Stegner«, der sich für die Veröffentlichung eine »seriösere Zeitung« gewünscht hätte, antwortete der Herausgeber: »Wir wollen nicht seriös sein, sondern wahr, und, wenn möglich, klar.« Und dem »Dr. Solleder (CDU-CSU)«[4] der den *Spiegel* nicht lesen wollte, »weil man doch nicht jedes Revolverblatt lesen kann«, begegnete er geradezu gemeingefährlich mit einem Kästner-Gedicht und dem allerdings nicht unverständlichen Wunsch: »Im übrigen hätten wir ganz gern manchmal einen Revolver. Denn: *Man sollte kleine Löcher in sie schießen! Ihr letzter Schrei wäre ein dernier cri. / Jedoch sie haben viel zu viel Komplizen, / als dass sie sich von uns erschießen ließen. / Man trifft sie nie.*«[5]

Wer erkennen will, wie Kohl wurde, was Kohl war, muss nur in den Protokollen von 1950 nachlesen. Schlüsselfigur war damals der Bundesfinanzminister Fritz Schäffer (»Ich brauche doch nicht jeden nennen, der einer Partei mal eine Spende gegeben hat«) – dem man letztlich nicht alles beweisen konnte oder wollte.[6] Vor allem aber ein Mann, dem von seinesgleichen unglaublich viel Ehre ins Gesicht gesäbelt worden war, so viel, dass es beinahe die *Spiegel*-Hinterseite gesprengt hätte, auf der die Redaktion später ein Foto von diesem deutschen Antlitz unterzubringen versuchte.[7]

Der Mann – der Herr – hieß August Heinrichsbauer und war, wo es nötig wurde, sehr generös. Zu dieser Zeit gab es allerlei Gerüchte, wer Geldgeber des *Spiegel* sei. Augstein höhnisch und herzlichst zum »lieben *Spiegel*-Leser«:

> »In letzter Zeit stehen Karlshorst und Adenauers Bankier Pferdmenges in der Liste der Seelenkäufer abwechselnd obenan. Welch schlechter Geschmack: Wir würden uns aus alter Anhänglichkeit selbstverständlich nur von August Heinrichsbauer kaufen lassen, dem das westdeutsche Volk den sogenannten *Spiegel*-Ausschuss verdankt.«[8]

Die Tätigkeit des Herrn Heinrichsbauer und die unerforschliche Identität seiner Auftraggeber lösten im *Spiegel*-Ausschuss des Bundestages kein heiteres Beruferaten aus, boten aber viel Stoff zum honorarfreien Nachdruck im deutschen Nachrichtenmagazin. »Es ist der Mann, der kein Buch führt, weder über die Spenden, die er bekommt, noch über die Spenden, die er weitergibt«, beschrieb ihn der Zentrumsabgeordnete Bernhard Reismann und fügte hinzu: »In meiner Praxis als Anwalt seit 1929 bin ich auf keinen Zeugen gestoßen, der ein so fabelhaft lückenhaftes Gedächtnis hat.«[9]

Er hatte den buchführungsunfähigen Herrn gefragt, welchem Beruf er nachgehe. Es gab viele Antworten. Die letzte war: »Ich bin Angestellter.« – Wessen Angestellter? Heinrichsbauer: »Eines Konsortiums von größeren Unternehmungen der Industrie.«

Der SPD-Jurist Adolf Arndt fasste die verschiedenen Aussagen zusammen: »Der Zeuge hat sich zunächst als Syndikus bezeichnet. Dann hat er gesagt, er wäre selbst Büro Heinrichsbauer. Dann hat er gesagt, er wäre der Syndikus seiner eigenen Firma. Dann hat er gesagt, er wäre Angestellter von anderen Unternehmungen. Das alles ist doch in höchstem Maß merkwürdig. Er muss doch sagen können, bei wem er nun eigentlich angestellt ist. Wer ist denn Ihr Chef, Herr Heinrichsbauer?«

Die Frage nach dem Chef des Zeugen Heinrichsbauer blieb so unbeantwortet wie unter Katholiken das Problem der »unbefleckten« Empfängnis Mariens. Doch in seiner Erwiderung umkreiste Heinrichsbauer jenen Themenkreis, den man ein halbes Jahrhundert später vor Bundestagsausschüssen ganz einfach mit der Vokabel »Ehrenwort« beschrieb: »Verzeihen Sie, meine Herren! Die Herren dieses Konsortiums sind größtenteils Personen, die ich seit 25 oder 30 Jahren persönlich kenne. Ich stehe zu ihnen in einem ausgesprochenen Vertrauens- und teilweise auch Freundschaftsverhältnis. Es ist eine ganz merkwürdige Konstruktion dieses Unternehmens. Ich habe gewissermaßen keinen Vorsitzenden.«

So ging es weiter, wen er vertritt, sagte Heinrichsbauer nicht. Arndt: »Wir müssen doch, um die Glaubwürdigkeit des Zeugen beurteilen zu können, wissen, bei wem er angestellt ist: ich will einmal ein ganz krasses Beispiel bilden, er könnte ja von Stalin angestellt sein.«

»Ich gehe nicht soweit«, meinte der mit Grund – wir kommen noch darauf – vorsichtige Ausschussvorsitzende Johannes Semler und schlug vor, man solle Heinrichsbauer jetzt doch mal zur Person befragen.

Darin übrigens unterschied sich Heinrichsbauer, wie er bald bekundete, von den von ihm bezahlten Abgeordneten:

»Wohl sind in einzelnen Fällen an bestimmte Abgeordnete Beträge bezahlt worden, aber immer nur in Verbindung mit Wahlen und vor allen Dingen niemals an die Abgeordneten ad personam, sondern als Beauftragte«, meinte er erklären zu müssen.

* * *

Zahle niemals an Abgeordnete ad personam, zahle stets an Abgeordnete als Beauftragte. Für den nun schon bald siebenundzwanzigjährigen »Kleinen« muss dieser Heinrichsbauer-Kommentar zu Grundgesetz-Artikel 38,1 (Abgeordnete seien »an Aufträge und Weisungen nicht gebunden«) wie ein Examen in seiner hohen Schule des Zynismus gewesen sein. Und für den gerade zwanzigeinhalbjährigen »Langen«, der sich in der Mainzer Jungen Union längst nach oben gearbeitet hatte, das beste Rezept, wie man – und das wollte er – Kanzler wird.

Der SPD-Abgeordnete Walter Menzel fragte: »Herr Zeuge, Sie sagen, Sie können diese Zahlungen auch nicht mehr feststellen. Heißt das, dass Sie das Geld immer bar ohne Quittung in die Hand gegeben haben?«

Der Zeuge Heinrichsbauer antwortete: »Es waren großenteils Barzahlungen.«

Menzel insistierte: »Ohne Quittung?«

Der Geldverteiler: »Ja, ohne Quittung oder in Einzelfällen auch mit Quittungen, die vernichtet worden sind.« Doch das ist nicht so schlimm, denn: »Ich bitte, bei diesen Dingen das eine berücksichtigen zu wollen, dass ich nicht der einzige bin, über den Zahlungen geleistet worden sind.«

Nun wollte – und da nähern wir uns bedenklich dem, was später in Kanzlerkreisen Ehrenwort genannt worden ist – der Abgeordnete Menzel wissen, ob die Vernichtung der Quittungen im Einverständnis mit dem Auftraggeber geschehen sei. Heinrichsbauer sagte, er habe stets dieses Einverständnis vorausgesetzt, »auf Grund des Vertrauensverhältnisses, dass von mir keine Quittungen verlangt wurden«.

Menzel wollte weiter wissen, ob darüber gesprochen wurde. Die beispielgebende Antwort: »Ich habe immer Wert darauf gelegt, dass ich nur mit solchen Leuten und Stellen verkehrt habe, die man als anständig betrachten kann. Sonst verkehre ich mit den Leuten nicht.«

Darauf wurde der Abgeordnete Menzel echt zudringlich: »Meinen Sie, dass ein Kaufmann, der sich Quittungen geben lässt, nicht anständig handelt?«

Der Mann, an dessen Gesicht sich eine ganze Burschenschaft monatelang abgearbeitet haben musste: »Verzeihen Sie, das kommt gar nicht in Frage. Aber es handelt sich, wie ich schon ein paarmal gesagt habe, darum, dass das Vertrauensmomente sind …«

* * *

Ja, Vertrauen gegen Vertrauen. Eines traf sich dabei besonders gut. Der Ausschussvorsitzende Johannes Semler (jener ehemalige Direktor des Wirtschaftsrats, der 1948 mit seiner Klage: »Man hat den Mais geschickt, das Hühnerfutter, und wir haben es teuer zu zahlen« den Zorn der US-Militärregierung erregt hatte), dieser »Hühnerfutter«-Semler war im Mai 1950, kein halbes Jahr vor der *Spiegel*-Veröffentlichung, durch eine Nachwahl im Kreis Kulmbach in den Bundestag geraten. Damit der CSU-Kandidat auch wirklich gewählt werde, hatte man die Bayernpartei bewogen keinen eigenen Kandidaten aufzustellen.

Wie macht man so was? Auch das hatte der *Spiegel* aufgeklärt: August Heinrichsbauer gab der Bayernpartei eine Wahlspende. Obwohl sie gar nicht erst zur Wahl antrat? Weil sie nicht zur Wahl antrat? Heinrichsbauer vor dem *Spiegel*-Ausschuss: »Ich sagte ja eben schon, dass die Dinge da alle so durcheinandergingen: ich kann es effektiv im einzelnen nicht mehr sagen.«

»Und in ein so unsicheres Geschäft haben Sie Geld gesteckt?« wollte ein Abgeordneter wissen.

Darauf der Lobbyist mit der ihm ganz eigenen Würde: »Verzeihen Sie, seit wann ist Politik ein sicheres Geschäft?«

Für manche mit seiner Hilfe schon. Der Bayernpartei-Abgeordnete Anton Besold, der den Ausschuss mit angeregt hatte, sagte aus: Parteifreund Anton Donhauser habe ihn vor der geheimen Abstimmung beiseite gewinkt: »Wofür stimmst du?« – »Natürlich für Frankfurt«, antwortete Besold. Darauf Donhauser: »Das ist doch keine Weltanschauungssache. Stimme für Bonn, da gibt es Geld!« Besold: »Da mache ich aus moralischen Gründen nicht mit«, und das Gespräch war beendet.[10]

Besolds Moral. Donhauser übrigens hatte, als ihm der *Spiegel* Zahlungen des Adenauer-Freundes und Bankiers Robert Pferdmenges und (bevor über den Benzinpreis abgestimmt wurde) Zuwendungen der Erdölindustrie an Parteifreunde vorhielt, patzig erwidert: »Das schreiben Sie auf. Aber dass der Besold 5000 DM von Kathreiner kassiert hat, damit er gegen den Kaffeezoll redet, das sagen Sie nicht.«[11]

* * *

Es ging munter zu im *Spiegel*-Ausschuss, mit klassischen Dialogen von hinreißender Lakonie und bestrickender Zeitlosigkeit. Da fragte der Ausschussvorsitzende Johannes Semler (CSU) den stets sehr empfänglichen Bayernparteiabgeordneten Anton Freiherrn von Aretin aus altem Geschlecht: »Ist an Sie persönlich jemand seinerzeit herangetreten mit dem Angebot, für Bonn zu stimmen und dagegen Geld zu kriegen?« Der Adelsmann: »So plump nicht.« Das löste selbst im abgehärteten *Spiegel*-Ausschuss etwas aus, was als »Heiterkeit« protokolliert wurde.

Aretin fuhr fort: »Ich kam in eine Fraktionssitzung, in der nicht ohne eine gewisse Heftigkeit die Frage Bonn–Frankfurt behandelt worden ist. In diesem Zusammenhang hat auch Herr Donhauser in einer mich völlig verblüffenden Offenheit erklärt, es sei dies keine Frage von weltanschaulicher Tragweite und Bedeutung, sondern es handle sich für die Bayernpartei hier um eine Frage, bei der man finanziellen Zuwendungen, sagen wir einmal, sein Ohr auch öffnen könnte.«[12]

Oder die Hand. Aber damals war es tatsächlich noch Sitte, dass man sich dann in keiner Weise bestechen ließ, wenn es um weltanschauliche Fragen wie Krieg oder Frieden ging.

* * *

Für den immer noch jungen Rudolf Augstein war die Lektüre der Protokolle ein Schnellkurs im Parlamentarismus nach der nun voll erblühenden Bonner Art. Er fand es zitierenswert, wie der Zeuge Heinrichsbauer die Bundestagsuntersuchungskommission ansprach: »Hoher Ausschuss, verzeihen Sie diese Anrede ...«[13] Nicht gut für den *Spiegel*-Chef war, dass er gleich zu Beginn selbst geladen wurde, er hatte sich nicht gut vorbereitet. Die anderen dafür um so besser. Dieselben Ausschussmitglieder, die den schwer belasteten Bundesfinanzminister Fritz Schäffer so sanft wie möglich behandelten und die es August Heinrichsbauer, der den Ankauf der Abgeordneten übernommen hatte, letztlich durchgehen ließen, dass er die Namen seiner Paten nicht nannte, bedrängten Rudolf Augstein unter Androhung von Strafen, er müsse die Namen seiner Gewährsleute nennen. Derjenigen also, durch die der ganze Korruptionsstadl aufgedeckt worden war.

Und er wurde in die Enge getrieben. Als ihn der amtierende Vorsitzende Reismann fragte, ob er nur einen Teil dessen ausgesagt habe, was er wusste, gestand er: »Nein, aber ich habe regellos ausgesagt, ohne Plan und ohne mich zu konzentrieren, und ich bin sehr unvorbereitet gewesen.«

Augstein war Mitte Oktober 1950 unversehens in den Ausschuss zitiert worden, als er gerade aus dem Urlaub zurückgekommen war. »Vielleicht war ich zu aufgeregt«, ärgerte sich danach der gerade noch sechsundzwanzigjährige *Spiegel*-Chef. Aber er hatte doch »manchmal vor dem *Spiegel*-Ausschuss den Eindruck, als gehe es nicht um die Frage, ob Abgeordnete bestochen worden seien, sondern darum, ob ich bestochen worden sei, und als gehe es nicht darum, die Verfehlungen von Abgeordneten, sondern darum, die Verfehlungen der Presse zu untersuchen«. Auch der SPD-Jurist Adolf Arndt vermerkte in Bonn, es sehe manchmal so aus, »als ob wir einen Untersuchungsausschuss über den *Spiegel* hier abzuhalten hätten«.

Der freilich wuchs und gedieh auf dem fruchtbaren Boden, den ihm das Bonner Parlament bereitete.

* * *

Sogar nach seinem Urlaubsort wurde Augstein befragt.[14] Damals, 1950, war es Positano, das Fischerdorf am Golf von Salerno, wo Henri Nannen vor 1945 Krieg geführt hatte und danach regelmäßig Urlaub machte und wo er genau im Jahr 1950 »einen würdigen deutschen Soldatenfriedhof«[15] anlegen lassen wollte, ebenjener Ort, nach dem der *Stern*-Chef seine Traumboote und Luxusyachten Positano I bis III benannte. Über die Urlaubskosten allerdings hätte Augstein dem Bundestagsuntersuchungsausschuss vielleicht ebenso schwer Auskunft geben können wie Heinrichsbauer über die Geldgeber seiner Abgeordnetenspenden. Die Reisekasse auch für das Ehepaar Augstein führte nämlich Michael Thomas, der allein später Auskunft geben konnte: »So lebten wir außerordentlich sparsam und kamen einschließlich des Benzins mit zwölf Mark am Tag aus; eine Übernachtung für 4,50 war Luxus. Dabei war Augstein schon damals wohlhabend, wenn nicht sogar reich. Als allerdings Katrin die nicht gegessene Frühstücksbutter für unser Strandpicknick einpackte, ging mir das zu weit.«[16]

Richtig, Butter am heißen Strand läuft eilends weg. Augstein aber saß im *Spiegel*-Ausschuss, dessen Vorsitzender Semler der Anhörung vorsichtshalber ferngeblieben war und lieber seinen Stellvertreter amtieren ließ – und er hatte klug daran getan, denn Augstein attackierte ihn, indem er darauf hinwies, dass »der Herr Vorsitzende dieses Ausschusses ja doch nicht im Bundestag säße, wenn er in Kulmbach nicht durch die Bayernpartei gewählt worden wäre«. Und die war, wie jeder hier wusste, von Schäffer oder Heinrichsbauer oder beiden bestochen.

Aber die Abgeordneten interessierten sich viel mehr dafür, wer dem *Spiegel* alles verraten hatte. Da machte Augstein nicht mit. »Freunde wie Feinde aber mögen aus der Vernehmung der *Spiegel*-Leute vor dem Bonner Ausschuss entnehmen«, so schrieb er herzlichst dem »lieben *Spiegel*-Leser«, »dass der *Spiegel* niemals seine Quellen verrät und dass er unerschrocken durch dick und dünn geht für jeden, der ihm ein Beichtgeheimnis anvertraut.«[17]

Und er zitierte auch jenen Absatz 2 des Grundgesetzartikels 21, der in den folgenden fünfzig Jahren zur Lachnummer der Republik wurde: »Die Parteien müssen über die Herkunft ihrer Mittel öffentlich Rechenschaft ablegen.«

In zeitloser Prosa schrieb er, worum es dabei auch und vor allem geht:

> »Solange Abgeordnete sich mit Erfolg dahinter verschanzen können, sie hätten Gelder nicht als Personen, sondern als politische Exponenten erhalten, und nicht für einen bestimmten Zweck, sondern nur zur allgemeinen Stärkung ihrer politischen Autorität, so lange hat die Korruption einen dankbaren Sumpf.«

Der Name der provisorischen deutschen Hauptstadt verband sich auf immer mit dem Namen des *Spiegel*. Doch Augstein machte sich 1951 noch Illusionen:

»Falls« – falls! – »so etwas wie diese Affäre noch einmal vorkommen sollte, will der Bundestag formaljuristisch besser gerüstet sein als dieses Mal. SPD und CDU/CSU haben neue Gesetzesentwürfe eingebracht, die für nicht ganz charakterfeste Volksvertreter mit dem Zuchthaus winken.«[18]

Das Zuchthaus wurde abgeschafft, und gewunken hat es den nicht ganz so charakterfesten Abgeordneten wie Helmut Kohl, Walther Leisler Kiep oder Otto Graf Lambsdorff nie. Dagegen ist der Bundestag inzwischen formaljuristisch viel besser gerüstet. Es ist den Bundestagsabgeordneten verboten, korrupt zu sein – aber Strafen sind, vorsichtshalber, immer noch nicht vorgesehen. Was ein gerade eingebrachter neuer Gesetzentwurf ändert, wird sich zeigen.

* * *

Im Grunde ging es dann schließlich nur noch um Fragen der Kunst. »Hier wäre nun wirklich ein ›So nicht!‹ angebracht«, schrieb 1983 in einem *Spiegel*-Buch zu einem der zahlreichen Nachfolgefälle *(Flick – Die gekaufte Republik)* der Literaturnobelpreisträger Heinrich Böll. »Wie das bisher gelaufen ist«, so bemängelte er, gehe es nicht weiter.

Nein, »da muss doch ein bisschen Ästhetik rein«, verlangte Böll. »Ich finde, ab 10 000 Mark könnte man sich einer dieser schicken kleinen Ledertaschen bedienen, ab 100 000 Mark müsste ein Köfferchen drin sein ...«

Es dauerte siebzehn Jahre – deutsche Dichter müssen erst tot sein, bis man ihren guten Ratschlägen folgt –, da wurde Walther Leisler Kiep als der Koffermann weltberühmt. In der Summe musste sich der nicht übermäßig erfahrene Literaturnobelpreisträger natürlich irren, da war er noch echt ratlos: »Und wenn dann mal eine Million fällig wird – ... wohin damit?«[19]

* * *

1951 hatte es am Ende nach vierunddreißig Wochen statt der vorgesehenen drei vierundzwanzig öffentliche und dreizehn beratende Sitzungen gegeben mit rund zweitausend Seiten Protokoll. Augstein, der manchmal doch von seinem hilfreichen Zynismus im Stich gelassen wurde, glaubte damals ernsthaft: »Der Untersuchungsausschuss Nr. 44, den die Öffentlichkeit *Spiegel*-Ausschuss zu nennen sich gewöhnte, hat einen reichen Fischzug für die Demokratie eingebracht.« Er hoffte, man könne über den ganzen Stank »den Deckel nun glücklich schließen«.[20]

Doch der Ausschuss selbst hatte in seinen Abschlussbericht eine für solche Ausschüsse bleibende Wahrheit geschrieben: »Über die Frage, inwieweit die Erforschung der Geldgeber unter die Aufgabe des Ausschusses falle, war allerdings nicht immer Einigkeit zu erzielen. In einigen Fällen hat eine Mehrheit des Ausschusses sich auf den Standpunkt gestellt, dass solche Feststellungen außerhalb des dem Ausschuss gesetzten Rahmens liegen«, hieß es zu Beginn des Berichts, an dessen Ende der eherne Satz stand, der bald den Rang eines elften Gebotes einnahm: dass die Mehrheit des Ausschusses es für berechtigt hält, »über die Person eines Geldgebers die Aussage zu verweigern«.

Auch im Plural. Und so stand im Abschlussbericht des Ausschusses über die eigentlichen Absender der Wohltaten und Verhaltensanweisungen für Abgeordnete nur der schlichte Satz: »Der Zeuge Heinrichsbauer unterhält ein Büro, das sich offenbar in größerem Umfang mit solchen Zahlungen und Verhandlungen befasst – nach seinen Aussagen im Auftrage eines ihm befreundeten Industriekonsortiums.«[21]

Offenbar. Das namenlose Konsortium aber war die Ruhrindustrie, die, klar, auf Bonn setzte und nicht auf Frankfurt, weil die Stadt am Main im damals roten Hessen mit seinen Sozialisierungsbegehrlichkeiten lag. Und die mit Zahlungen an viele einzelne Abgeordnete der Bayernpartei die Partei spaltete und so schließlich die CSU-Konkurrenz vernichtete, die unerlaubterweise einmal mit der SPD koaliert hatte.

* * *

Über eines aber hatte der Mann mit der lebenslänglichen Ehrenhandelsgesellschaft im Antlitz bereitwillig Auskunft gegeben. Dass er nämlich mit dem guten Geld seines Konsortiums schon einmal Hitler beinahe verhindert hätte. Auch der *Spiegel* druckte Heinrichsbauers nahezu fromme Legende arglos nach: Er habe »in Kenntnis des Versagens der damaligen politischen Kräfte und aus dem daraus resultierenden Unvermögen einer wirksamen Bekämpfung der NSDAP von außen her« sozusagen den Kampf von innen versucht. Indem er sich nämlich zu einer »nachdrücklichen Förderung der Pläne Gregor Strassers« entschlossen habe.

Gregor Strasser war 1932 Reichsorganisationsleiter der NSDAP, und Zweck der Heinrichsbauerförderung für Strasser sollte sein: »die gemäßigten Gruppen der NSDAP an der geplanten Regierung Schleicher zu beteiligen« und so Hitler auszuhebeln.[22]

Aufschluss darüber, wie August Heinrichsbauer mit Gregor Strasser gegen Adolf Hitler Opposition machte, könnte ein Schreiben geben, das heute im Bundesarchiv liegt, damals aber Augsteins Rechercheuren nicht zugänglich gewesen zu sein scheint. Der Ruhrlobbyist schrieb am 20. September 1932 Strasser einen Brief, in dem er von einem gemeinsamen Essen mit »Herren der Wirtschaft« und dem NS-Wirtschaftsexperten am Tag zuvor berichtete. Die allgemeine Klage sei gewesen, dass der Nationalsozialismus »zu parlamentarisch« geworden und damit »die größte ideelle Kraft des Nationalsozialismus in seiner bewussten Ablehnung alles Demokratisch-Parlamentarischen ... zu etwas Parteimäßigen herabgesunken« sei.

»Die ehrliche Sorge über diese Wandlung«, meinte Heinrichsbauer, sei »nicht nur in den Kreisen der führenden

Herren der Wirtschaft verbreitet«. Diese neue Praxis, so bedauerte er, stehe in einem »starken Gegensatz« zu dem, »was Hitler in seinem wundervollen Buch *Mein Kampf* über den Parlamentarismus geäußert hat«.

»Besonders erschüttert ist man hier ganz allgemein über die Verhandlungen mit dem Zentrum«, klagte Heinrichsbauer. Die NSDAP solle doch lieber mit Papen (vom monarchistischen Zentrumsflügel) verhandeln, dessen Kabinett man nicht als »Regierung der Barone« abtun dürfe.

Und er fügte hinzu: »Ich schrieb Ihnen bereits, dass sehr maßgebliche Herren des Reviers sich bei ausschlaggebenden Berliner Stellen sehr stark dafür eingesetzt haben, dass man Herrn Hitler das Reichskanzleramt übertrage.«

Schon damals nannte der große Lobbyist mancher deutscher Staaten seine Auftraggeber nie beim Namen, sondern formulierte das so: »Man ist hier der Überzeugung, dass die jetzige Regierung und der Nationalsozialismus doch über kurz oder lang zu einer Einigung kommen müssen, wenn in dem drohenden Kampf nicht Bestand von Staat und Volk einer schweren Belastungsprobe ausgesetzt werden soll.«

Jetzige Regierung, das war am 20. September 1932 noch die Regierung Franz von Papens, die Regierung von Hitlers alsbaldigem Vizekanzler und Steigbügelhalter, die eine Woche zuvor bei der Vertrauensabstimmung im Reichstag eine eindrucksvolle Niederlage von 512 zu 42 Stimmen errungen hatte.

Heinrichsbauer, der unter Hitler Reichsgeschäftsführer der heute praktischerweise wiedergegründeten Südosteuropa-Gesellschaft zur Plünderung Jugoslawiens war und danach von Berlin bis Kulmbach und Bonn stets zusammenbrachte, was zusammengehört, mahnte am Schluss seines Briefes den Reichsorganisationsleiter: »Je mehr es dem Nationalsozialismus gelingt, durch innere Konsolidierung und durch äußere Haltung der Mitwelt geistigen Respekt abzugewinnen, desto eher – glaubt man – wird sich der Nationalsozialismus auch staatspolitisch durchsetzen können, weil sich einem solchen Eindruck niemand, auch die höchste Stelle nicht, entziehen kann.«[23]

Kurz: Die Nazis sollten sich so zahm geben, dass Hindenburg Hitler zum Reichskanzler machen kann. Und genau das war 1932 Hitlers Politik.

* * *

Unter den vielen zustimmenden Leserbriefen zur Hauptstadtaffäre bekam der *Spiegel* im Oktober 1959 auch einen ganz komischen: »Hoffentlich wird die Richtigkeit dieser ›schmutzigen Wäsche‹ festgestellt«, vergriff sich der katholische Arbeitersekretär Paul Jaeschke aus Kevelaer nicht nur in der Sprache, er überraschte den *Spiegel* auch mit einem lieb gemeinten, aber gänzlich unpassenden Vergleich:

> »Während in der Diktatur der SD[24] für die ›Reinheit der Idee‹ in der eigenen staatstragenden Clique sorgte und dabei oft faule Sachen unterschlagen wurden, hat offenbar diese Aufgabe mit der Wirksamkeit des öffentlichen Gewissens in der freiheitlichen demokratischen Grundordnung der *Spiegel* übernommen.«[25]

KAPITEL 4

»Der kleine Lügendoktor hat recht behalten« – Deutsche Soldaten: Daniel im Sandkasten

»Die neue deutsche Armee wurde nicht gegründet, um den Bonner Staat zu schützen, sondern der neue Staat wurde gegründet, um eine Armee gegen die Sowjets ins Feld zu stellen ...«

Rudolf Augstein 1961[1]

Adenauers Jüngster, der siebzehnjährige Georg, winkte in der Dunkelheit der Nacht Rudolf Augstein rückwärts aus dem Rhöndorfer Zennigsweg heraus – da machte es Bums: Ein Kotflügel war zerbeult. Der *Spiegel*-Herausgeber sollte das so schnell nicht vergessen. Noch fünfzehn Jahre später, als Bundeskanzler Konrad Adenauer nach vierzehn Jahren Amtszeit seinetwegen zurückgetreten war, fiel Augstein der Ärger mit dem ungeschickten Sohn ein. Zweiundsiebzig war Adenauer damals, im November 1948, und Präsident des Parlamentarischen Rates.

Augstein war abends überraschend ins Haus gefallen. Libet, die zwanzigjährige Tochter des Alten, war ungehalten und wollte den kaum fünf Jahre älteren Journalisten aus Hannover nicht vorlassen. Doch sobald Adenauer mitbekam, wer da vor der Tür stand, bat er ihn herein – der unangemeldete Gast hatte gerade erst eine sehr vorteilhafte Titelgeschichte über den »Rheinischen Gartenfreund Konrad Adenauer« im *Spiegel* geschrieben: »Sogenannte Leidenschaften hat er nicht. Er raucht nicht und trinkt nicht … Und an einem Bonbon lutschend geht er abends bei guter Radiomusik auf und ab, bis das Schlafmittel zu wirken beginnt.«[2]

»Ihr Artikel findet im allgemeinen Anklang«, hatte sich »Ihr ergebener Adenauer« schriftlich schon bei dem »sehr geehrten Herrn Augstein« herzlich bedankt, hatte nur eine Angabe über die Höhe seines früheren Einkommens als Kölner Oberbürgermeister korrigiert und »zwölf Stück Abdrücke beiliegender Aufnahmen« bestellt – »selbstverständlich gegen Ersatz der Kosten«.[3] Die *Spiegel*-Fotos seien nämlich »viel besser«, als »wenn sie hier von einem Berufsfotografen gemacht worden wären«.

Mit Adenauer, der sich gerade bei der »Moralischen Aufrüstung«[4] in Caux von den Strapazen des Parlamentarischen Rats in Bonn erholt hatte, sprach der junge Herausgeber weniger über Moral als über eine Wiederaufrüstung des noch gar nicht lange besiegten Deutschland. Augstein brachte von einer langen Rundreise in Sachen Remilitarisierung die besten Empfehlungen der Herren Hasso von Manteuffel und Friedrich Hoßbach mit, beide vor dreieinhalb Jahren noch Generale Hitlers, der zweite zuvor auch noch des Führers Adjutant, als der er schon 1937[5] dessen Verschwörung mit der Wehrmachtsführung zur Erweiterung des deutschen Lebensraums protokollieren durfte.[6]

* * *

Adenauer, der oberste Vertreter einer neuinstallierten deutschen Demokratie, konnte mit solchen Leuten damals noch nicht öffentlich Fühlung aufnehmen. Und Augstein verriet den *Spiegel*-Lesern auch nichts von seinen Kontaktpersonen. Im Gegenteil. Was sich da im Untergrund tat, ließ er diskret unter der Decke. Er hatte lediglich unmittelbar vor seiner Rundreise zu den – wie er es sehr viel später, 1963, eher nebenbei formulierte – »militärischen Fachleuten«[7] seine kämpferische Kunstfigur Jens Daniel aus der Taufe gehoben und sie im *Spiegel* fragen lassen: »Soll man die Deutschen bewaffnen?«

Für Augstein ein Türöffner bei den »Fachleuten«, und für Adenauer keine Frage. Augstein sagte Adenauer, die von ihm konsultierten deutschen Militärs seien übereinstimmend der Meinung, dass dreißig deutsche Divisionen nötig seien. »Das ist auch meine Schätzung«, antwortete Adenauer. Eine, nebenbei, tolle Schätzung: Augstein selbst rechnete drei Jahre später Bonner Angaben nach, die für die Aufstellung einer Division zwei Milliarden Mark veranschlagten – das wären sechzig Milliarden für dreißig Divisionen, eine damals völlig unvorstellbare Summe, das englische Heer hatte 1950 ein Budget von 3,5 Milliarden Mark, das französische von nur 2,6 Milliarden.

Und dann überlegten Adenauer und Augstein gemeinsam, wer als der neue deutsche Oberbefehlshaber – der letzte war, wie erinnerlich, Hitler – in Frage komme. Schließlich vergatterte Adenauer seinen Gast zur vorsichtigen Indiskretion: »Sie als Journalist dürfen vieles sagen, was ich als Politiker nicht sagen darf. Nehmen Sie die Frage deutscher Divisionen. Wir müssen sie erst einmal ins Gespräch bringen und dann das Weitere abwarten.«

Am Ende waren Augstein und Adenauer so sehr ein Herz und eine Seele, dass der Alte dem Jungen versicherte: »Sie können jederzeit, bei Tag und bei Nacht, unangemeldet zu mir in mein Haus kommen, wenn Sie etwas so Wichtiges haben.«[8]

Wie der Dieb in der Nacht? Warum schwieg Augstein damals über seine Gespräche mit Adenauer und den NS-Generalen? War es nur das Gefühl der Wichtigkeit, das den Ex-

Leutnant erfasste, jetzt von Generalen ins Vertrauen gezogen zu werden? Oder ging es um etwas Höheres: das Gefühl, die Deutschen sollten wieder zu sich selbst kommen, und dazu gehöre nun mal, zuallererst, eine Wehrmacht? Warum dieser Geheimratsjournalismus, da doch die Enthüllung – namentlich zu benennende Hitlergenerale und der derzeit höchste Mann im Staat wollen, bevor überhaupt noch die Bundesrepublik gegründet ist, dreißig westdeutsche Divisionen – einen internationalen Skandal hervorgerufen hätte? Nie wäre Adenauer – in dem Präsidenten des Parlamentarischen Rates sah damals nicht nur Augstein den kommenden Bundespräsidenten – 1949 Bundeskanzler geworden, wenn der *Spiegel* das 1948 enthüllt hätte.

* * *

»Sie können gar nicht satirisch genug schreiben, vielleicht gelingt es Ihnen dann doch noch, dem jungen deutschen Michel die Kommiss-Stiebel auszuziehen.« Das war die Antwort eines Lesers auf eine erste *Spiegel*-Umfrage, die nur zwei explizit politische Fragen stellte: ob der *Spiegel* der jungen deutschen Demokratie diene und ob er dazu beigetragen habe, die Atmosphäre zwischen den westlichen Besatzungsmächten und »den Deutschen« – allen oder nur den Westdeutschen? – zu entgiften.

Darauf – im Mai 1948 – hatte Augstein den »lieben *Spiegel*-Lesern« herzlichst versprochen:

> »Wir betrachten es nicht als unsere Aufgabe, Michel die Kommiss-Stiebel auszuziehen, welchem Vorhaben die Zeit auch gar nicht günstig wäre. Aber wir möchten darauf achten, ob er sie anbehält oder nicht, und wir möchten unsere Leser darüber unterrichten. Mehr kann ein news-magazine nicht ausrichten. Mehr soll es nicht ausrichten wollen.«[9]

Darüber unterrichten – das hätte genügt. Denn dass man Michel die Stiefel wieder anzöge, stand damals überhaupt nicht zur Debatte. Ein Aufstand wäre sicher gewesen, wenn Augstein bekannt gemacht hätte, dass schon wieder dreißig Divisionen geplant waren – drei Jahre, nachdem die Wehrmacht endlich geschlagen zu sein schien, und acht Jahre, bevor tatsächlich die ersten westdeutschen Soldaten marschierten.

Augstein hätte nur zu schreiben brauchen, was er über Adenauers Pläne wusste – für jede Partei, die einen solchen Mann an ihrer Spitze hatte, wäre die erste Bundestagswahl zur Katastrophe geworden. Noch waren die Westdeutschen nicht vom Wirtschaftswunder chloroformiert.

Nach der Wahl, im Petersberger Abkommen vom November 1949, verpflichtete sich Adenauer, nunmehr als Chef der gerade erst gebildeten Bundesregierung, »die Entmilitarisierung der Bundesrepublik aufrechtzuerhalten und mit allen ihr zur Verfügung stehenden Mitteln die Neubildung irgendwelcher Streitkräfte zu verhindern«.[10] Und Franz Josef Strauß, der spätere Minister für die Waffenträger der Zweidrittelnation, verkündigte bei der Bundestagswahl 1949, dass dem die Hand abfallen solle, der noch einmal ein Gewehr in die Hand nähme[11] – ach, wär das schön, wenn in dieser Republik alle Banditen tatsächlich einarmig wären.

Jens Daniel jedoch – in der Bibel ist Daniel der oberste Zeichendeuter – plauderte nicht aus, was Rudolf Augstein wusste. Er machte lediglich, und so hatte es sich der Alte von Rhöndorf gewünscht, die Deutschen sehr langsam, sehr vorsichtig mit dem Gedanken vertraut, dass man wieder an Soldaten denken müsse.

»Soll man die Deutschen bewaffnen?« war die erste Kolumne überschrieben. Er sagte nicht ja. Er sagte nicht nein. Modebewusst antwortete er mit einer Gebrauchsanweisung, die Sören Kierkegaard, der Vater des Existenzialismus, ein gutes Jahrhundert zuvor ausgegeben hatte: »Hänge Dich oder hänge Dich nicht – bereuen wirst Du beides.«

Und er landete schließlich vom »Hic-Rhodos-Philosophen Kierkegaard« erfahrungsgesättigt beim bewährten Volksaufklärer:

> »Es ist maßlos traurig, dass der wohlmeinende Pazifismus Nürnberger Prägung schon drei Jahre nach Kriegsende in einer Sackgasse festsitzt. Der kleine Lügendoktor hat mit seiner bösesten Prophezeiung recht behalten. Aber wer den Kopf ressentimental in den Sand steckt, den überrollen die Panzer.«

Einen Pazifismus Nürnberger Prägung hatte es nie gegeben. Gemeint konnte nur sein, dass die Siegermächte, die in Nürnberg über Kriegsverbrecher zu Gericht saßen, den Deutschen Pazifismus verordnet hätten, nicht direkt als Besatzerterror, sondern wohlmeinend, wie Jens Daniel konzedierte. Die böseste Prophezeiung des kleinen Lügendoktors – Augstein kann hier ja nur den Dr. Joseph Goebbels meinen – aber war: Wenn Deutschland mit dem Führer an der Spitze nicht im Kampf gegen den Bolschewismus standhält, wird das ganze Abendland von den roten Horden überschwemmt.

So etwas machte übrigens gerade – Augstein konnte das noch nicht wissen – mit großem Erfolg Hitlers Spionagegeneral (»Fremde Heere Ost«) Reinhard Gehlen den USA klar, er erzählte den US-Militärs, die lieber ihm als den eigenen Geheimdiensten glaubten, dass die Sowjets – was sie selber nicht wussten – mit frischen Divisionen bereitstünden, Westeuropa bis zum Atlantik zu überrollen. Mit diesem US-Glauben an Gehlen kam's zum Kalten Krieg.[12]

Und nun die tolle Volte, die Augsteins Daniel schlägt: Da sich als richtig erwiesen hat, was Goebbels uns prophezeite, dürfen wir also keine »Ressentiments« gegen die Sieger haben, die uns schlugen.

Sehr wahrscheinlich ist es nicht, dass Augstein den neunten und unerwartet letzten Band (»Rakete bis Soxhlet«)[13] von

Meyers Lexikon von 1942 konsultiert hat (wegen Stalingrad erschien schon der nächste Band nicht mehr, in dem »Stalingrad« gestanden hätte). Aber durch Schule und Presse hatte sich dem Abiturienten auch so mitgeteilt, was ein Ressentiment ist:

> »(frz. -ßantiman) antwortendes oder Gegengefühl, dann bes. (heimliches) Vergeltungs-, Rachegefühl, nach Nietzsche deshalb die Form feigen Hasses von Unterlegenen und Untüchtigen gegen die Starken und Tüchtigen, die diesen nach Nietzsche gefährlich wird, sobald es jenen gelingt, ihr R. auf die Starken als Selbsthass zu übertragen und sie daran leiden oder zugrundegehen zu lassen. Nach Nietzsche die Taktik der Juden und der (christl.) Priesterschaften.«[14]

Jens Daniel unterschied nun sorgfältig zwischen den Ressentiments, die die anderen unzweifelhaft und warum auch immer gegen uns Deutsche haben, und den Ressentiments, die wir Deutschen nicht haben sollen und auch tatsächlich nicht haben.

Aber die anderen! Denn Jens Daniels erste Kolumne begann mit der nüchternen Feststellung:

> »Manche Fragen liegen so gefährlich in der Luft, dass niemand sie zu stellen wagt. So tief steckt die Welt noch im Ressentiment, dass lediglich schweizerische Außenseiter den Versuchsballon haben steigen lassen, ob man den Deutschen, dem Volk Hitlers, Waffen in die Hand geben dürfe zur Verteidigung einer Lebensform, die schon Hitler auszulöschen trachtete. Soll man die Deutschen bewaffnen?«[15]

Fazit: Die ganze Welt hat das Ressentiment gegen uns, wir aber, wir Deutschen, wollen oder sollen, obwohl wir recht gehabt haben, den Kopf nicht ressentimental in den Sand stecken. Denn wenn wir, Hitlers Volk, jetzt wieder Waffen in die Hand bekommen, dann benutzen wir sie zur Verteidigung der Demokratie, weil ja der kleine Doktor recht behalten hat.

Schade, dass Jens Daniel dafür nicht das schöne Wort Wiedergutmachung benutzte – hier hätte es einen Sinn gehabt. Denn Kopf in den Sand stecken hieß: gegen eine (west-) deutsche Wiederaufrüstung sein. Kopf aus dem Sand – was ja nach dem Urteil aller billig und gerecht Denkenden eine empfehlenswerte Handlungsweise ist – hingegen gebot: deutsche Zivilisten in deutsche Soldaten umzuwandeln.

* * *

Kopf aus dem Sand! Ich auch, aber erst heute, während ich dies schreibe. Vor mir liegt ein Jubiläumsheft, die Nummer 1 von 1957, der zehnte *Spiegel*-Jahrgang war vollendet, der elfte begann. Von der Titelseite des Heftes, das ich vor fünfundvierzig Jahren als Student in Würzburg gekauft hatte, fehlt mehr als die rechte Hälfte. Zu sehen sind noch von unten nach oben fünf Kopfbedeckungen, in der Evolution begriffen vom Tirolerhut bis zum Stahlhelm, die sechste, den Bundeswehrhelm, hatte ich irgendwann im Sommer 1957 aus dem *Spiegel*-Titel herausgeschnitten samt dem zugehörigen Kopf von Franz Josef Strauß.

Straußkopf und Stahlhelm hängte ich zusammen mit bösartigen antimilitaristischen Gedichten von Erich Kästner und Kurt Tucholsky im Schaukasten des SDS[16] vor der Mensa aus. Zur besonderen Ehre des Traditionstreffens der deutschen Fallschirmjäger, das gleich um die Ecke in den Huttensälen stattfand.

Die Schaukastendekoration hatte dann der freundliche Geschäftsführer des Studentenwerks mit seinem Zweitschlüssel (als ich Tucholsky-Gedichte gegen Schmissgesichter ausgestellt hatte, war die Scheibe eingeschlagen worden) schnell wieder entfernt; die Fallschirmjäger kamen nämlich zum Essen in die Mensa, und das brachte dem Studentenwerk zum Wohle der Studenten Geld.

Heute nun habe ich wieder das gesamte Titelbild von 1957 vor mir, aus dem ich damals Strauß und den Helm herausgeschnitten hatte. Denn dieser Strauß-Titel ist – wie alle – abgebildet in dem wunderschönen Band *Die Spiegel-Titelbilder 1947–1999*, der 2000 im Berliner Ostsektor bei Schwarzkopf und Schwarzkopf erschienen ist.

Und jetzt kann ich nur noch hoffen, dass ich unter dem Kopf die Titelzeile, die ich damals mit ausgeschnitten hatte, doch noch wegschnippelte, bevor ich den Strauß in den Kasten hängte.

Sie lautet: »Kopf aus dem Sand – Verteidigungsminister Strauß«.[17] Das bedeutet, falls ich es tatsächlich nicht wegschnitt: Ich habe damals den Fallschirmjägern mit Augsteins und des *Spiegels* Hilfe klar gemacht, dass Franz Josef Strauß die selbstverschuldete Unmündigkeit unter dem Sepplhut (Kopf im Sand) verlassen hat und mit dem Stahlhelm zu den Höhen der Aufklärung emporgestiegen ist: Kopf aus dem Sand!

* * *

Auch in der Titelgeschichte selbst – die erste von insgesamt dreißig über F. J. S. (die letzte, zum Tod 1988, zeigt auf der Titelseite alle Titelbilder)[18] – kam der Bayer noch recht gut weg. »So ziemlich alles, was zum Preise des politischen Wunderkindes«, schrieb die *Süddeutsche Zeitung* später, »zu sagen war, konnte man einst in der Titelgeschichte des *Spiegel* lesen.«[19] Allerdings findet sich hier auch das Strauß-Zitat von 1956: »Wir leben in einem Zeitalter, in dem die vereinigte Stärke unserer Bundesgenossen ausreicht, um das Reich der Sowjetunion von der Landkarte zu streichen.«[20] Und dies hätte Augstein warnen müssen, wie es enden könnte, wenn ein Strauß den Kopf aus dem Sand holt.

An der Stelle, wo ich ihn 1957 für agitatorische Zwecke herausgeschnitten hatte, scheint links unten die Seite 3 mit einem Leserbrief des Referendars Hermann J. Faßbender aus Lechenich auf, der schreibt: »Die Aufsätze von Jens Daniel sind dem Inhalt und der Form nach glänzend. Sie gehören zum Besten, was im deutschen Sprachraum an politischer Publizistik geboten wird.«[21]

Davon war acht Jahre vorher, in der ersten Kolumne vom Oktober 1948, noch wenig zu bemerken. Da fand sich ein Absatz im Sandkasten, der aufhorchen ließ:

> »Eine Armee ist das Überflüssigste, was es gibt. Sie ist das Wichtigste, was es gibt, wenn die Sklavenhalter schwer bewaffnet die Zähne fletschen. Wer die Freiheit will, muss sie mit allen Konsequenzen wollen. Vielleicht werden sogar Deutsche auf Deutsche schießen, wenn sie es über sich brächten und wenn die Ostdeutschen nicht überlaufen könnten. Das ist die bitterste Aussicht.«[22]

Deutsche auf Deutsche – aber warum denn nicht? Wer nicht desertiert, wie es sich empfiehlt, muss schießen. Wenn schon Deutsche auf Serben oder Deutsche auf Afghanen, warum dann nicht Deutsche auf Deutsche, die sie ja viel besser kennen. Damals waren wir aber noch nicht so klug. Augstein nicht, ich nicht, die meisten von uns nicht. Und da dieses Verhindern der bittersten Aussicht auch in sich schloss, dass Deutsche nicht, wie gewohnt, auf Russen oder Polen schießen konnten, war schon erwägenswert, dass Deutsche nicht auf Deutsche schießen sollen. Doch dieses Hauptmotiv des späteren Jens Daniel geht in der Marschmusik des Anfängers unter.

Aber: Während Jens Daniel rechts auf Seite 5 rhetorisch fragt, ob man die Deutschen bewaffnen soll, erneut, steht links auf Seite 4 ein (ungezeichneter) Bericht von Rudolf Augstein über einen Besuch im Krankenhaus. Kurt Schumacher liegt dort. »Sie sind der erste, der mir zum Verlust eines Knochens gratuliert«, sagt der dem jungen Augstein, den die Gefährtin des SPD-Vorsitzenden, die Kriegerwitwe Annemarie Renger, am »Eintritt verboten« vorbei ins Krankenzimmer lotste.

»Wir brauchen keinen Marschierer, wir brauchen deinen Kopf«[23], hatten die Freunde zu Schumacher gesagt. Jetzt war nach dem rechten Arm auch das linke Bein weg. Den rechten Arm nahm dem preußischen Leutnant im ersten Weltkrieg ein Schrapnell, der Verlust des Beines war eine Spätfolge, auch der KZ-Haft von 1933 bis 1943. Ihn fragte Augstein, soweit der Geschichte zu entnehmen ist, nicht, ob man die Deutschen wiederbewaffnen solle.

Zwei Monate später – nach dem Besuch bei Adenauer und dem vertraulichen Gespräch über die dreißig deutschen Divisionen – erschien die zweite Jens-Daniel-Kolumne (»Niemandsdeutschland«), diesmal unter Zuhilfenahme von Jean Anouilh, dem Dramatiker der Sehnsucht nach der Ewigkeit des Todes. »Mit gebundenen Händen in einer Mausefalle zu sitzen, um mit Anouilh gelassen das Ende zu erwarten, das ist nicht jedermanns Sache«, meinte Jens Daniel, unterdrückte den alten Ruf *Volk ans Gewehr* mit Mühe, schrieb aber: »Manch einer, der seine Pistole mit Freuden wegwarf, hätte sie gern wieder.«[24]

Zwischendurch im November war der Herausgeber in England und verfasste unter seinem Klarnamen Augstein elegisch-bewundernde Sätze über die Engländer, die »ohne Hass« sind: »Gewiß, England war nicht besetzt. Engländer wurden nicht vergast. Aber sie sind«, wiederholte er, »ohne Hass«. Auch untereinander, schrieb er, sind sie »ohne den Hass, den man in Deutschland und anderswo dem Menschen schuldig zu sein glaubt, der anderer Meinung ist«.

Die Deutschen, die voller Hass Englands Besetzung mit Verhaftungslisten planten, wird er bald kennenlernen. Aber will er wirklich, wie Jens Daniel, die Pistolen, die Waffen wieder hervorholen, die ausgegeben worden waren, um Russland zu besetzen, um Russen zu vergasen?

Zwei Gehirnhälften streiten sich in seinem Kopf, und es ist durchaus nicht immer so, dass die eine dem Eigner und die andere dem alter Ego gehört, auch das geht durcheinander. Die eine Hälfte öffnete sich, durchaus streitlustig, den Segnungen der Demokratie, die andere war noch besetzt vom kleinen Doktor, den er als Schüler verachtet hat und der jetzt doch recht zu behalten schien – hatte der Russe etwa nicht die deutsche Frau vergewaltigt und das Abendland?

* * *

Augstein versuchte noch einmal, was ihm nach der Rückkehr aus dem Krieg versagt geblieben war. Die Universitäten haben wieder geöffnet. Aber er wollte beides: den *Spiegel* weitermachen und zugleich nebenher studieren. Zwei Universitäten, bei denen er anfragte, lehnten das ab.

Also studierte er für sich, zu Hause, ohne Universität. Das muss, gerade damals, nicht falsch gewesen sein. Gewiss, sein Tageskollege vom *Reich*, Professor Ernst Rudolf Huber, der an der »Reichsuniversität« Straßburg die Rechtsausflüsse des Führers lehrte bis 1945 – falsch, so schreibt er es zwar selbst im Gelehrtenkürschner,[25] in Wirklichkeit aber wurden die Nazis und ihre Professoren schon im Herbst 1944 von den einrückenden Amerikanern vertrieben –, der wurde erst 1952 wieder Lehrbeauftragter in Freiburg.

Aber sonst und überall lief der Lehrbetrieb weiter wie eh und je, vor allem wie vor 1945, ganz besonders in Göttingen, wo Augstein zuallererst studieren wollte. Wer weiß, in welche Hände er da geraten wäre. So geriet er erst mal in mutmaßlich zarte Hände. Lore Ostermann, Buchhändlerin nicht weit vom Vaterhaus und von ihm in die *Spiegel*-Redaktion eingebracht, paukte, wie Kollege Leo Brawand beobachtete, mit ihm Bildung. Daraus wurde seine erste Ehe und sein erstes

Kind, ein Sohn und zugleich eine Tochter. Doch davon später – Augstein und die Frauen, das ist ein Kapitel für sich.

* * *

Wo blieb der Augstein, der als schärfster Kritiker Adenauers gegen Deutschlands Spaltung durch die Wiederbewaffnung ankämpfte, der Mann, der für mich und viele andere als Jens Daniel im Gedächtnis blieb? Wo blieb er, der ja schon seit 1948 wusste, was da lief?

Auch im nächsten Jahr, 1949, im Gründungsjahr der Bundesrepublik, ließ er auf sich warten. Der dritte Jens Daniel war immer noch nicht der, an den wir uns später bewundernd erinnern. Und er schrieb auch nicht eigentlich eine Kolumne, sondern eher einen freundlichen Versammlungsbericht aus Braunschweig vom Treffen einer obskuren »Deutschen Union«, bei der »Einigkeit« herrschte über all die »Fragen, über die beim jungen Deutschland mühelos Einigkeit zu erzielen« sei. Nämlich: »Präsidial-Demokratie anstatt Weimaraner-Demokratie, Senat statt Länderkammer, Mehrheitswahl statt Verhältniswahl, Bundesfinanzverwaltung statt Länderfinanzverwaltung.« Angesprochen sollten damit vor allem diejenigen werden, die »aktiv in HJ und der Wehrmacht« waren. Und Generalsekretär dieser »Sammlungs-Vereinigung« wird Günter Scholz, bis dahin *Spiegel*-Korrespondent in Düsseldorf.[26]

Sechs Wochen später, im März 1949, machte der vierte Beitrag von Jens Daniel (»Wer ›A‹ sagt«) Stimmung gegen die Arbeit am Grundgesetz, gegen ein »Verfassungswerk«, das »in entscheidenden Punkten vom Ausland beeinflusst wurde«, und fertigte dessen Verfasser ab:

> »Sie, die ohnehin nicht vom Volk Beauftragten, sollten sich für die restliche Zeit ihres Auftrags nicht als deutsche Volksvertreter, sondern als Mittelsmänner zwischen den Alliierten und dem deutschen Volk betrachten ...«[27]

In der fünften Kolumne (»Lernt Russisch«) nahm Jens Daniel sich nach Lektüre von Arthur Koestlers *Sonnenfinsternis* die Sowjets mit dem Argument vor: »Hitler ließ uns den letzten Staat überrennen, der zwischen uns und den Sowjets lag. Nun haben wir sie im Land.« Wie? Haben sie uns überfallen? Oder waren wir nicht auch in ihr Land eingedrungen, nicht nur in das, was dazwischenlag, und wurden dann von Moskau bis Berlin zurückgeschlagen? Sein trotziger Durchhaltetrost: »Erst wenn wir uns schlucken lassen, ist die Sonnenfinsternis total.«[28]

Die sechste Kolumne (»Krücken«) setzte im April 1949, vier Wochen vor seiner Annahme, die Polemik gegen das Grundgesetz fort: »Eine Verfassung, die von Militärgouverneuren ihren Ausgang nahm, eine verfassungsgebende Versammlung, einberufen von Ministerpräsidenten, deren Länder einem Beschluss der Sieger entsprungen sind«[29] – je nun, der Reichstag war bekanntlich abgebrannt.

Dann gab Jens Daniel erst einmal Sommerruhe bis zur ersten Bundestagswahl Mitte August, anlässlich deren der *Spiegel* eine besinnliche Homestory über den Wahltag bei Adenauers brachte: vom »Frühstücksgong« und der von Ex-Studentin Libet »selbst eingemachten Brombeer-Himbeer-Marmelade« über den Kirch- bis zum Wahlgang und zurück über die siebenundfünfzig Stufen (»Die Treppen halten mich rüstig«) zur »weißbekalkten, schieferbedachten Villa am Hang zwischen Sonnenblumen, Weinlaub und Rosen«.

Daneben aber Jens Daniel zum Siebten: »Starkes Deutschland.« Das war die seltsame Parole, mit der die SPD in die Wahl gezogen war, und der Kolumnist freute sich, dass sie »den Kampf um die Sozialisierung so hart verloren« hatte. Sein ahnungsloses Fazit:

> »Vier Jahre Altersregierung in Bonn oder Frankfurt werden vielleicht nicht schaden, wenn die jüngeren Deutschen es derweil fertigbringen, sich auf sich selbst ... zu

besinnen. Einen eisigeren Ansporn als die losgelassene Seele des Ostens gibt es hierfür nicht.«[30]

Und bei der achten Kolumne (»Goethe unter uns«) beunruhigte er ein bisschen die aufgeregte Seele des Westens mit einem Goethe-Vortrag des damals hoch in Mode stehenden Pseudophilosophen Ortega y Gasset in Hamburg.

»Während der Dodge über die Landstraßen jagte, machte sich Ortega unauffällig Notizen«, heißt es in dem danebenstehenden Philosophenreport, mit Sicherheit auch von Augstein verfasst, und so bodenlos raste es weiter. »Ortega, von leicht untersetzter Statur, das Haar silbergrau, humorvoll in den Hamburger Himmel blickend«, erwies sich als anstellig: »Der abendländischen Kultur prophezeit Ortega den totalen Sieg.«

Totaler Krieg, totaler Sieg. Irgendwo bei mir im Keller vermodert die Aufstanddermasseninhalbleder-Ausgabe irgendeines europäischen Buchrings. Ortegas *Um einen Goethe von innen bittend* war 1934 in Deutschland erschienen, als etwas außerhalb von Weimar ein KZ eingerichtet wurde. Doch Jens Daniel fragte: »Was hätte, idiotischer Gedanke, Goethe unter den Nazis angefangen?« Seine erste Antwort war nur scheinbar eine Frage: »Vor welcher Spruchkammer wäre er als Minderbelasteter eingestuft worden, wegen passiver Förderung des Regimes?«[31]

Ein toller Einfall, damals, 1949. Zwei Jahre später erschien in Göttingen, im Plesse-Verlag des ehemaligen SS-Hauptsturmführers Waldemar Schütz, die Hundertachtundvierzig-Seiten-Schrift *Goethe vor der Spruchkammer oder Der Herr Geheimrath verteidigt sich*. Der Autor Sigmund Graff *(Die endlose Straße)* war einige Jahre zuvor noch Referent im Volksaufklärungsministerium des kleinen Lügendoktors gewesen.

* * *

Aber da gab es ja noch den anderen. Während Jens Daniel Einfluss auf die neuerblühende deutsche Literatur ausübte, provozierte Rudolf Augstein, das Original, einen Volksaufstand in der Nordheide. Dort in Rotenburg saß jetzt sein alter, sein gar nicht so alter Lehrer, der Studienrat Bernhard Haake, der als junger Kunsterzieher in Hannover insgeheim dem Schüler Augstein den komischen Blick auf die Blutundbodenkunst des Dritten Reichs beigebracht hatte. Haake war begeistert von seinem Schüler Augstein:

> »Rudolf war *das* kritische Naturtalent unserer Anstalt. Ihm standen die Wahrheit und die Ironie eines Georg Christoph Lichtenberg, der Witz eines Moritz Gottlieb Saphir, die Drastik eines Dietrich von Niem,[32] aber auch die zart-mokante Feder eines Heinrich Heine zur Verfügung. Er besaß als Junge in kurzen Hosen bereits die Fähigkeit, Erkanntes aus dem Stegreif druckfertig zu formulieren.«[33]

Lehrer Haake schickte nun wenige Wochen nach der Dodge&Ortega-Heimsuchung Hamburgs einen privaten Brief an Augstein. Der gab ihn kurzerhand an die Leserbrief-Redaktion weiter, samt dem beiliegenden Foto. Die druckte das Foto und sechs Zeilen aus dem Brief. Harmlos.

Nicht in der Nordheide. Ein Volk stand auf, ein Sturm brach los. Das im Kreisverband Rotenburg organisierte Landvolk Niedersachsens erhob sich und protestierte:

> »Eine schriftliche Eingabe an den *Spiegel,* einer weit auch im Ausland verbreiteten Zeitschrift, ist nach unserer Ansicht üble Denunziation, ähnlich vielen Vorgängen in der Ostzone, die, zudem sie von einem Erzieher unserer Jugend, der zudem noch Rotenburger Kind ist, kommt, nicht scharf genug verurteilt werden kann.«

Das Schulkollegium des nicht scharf genug zu Verurteilenden stellte fest, dass es »durch den genannten Artikel« – gemeint ist der Leserbrief – »unangenehm überrascht« worden sei, und im Kreistag half zwar die SPD dem Beschuldigten, doch Stadtdirektor Dr. Winkel charakterisierte »in äußerst vorsichtiger, aber nicht misszuverstehender Form das Wesen der Zeitschrift *Der Spiegel*«, berichtete die *Rotenburger Kreiszeitung* vom 5. November 1949. Da half auch nicht, dass der *Spiegel* damals noch in Hannover von einer »Verlagsgesellschaft Land und Garten« gedruckt wurde, einer Unterabteilung des mächtigen Madsack-Verlages.

Die sechs Zeilen des angeklagten Studienrats Bernhard Haake lauteten:

> »In der Anlage ein Foto vom Rotenburger Feuerwehrfest am 16. Oktober. Ich denke, der *Spiegel* wird meiner Meinung sein, wenn ich sage, dass es wieder aufwärts geht mit Deutschland. Im Herzen der Lüneburger Heide wird strammgestanden. Hände an die Hosennaht!«

Dazu das Foto, auf dem ein Feuerwehroberer in Uniform eine Front von gleichfalls uniformierten stramm stillgestandenen Feuerwehrunteren mit Stahlhelm abnimmt.[34]

Rotenburg erwuchs damals überall in der Bundesrepublik. Und mit dem erneuerten Soldatenspielen wuchs – heute, da Deutschland endlich rundum erwachsen ist, können wir uns das gar nicht mehr vorstellen – anfänglich auch der Widerstand.

* * *

Allerdings hätte Augsteins antimilitaristischer Studienrat einigen Grund gehabt, sich mit dem Rotstift des nächsten Jens Daniel anzunehmen. Und des ungezeichneten großen Augstein-Artikels, der darum herum geschrieben war: »Ergebenster v. Manteuffel«. Es ging um eine rechtsextremistische

Untergrundorganisation namens »Bruderschaft« und, richtig, um jenen Hasso von Manteuffel in Königswinter, bei dem sich Augstein im Oktober 1948 unmittelbar vor seinem Adenauer-Besuch die Botschaft von den dreißig Divisionen abgeholt hatte. Die den General damals so pressierte, dass Augstein bei Adenauer »ohne Anmeldung abends« eindrang, wie er 1976 zu dessen hundertstem Geburtstag schrieb.

»Meine Einschätzung der politischen Lage änderte sich«, so erinnerte er sich allerdings auch, »während der nächsten beiden Jahre gründlich.«[35] Doch jetzt im März 1950, eineinhalb Jahre nach dem abendlichen Besuch bei Adenauer, war von solcher Änderung noch nichts zu merken. Augstein ließ sich wieder von dem ehemaligen Kommandeur der Division »Großdeutschland« benutzen, der sich als Befehlshaber jener neuen Truppe ins Gespräch bringen wollte, deren bevorstehende Geburt der Bundeskanzler nach außen noch kräftig dementierte.

Der *Spiegel*-Chef bemühte einen berühmten Reitergeneral von Friedrich dem Großen, vermerkte dann allerdings, dass »dieser zweifellos tapfere Ziethen unter Hitlers Panzergeneralen« – zuletzt führte er die 3. Panzerarmee im Osten – geistig anspruchslos sei, aber genau das konnte bei Adenauer nur eine Empfehlung für den General sein.

Und Augstein empfahl: »Wenn der künftige Oberbefehlshaber ein loyaler und unpolitischer Soldat sein soll, so ist Manteuffel zweifellos richtig.« Zum Beweis zitierte er aus dessen *Bekenntnis eines freimütigen Deutschen*: »Ich liebe aber mein Vaterland von ganzem Herzen, für das ich in zwei Kriegen Blut verloren habe, auch wenn unser Land heute krank ist – aus diesem Grunde sogar erst recht.«

Heute krank, gestern gesund. Der Bolschewismus sei ein Weltübel, aber die Hilfe »gegen diese tödliche Gefahr« stehe in Bereitschaft: »Das Menschenpotential Deutschlands wird vor und in dem Kampfe gegen die fortdauernde bolschewistische Revolution ausschlaggebend für die Errettung der europäischen Völkerfamilie sein – man sollte daher nicht mehr nach Gründen suchen, um an dieser Tatsache vorbeizureden.«

Das alles zitierte Augstein durchaus nicht in boshafter Absicht im *Spiegel* und dazu noch Manteuffels unabänderliche Bedingung: »die Aufstellung reinrassiger deutscher Verbände unter deutscher Führung bis zum Korpsverbande«. Die 1948 verlangten dreißig Divisionen sollten jetzt nur noch als »die gepanzerte Kerntruppe« gelten, als Voraussetzung für noch mehr deutsche Soldaten.

Auch die sonstigen Qualifikationen dieses Mannes für den Oberbefehl der Bundeswehr stellte Augstein nicht unter irgendeinen Scheffel: fünf Nennungen im Ehrenblatt, Ritterkreuz, mit Eichenlaub, Schwertern, Brillanten, also die ganze Skala dieses höchsten Objekts deutscher Männerbegierde.

Die »Bruderschaft«, der Manteuffel als – wie Augstein leichthin ironisierte – »besonders großer Bruder« angehörte, lasse sich »selbst mit der ausgefeiltesten Geheimdienst-Phantasie nicht als Untergrundorganisation ansprechen«.

Verständlich, dass sie sich so nicht ansprechen lassen wollte, war sie doch eine. Es handelte sich um eine von ehemaligen Wehrmachts- und SS-Offizieren gegründete ordensähnliche Organisation, die sich über alle drei Westzonen erstreckte. Ihr Chefideologe, der SS-Obersturmbannführer im Personalamt der Waffen-SS Alfred Franke-Gricksch, sprach sich – das tat die SS schon seit 1943 – für eine »Europäische Revolution« aus und bezeichnete sich als »Kanzler der europäischen Bruderschaft deutscher Nation«.

Als Jens Daniel gab Augstein mittendrin in diesem dreiseitigen Wehr-Beitrag und ein halbes Jahr nach der Bundestagswahl den kaum noch verklausulierten Marschbefehl:

> »Ob Deutschland ein Heer stellen wird, ist eine Frage gemeinsamer Zweckmäßigkeit. Wird die westliche Welt kräftig genug, den deutschen Export zu verdauen und

> Deutschland die nötigen Waffen zu liefern, dann werden sich die Deutschen im eigenen Interesse dazu verstehen, für den Westen auf Wache zu ziehen. In dieser Branche sind sie fit.«[36]

Aber langsam, mit der sich abzeichnenden Westbindung, die er als Zementierung der Spaltung Deutschlands betrachtete, verloren sich bei Jens Daniel diese Fitness-Bekenntnisse für einen neuen, natürlich: Verteidigungskrieg.

> »Unsere Aufgabe für den Weltfrieden ist es, die deutsche Einheit in Freiheit wiederherzustellen. Wir werden sie bestimmt nicht lösen, wenn wir Waffen für den Westen schmieden.«

Das schrieb er im Mai 1950 gegen den Schuman-Plan. Die Gefahr eines Atomkriegs machte ihm endlich angst:

> »Die Deutschen haben ohne Notwendigkeit zwei fürchterliche Kriege geführt, man mag sich darauf verlassen, dass sie auch den dritten fürchterlichsten führen würden, bei dem es diesmal nicht um die Knechtung, sondern um die Befreiung der Welt ginge. Aber der Atomkrieg ist kein Mittel der Politik mehr. Die heutigen Deutschen nützen der Welt mehr, wenn sie nicht gerüstet sind.«[37]

Und im Oktober 1950 gestand er ein:

> »Mit Recht kann die SPD darauf hinweisen, die Wahlen zum Deutschen Bundestag seien nicht unter dem Aspekt der deutschen Wiederaufrüstung erfolgt.«

Aber Augstein verschwieg, dass genau unter diesem Aspekt gewählt worden wäre, wenn er seiner journalistischen Pflicht mehr gehorcht hätte als der Kameraderie mit den Generalen und dem Respekt vor dem Alten Herrn in Rhöndorf. Ja, er trieb diese Kameraderie zu neuer Blüte, diesmal allerdings, um der Remilitarisierung zu schaden:

> »In der gleichen Woche, in der sich der alte ehrenhafte Falkenhausen vor einem Militärgericht verteidigen muss, in der gleichen Woche erklärt Außenminister Acheson, Amerika werde auf die Bewaffnung Westdeutschlands nicht verzichten.«[38]

General Alexander von Falkenhausen war Chef der Militärverwaltung für Belgien und Nordfrankreich gewesen, verantwortlich für Geiselerschießungen, für Arisierungen, für Zwangsarbeit und Deportation der dortigen Juden. Als ehrenhaft galt er Augstein, weil er zum Kreis der Militärs gehörte, die mit dem Attentat vom 20. Juli 1944 Hitler zu stürzen versuchten. Er wurde schließlich von einem belgischen Militärgericht wegen der Deportation von fünfundzwanzigtausend Juden und wegen der Erschießung von zweihundertvierzig Geiseln im März 1951 zu nur zwölf Jahren Zwangsarbeit verurteilt, kam aber schon nach sechzehn Tagen auf freien Fuß. Denn Adenauer konnte die Westalliierten leicht erpressen, sobald sie selbst den Wunsch nach deutschen Soldaten geäußert hatten.

Dieses atavistische Gefühl, deutsche Generale seien sakrosankte Wesen, verließ Augstein lange nicht: »Dass künftige Rekruten an den Zuchthäusern der Generale vorbeiziehen werden, scheint schon fast selbstverständlich.«[39] So und so ähnlich klagt Jens Daniel immer mal wieder.

Damals, 1952, war die Vorstellung, dass nicht nur die Nazis – oder eigentlich nur Hitler, dieser Dämon –, sondern auch deutsche Generale – und natürlich auch Soldaten – Verbrecher sein können, dem deutschen Volke fremd, und zu diesem Volk gehörte Augstein. Trotzig schrieb er Ende 1951 zum fünfjährigen *Spiegel*-Jubiläum:

»Aber man findet nicht einen Satz, den man heute aus politischer Vorsicht verstecken möchte, weil sich die Politik – wieder einmal – um 180 Grad gedreht hat. Dass deutsche Soldaten sich in der Regel als Räuber und Plünderer betragen hätten: diese Meinung beispielsweise werden Sie in den alten *Spiegel*-Bänden nicht finden. Sie war 1946 in gewissen Zeitungen zu finden, die heute die Aufstellung deutscher Divisionen dramatisch befürworten.«[40]

Eine Woche später aber, zum Jahresbeginn 1952, geschah die Epiphanie jenes höheren Wesens, das wir verehren: der wahre Jens Daniel.

KAPITEL 5

»Dein Päckchen nach drüben« – Für Großdeutschland zahlt die Zone

> »Ich meine, die westdeutsche Bevölkerung habe bei jeder Wahl die Zonengrenze bekräftigt. Alle Schweigeminuten und Anstecknadeln, alle heiligen Verwahrungen und Sondersitzungen können nicht darüber hinwegtäuschen, dass die westdeutsche Bevölkerung auch heute, käme es zur Wahl, die Zonengrenze wählen würde, die mehr privates Wohlergehen verspricht.«
>
> *Jens Daniel im* Spiegel *vom 21. Oktober 1959*

Im Januar 1952 kam Jens Daniel heraus aus dem Sandkasten seiner Soldatenspielerei. Er begriff die Folgen. »Ein Lebwohl den Brüdern im Osten«, hieß die Dreiseitenkolumne, die das erste Heft zum neuen Jahrgang eröffnete. Nirgends in der deutschen Öffentlichkeit war bis dahin so klar ausgesprochen worden, dass Konrad Adenauer die Brüder und Schwestern im Osten – so hießen sie hier in den Politikerreden – opferte, damit Westdeutschland sich bewaffnen konnte. Und das ausgesprochen von dem Mann, der noch drei Jahre zuvor als Zwischenträger der Hitlergenerale konspirierte, damit deutsche Soldaten wieder marschieren könnten.

Für Adenauer war die Verabschiedung des Schuman-Plans über die Montanunion und die darauffolgende Annahme des Generalvertrags mit den Westalliierten die Voraussetzung der erwünschten Remilitarisierung des deutschen Westens. Jens Daniel aber schrieb: »Erst wenn wir den Schuman-Plan, diesen ersten Akt einer Politik gegen die nationale Existenz, unterzeichnen, sind wir im Begriff den Krieg vollständig zu verlieren.« Diese »freiwillige Kapitulation« bedeute aber »ein Lebwohl den Brüdern im Osten«.

Eines hatte Augstein inzwischen begriffen: Die damit verbundene Aufstellung einer westdeutschen Armee wäre – und sie wurde es auch – das Ende jeder ernsthaften Verhandlung über eine Wiedervereinigung Deutschlands. Jens Daniel:

> »Die Befürchtungen der Sowjets sind doch einleuchtend. Sie wollen ihr Faustpfand, die Sowjetzone, nicht bedingungslos in die hundert Hände der UNO-Vollversammlung legen. Sie wollen gesamtdeutsche Wahlen mit bestimmten Konzessionen – etwa dem Verzicht auf deutsche Divisionen und deutsche Waffen – verbinden ...«

Die Präambel des Grundgesetzes, das ganze deutsche Volk bleibe aufgefordert, in freier Selbstbestimmung die Einheit und Freiheit zu vollenden, nannte er bittersten Hohn und schrieb:

> »Wenn Bischof Dibelius meint, Westdeutschland wolle seinen Lebensstandard zugunsten der ärmeren Sowjetzone nicht einschränken, stößt er an eine Wunde, unter deren Oberfläche noch mancherlei schmerzt. Warum ist es am Rhein so schön? Vielleicht sitzen die Politiker der Rechten zu gut und zu warm? Vielleicht ist unter den Regierungsparteien, namentlich unter der Industrie, doch der Hintergedanke lebendig, man dürfe freie Wahlen für ganz Deutschland nicht fördern, um dem rabiaten Schumacher nicht an die Macht zu helfen.«[1]

Es gab eine, wie Augstein diplomatisch formulierte, »lebhafte Resonanz« auch von Abgeordneten des Deutschen Bundestags. Einer der angesprochenen Rechten, der FDP-Fraktionsvorsitzende August Martin Euler – er machte sich Hoffnung auf den Außenministerposten – protestierte auf zwei engbedruckten *Spiegel*-Seiten. Er wütete gegen Jens Daniel von erstens, zweitens, drittens bis elftens und zwölftens. Die Unglückszahl 13 für den Schlussabsatz vermied er abergläubisch, der begann so:

> »Bedarf es noch einer Verwahrung gegen die unverschämte Unterstellung, die Entscheidungen der Regierungsparteien seien dadurch beeinflusst, dass von den 18 Millionen Einwohnern der sowjetischen Zone nur 2,5 Millionen Katholiken sind, oder dass Westdeutschland seinen Lebensstandard zugunsten der ärmeren Ostzone nicht einschränken wolle, oder dass Wahlen für ganz Deutschland nicht wünschenswert seien, um den rabiaten Schumacher nicht an die Macht ...«[2]

Und so weiter, ja, dieser Verwahrung bedurfte es dringend.

* * *

Achtunddreißig Jahre später, Anfang 1990, lief die Meinungsforscherin Elisabeth Noelle-Neumann händeringend zu Adenauer, nein zu Kohl, irgendwie war Adenauer ja schon tot, aber sie begleitete nun einmal – genau wie Rudolf Augstein oder doch etwas früher als er, schließlich hatte die sieben Jahre Ältere vorher schon persönliche Adjutantin des kleinen Doktors werden sollen[3] – alle westdeutschen Kanzler, und breitete die Ängste aus, die ihr die Volksbeschau im Osten bereitete. Volker Rühe, der damalige CDU-Generalsekretär, verriet am 9. Februar diese Ängste in einem Interview mit der *Welt*. »Rühe fürchtet Verlust der Mehrheitsfähigkeit«, meldete das Blatt, in einem vereinten Deutschland werde sich »die Mitte« verschieben. »Unser Land, aber auch die politischen Parteien werden ihr Koordinatensystem ändern, sie werden insgesamt protestantischer, nördlicher und östlicher ausgerichtet sein.« Das alles nütze der SPD. »Wir dürfen nicht«, so alarmierte Rühe seine Partei, »in eine strukturelle Minderheitenposition« geraten.[4]

Kohl und Rühe saßen dieses Noelle-Ergebnis nicht aus. Sie handelten blitzschnell. Zur nächsten Montagsdemonstration in Leipzig gab es saubere neue Transparente aus der CDU-Zentrale in Bonn: »Kommt die DM, bleiben wir, kommt sie nicht, gehen wir zu ihr.«

Alles weitere ist bekannt. Kohl verkündete eiligst vor der letzten Volkskammerwahl die alsbaldige Währungsunion. Bundesbankpräsident Karl Otto Pöhl, den er überrumpelt hatte, warnte vergebens, das halte keine Volkswirtschaft der Welt aus. Wenn Österreich seinen Schillingkurs (7 zu 1) von einem Tag auf den anderen auf 1 zu 1 umstelle, würde auch dort die gesamte Exportwirtschaft zusammenbrechen.

Als nun die Deppen der Nation »Wir sind *ein* Volk« riefen und *das* Volk in die Rumpelkammer der Geschichte sperrten, kam mit der Währungsunion schlagartig auch noch die Übernahme der Treuhand durch die westdeutsche Konkurrenz: Ostdeutschland wurde zugunsten des Westens so deindustrialisiert, wie es selbst Morgenthau nie vorgesehen hatte.[5]

Augsteins Lebwohl an die Brüder im Osten hätte schlimmer nicht bestätigt werden können. Denn wir Westdeutschen ließen unsere immerwährenden Brüder und Schwestern zweimal für den gemeinsam verlorenen Krieg zahlen. Die Russen, die nun wirklich ein Recht auf Reparationen hatten, nachdem wir überall, wo wir im Osten hinkamen, Massenmord und verbrannte Erde hinterlassen hatten, nahmen sie sich – gewiss nicht knapp, wenn auch nicht ausreichend – von den Ostdeutschen, während wir im Westen nicht nur verschont, sondern von den US-Amerikanern aufgepäppelt wurden.

Statt den Brüderschwestern unseren Anteil zu zahlen und nicht nur ein Almosen, haben wir zu unserem Vorteil ihre Industrie vernichtet.

Daniels bitteres Lebwohl von 1952 bedeutete für uns Wohlleben, für sie nicht. 1990 aber, wir kommen noch drauf, hatte Augstein das vergessen.

* * *

Ich hatte Daniels Lebwohl als gerade noch sechzehnjähriger Gymnasiast in Schweinfurt gelesen. Seine ersten Kolumnen kannte ich nicht, für mich war er stets nur der Gegner Adenauers und der Gegner der Remilitarisierung und damit mein Vorbild. Er war es, der mich antrieb, als ich später in den fünfziger Jahren eine dieser Alibi-Demonstrationen für die deutsche Einheit zum Platzen brachte.

Der weite Residenzplatz in Würzburg war voll mit Hunderten von Korporierten in vollem Wichs, Corps, Burschenschaftler und sonstiges Pack mit blutigen Bauchbinden. Doch sie mussten mit ihren Fahnen und Transparenten unverrichteter Dinge zurück in ihre Verbindungshäuser.

Wir, die Studenten der BRD und auch wir Würzburger Studenten, waren von höchster Stelle aufgerufen, für Deutschlands Einheit zu demonstrieren, weil in Genf irgendeine Außenministerkonferenz über dieses Thema stattfand. Doch als ich mit einem SDS-Genossen – wir waren ein winziger Verein in der schönen Bischofsstadt – mein Transparent zum Residenzplatz geschleppt hatte, schrien die Kommilitonen mit dem Hackepetergesicht alle auf: Wenn dieses Schild dabei ist, marschieren wir nicht mit für Deutschlands Einheit. Die Polizei wurde gerufen, doch der politisch unerfahrene AStA-Vorsitzende musste bestätigen, dass er den Text meines Transparents, den ich ordnungsgemäß einige Tage zuvor – so war das damals – zur Prüfung eingereicht hatte, ahnungslos genehmigt hatte. Da waren selbst im Adenauerstaat der Polizei die Hände gebunden.

Natürlich bekam ich trotzdem mein Disziplinarverfahren – Rektor war damals der NS-Strafrechtler Ulrich Stock *(Militärstrafrechtspflege im Kriege*, 1938) –, aber ich kam mit einem einfachen Verweis davon. Dabei hätte es – das sehe ich heute ein – mindestens ein schwerer, wenn nicht die Relegation sein müssen.

Denn was stand auf dem Transparent, mit dem ich die zur Demonstration entschlossenen Anhänger der deutschen Einheit in die Flucht schlug? Nur der eine Satz: »Ein Deutschland ist wichtiger als zwei deutsche Armeen.«

So hatte ich es von Jens Daniel gelernt. Dass ich jedoch damals mit meinem Transparent *eine* deutsche Armee für *ein* Deutschland nicht ausschloss, bereue ich heute bitter. Aber dann wäre mein Transparent selbst von dem politisch unerfahrensten AStA-Vorsitzenden nicht genehmigt worden.

* * *

Was hatte Augstein, der ja anfangs geradezu Vermittlerdienste für eine westdeutsche Aufrüstung leistete, dazu bewogen, seine Gelüste auf deutsche Soldaten entschieden zu dämpfen? Erstens die Vernunft, die sich ihm ja nie verweigert hatte, wenn er sie suchte. Und zweitens die *Spiegel*-Leser, die mehr und mehr gegen eine Remilitarisierung rebellierten. »Auf zur Abstimmung!« wandte sich Rudolf Augstein im November 1950 herzlichst an den »lieben *Spiegel*-Leser«:

> »Da nun aber der Kanzler es ablehnt, die Bevölkerung zu befragen, muss die Bevölkerung ihren Willen notbehelfsweise kundgeben. Darum gibt der *Spiegel* allen seinen Lesern, allen ihren Freunden und Bekannten Gelegenheit, mit einigen wenigen Strichen und einer 4-Pfennig-Marke ihre Meinung zu sagen. Und darum gibt der *Spiegel* dem Kanzler Gelegenheit, den Querschnitt der Meinung einer ganz breiten, interessierten Leserschicht zu erfah-

ren, deren Hälfte bei den Bundestags-Wahlen Parteien seiner Regierungskoalition gewählt hat.«

Jedem Heft waren vier Postkarten beigelegt. »Wer die 4 Pfennig nicht entbehren kann, mag die Karte unfrankiert in den Kasten stecken«, schrieb der Herausgeber und zählte dann von eins bis acht »die Argumente des Kanzlers und seiner Waffenbrüder in aller Fairness« auf.

»Die Gegenargumente sind den *Spiegel*-Lesern von Herrn Jens Daniel her«, schrieb Augstein, der Herrn Daniel offensichtlich etwas schlechter kannte als sich selbst, »seit einem Jahr bekannt, um so mehr, da sie in letzter Zeit auch von den Parteien aufgegriffen wurden.«[6]

So war das nicht ganz wahr, denn bisher hatte Jens Daniel – »Hänge Dich oder hänge Dich nicht – bereuen wirst Du beides« – mehr oder weniger auf beiden Schultern getragen. Dies schien Augstein jetzt zu bereuen. Denn das Ergebnis war überwältigend. Bei einer *Spiegel*-Auflage von damals sechsundneunzigtausend Exemplaren hatte es dreiunddreißigtausend Antworten gegeben. Das beste Ergebnis, das die politische Umfrage einer Zeitung in Deutschland je hatte. 12,8 Prozent der Einsender waren bereit, Soldat zu werden, 85,1 Prozent sagten Nein. Für Freiwilligeneinheiten erklärten sich 35,4 Prozent, 60,8 Prozent sagten Nein.

Eine allgemeine Wehrpflicht bejahten 15,8 Prozent, 82,6 Prozent sagten Nein.

Gegen dieses vielfache Nein konnte und wollte auch Jens Daniel nicht mehr seine Unentschiedenheit wahren, und Augstein selbst schrieb zu dem Ergebnis: »Angesichts dieser fundierten Ablehnung hilft es wenig, wenn Englands Hoher Kommissar die Frage aufwirft, ob die Deutschen feige beiseite stehen oder ob sie verantwortungsbewusst in der Front der Freiheit mitmarschieren wollten.«[7] Schon damals wusste man nicht so recht, ob solche Mahnungen aus dem Ausland von der deutschen Regierung dringlichst bestellt worden waren.

Doch da gab es die an Goebbels und Gallup geschulte Hexenmeisterin tief unten am Bodensee, die kannte ihr deutsches Volk besser als ein Augstein. Elisabeth Noelle-Neumann, die schon erwähnte große alte Dame einer entschieden deutschen Demoskopie,[8] erinnert sich heute noch verzückt, wie der Kanzler vor einem halben Jahrhundert den Deutschen ihren Widerstand gegen die Remilitarisierung für eine gute Tasse Kaffee abhandelte.

Es geschah aber zu jener Zeit, dass der Gemahl der Allensbacher Volksbeschauerin Erich Peter Neumann zu Adenauer kam und sagte: »Hier bieten wir Ihnen an, regelmäßige Umfragen, zweimal im Monat – das wird Ihnen bestimmt helfen.« Die Gemahlin, die diese Szene aus dem gemeinsamen Leben mit ihrem längst verstorbenen ersten Gatten zu ihrem fünfundachtzigjährigen Geburtstag im Dezember 2001 dem ZDF erzählte, fuhr fort: »Und der über siebzigjährige Adenauer begriff sofort, dass ihm das helfen würde, und sagte: Das machen wir.«

Das half ihm zunächst mal aber nicht. Denn seine Situation war 1953 schwierig, die zweite Bundestagswahl stand bevor und Jens Daniel und Rudolf Augstein hatten nun doch das Volk aufgehetzt und darin bestärkt, nicht noch einmal Waffen zu tragen. Noelle erzählt: »Das war kritisch, denn Adenauer hatte vorher, gegen die ganze Neigung der Bevölkerung praktisch die Wiederaufrüstung Westdeutschlands durchgesetzt. Die Bevölkerung war vehement gegen jede Rüstung. Nichts mehr wollte sie sehen von irgendwelchen militärischen Dingen. Und Adenauer führt Westdeutschland zurück« – zurück, das war gut gesagt – »in ein Westbündnis. Und nun die Frage, wie man nach diesem Affront gleichsam zurückgewinnen kann eine Bevölkerung, die dann nachher im selben Jahr ihm die Mehrheit wiedergeben sollte.«

Die Pythia vom Bodensee beantwortete diese Existenzfrage für Adenauer vorzüglich, denn es geschah also: »Anfang des Jahres, und jetzt lachen Sie gleich, aber Sie können nicht

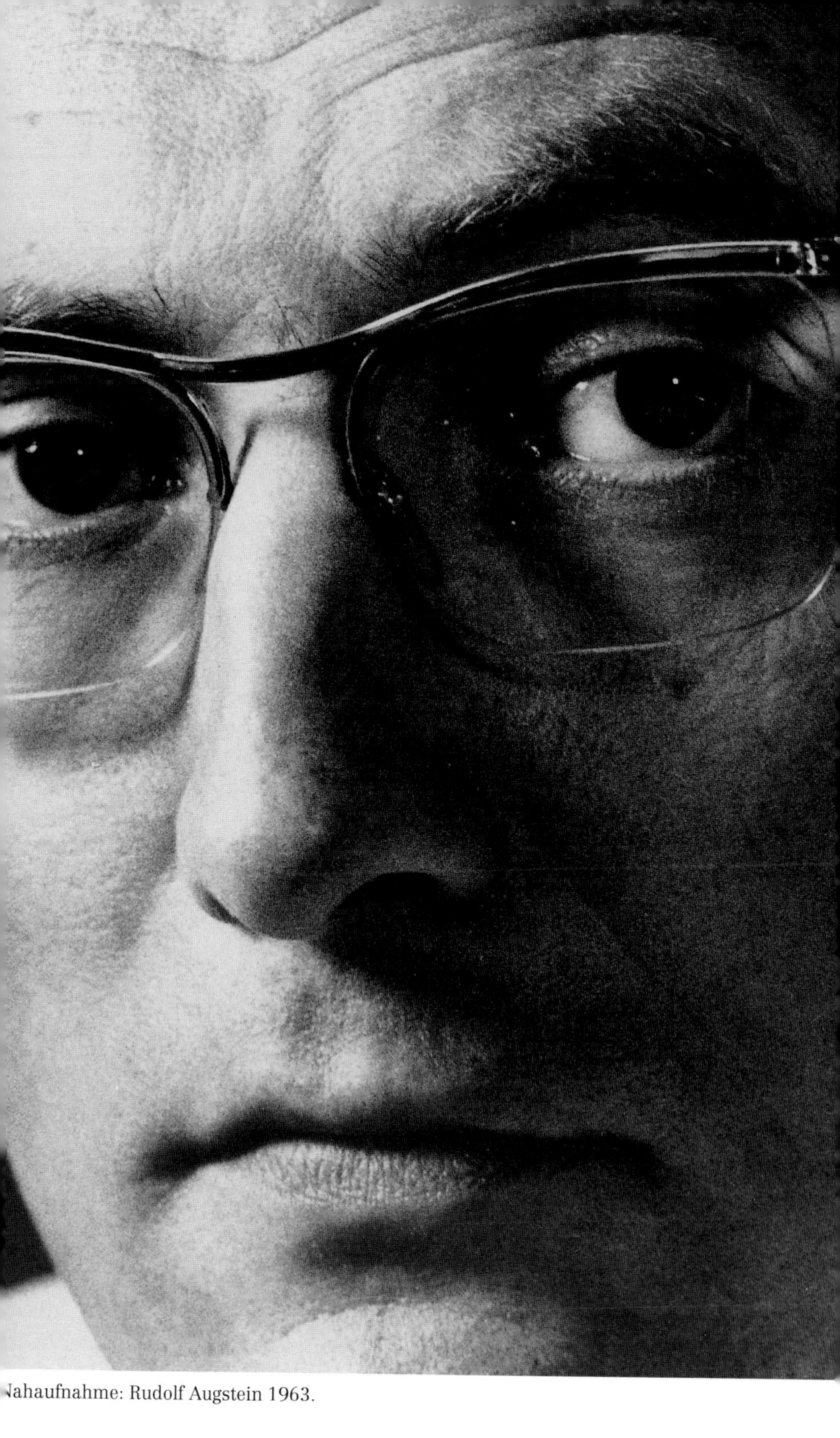

Nahaufnahme: Rudolf Augstein 1963.

Die Affäre Schmeißer: Rudolf Augstein *(re.)* mit den Mitangeklagten *(v. li. n. re.)* Hans-Kon
Schmeißer, Hans Dieter Jaene und Hans-Hermann Mans (25. September 1955).

Die Fibag-Affäre: Augstein *(re.)* im Kreis seiner Berater und Anwälte vor dem Landgericht Nürnberg-Fürth (2. März 1962).

Josef Augstein *(re.)* verteidigt seinen Bruder *(li.)* in allen wichtigen Verfahren gegen den *Spiegel.*

acht auf Landesverrat: Wegen der Bericht-
ttung über die Nato-Übung »Fallex 62« wird
piegel-Redaktion durchsucht; zwei Bereit-
ftspolizisten bewachen den Eingang zu den
mentationsräumen (27. Oktober 1962).

Mit einem Lächeln zurück ins Gefängnis: Nach einem Haftprüfungstermin wird Rudolf Augstein abgeführt (8. Januar 1963).

DER SPIEGEL

Rudolf Augstein

DER SPIEGEL

LANDESVERRAT

DER SPIEGEL

ANZEIGER VON DER HEYDTE

DER SPIEGEL

FRANZ-JOSEF STRAUSS

Die *Spiegel*-Affäre: Vier Titel des *Spiegel* zwischen dem 2. November 1962 und dem 13. Februar 1963.

Verfassungsbeschwerde wegen der Durchsuchungen, Beschlagnahmungen, Verhaftungen und der Zensur im Zusammenhang mit der *Spiegel*-Affäre von 1962: Augstein *(2. v. li.)* mit seinem Verlagsdirektor Detlev Becker *(li.)* und drei Anwälten vor dem Bundesverfassungsgericht (25. Januar 1966).

Nach dreieinhalb Monaten Haft: Augstein am Tag seiner Haftentlassung (7. Februar 1963).

Prozess wegen Strauß: Vor dem Landgericht München klagt der Verteidigungsminister gegen den Vorwurf der Korruption; Augstein *(li.)* mit seinen Anwälten (9. März 1965).

Rudolf Augstein vor Verhandlungsbegi zur dritten Prozessrunde gegen Strauß (3. Mai 1965).

Gegen Notstandsgesetze: Auf einer Kundgebung in der Paulskirche am 28. Mai 1968.

Zähne zeigen: Rudolf Augstein 1966.

glauben, was das für eine Wirkung hatte: die Kaffeesteuer wurde billiger, der Kaffee wurde billiger.[9] Das begeisterte die Bevölkerung. Die Bevölkerung war so unglaublich arm, dass ihr die Kosten des Kaffees – das war ihr ein ernstes Anliegen. Und nun am Anfang des Jahres plötzlich sorgt Adenauer dafür und macht es auch ganz deutlich, dass er dafür gesorgt hatte: Kaffee wird billiger.«

Die Volksverzauberin lächelte erinnerungssatt den sichtlich verdatterten ZDF-Reporter an: »Es begann einfach eine begeisterte Strähne der positiven Stimmung gegenüber einem so klugen Kanzler, der dafür sorgte, dass der Kaffee billiger wurde.«[10]

Adenauer hatte das deutsche Westvolk richtig eingeschätzt. 1953 war ich achtzehn geworden, und ich erinnere mich gut, welche numinose Verehrung die sonntagnachmittägliche Tasse »echten Bohnenkaffees« in meiner Jugend genoss; morgens begnügte man sich noch lange mit dem Muckefuck von Kathreiner.

Nein, verglichen mit billigem Bohnenkaffee zu jeder Tageszeit war die Einheit ein wertloses Stück Nippes, das sinnlos auf dem Vertiko herumstand und mit regelmäßigen Bekenntnissen (»... in Frieden und Freiheit«) abgestaubt werden musste. Und außerdem gab es doch Dein Päckchen nach drüben! Für Großdeutschlands Taten zahlte die Zone.

* * *

Adenauer kaufte sich die aufrüstungsunwilligen Westdeutschen mit Kaffee, dank einer Volksbeschauerin, die ihr Handwerk mehr bei Goebbels als bei Gallup erlernt hatte. Dagegen kam Augstein nicht an. Allerdings: Wo Adenauer seine Wiederwahl mit Kaffee beförderte, da steigerte Augstein seine Leserzahl mit Kaffeeschmuggel, aber darauf kommen wir erst viel später.

Nach der Wahl, bei der Adenauer mit seinen rüstungswilligen Regierungsparteien so gnadenlos siegte, druckte der *Spiegel* zum Trost eine Grafik, aus der man sich ausrechnen konnte, dass nur achtzehn Millionen Wahlberechtigte für Adenauers Politik gestimmt hatten, 29,4 Millionen aber nicht. Das allerdings war eine wenig stimmige Einheitsrechnung. Denn die 29,4 Millionen ergaben sich aus der Addition von 9,3 Millionen Gegenstimmen der Wähler von SPD, KPD, Heinemanns GVP und der rechtsradikalen DRP, sowie der 5,9 Millionen Wahlberechtigten, die nicht oder ungültig abgestimmt hatten, und schließlich der 14,2 Millionen, die als Wahlberechtigte Berlins und der Sowjetzone »keine Aussage-Möglichkeit« hatten.

Jens Daniel ließ sich auf das Bemühen der Redaktion nicht ein, Adenauers überwältigenden Sieg mit solchen Tricks kleinzuschreiben. Er machte sich keine Illusionen:

> »Der Sieg des Kanzlers in den Bundestagswahlen war zu vollständig. Es war ein umgekehrter Pyrrhus-Sieg, der Sieger empfing nicht zuviel Wunden, sondern zuviel Macht. Noch ein solcher Sieg und die deutsche Demokratie ist verloren.«

Was er noch vor der Wahl, ja bevor es Grundgesetz wurde, mit Erbitterung bekämpft hatte, war jetzt die letzte Rettung:

> »Einzig die (unabänderliche) föderalistische Staatsform, einzig ihr Vorkämpfer Bayern setzen der Bonner Regierungsmaschinerie noch Dämpfer auf.«[11]

* * *

»Konrad Adenauer« stand vierzehn Jahre später über der letzten Kolumne, die Jens Daniels Namen trug – nach langer Pause, Augstein schrieb seine politischen Kolumnen längst unter seinem eigenen Namen. Mit dem ersten Bundeskanzler, der vierzehn Jahre lang Westdeutschland regierte – aber es sollte noch einer kommen, der an Regierungsjahren Adenauer übertraf –, starb 1967 auch Jens Daniel, das Pseudonym. In Bonn regierte Kurt Georg Kiesinger, der NSDAP und CDU harmonisch in sich vereinte und nicht zuletzt dank dem *Spiegel* Kanzler werden konnte. »Wahrlich kein Stein in dieses Mannes Lebenswelt blieb auf dem anderen«, rief Jens Daniel dem ersten Kanzler nach. Aber auch: er habe »Deutschland Vertrauen in den USA, in Frankreich und Israel erworben und Selbstvertrauen. Wem das nicht reicht, dem sei gesagt: Er war ein ganz großer Häuptling«.

»Meine Friedenspfeife mit ihm«, so lüftete Jens Daniel sein Pseudonym, »habe ich noch geraucht.« Und: »In einer Besprechung des zweiten Bandes seiner Erinnerungen hatte ich« – ich, das konnte man nachschlagen, war Rudolf Augstein[12] – »ihn als einen Staatsmann der zähen Beharrlichkeit, der großzügigen Betrachtungsweise und der instinktsicheren Taktik beschrieben, gleichzeitig aber als einen Politiker, dem die gedankliche Kraft des Analysierens nahezu abgehe, ohne Zugang zu den gesellschaftlichen Umwälzungen; dessen Außenpolitik nicht den Realitäten staatlicher Gebilde und der menschlichen Natur, sondern einer aus bürgerlichen Vorurteilen geronnenen ideologischen Fixierung gefolgt sei.«

Nach dieser Rezension war es über den bekannten Abgrund von Landesverrat, den wir uns erst noch ansehen müssen, hinweg schließlich wieder zu einem Briefwechsel zwischen den beiden gekommen. Adenauer bedankte sich am 9. November 1966 handschriftlich bei Augstein für »die große Arbeit«, die er mit »großem Interesse« gelesen habe. Und einen Monat später besuchte der Herausgeber den Altkanzler zum dritten und letzten Mal. Der Besuch dauerte eineinhalb Stunden. Adenauer sagte, Augstein habe sich mit der Besprechung des zweiten Bandes seiner Memoiren viel Mühe gemacht, und das habe ihn auch sehr gefreut. Aber Augstein solle nur mal abwarten: »In meinem dritten Band, da werden Sie sehen, dass Sie Unrecht haben mit Ihrer Kritik.«

Augstein antwortete: »Mir ist beim Lesen Ihres Buches aufgegangen, worin nach 1945 Ihre Stärke lag: Sie als einziger von den deutschen Politikern wollten etwas, was Sie erreichen konnten, jedenfalls vorläufig erreichen konnten. Das machte Sie allen überlegen.«

Darauf der Kaffeespender, und das ist wohl wahr: »Wichtiger war noch, dass ich immer so einfach gedacht habe.«

Wer den Kopf in den Sand steckt, den überrollen die sowjetischen Panzer, hatte Jens Daniel 1948 in seiner ersten Kolumne geschrieben, der kleine Lügendoktor habe mit seiner bösesten Prophezeiung doch recht behalten. 1967, in der letzten Kolumne erkannte er, die Welt, wie sie sich am Sterbebett Konrad Adenauers präsentierte, sei ganz anders als damals: »Nicht zweigeteilt, und wenn, dann verläuft die Trennungslinie zwischen China einerseits, Russland/USA andererseits; nicht auf Krieg eingestellt, und wenn, dann wegen amerikanischer und nicht wegen kommunistischer Angst-Aggressionen.«

Das letzte Wort des mit dem ersten Bundeskanzler dahinscheidenden Jens Daniel: »Konrad Adenauer hat die Spaltung Deutschlands für vollzogen genommen, bevor sie vollzogen war.«[13]

Rudolf Augstein hatte sich zu erkennen gegeben und nahm längst schon den Platz von Jens Daniel ein. Und langsam verloren sich seine gesamtdeutschen Schwärmereien, bis er endlich der Vernunft Stimme gab und im Interview mit Erich Kuby bekannte:

> »Ich bin seit langem der Meinung, die Teilung sollte mit immer größerer Klarheit festgestellt werden; eine Anerkennung der Staatsbürgerschaft der DDR kann ich mir sehr gut vorstellen.«[14]

Das war 1988. 1990 wurde mit dem Anschluss der DDR an die Bundesrepublik die Spaltung in zwei deutsche Völker endgültig vollzogen.

Aber jetzt sind wir schon in die damalige Zukunft gestolpert. Noch befinden wir uns im Jahr 1952.

KAPITEL 6

»Mit einer solchen Bande will ich nichts zu tun haben« – Souverän ist, wer den *Spiegel* beschlagnahmen kann

»Sie werden vielleicht lachen, aber insgesamt hat mich der alte Adenauer am meisten beeindruckt. Gerade in seiner machiavellistischen Art. Ich war der Erste und der Letzte, der ihn interviewt hat. Ich wusste mehr über ihn als die vielen Leute, die an seinen Teetisch drängten. Da war ich nie dabei.«

Rudolf Augstein im Interview mit der Welt am Sonntag[1]

Sechs Wochen nachdem die westlichen Besatzungsmächte die Bundesrepublik durch den Generalvertrag mit einiger Souveränität ausgestattet hatten, biss Rudolf Augstein als freier Bürger in ein heißes, feuchtes, schwabbeliges Gebilde, das gesamtdeutsch, in West wie in Ost, für den menschlichen Verzehr bestimmt ist: in eine heiße Bouillonwurst, zubereitet in der Raststätte Rimberg an der von Frankfurt damals nur bis Göttingen führenden Autobahn. Kauend sah der Herausgeber, dass ein hessischer Landpolizist in grüner Uniform am Zeitungsstand des Gasthauses die restlichen drei Exemplare seines *Spiegel* der Beschlagnahme zuführte. So wurde er Augenzeuge,[2] wie Konrad Adenauer – mutmaßlich mit Genuss – an den Zeitungskiosken die von ihm frisch unterschriebene Teilsouveränität Westdeutschlands noch vor der Ratifizierung durch den Bundestag exekutierte. Es war Donnerstag, der 10. Juli 1952, 16 Uhr 05 (damals erschien der *Spiegel* noch mittwochs).

Einen Tag später, am Freitag um 16 Uhr 30 im Kanzleramt zu Bonn, bissen vierundzwanzig Spitzen der bundesdeutschen Presse in Teebrötchen zu je sechzig Pfennig.[3] Einer dieser Spitzenjournalisten wollte zwar eigentlich nichts gesagt haben, sagte es aber doch: »Ich habe hier den verbotenen *Spiegel*. Ich will nicht auf die Sache eingehen, aber ich möchte im Kreis der Kollegen fragen: Halten Sie es unbedingt für opportun, dass ein solches Organ verboten und beschlagnahmt wird?«

»Das ist wohl nicht der Zweck unserer Zusammenkunft, sondern ich glaube, wir sind zu einem politischen Gespräch zusammengekommen«, unterrichtete Bundeskanzler Dr. Konrad Adenauer den vorwitzigen Journalisten, erlaubte sich aber gutgelaunt den Spaß: »Wir können auch einmal ein pressepolitisches Gespräch daraus machen.«[4]

So geschah es, wir kommen noch auf den Verlauf des Gesprächs zurück. Für Adenauer ging es gerade jetzt um die Wurst beziehungsweise er musste, so sein Hofhistoriker Hans-Peter Schwarz, »das Eisen schmieden, solange es heiß ist«.[5]

Am Tag, als der *Spiegel* beschlagnahmt wurde, begann der Bundestag seine Beratungen über die Ratifizierung des am 26. Mai unterzeichneten Deutschlandvertrags; an diesem Tag war auch noch nicht klar, wen – das ist wichtig für Adenauer – die Republikaner in den USA zu ihrem Präsidentschaftskandidaten machen. Noch wurden zwischen der Sowjetunion und den Westmächten ständig Noten wegen einer schleunigst abzuhaltenden Viermächtekonferenz über Deutschland ausgetauscht. Sollten sich die Westmächte doch noch auf solch eine Viererkonferenz einlassen, dann werde, so hatte es Adenauer seinem Vertrauten Herbert Blankenhorn gesagt, »damit das ganze Ratifizierungswerk in Frage gestellt; denn der Bundestag und die deutsche öffentliche Meinung würden zweifellos der Bundesregierung empfehlen, vor Abschluss der Ratifizierung das Ergebnis einer solchen Konferenz abzuwarten«.[6]

Man müsse, so beschwor noch Anfang Juli Adenauer sein Kabinett, »den Russen gegenüber ... Fakten schaffen«.[7]

* * *

Fünf Tage vor dem 26. Mai 1952, an dem Adenauer zusammen mit den Westalliierten den General- oder, wie es jetzt hieß, Deutschlandvertrag unterzeichnete, hatte Jens Daniel – »Der Demokratie eine Chance!« – auf vier engbeschriebenen *Spiegel*-Seiten noch einmal versucht, die endgültige Spaltung Deutschlands aufzuhalten.

Provozierendes Motto der langen Kolumne war das Zitat aus einem Brief des katholischen Sozialpädagogen und Studentenführers Dr. Carl Sonnenschein vom 17. Februar 1919:

> »Die Angelegenheit der rheinischen Republik scheint unterdessen doch in Ordnung zu kommen. Ich habe mehr Vertrauen zur Sache, seit ich weiß, dass Adenauer hinter ihr steht. Verwaltungsmenschen wie er werden die Sache schon praktisch anfassen.«

Für den Kanzler war das eine unverschämte Herausforderung. Am Tag, als tatsächlich die Rheinische Republik ausgerufen worden war, am 5. November 1923, dem Geburtstag Augsteins, hatte sich der Kölner Oberbürgermeister längst schon von dem Vorhaben der »Separatisten« distanziert.

Ohne Adenauer, beharrte jedoch Jens Daniel, wäre die Politik, Westdeutschland zu bewaffnen, egal was dann mit Ostdeutschland geschähe, schon aufgegeben worden, aber: »Dieser imponierende eigensinnige Mann findet denn auch Lob in den amerikanischen Gazetten wie kein Deutscher mehr seit den Rundfunktagen des Thomas Mann.« Und er zitierte die *Saturday Evening Post*: »Um die Politik der Westmächte durchzusetzen, hätte ein Konrad Adenauer erfunden werden müssen, wenn er nicht schon dagewesen wäre.«

Augsteins Artikel endete, wie er angefangen hatte, mit einem Hinweis auf den Separatistenstaat, der 1923 zu gründen versucht worden war:

> »Bevor wir uns mit der ›rheinischen Republik‹, mit einem Appendix des Westens, mit einem Rheinbund unter dem Patronat des Generals Eisenhower abfinden, weil nichts Besseres möglich ist, wollen wir den Versuch machen, die Demokratie in Deutschland einmal siegreich zu installieren. Erzwingen wir mit ihren Waffen und mit ihren Ideen die Einheit Deutschlands.«

Und noch martialischer:

> »An der nötigen Frontbewährung im Kampf gegen den Sowjetkommunismus in Deutschland soll es dann nicht fehlen.«[8]

So wie sich das der achtundzwanzigjährige Ex-Leutnant im Mai 1952 vorstellte, ging es natürlich nicht. Die Bürger des Rheinstaates wollten ihren frischerworbenen Wohlstand nicht durch Wiedervereinigungsabenteuer gefährden, es genügte, dass sie schon immer Päckchen in den Osten schickten, und bald würden sie zu besonderen Anlässen auch noch Kerzen in die Fenster stellen. Was die Bundesbürger wirklich für interessant und wichtig hielten, zeigte das Titelbild des *Spiegel*, in dem Jens Daniel nach einer Chance für die Demokratie rief:

einen jungen Mann mit zwei Tassen und drei Untertassen auf dem Kopf. Bildunterschrift: »Der kleine Deutsche stiehlt die Show – Fliegende Untertassen: Jongleur Rudi Horn (siehe ›Artistik‹)«. Kunststücke waren gefragt. Die *Spiegel*-Rückseite zierte derselbe Herr Horn auf dem Einrad mit sechs Tassen und sechs Untertassen auf dem Kopf und dem Zitat: »›Das Kreuz wirst du dir brechen‹, prophezeiten die Fachleute . . .«[9]

* * *

Doch Augstein ließ sich durch die Artistik seiner Redakteure nicht aufhalten. Er schickte Blitz und Donner über die Bundeshauptstadt.

> »Nachmittags zog sich dann ein schweres Gewitter über Bonn zusammen, das einen Ast von dem Baum vor dem Hauptportal zum Palais abriss, der ausgerechnet auf Blankenhorns Wagen fiel. Das war offenbar ein böses Omen, denn am selben Tage erschien der Angriff auf Blankenhorn im *Spiegel* wegen der Affäre Schmeißer.«

So steht es am 8. Juli 1952[10] im Tagebuch von Adenauers Staatssekretär Otto Lenz, und er fuhr fort:

> »Blankenhorn bestimmte, Strafantrag zu stellen und den *Spiegel* beschlagnahmen zu lassen. Ich bin gespannt, wie die Sache ausgeht, da Blankenhorn nicht in Abrede stellen kann, dass er früher Beziehungen zu Schmeißer gehabt hat.«[11]

»Mein Vertrauensmann zu Adenauer«, erinnerte Rudolf Augstein zum 50. Jahrestag der Bundesrepublik, »war dessen enger Mitarbeiter Herbert Blankenhorn.«[12] Damals war der V-Mann ein alter Nazi-Diplomat aus dem Auswärtigen Amt, NSDAP seit 1938, nach deren Ende Mitbegründer der CDU, deren Generalsekretär, persönlicher Referent Adenauers, und jetzt, 1952, Leiter der Politischen Abteilung im Auswärtigen Amt, das vorerst in Personalunion vom Bundeskanzler selbst geführt wurde. Blankenhorn für Äußeres, Hans Globke, der berühmte Mathematiker (»Der Dreiachteljude, der einen volljüdischen und einen halbjüdischen Großelternteil besitzt, gilt als Mischling mit einem volljüdischen Großelternteil, der Fünfachteljude mit zwei volljüdischen und einem halbjüdischen Großelternanteil als Mischling mit zwei volljüdischen Großeltern«),[13] für Inneres und vor allem eben Otto Lenz, der erste Staatssekretär im Kanzleramt – die drei waren zu dieser Zeit die engsten Berater Adenauers. »Dringendste Aufgabe« für Lenz sei, so äußerte Adenauer bei dessen Amtseinführung im Januar 1951, »die Schaffung einer zugfähigen Propaganda«.[14]

Die Affäre Schmeißer also. Das war zwar zunächst – unzweifelhaft – eine Affäre Blankenhorn, dann aber die Affäre Adenauer. Sie wäre allerdings – angesichts der damals umfassenden Diskretion der bundesdeutschen Presse – nie eine Affäre geworden, wenn Augstein sie nicht öffentlich gemacht hätte. Ausgerechnet an dem Tag, an dem der Bundestag sich zur ersten Lesung der Westverträge anschickte.

* * *

»Am Telefon vorsichtig«, hieß – diesmal schaute die »Milchkaffee-Schönheit Lena Horne« vom Titel – das letzte Schrapnell, das Augstein abfeuerte, bevor der Bundestag Deutschlands Spaltung durch die Westverträge ratifizierte. Unter der Rubrik »Geheimnisse« handelte die Geschichte[15] von einem »hornbebrillten« Mann namens Hans-Konrad Schmeißer, der auch einmal, als er noch »ein Menjou-Bärtchen trug«, René Lavacher hieß: 1948/49 war er nämlich Chef-Agent für Norddeutschland des dem französischen Ministerpräsidenten direkt unterstellten Geheimdienstes SDECE (Service de Documentation et Contre-Espionage). Drei Namen tauchten besonders häufig in Schmeißers Notizbüchern auf: Dr. Adolf Reifferscheidt, damals Wirtschaftsreferent bei der CDU-Zonenleitung in Köln, Herbert Blankenhorn, damals CDU-Generalsekretär in Köln, und Dr. Konrad Adenauer, Zonenvorsitzender in Köln.

Reifferscheidt, 1952 Generalkonsul der BRD in Casablanca, trat damals, 1948, nach Schmeißers Aussage für eine Separation des linken Rheinufers von Deutschland und einen wirtschaftlichen Anschluss an Frankreich ein. Eine Liste von »den einflussreichsten westdeutschen Persönlichkeiten«, die dasselbe wollten, habe er Schmeißer übergeben, damit der seine Absichten in Paris vortrage und ihn bei der Verwirklichung seines Planes unterstütze. Reifferscheidt machte ihn auch mit dem damaligen CDU-Generalsekretär Blankenhorn bekannt. Schmeißer: »Reifferscheidt hatte mir schon vorher angedeutet, dass sowohl Blankenhorn als auch Dr. Adenauer für einen engsten Kontakt mit Frankreich zu gewinnen sei.«

Allerdings profitierte Adenauer davon nicht direkt. Agent Lavacher-Schmeißer: »Blankenhorn erhielt laufend von mir Geld, Lebens- und Genussmittel (diese aus französischen Magazinen).« Das zahlte sich aus: Schmeißers Berichterstattung nach Paris bezog sich »auf die internsten, innenpolitischen Absichten Adenauers« sowie auf »Adenauers außenpolitische Pläne, die auf eine enge und dauernde Verbindung mit Frankreich hinzielten (wobei Blankenhorn mich bat, am Telefon vorsichtig zu sein, da er befürchte, dass unsere Gespräche zur Kenntnis des britischen Intelligence Service kommen könnten)«.

Besonders wütend aber wurde Adenauer über eine Schmeißer-Aussage im *Spiegel:*

> »In Paris war man damals der Ansicht – und dies habe ich Blankenhorn auch mitgeteilt –, dass man Dr. Adenauer und seinen engsten Mitarbeiter Blankenhorn im Falle eines russischen Einmarsches benötige, um die

> Deutschen möglicherweise durch sie über den Rundfunk zum Widerstand aufrufen zu können. Ich konnte Blankenhorn auch mitteilen, dass man in Paris erwäge, im Kriegsfall im Ausland mit Dr. Adenauer an der Spitze eine deutsche Exilregierung zu gründen.«

Wie? Wo? – Schmeißer:

> »... wies mich meine vorgesetzte Dienststelle an, dass ich Adenauer und Blankenhorn als Gegenleistung für ihre Dienste fragen solle, ob sie 48 Stunden vor einem möglichen Einmarsch in Westdeutschland – soweit dieser Termin der französischen Nachrichtenzentrale in Paris vorher bekannt werde – mit ihren nächsten Familienangehörigen durch den französischen Nachrichtendienst mit einem Kraftwagen aus der Gefahrenzone nach Spanien in Sicherheit gebracht werden wollten.«

Sie wollten – wie Schmeißer berichtete. Blankenhorn habe sofort für sich und seine Familie zugestimmt. Adenauer allerdings sei nur mit einer Evakuierung und der Regierungsbildung im Ausland einverstanden gewesen, wenn nicht nur seine engste Familie, sondern auch seine gesamten Angehörigen in Sicherheit gebracht würden. »Sie können sich gar nicht vorstellen, was für einen übertriebenen Familiensinn der Alte hat«, habe Blankenhorn dazu gesagt.[16] So dachte man auch in Paris. Schmeißer: »Schon drei Tage später musste ich Blankenhorn mitteilen, dass der französische Nachrichtendienst mir gesagt habe, dass er leider nicht in der Lage sei, gleich einen ganzen Omnibus zur Verfügung zu stellen.« Danach wollte Schmeißer in dieser Sache nicht mehr tätig gewesen sein.

Außerdem aber habe es auch noch eine Anfrage von Blankenhorn gegeben. Für die Wahl zum ersten Bundestag habe die CDU rund eine Million D-Mark gebraucht, zugesagt wurden ihr aber von dritter Seite nur zweihunderttausend Mark. Schmeißer:

> »Ich habe diesen Wunsch der CDU damals nach Paris weitergeleitet und von dort eine prinzipielle Zusage erhalten, was ich Blankenhorn mitteilte. Ob die fehlenden 800 000 DM oder ein Teilbetrag dann zur Verfügung gestellt wurden, weiß ich nicht, weil ich zu dieser Zeit aus dem Dienst des SDECE ausschied . . .«

Als Adenauer Augsteins Geschoss zu sehen bekam, diktierte er sofort auf einem Briefbogen mit dem Absender BUNDESREPUBLIK DEUTSCHLAND DER BUNDESKANZLER einen Strafantrag gegen den Gewährsmann Schmeißer, gegen den Verfasser des Berichts und gegen den Herausgeber des *Spiegel* wegen »Verleumdung«.[17] Durch Blankenhorn ließ er den *Spiegel* beschlagnahmen, was ganz einfach war. Weil nämlich »der abgedruckte Artikel schwerwiegende Angriffe gegen den Bundeskanzler Adenauer und andere hochgestellte Personen enthält und daher die vorgenannte Zeitschrift im Falle einer Aburteilung der für den Inhalt strafrechtlich verantwortlichen Personen der Einziehung unterliegt«.[18] So hatte es das Amtsgericht Bonn beschlossen – die Aussage des Kanzlers, dass er sich beleidigt fühle, genügte.

Achtzehn Tage dauerte es, bis das Landgericht Bonn die Beschwerde des *Spiegel* gegen die Beschlagnahme zurückwies. Aber die Einziehungsverfügung des Amtsgerichts bekam Augstein auch bei dieser Gelegenheit nicht zu sehen. Ebensowenig die dienstliche Erklärung des Bundeskanzlers, die zur Beschlagnahme ausgereicht hatte.

»Wir sind also gewissermaßen ›auf Verdacht‹ beschlagnahmt worden«, nörgelte Augstein über die, wie er nicht zu Unrecht meinte, »gründlichste Beschlagnahmeaktion, die jemals gegen ein deutsches Zeitungsdruckerzeugnis gestartet wurde«.[19]

* * *

Den *Spiegel* zu beschlagnahmen, ja zu verbieten, das war ein alter Traum im Kanzleramt. Schon im Dezember 1951 hatte Adenauers Staatssekretär Otto Lenz diesen Wunsch seinem Tagebuch anvertraut. Er war am Abend bei Shephard Stone eingeladen, dem Direktor des Amts für öffentliche Angelegenheiten der US-Hochkommission. Mit dabei der ihm eng vertraute und hocherfahrene Vorsitzende des Bundestagsausschusses für Fragen der Presse, des Rundfunks und des Films Rudolf Vogel (CDU), der als Berliner Schriftleiter des »Verbandes oberschwäbischer Zeitungsverleger nach System Walchner G.m.b.H.« schon im Dezember 1940 alles Nötige über seine kommende parlamentarische Laufbahn wusste: »Es ist im Parlamentarismus so üblich, dass Börsenschieber und Abgeordnete als Ministerpräsidenten das Land ins Verderben reiten dürfen, um dann mir nichts, dir nichts mit Hilfe eines Flugzeugs sich über den Ozean nach USA in Sicherheit zu bringen.«[20]

Doch jetzt, noch nicht zwölf Jahre später, genügte ein Dienstwagen, um Vogel und Lenz in den Falkenberger Feldweg 17 zu bringen.[21]

Sie waren nun bei Shephard Stone, der sich noch jahrzehntelang als für das Künstlervolk zuständiger Verbindungsmann zwischen CIA, Ford-Foundation und dem »Kongress für die kulturelle Freiheit« Verdienste um das Ein- und Fortkommen deutscher Kulturschaffender erwerben sollte.[22]

»Stone kam auf die Veröffentlichung im *Spiegel* über die amerikanischen Waffenlager zu sprechen«, schrieb Lenz danach in sein Tagebuch.[23] Der *Spiegel* hatte (Überschrift: »Bin ich Eisenhower?«) Ende November über geheime US-Waffenlager berichtet, die in Wäldern bei Bayreuth und Heidelberg entdeckt worden waren.[24]

Für Lenz und Vogel ging bei Stone die Sonne auf: »Er erklärte, dass bei ihnen eine Strömung vorhanden sei, den *Spiegel* wegen dieser Veröffentlichung zu verbieten. Wir erklärten, dass er uns damit nur einen Gefallen tue.«

Doch dann wurde es schnell wieder duster. Lenz: »Er hatte aber offensichtlich zu starke Hemmungen. Jedenfalls ist es nicht zu einem Verbot des *Spiegel* gekommen.«[25]

* * *

Das war noch im Winter 1951. Doch nun, im Sommer 1952, hatte Konrad Adenauer den Deutschlandvertrag unterschrieben. Souverän ist, wer den *Spiegel* beschlagnahmen kann. Insofern war die Bundesrepublik Deutschland am 10. Juli 1952 endlich ihr eigener Herr.

Am Tag darauf saß die Creme der deutschen Presse zum Tee beim Bundeskanzler, und vierundzwanzig Topjournalisten bissen in ihre Teebrötchen. In der Luft lag die Frage nach der Opportunität des Polizeiüberfalls auf die Kioske. Adenauer durfte mit einer verständnisvollen Zuhörerschaft rechnen. Diese »Teegespräche« mit einflussreichen Journalisten und Chefredakteuren hatte er stilsicher an einem 20. April – dem des Jahres 1950 – begonnen, ohne Rücksicht darauf, dass mancher der Geladenen von früher her mit diesem Tag sentimentale Erinnerungen an Führers Geburtstag verbinden mochte.

Denn von Anfang an hatten sich mit wenigen Ausnahmen solche Journalisten zum Tee-Empfang bei Adenauer eingefunden, die gut fünf Jahre zuvor ebenso freudig oder manchmal auch lustlos zum Parolenempfang bei Volksaufklärungsminister Joseph Goebbels angetreten waren. Fast immer dabei war Werner von Lojewski, ein alter Feind der britischen »Kriegstreiber« und »Börsenjuden«,[26] der 1945 von der Leitung des NS-Nachrichtenbüros Transocean zum Nordwestdeutschen Rundfunk (NWDR) ging und ab 1953 CDU-Pressesprecher wurde – als er noch in der anderen Partei war, sagte er, wenn er seine Balzzeit hatte, auch beim Handkuss »Heil Hitler«.[27]

Ähnliche Karrieren hatten die meisten, nicht alle, unter den

Teejournalisten Konrad Adenauers. Hier bei den fünf Teebrötchen pro Mann – es waren fast immer nur Herren versammelt – konnten die führenden Publizisten der Republik ihre ganze Abneigung artikulieren gegen Augstein und seine aufmüpfigen *Spiegel*-Redakteure. Die sich absichtsvoll als blütenweiße junge Demokraten aufspielten, unbeleckt von den Usancen des Gewerbes, unbelastet von den doch nur rein verbalen Zugeständnissen, die ein verantwortungsbewusster Journalist auf sich nehmen musste, um ein Verbot seiner Zeitung durch die Nazis zu verhindern. Diese Lizenzjournalisten, diese 45er, hatten doch keine Ahnung und richteten durch destruktive Kritik den mühsam erkämpften freiheitlich-demokratischen Staat zugrunde.

Das »pressepolitische Gespräch«, das der Kanzler großzügig an diesem Freitag zuließ, eröffnete er so: »Es geht wirklich nicht mehr weiter, das sage ich in vollem Ernst, dass mit der Druckerpresse ein solcher Missbrauch betrieben wird, wie das zur Zeit geschieht. Das lassen wir uns einfach nicht gefallen, nicht aus menschlichen Gründen, sondern weil das die Autorität des Staates in einer Weise untergräbt, dass keiner, der Verantwortungsgefühl hat, das ertragen kann.«

Die FDJler, das wisse er, die Nachwuchskommunisten würden schon »Totenlieder auf mich singen«, klagte der Kanzler. »So weit sind wir schon gekommen; solche Dinger wie das, was im *Spiegel* steht – dieses Schmierblatt wird ja leider Gottes gelesen –, das trägt zur Untergrabung der Autorität in ganz starkem Maße bei.«

Kein Widerspruch in der Teerunde, woher auch.

»Wenn Sie wüssten, wie dieser Artikel im *Spiegel* zustandegekommen ist«, klagte der Kanzler und verlas einen Lebenslauf Schmeißers – der Vater hatte, aha, im KZ gesessen.

Adenauer zeigte sich seiner Verantwortung bewusst und fuhr in seiner berühmt lakonischen Art fort: »Diese Beschlagnahme kostet den *Spiegel* 80 000 DM. Das ist ein gutes Mittel. Das geht einfach nicht, dass wir uns das gefallen lassen.«

Als er aber später die »angenehme Nachricht« wiederholte, dass die Beschlagnahme »einen Ausfall von 80 000 DM für den *Spiegel* darstellt«, da zeigte einer der anwesenden Journalisten, nein, keinen Widerspruch, aber einen gewissen Realismus, der die Freude des Kanzlers hätte dämpfen können, indem er einwarf, so viel sei es nun doch nicht. Doch der Bundeskanzler ließ es sich nicht verdrießen: »Die Gesamtauflage ist nicht beschlagnahmt worden, es ging nicht. Und wenn es auch 40 000 DM sind, bin ich auch noch vergnügt.«

Das war übrigens das dreiunddreißigste Gespräch, zu dem der Kanzler erwählte Journalisten zu sich kommen ließ. Man kann den geheimen Einfluss von Adenauers Pressetees auf die bundesdeutsche Öffentlichkeit kaum überschätzen, so wenig wie man die aufrechte Sinnesart der Geladenen unterschätzen kann. Die langgenährte Wut über die unverschämten Emporkömmlinge des *Spiegel* brach sich in der beim Kanzler versammelten Creme des deutschen Journalismus ganz schnell Bahn.

Gewiss, da gab es noch einen in der Runde, der fragte Adenauer, ob es nicht wirkungsvoller gewesen wäre, wenn er eine Erklärung vor dem Bundestag abgegeben hätte, statt den *Spiegel* zu beschlagnahmen. Darauf der Kanzler würdevoll: »Dafür ist der Bundestag wirklich nicht da, dass ich vor den Bundestag hintreten soll und sage: Ich bekenne mich schuldig! Dafür ist der Bundestag nun wirklich nicht da.«

Und doch brachte Adenauer eine völlig unnötige Spitze in das Gespräch mit seinen Chefredakteuren: »Ich bitte Sie, ich habe so ein leises Gefühl, Sie wollen natürlich nicht für den *Spiegel* eine Lanze einlegen, aber Sie haben wohl das Gefühl: heute der *Spiegel* und morgen geht es weiter! Das hat niemand zu fürchten. Wer sich so benimmt, wie das der *Spiegel* tut – ich wünschte, es könnten noch 3 bis 4 Nummern hintereinander beschlagnahmt werden.«

Und da hatte ein »Journalist« – das vom Presseamt angefertigte Protokoll bezeichnete alle Fragesteller so und nannte in der Regel keinen der wohlbekannten Namen – nun doch einen merkwürdigen Einfall: »Kommt nicht die Empfindlichkeit der Presse«, so verallgemeinerte er völlig unnötig, »aus der Überempfindlichkeit, die da ist, nachdem in der Nazizeit ja die Presse dauernd kommandiert und gesteuert worden ist?«

Das war gut gemeint und hätte den Kanzler darauf aufmerksam machen müssen, wie wenig er es heute nötig hatte zu kommandieren, doch er explodierte und packte die volle Wahrheit aus: »Ich kann in keiner Weise die Frage anerkennen, dass ein gemeinsames Gefühl der Presse besteht, wenn es sich um solche Schundblätter handelt.« Da müsse nämlich jeder anständige Journalist und Chefredakteur sagen: »Mit einer solchen Bande will ich nichts zu tun haben.«

Wollte auch keiner, mit Augsteins Bande wirklich nicht. Nonverbale Reaktionen sind in dem sorgfältig geführten Protokoll nicht verzeichnet, aber die überlieferten Aufzeichnungen atmen das beflissene Nicken unter den anwesenden Journalisten und Chefredakteuren, allesamt anständig.

Adenauer war in Fahrt gekommen: »Wenn Hintermänner einen Schmierverlag kaufen und wer weiß was drucken, ist das doch nicht einfach ein Kollege von Ihnen.« So erhöhte er seine Gäste und fand den für den Fotografensohn Augstein passenden Vergleich: »Wenn irgendein Pornograph hingeht und ein solches Buch, ein pornographisches Buch, erscheinen lässt, dann ist dieser Mann deswegen doch nicht auch ein Schriftsteller.«

Die letzten Vorbehalte waren geschwunden, die Gäste überlegten jetzt nur noch, wie man dem Politpornographen an der Leine (erst im Oktober zog der *Spiegel* Richtung Elbe nach Hamburg um) das Handwerk legen könne. Einer kam – und keiner der anwesenden Chefredakteure und Journalisten widersprach – mit einem sehr praktischen Vorschlag, wie man Augstein begegnen könne; man müsse »draußen in der Öffentlichkeit« ganz einfach die Auffassung wecken: »Wer den *Spiegel* informiert, begibt sich in die Gesellschaft eines solchen Drecksacks! Das ist wirkungsvoller. So aber gibt man dem *Spiegel* eine gewisse Hoffähigkeit dadurch, dass immer wieder prominente Leute ihm etwas zukommen lassen.«

Adenauer hatte seine genuin hoffähige Journalistenrunde dort, wo er sie haben wollte, und beendete diesen Teil des Gesprächs: »Wir haben andere Sachen doch zu besprechen als diesen Dreck-*Spiegel*. Ich stehe gern zu echten Fragen zur Verfügung, zu politischen Fragen.«[28]

Doch Drecksack Augstein gab mit seinem Dreck-*Spiegel* nicht nach. Und zwei Wochen später notierte Lenz über eine Beratung mit Adenauer: »Ich erklärte ihm dann, ich müsste ihm leider einige unangenehme Mitteilungen machen: Wir« – Globke und Lenz – »hätten inzwischen über den Verfassungsschutz erfahren, dass der *Spiegel* angeblich im Besitz von Quittungen von Blankenhorn sei über die Gelder, die Blankenhorn von Schmeißer empfangen habe ...«[29]

* * *

Es war nicht gut gelaufen für Adenauer und seine vordemokratischen Vorstellungen von den Aufgaben der Presse. Ein knappes Jahr später beschrieb Staatssekretär Otto Lenz einen völlig unberechtigten Anpfiff des Bundeskanzlers: »Morgens kam es zu einem schweren Zusammenstoß zwischen dem BK und mir. Auf einer Lagebesprechung, bei der nur Hallstein und Globke anwesend waren, erklärte er, dass auf dem Gebiet der Propaganda und der Presse überhaupt nichts geschehe. Ich erklärte ihm, dass es unmöglich sei, die Presse so zu beeinflussen, dass sie alles bringe, was wir wollten.«[30]

Alles – das war wirklich zu viel verlangt. Aber Otto Lenz machte sich an die Arbeit. Was Goebbels konnte, müsste doch wieder möglich sein, wenn es einem guten Zweck diente.

Ende 1952 hatte der Lenz-Mitkämpfer Vogel in der US-Zeitschrift *Confluence* gehofft, nach der Ratifikation eines Friedensvertrages werde es der »Bundesregierung erlaubt sein, im Hinblick auf Presse, Radio und Film ohne Einmischung der Besatzungsmächte Gesetze zu erlassen«, um damit dem »exzessiven Optimismus« des Grundgesetzes, das loyale Staatsbürger voraussetze, ein Ende zu bereiten.[31]

Und Vogel stand Lenz auch bei, als der 1953 den Versuch machte, ein Superministerium für Information und Propaganda zu errichten, das selbst Vertretern des Bundespresseamts angst machte. Der stellvertretende Bundespressechef Werner Krueger, selbst CDU, informierte Bonner Journalisten, vergebens. Lenz erfuhr alles: »Es wurde mir berichtet, dass Herr Krueger eine Reihe von Leuten des Presse- und Informationsamtes zu den Bonner Vertretern geschickt hatte, um gegen ein Informationsministerium Stimmung zu machen.« Was passierte? Lenz triumphierte: »Der größte Teil der Bonner Vertreter lehnte ab, und einige wenige, die dagegen schreiben wollten, scheiterten bei ihren Redaktionen.«[32]

Nur bei Augstein nicht. Der *Spiegel* schlug im Wahlherbst 1953 in mehreren Geschichten Alarm. Wenn Adenauer noch einmal Kanzler werde, schrieb er im August, dann würden zwei seiner Sekretäre ihre Pläne für den neuesten westdeutschen Obrigkeitsstaat aus den Aktenschränken nehmen: »Dr. Hans Globke bringt das klerikale, Dr. Otto Lenz das moderne autoritäre Element mit.« Hinter der Kulisse der parlamentarischen Regierung würden sie ein Überministerium aufbauen, dessen umfassende Kompetenz mit den klassischen Ministerien nicht mehr vergleichbar sei. Hier entstehe dann vielmehr die »Kombination eines Bundesministeriums für Volksaufklärung und Propaganda mit einem Bundessicherheitshauptamt«, eine Kombination also, wie sie heute auch dem ehemaligen Terroristenanwalt Otto Schily bei der Ausgestaltung seines Innenministeriums vorschweben mag.

Der *Spiegel* damals:

> »Die beiden wichtigsten Elemente des modernen Massenstaates würden in ihm vereinigt sein: das Wissen um

die Menschen und ihr Tun und die Beeinflussung der Menschen. Information und Propaganda. Beides erfordert eine Monstre-Organisation von Vertrauensmännern, einen Apparat von Kartotheken, Archiven und Dossiers und ein System umfassender Überwachung und durchdringender Beobachtung. Über diese Mittel verfügen Globke und Lenz schon heute, wenn auch en miniature.«

Wichtigster Teil des Überministeriums sollte, so enthüllte der *Spiegel*, der politische Geheimnachrichtendienst sein. General Gehlen, unter Hitler Chef des Geheimdienstes »Fremde Heere Ost«, betrieb – damals noch in US-Diensten – seinen Geheimdienst mit Hilfe vieler ehemaliger SS- und SD-Leute aus dem Reichssicherheitshauptamt als »Organisation Gehlen« weiter. Er sollte die Aufgaben des von Otto John geleiteten Bundesamts für Verfassungsschutz mit übernehmen und Staatssekretär für Innere Sicherheit werden unter Otto Lenz, der das Überministerium führen würde.[33]

Adenauer hatte seinem Staatssekretär bereits einen sicheren Wahlkreis in Rheinland-Pfalz besorgt, da nach damaliger Auffassung ein Minister aus dem Parlament zu kommen habe.

Nach dem *Spiegel* attackierte schließlich auch die *Zeit* mit einem Artikel »Des Dr. Goebbels Überministerium«[34] die Pläne, »in dem, ohne meinen Namen zu nennen, in sehr massiver Weise gegen die Sache geschossen wurde« – so Lenz, der schon bemerkte, dass Adenauer und Globke kalte Füße bekamen.[35] Am 25. September 1953 hörte Lenz im Rundfunk von einer Verlautbarung der amerikanischen, englischen und französischen Hohen Kommission, in der sie gegen die Errichtung eines Informationsministeriums Stellung nahmen, und notierte in sein Tagebuch: »Gleichzeitig wurde bekanntgegeben, dass der BK habe erklären lassen, er sei von vorneherein gegen die Errichtung eines Informationsministeriums gewesen. Damit war die Angelegenheit praktisch erledigt.«

Nur einer im Kabinett hielt noch zu ihm: »Erhard war empört über den ganzen Gang der Dinge«. Er verstehe nicht, schrieb Lenz auf, »wie der BK jetzt in dieser Weise von der Sache abrücken könne. Er halte auch die Sache für absolut notwendig.«[36]

Das Verhalten des Kanzlers hatte Lenz in eine unhaltbare Situation gebracht. Am 29. September schrieb er Adenauer, es sähe nunmehr so aus, als habe er ihm die Gedanken eines Informationsministeriums aufgezwungen, was ja keineswegs den Tatsachen entspreche. Die Idee zu einem Informationsministerium stamme doch von ihm, dem Bundeskanzler selbst. Lenz trat zurück, der geschmeidigere Kommentator Globke wurde sein Nachfolger als des Kanzlers Staatssekretär.

* * *

Augstein und sein *Spiegel* hatten der Freiheit der Presse, mit der die meisten deutschen Journalisten bis dahin wenig anzufangen wussten, einen unschätzbaren Dienst getan. Ein schlimmer Anschlag auf die Pressefreiheit wurde rechtzeitig verhindert. Mehr noch: Im – nun allerdings vergangenen – 20. Jahrhundert kam es nicht mehr zur Errichtung eines Bundessicherheitshauptamts.

Trotzdem, nach dem überwältigenden Wahlsieg Adenauers musste Augstein als Jens Daniel eine deprimierende Bilanz ziehen: »Noch ein solcher Sieg und die deutsche Demokratie ist verloren.«[37] Der *Spiegel* veröffentlichte eine Graphik der stärksten Fraktionen dreier deutscher Epochen: Im Kaiserreich bildeten die Nationalliberalen 1874 mit 39 Prozent der Mandate die stärkste Fraktion. In der Weimarer Republik die NSDAP 1933 mit 45 Prozent und in der Bundesrepublik die Unionsfraktion 1953 mit 50 Prozent.[38]

Zum Ende des Jahres schrieb Augstein:

»Am Tag nach der Wahl gab es Anrufe, sogar von verschämten CDU-Leuten: ›Werdet Ihr umfallen?‹ Nun, selbst wenn wir es gewollt hätten, es wäre uns nicht gelungen. Wer sich so beharrlich bemüht hat wie wir, anderen Leuten Ladestöcke ins Rückgrat zu pflanzen, der hat am Ende selber ein Stück Eisen in der Wirbelsäule.«[39]

Was Augstein zu Silvester so alles aus Menschen macht – im Jahr zuvor hatte er – bei Sekt und Kaviar? – entdeckt: »Ein neuer Menschenschlag wird uns von den sowjetischen Bolschewisten vorgeführt, der Ameisenmensch mit der Termitenseele.«[40] Eisen in der Wirbelsäule ist da schon ganz schön unbequem, wie auch der Artillerie-Exleutnant einräumte:

»Wir waren in der Situation eines Leutnants, der im Gefecht zu weit nach vorne geprescht ist. Plötzlich sieht er sich allein auf weiter Flur, und die Blicke der Kompanie sind auf ihn gerichtet. Kann er zurück? Er will es nun auch nicht mehr. Im übrigen hätten uns unsere Leser einen Umfall vermutlich auch schlecht gedankt.«[41]

Sie dankten gut. Die durchschnittliche verkaufte Auflage war im Beschlagnahmejahr 1952 von 105 311 auf 121 200 gestiegen, 1949, als Adenauer zu regieren begann, waren es erst 80 807 gewesen, und 1963, als er endlich zurücktrat, hatte Augsteins Dreckblatt eine verkaufte Auflage von 667 724.

* * *

Obwohl Adenauer offiziell längst abgewinkt hatte, fing Lenz im Sommer 1954, nunmehr als Bundestagsabgeordneter, noch einmal an. Statt Bundesministerium für Information und Propaganda sollte das Ding nun »Koordinierungsausschuss für Verlautbarungen der Bundesregierung« heißen.

»Die Ziele, die ich mit dem neuen Koordinierungsausschuss erreichen will, sind genau die gleichen wie die des angeblich geplanten Informationsministeriums im vergangenen Jahr«, erläuterte Lenz dem *Spiegel:* »Aufklärung des Volkes, das noch nicht einmal den Unterschied zwischen Regierung und Parlament kennt, und damit Stabilisierung der Demokratie durch Propaganda.«

Da hatte er, mutmaßlich ohne es zu ahnen, einen wunden Punkt des *Spiegel* getroffen. Das sonst so allwissende *Spiegel*-Archiv hatte bis dahin dem Bundestag im Jahressachregister für *Spiegel*-Leser keine Selbständigkeit gewährt, sondern ihn unter dem Stichwort »Regierung« eingeordnet, in ein und derselben Unterordnung wie »Amt Blank«, »Büro Gehlen«, »Presseball« und »Putzfrauenlohn«[42] – wenn das der Herausgeber wüsste!

Lenz aber hatte mit seinem neuen Plan zur Presseknebelung wieder Pech. Fortan widmete sich der CDU-Abgeordnete als Rechtsanwalt der Vertretung des Waffenhändlers Conrado José Kraémer *(Hispano Suiza)*, für dessen Interessen (Verkauf der HS-30-Schützenpanzer an die Bundeswehr) er sich schon als Staatssekretär nachhaltig eingesetzt hatte. Bevor ein neuer Lenz-Skandal um sich greifen konnte, starb der Dreiundfünfzigjährige am 2. Mai 1957 plötzlich unter mysteriösen, ja geradezu barschelesken Umständen in einem schäbigen Armenspital in Neapel, angeblich an einer Infektion.[43]

* * *

Mit der Schmeißer-Affäre beschäftigten sich die Gerichte noch Jahre. Vor dem Untersuchungsrichter trafen Augstein und Adenauer zum zweiten Mal aufeinander. Der Herausgeber fragte den Kanzler, ob er sich etwa durch die Behauptung beleidigt fühle, dass er im Fall des Einmarschs der Roten Armee Deutschland verlassen würde. Sofort ging der Richter dazwischen: Die Frage sei unzulässig. Adenauer reagierte trotzdem: »Ich will Ihnen eine Antwort geben. Wenn der Russe kommt, dann fliehe ich nicht, dann vergifte ich mich.« Ex-Katholik Augstein fand diese Auskunft eines praktizierenden Katholiken »erstaunlich«.[44]

Im September 1955 sollte endlich die Hauptverhandlung stattfinden. Am zweiten Tag aber besannen Adenauer, Blankenhorn und Reifferscheidt sich eines Besseren und zogen ihre Klage gegen Augstein, zwei *Spiegel*-Redakteure und gegen Schmeißer zurück, obwohl die ihre Behauptungen nicht widerrufen hatten, sondern lediglich versicherten, sie hätten sie nicht in beleidigender Absicht erhoben.

Die *Frankfurter Allgemeine* fand es unakzeptabel, »einen mehr oder minder privaten Prozessvergleich als eine befriedigende Lösung einer primär politischen Affäre hinzunehmen«. Und sogar der *Rheinische Merkur* empörte sich: »Eine irgendwie geartete Zurücknahme der in tatsächlicher Hinsicht vom *Spiegel* auf Grund der Schmeißer-Aussage erhobenen Vorwürfe fand nicht statt.«[45]

Zum vierzigjährigen Jubiläum des *Spiegel* blickte Rudolf Augstein gelassen zurück: »Wir verglichen uns nach dem Motto: ›Mein Herr, haben Sie mich fixiert?‹ – ›Nein, wie sollte ich?‹« Er fand nun Adenauers Wunsch nach einem Fluchtbus für die ganze Großfamilie verständlich bei einem »derart zivilen, jeder Art von Opfertod abholden Mann«.

Das aber wusste er auch: »Erst allmählich, zwischen 1951 und 1961 wurde mir klar, dass es hier nicht verbal, sondern in der Substanz um einen antidemokratischen, antiparlamentarischen Sonderstaat von katholischer Heuchelei ging, den zu bekämpfen der *Spiegel*, außen- wie innenpolitisch, jeden Grund hatte.«[46]

KAPITEL 7

»Verpflichtet, Landesverrat zu verfolgen« – Strauß, die *Spiegel*-Affäre und ein versuchter Putsch der Rumpf-Redaktion

»Mir selbst ist aber sehr übel zumute, wenn ich auf die heutige antinationalistische junge Generation in Deutschland blicke. Deren geradezu blödsinniges Verhalten in der *Spiegel*-Affäre beleuchtet blitzartig, wie tief der Nihilismus schon auf dem Weg über das nihilistische Literatentum der Herren Augstein und Genossen um sich gegriffen hat. Ich bin ganz außer mir darüber, wie leicht es für die raffinierten Redakteure des *Spiegel* ist, die ganze deutsche Öffentlichkeit und selbst so ernsthafte Blätter wie die *Frankfurter Allgemeine* mit ihren dialektischen Künsten verrückt zu machen. Wenn ich den geradezu schamlosen Artikel des in Spanien verhafteten Redakteurs Ahlers lese, von dem die ganze Aufregung ausging, so wird mir beinahe schwindelig zu denken, dass solche Verrätereien heute möglich sind. Kurzum: Ich fühle mich in einer ähnlich verzweifelten Aufregung, wie ich sie zuletzt im Frühjahr 1933 bei den ersten Greueln des Hitler-Regimes empfand: Ich habe wieder das Gefühl eines Erdrutsches, bei dem man unaufhaltsam in den

Abgrund gleitet, ohne dass die Leute es richtig merken.«

Der Historiker Gerhard Ritter am 9. November 1962 in einem Brief an seinen Kollegen Eberhard Jäckel[1]

Augstein hatte es schließlich selbst eingesehen: »Einen Gegner bekommen heißt Gesicht, Charakter, Inhalt und Sinn bekommen. Es heißt ganz einfach des Druckes teilhaftig werden, durch den man sich verdichtet.« Dieses Wort von Otto Flake aus dem Jahr 1932 stellte er der letzten, der dreißigsten Titelgeschichte über Franz Josef Strauß voran, die er selbst schrieb. Sie hieß »Tod und Verklärung des F. J. S.«.

Gegen Adenauer hatte der Nationalist Augstein als Jens Daniel gekämpft, für deutsche Souveränität und deutsche Einheit. Am Gegner Franz Josef Strauß aber formte er sich zu sich selbst, zum Demokraten und Republikaner Rudolf Augstein, der zum Vorbild wurde für viele, die damals aufwuchsen, die auf die Straße gingen während der sogenannten *Spiegel*-Affäre. Eigentlich war auch sie eine der vielen Strauß-Affären, zunächst aber die Affäre eines kuriosen Freiherrn, dessen Wirken ich aus nächster Nähe miterleben durfte.

So gesehen begann die *Spiegel*-Affäre vom Oktober 1962 schon im August 1955 und für mich bereits im Januar 1954. Durch einen Artikel, geschrieben damals von meinem SDS-Genossen Lothar Bossle, den Franz Josef Strauß 1977 als »Zierde für jede bayerische Universität« der Würzburger Alma Mater aufzwang, damit er dort den geistigmoralischen Platz des Professors Friedrich August Freiherr von der Heydte einnehme. Zuvor allerdings, 1962, musste Rudolf Augstein ins Gefängnis, Franz Josef Strauß wurde gestürzt, und sein Sohn Franz Georg bekam schließlich vom Endverursacher Lothar Bossle die Promotion zum Dr. lourd. angeboten.

Zu kompliziert? Ja, da kann ich nicht helfen – das Leben spielt so, aber versuchen wir die Fäden zu entwirren.

Ich hatte schon ein Jahr in Würzburg studiert, da kreuzte dort 1954 eine der abenteuerlichsten akademischen Existenzen des 20. Jahrhunderts auf als – fragen wir nicht, wie, an der Julius-Maximilians-Universität war lange alles möglich – Ordinarius für Völkerrecht, Allgemeine Staatslehre, deutsches und bayerisches Staatsrecht und politische Wissenschaften: Friedrich August Freiherr von der Heydte.

Wissenschaftlich zeigte er sich als totale Niete,[2] aber in Gesinnung war er ausgezeichnet. 1935 war er als nationalsozialistischer Emigrant aus dem Dollfuß-Österreich in Münster aufgetaucht und terrorisierte (»werden wir unserer vorgesetzten SS-Dienststelle Meldung machen«) das Studentenwerk, wenn im Studentenheim das SS-Organ *Das Schwarze Korps* nicht auslag. Im Krieg gehörte er zur übelsten Truppe, zu den Fallschirmjägern, sprang als einer ihrer Anführer über Kreta ab, bekam von Hitler ein Ritterkreuz und dann drei Jahre später an der Invasionsfront in der Normandie auch noch das Eichenlaub dazu. Vor dem letzten Einsatz instruierte er seine Leute: »Wer Fallschirmjäger ist und zu meinem Regiment kommt, gibt alles andere auf ...« Gleich darauf ging er in Gefangenschaft und lehrte dort sofort Demokratie.

Er hatte die wunderschöne Idee, die Bundeswehr in katholische und evangelische Regimenter aufzuteilen. Sie wurde nie verwirklicht, mit der unerfreulichen Folge, dass, statt sich nach irischem Vorbild in aller Ruhe gegenseitig auszurotten, deutsche Soldaten jetzt wieder in aller Welt antreten können.

Der Freiherr wurde Statthalter der Statthalterei des Ritterordens vom Heiligen Grabe, und sein Wahlspruch war fortan: »Wir sind klerikal und bleiben klerikal, Gott möge uns dabei helfen.« Er gehörte auch noch anderen verdienstvollen Organisationen an, die sich den entschlossenen Kampf gegen Kommunismus und Sozialdemokratie aufs Panier geschrieben hatten, dem »Deutschen Kreis 58«, dem von Rainer Barzel gegründeten Verein »Rettet die Freiheit« und vielen, vielen anderen mehr.

Mit einer davon beschäftigte sich mein SDS-Genosse Lothar Bossle 1954 im Jungsozialisten-Organ *Klarer Kurs:* mit der »Abendländischen Akademie«, die im »modernen Vielparteienstaat« und in der »durch ihn herbeigeführten Vergiftung des öffentlichen Lebens« einen »Ausdruck neuzeitlicher Willkür« erblickte – von der Heydte war ihr Vorsitzender.[3]

Der Artikel im Juso-Organ wurde kaum beachtet. Doch dann interessierten sich Augstein und der *Spiegel* dafür, und so schrieb Bossle 1955 zusammen mit einem ebenfalls stark links stehenden Hochschulassistenten namens Immanuel Geis für den *Spiegel* ein umfangreiches Stück über die »Abendländische Akademie«, samt der zugehörigen »Abendländischen Aktion«.

Da gab es dann einen Skandal, denn von der Heydtes abendländischem Verein, der das Grundgesetz abschaffen wollte, gehörten nicht nur einige Bischöfe und Prälaten an und Rudolf Augsteins alter Bekannter, der Nazi-General Hasso von Manteuffel, sondern auch die Bundesminister Heinrich von Brentano, Hans-Joachim von Merkatz, Theodor Oberländer, Franz-Joseph Würmeling, Hans Schuberth (a. D.) und der Bundestagsvizepräsident Richard Jäger, der sich als Kopf-ab-Jäger einen bekannten Namen gemacht hatte. Sie alle und noch einige mehr wollten, laut Programm, einen König, der nur von Gott abhängig ist, weil dieses »Königstum die wirklich gemäße Form für das oberste Herrscheramt eines Volkes ist«. Ein Bundespräsident dagegen in der »modernen Formaldemokratie«, ein »Präsident ist immer in Gefahr, die Macht in missverständlicher Weise zu repräsentieren, eben als Ausdruck der Volkssouveränität«.

Vorgesehen war im Programm auch noch ein Oberster Gerichtshof, der die Gesetze nach »göttlichem und natürlichem Recht« zu prüfen habe. Und welches Wunder, die Richter standen auch schon zur Verfügung: der Präsident des Verfassungsgerichtshofs von Rheinland-Pfalz Adolf Süsterhenn war im Vorstand und der Präsident des Bundesgerichtshofs Hermann Weinkauff im Kuratorium der Abendländischen Akademie.[4]

Natürlich unterschied sich das Projekt der Abendländer in seiner Verfassungswidrigkeit sehr von dem der KPD, die exakt ein Jahr nach Erscheinen des *Spiegel*-Artikels zum zweiten Mal seit 1933 verboten wurde. Um diesen Unterschied zu repräsentieren, war der Präsident des Bundesverfassungsgerichts Joseph Wintrich, das die KPD wegen Verfassungswidrigkeit verbot, ein gern gesehener Gast der eben darum unmöglich verfassungswidrigen Akademie.

Das nämlich fand der Generalbundesanwalt und spätere CDU-Abgeordnete Max Güde: Weil der Abendländischen Akademie so hochangesehene Persönlichkeiten angehören, könne sie, stellte er amtlich fest, unmöglich verfassungswidrig sein.[5]

* * *

Kein Wunder, dass Friedrich August Freiherr von der Heydte seit der *Spiegel*-Geschichte Augsteins Magazin böse war. Darum zeigte er am 1. Oktober 1962 und dann noch einmal am 11. Oktober – der Artikel »Bedingt abwehrbereit« über das letzte Nato-Manöver war am Vortag erschienen – den *Spiegel* an wegen Landesverrats. Der Verteidigungsminister ernannte darauf den Freiherrn zu etwas, was es sonst nicht gab, aber darum um so schöner seinen Dank ausdrückte: zum Brigadegeneral der Reserve. Die Anzeige des Freiherrn löste die *Spiegel*-Affäre aus. Doch nicht Rudolf Augstein blieb im Gefängnis, sondern Franz Josef Strauß musste zurücktreten und schließlich in Bayern, das hatten er und es verdient, Ministerpräsident werden.

Und als solcher entdeckte Franz Josef Strauß schließlich, dass Lothar Bossle, der mit seinem *Spiegel*-Artikel gegen die

Abendländische Akademie den Freiherrn von der Heydte zum Gegenschlag animiert und damit die *Spiegel*-Affäre und seinen Rücktritt ausgelöst hatte, eigentlich eine »Zierde« für jede bayerische Universität sein müsse.

Wie das? Ganz einfach, SDS-Mann Bossle hatte sich gewendet. Gefördert von dem sehr erfolgreichen NS-Marinerichter Hans Karl Filbinger, hatte er sich schnurstracks auf die entgegengesetzte Seite des politischen Spektrums begeben, schwärmte jetzt für die Pinochet-Diktatur in Chile und wurde so – nicht habilitiert – per Staats-Oktroi auf einen gerade freistehenden Soziologie-Lehrstuhl in Würzburg zwangseingesetzt, wo er eine gutgehende Doktorfabrik insbesondere für solche Leute eröffnete, die intellektuelle Mängel dadurch ausglichen, dass sie sich eine Veröffentlichung ihrer Arbeiten in dem von ihm gegründeten und von seiner Ehefrau betriebenen Verlag leisten konnten.[6] Dem Strauß-Sohn Franz Georg bot Bossle – ohne Erfolg – eine Doktorarbeit über die Soldatenwallfahrt nach Lourdes an, nachdem er ihn dort gerade getroffen hatte.

Bossle trat die geistigmoralische Nachfolge des inzwischen verstorbenen Brigadegenerals Friedrich August Freiherr von der Heydte an und zeigte sich dankbar durch die Gründung einer »Liberal-Konservativen Initiative«, die Helmut Kohl für die Bundestagswahl 1980 keine Chance gab und die CDU von rechts her unter Druck setzte, bis die sich dann dem Bossle-Votum im *Bayernkurier* fügte: »Strauß wird zur Kanzlerkandidatur nicht nur durch Freunde gedrängt, auch durch Daten, Zahlen und Erfahrungen.«[7]

So weit die eine Vor- und Nachgeschichte zur *Spiegel*-Affäre – der Vollständigkeit halber sei noch erwähnt, dass auch Bossles Koautor beim Verfassen der *Spiegel*-Geschichte über die »Abendländische Akademie« von ziemlich weit links nach rechts außen marschierte: Im Historikerstreit trat Immanuel Geis, nunmehr Professor an der Universität Bremen, als enragierter Verteidiger jenes berühmten Ernst Nolte auf, der entdeckt hatte, dass es eigentlich Jossif Wissarionowitsch Stalin war, der Auschwitz installiert hatte.

* * *

Die angebliche Ursache der *Spiegel*-Affäre, die Titelstory »Bedingt abwehrbereit« vom 10. Oktober 1962, gab – wie sich schließlich zeigte – für den Vorwurf des militärischen Landesverrats nichts her. Die Public-Relations-Firma des US-Generals a. D. Julius Klein, die vielfach für die Bundesregierung gearbeitet hatte, untersuchte in fleißiger Kleinarbeit jeden einzelnen Satz der Geschichte und fand das, was dem *Spiegel* als Geheimnisverrat angelastet wurde, in Vorveröffentlichungen in Zeitungen, Zeitschriften oder Vorträgen von Fachleuten der Nato und des Pentagon. Der Verfasser, der stellvertretende Chefredakteur Conrad Ahlers, war in einem für einen *Spiegel*-Journalisten beängstigenden Ausmaß unverdächtig. Zuvor war er Pressereferent im Bundesverteidigungsministerium gewesen, und danach wurde er stellvertretender Sprecher einer Bundesregierung, der Strauß angehörte. Abgesehen von Claus Jacobi, der dem sprachlich unbeholfenen Ahlers oft Formulierungshilfe leisten musste,[8] hatte kaum ein *Spiegel*-Redakteur vor dem Polizeiüberfall auf das Pressehaus die dröge Titelgeschichte gelesen, Augstein schon gar nicht.

Damit stoßen wir jetzt endlich – es wird Zeit – zum Kern der *Spiegel*-Affäre vor, zu Franz Josef Strauß, dessen Kenntnis es sich allerdings völlig entzog, was er damit zu tun haben könnte: »Es ist kein Racheakt meinerseits. Ich habe mit der Sache nichts zu tun. Im wahrsten Sinne des Wortes nichts zu tun«, erklärt er am 3. November im Interview mit dem Nürnberger *8-Uhr-Blatt*.[9]

Wahr aber ist, Rudolf Augstein und der *Spiegel* hatten nicht nur den Freiherrn von der Heydte tief verletzt, sondern auch das robuste Gemüt des Franz Josef Strauß.

* * *

Nach der ersten milden, nahezu positiven Titelgeschichte vom Januar 1957 (siehe S. 74f.) hatte Augstein den Bayern, der zu einer Wahlkundgebung nach Hamburg gekommen war, zu sich in sein Haus am Maienweg eingeladen. Das war am Abend des 9. März 1957. Am Morgen war in der DDR der Kommunist Wolfgang Harich zu zehn Jahren Zuchthaus unter anderem auch deshalb verurteilt worden, weil er bei einem Aufenthalt in Hamburg Augstein besucht hatte und dabei mit ihm konspiriert habe. Der Gastgeber im folgenden *Spiegel:* »Harich, mein Guter, Du mein Schlüsselloch in eine andere fremde Welt, hoffentlich werden sie Dir im Zuchthaus Schonkost und Arznei für Deinen kranken Magen bewilligen, und hoffentlich wirst Du Kalfaktor oder kommst gar in die Bibliothek.«

Im Unterschied zu Harich musste Strauß, was nun sub specie aeternitatis doch verblüfft, nie ins Gefängnis. Die *Spiegel*-Redakteure, die ebenfalls zum Herrenabend eintrafen, taten, was sie konnten, um dem Gast zu schmeicheln. Hans Detlev Becker hatte ein Gedicht (»... und seines Volkes / Stolz und Lust / das war König / Ernst August«) über einen Hannoveraner Monarchen aufgesagt, der – das verriet Becker nicht – wegen verschiedener Skandalaffären von seinen Gegnern zum »most unpopular prince of modern times« gestempelt worden war.[10] Der Monarch steht heute noch vor dem Bahnhof und wird zuweilen angepinkelt.

Dann dröhnte vom Plattenspieler der »Große Zapfenstreich«, ein Musikstück, das heute zum rotgrünen Bekenntnisrepertoire gehört. Und schließlich wollte Strauß den Augstein als Mitarbeiter akquirieren, was der sanft abwehrte.

Da ging dann schon gleich um 22 Uhr 10 der letzte Zug nach München. Augstein brachte den Gast in rasender Fahrt – auf des Ministers Geheiß fuhr er bei Rot über die Kreuzung – zum Bahnhof. Zu spät. Ministerialrat Gosch, vorausgefahren, hatte den Lokomotivführer angehalten, zu warten. Der – unverschämt – weigerte sich. Augstein: »Die Lichter sahen wir in der Ferne entschwinden.«[11]

Also zurück zu Augstein, in den Maienweg 2. Es wurde mehr als vorher getrunken, man dürfte sogar sagen: gesoffen. Es gab Streit. Strauß verglich die Sowjets mit Sittlichkeitsverbrechern, worauf *Spiegel*-Redakteur Hans Schmelz ihm empfahl, dann solle er sie doch zusammenschlagen. Der Minister: »Wenn's so mit mir reden wollt, dann holt's euch doch lieber einen Zuhälter oder Ganoven und kein Mitglied der Bundesregierung.« Schmelz wurde wegen Unhöflichkeit vor die Tür geschickt. Der Verteidigungsminister hatte aber auch lichte Momente: Seine Generale nannte er, das schmeckte Augstein wiederum nicht, die »grauen Kriegsverbrecher«.

Wirtschaftsredakteur Leo Brawand, der dabei war und mitgeschrieben hat, meint, dass Strauß auch einiges missverstanden habe: »So eine Bemerkung des Redakteurs Horst Mahnke über das Dritte Reich. Strauß schnauzt ihn so an (›Wer sind Sie, wie heißen Sie?‹), dass Mahnke brummt, dann könne er ja gehen. Also wieder einer ab vor die Tür, bis Augstein und Mahnke wieder hereinkommen und unisono erklären, niemand sei hier im Raum, der etwa nicht die Meinung vertrete, dass Hitler ein Lump oder Verbrecher sei; Mahnke sei missverstanden worden.«[12]

Keine der Quellen, die diesen Vorgang überliefern, vermerkt, was Mahnke nun wirklich gesagt hat, es hätte, wie wir noch sehen werden, interessant sein können, das zu wissen.

Egal, der Bayer jedenfalls hatte in Augsteins Haus schon eine Vorstellung gegeben, was man von einem künftigen Bundeskanzler Strauß erwarten musste. Und vier Jahre später hatte sich der erste Eindruck so gerundet, dass Augstein selbst 1961 im nun dritten Strauß-Titel schrieb:

> »Ob die CDU oder die SPD künftig Wahlen gewinnen wird, ist nicht mehr so sehr von Belang. Wichtig erscheint allein, ob Franz Josef Strauß ein Stück weiter auf jenes Amt zumarschieren kann, das er ohne Krieg und Umsturz schwerlich wieder verlassen müsste.«[13]

Es war allerlei zusammengekommen, und Augstein hatte es im *Spiegel* sorgfältig registrieren lassen. Zuerst im April 1958 als Kostprobe seiner Unbeherrschtheit die Affäre Hahlbohm: Auf dem Weg zu einer Kabinettssitzung, musste sein Wagen auf der Kreuzung vor dem Kanzleramt anhalten, weil Hauptwachtmeister Siegfried Hahlbohm gerade den Verkehr in die andere Richtung freigegeben hatte. Strauß befahl seinem Fahrer durchzufahren, und nur durch eine Notbremsung konnte ein Straßenbahnfahrer einen Zusammenstoß vermeiden. Als der Polizist das beanstandete, blaffte Strauß: »Geben Sie mir Ihren Namen: Ich werde dafür sorgen, dass Sie von der Kreuzung verschwinden.«

Vergebens verlangte Strauß vom Bonner Polizeipräsidenten, er solle Hahlbohm strafversetzen, auch beim NRW-Innenminister Josef-Hermann Dufhues (CDU) hatte er kein Glück. Nun ließ er das Privatleben Hahlbohms ausforschen. Ergebnis: ein Sozialdemokrat, der auch schon einmal mit einem Kommunisten Bier getrunken hatte. Schließlich zeigte er den Polizisten an wegen »Geheimnisverrats«. Der habe das üppige Strafregister des Strauß-Fahrers (mehrfache Verkehrsgefährdung, Körperverletzung, Diebstahl), der zu einer Geldstrafe von hundert Mark verurteilt worden war, an die Presse gegeben. Freispruch auf Kosten der Staatskasse.

»Geheimnisverrat.« Augstein zitierte im April 1961 ungewollt prophetisch, was der *Tagesspiegel* dazu geschrieben hatte: »Diese Formulierung ist alarmierend. Von dem Mann eines solchen Amtes ist zu verlangen, dass er sich der Bedeutung eines Begriffes wie Geheimnisverrat stets bewusst ist. Dieser Begriff hat nämlich den Landesverrat zum direkten Nachbarn, hinter dem das Zuchthaus droht.«[14]

Es kam ein ganzes Bündel von Affären, jedesmal vom *Spiegel* aufgedeckt, von Augstein kommentiert:

»Onkel Aloys« – ein alter Bekannter der Familie von Marianne Strauß: Aloys Brandstetter, ein völlig mittelloser Mann, der dank einer Empfehlung des persönlichen Strauß-Referenten Kontakt zum wichtigsten Beschaffungsoffizier gewann und durch gewaltige Rüstungsprovisionen zum vielfachen Millionär wurde. Portugal etwa, in dem noch die Salazar-Diktatur herrschte, machte ihn zum Generalbevollmächtigten der staatlichen Waffenfabriken, die da gerade einen Munitionsauftrag von achtzig Millionen Mark mit der Bundeswehr abwickelten.[15]

Und da war Hans Kapfinger, der Mann, der erzählt hatte, dass er mit Strauß teilen müsse. Teilen beim großen Fibag-Geschäft mit US-Besatzungswohnungen, das Strauß als Verteidigungsminister vermittelt hatte. Und die vielen anderen Skandale mehr. Schützenpanzer HS-30, Starfighter und und und. Augstein: »Immer ging es um politische oder persönliche Spezis des Bundesministers für Verteidigung, immer um Rüstung, immer um Aufträge, immer um Geld.«[16]

Vor allem aber war es der Begriff von Demokratie, den Strauß pflegte. »Demokratie, das bedeutet: die Meinung des politischen Gegners achten«, schrieb Augstein und führte auf, wie Strauß es damit hielt:

> »Wer eine andere Meinung hat, ist deswegen nicht dumm, verbrecherisch, närrisch. Er ist kein Irrer, kein Wahnsinniger und ist kein Selbstmörder, auch kein potentieller Kriegsverbrecher und darf auch nicht aufgefordert werden, den Staub des Vaterlandes von seinen Stiefeln zu schütteln. Wer eine andere Ansicht verficht als die herrschende, ist allein noch kein alter Trottel, kein Weltverbesserer und kein Astrologe.«

Alles Formulierungen, die Strauß für andere gefunden hatte, für den Nobelpreisträger Otto Hahn etwa, den er einen »alten Trottel« nannte, der »die Tränen nicht halten und nachts nicht schlafen kann, wenn er an Hiroshima denkt«.[17]

Er forderte »taktische« Atomwaffen für die Bundeswehr, weil man nicht erwarten könne, dass »die Amerikaner im Fall eines örtlichen sowjetischen Vorstoßes ... immer den letzten großen Schlag riskieren würden.« Die Bundeswehr sollte also Atomwaffen einsetzen, falls die USA bei einem sowjetischen Vorstoß gegen Westberlin nichts unternähmen. Augstein hielt diese Strauß-Unterstellung für »sträflich«.[18]

Franz Josef Strauß, Verteidigungsminister allerwege, war dann nur noch von dem Gedanken beherrscht, sich an Augstein zu rächen. Zehn Tage vor dem Überfall auf den *Spiegel* renommierte er beim Abendessen im »Bergischen Hof« in Bonn – für andere Gäste hörbar – vor seiner Frau Marianne und zwei Bekannten: Mit dem *Spiegel* gehe das nicht mehr so weiter; bald werde etwas passieren.[19]

Dafür sorgte die zweite Landesverratsanzeige, die der dann alsbaldige Brigadegeneral der Reserve Friedrich August von der Heydte einen Tag nach Erscheinen der *Spiegel*-Geschichte »Bedingt abwehrbereit« machte.

Am 11. Oktober 1962 erstattete der Oberst der Reserve von der Heydte diese Anzeige gegen den *Spiegel* wegen »Bedingt abwehrbereit«. Am 20. Oktober unterrichtete Strauß-Staatssekretär Volkmar Hopf die Bundesanwaltschaft in Karlsruhe. Am 22. Oktober empfing von der Heydte die Ernennungsurkunde zum Brigadegeneral der Reserve. Und am 23. Oktober wurden die Haftbefehle gegen Augstein und Ahlers unterzeichnet. »Das Ganze ist doch einzig und allein der Lohn für seine Tüchtigkeit«, erläuterte die Freifrau von der Heydte dem *Stern* die prompte Beförderung ihres Mannes.[20]

* * *

Am Freitag, den 26. Oktober 1962 gegen 22 Uhr 30, war es ein Glück, dass der *Spiegel*-Herausgeber sich von der ersten Frau getrennt und die Frau seines Lebens geheiratet hatte, die es aber inzwischen auch nicht mehr war, so dass er nunmehr getrennt von ihr wohnte. Die Sicherungsgruppe Bonn, die um 22 Uhr 30 zwecks Festnahme und Haussuchung am

Maienweg 2 eintraf, fand nur Ehefrau Katharina Augstein vor und den alsbald hinzukommenden Nachbarn John Jahr, die beide nicht verrieten, dass Rudolf Augstein hier nicht mehr lebte.

Der hatte sich in seiner neuen Wohnung am Leinpfad nach der Woche Mühen mit Verlagsdirektor Hans Detlev Becker zu einem Glas Wein zusammengesetzt, als die Nachricht eintraf. Er ließ seinen Häschern durch Bruder Josef, den Rechtsanwalt, mitteilen, dass er sich am nächsten Mittag zur Vernehmung stellen werde, und konnte so in Ruhe seine Vorbereitungen treffen.

In der Redaktion am Speersort ging es seit 21 Uhr wild zu. Die Einsatzgruppe der Sicherungsgruppe Bonn war am Pressehauspförtner vorbeigestürmt und verlangte oben am Eingang Rudolf Augstein. Der hatte das Haus um 20 Uhr verlassen, die Herren mussten sich mit Chefredakteur Claus Jacobi begnügen. Die Sicherungsgruppe verlangte die sofortige Räumung der Redaktion. Jacobi erklärte sich für unzuständig, das sei Sache des abwesenden Verlagsdirektors, die Redakteure blieben sitzen, denn wenn sie gingen, das wussten sie, könnte der *Spiegel* am Montag nicht erscheinen. Der Leiter der Sicherungsgruppe holte ein Überfallkommando der Hamburger Polizei zu Hilfe, das aber Probleme machte, den Anordnungen der Bonner Herren Folge zu leisten. Man einigte sich. Zehn Redakteure durften die letzten Arbeiten für den *Spiegel* vom Montag erledigen.

Inzwischen, um 0 Uhr 45, tat Franz Josef Strauß das, womit er schon bald im wahrsten Sinne des Wortes nichts zu tun gehabt haben wollte. Er hängte sich ans Telefon und sprach mit dem Kanzler der deutschen Botschaft in Madrid Reif ziemlich dienstlich: »Ich verpflichte Sie, über dieses Telefongespräch mit niemandem zu sprechen als mit dem Obersten Oster. Dies ist ein dienstlicher Befehl; ich handle in diesem Augenblick auch im Namen des Herrn Bundeskanzlers und des Herrn Außenministers. Haben Sie alles klar verstanden?«

Das einzige, was Kanzler Reif klar verstehen konnte, war nur, dass der Militärattaché Oberst Achim Oster zurückrufen und er den Mund halten sollte. Um 1 Uhr 25 rief Oster Strauß an und bekam von ihm im Namen des Bundeskanzlers den »dienstlichen Befehl«, er solle dafür sorgen, dass der stellvertretende *Spiegel*-Chefredakteur Conrad Ahlers in Torremolinos, wo er Urlaub machte, von den spanischen Behörden festgenommen werde.[21] Das Ansinnen war abenteuerlich, Landesverrat ist kein Fall für die Interpol, die allein so etwas veranlassen könnte. Und so nahm »etwas außerhalb der Legalität«, wie später Innenminister Hermann Höcherl fröhlich sagen wird, der größte Skandal innerhalb des Skandals der *Spiegel*-Affäre seinen Lauf: Franz Josef Strauß ließ per heimlichem Anruf einen deutschen Journalisten von francofaschistischen Behörden verhaften.

Über diesem Skandal übersah man, welcher Art die deutsche Sicherungsgruppe war, die in Hamburg und in der Bonner Redaktion den *Spiegel* überfiel und Augstein sowie die *Spiegel*-Redakteure Engel, Jacobi, Jaene, Schmelz (der kam freiwillig, ohne Strauß-Theater, von einer Dienstreise nach Budapest zu seiner Verhaftung zurück) und schließlich auch den Verlagsdirektor Becker festnahm; wir werden das nicht vergessen.

* * *

Augstein, der sich am Samstag um zwölf im Polizeipräsidium gestellt hatte, saß am längsten. Aber er hatte schon sehr früh einen Gefängniskoller. Im Weihnachtsheft schrieb er aus seinem Knast in Koblenz herzlichst dem »lieben *Spiegel*-Leser«: »Ich erlebe meine gegenwärtige Lage als Christ, ich empfinde mein In-Haft-Sein als stellvertretend und als Rückwurf eines, der vom Glück immer zu sehr begünstigt war.«[22]

In seinem »Kämmerlein«, wie er die Gefängniszelle nannte, türmten sich theologische Werke, die ihm die Bibel erklären sollten, nachdem er bereits im November eine ganze Kolumne lang geschwärmt hatte über die »wundersame Kräftigung, die von den alten Texten ausgeht«.[23]

Die Rumpfredaktion hatte dazu drei Wochen später an die vier Dutzend vorwiegend negative Leserbriefe abgedruckt. »Dass Augstein schon nach drei Wochen Haft zu spinnen beginnen würde, hätte ich nicht gedacht!« schrieb *Spiegel*-Leser Fritz Feder aus Speyer, und Günter von Hagen aus München erlaubte sich beunruhigt die Frage: »Was treibt man mit ihm in der Untersuchungshaft?«[24]

Aus der Zelle antwortete Augstein: »Über hundert Briefe von Professoren, Vikaren, Pastoren, Studenten habe ich bekommen, Briefe fast durchweg voller Sympathie, aber durchweg voller Bedauern.« Er entschuldigte seinen Anfall von Christentum mit redaktionellen Problemen. Die Glosse über die Bibel sei »in einer gewissen Notlage« geschrieben worden:

> »Eine für meine Begriffe wohlgelungene Philippika gegen die vier Parteien des Bundestags sollte nach Meinung der Rumpfredaktion nicht ins Heft, aus taktischen Gründen nicht, weil der schon abfahrende Zug, der letzte Woche an seiner Endstation Regierungsumbildung angekommen ist, sonst leicht hätte gebremst werden können.«[25]

Das war es kaum, die geschäftsführende Redaktionsleitung hatte Augstein einfach beiseite geschoben, sein Griff zur Bibel war ein versteckter Hilferuf.

Sein Freund Claus Jacobi, der Chefredakteur, der tief verschreckt war, weil die Sicherungsgruppe Bonn bei ihm zu Hause sogar die Kinderbetten durchwühlt hatte, war schon dabei, sich zu Axel Springer abzuseilen. Augstein hat es ihm nie vergessen.

Die Geschäftsführung hatte Augstein für die Zeit seiner Haft seinem scheinbar getreuen Eckart, dem ultrakonservativen

Wirtschaftsredakteur Leo Brawand übergeben. Der hatte sein Büro in einem Stockwerk, von dem die Sicherungsgruppe zunächst nichts wusste. Als er merkte, was da unter ihm geschah, alarmierte er auf einer nicht überwachten Sonderleitung seine Frau, die wiederum aus Hannover den Bruder und Rechtsanwalt Josef Augstein alarmierte, der sofort mit dem Wagen nach Hamburg raste. Inzwischen war die Polizei in Brawands Stockwerk vorgedrungen. Er stieg schnell in einen Schrank und ward darum nicht bemerkt. Später darauf angesprochen, verkündete er: »Ich gehe immer in den Schrank, wenn ich nachdenken will.«

Der von Augstein für die Dauer der Haftzeit zum geschäftsführenden Redakteur ernannte Schrankmann machte nun gemeinsame Sache mit »Georg dem Deutschen«, mit Georg Wolff, wie er selbst stellvertretender Chefredakteur des *Spiegel*.

Anfangs hatte es nur einen politischen Kommentator des *Spiegel* mit eigenem Namen gegeben: Jens Daniel, und das war Augstein. Unter seinem eigenen Namen (»herzlichst Ihr Rudolf Augstein«) schrieb er in den ersten Jahren all das, was man als »Hausmitteilung« des *Spiegel* ansehen konnte. Seit 1957 gab es noch »Moritz Pfeil«, manchmal konnte sich hinter diesem Pseudonym auch ein anderes Redaktionsmitglied verstecken. Seit der *Spiegel*-Affäre siechten Jens Daniel und Moritz Pfeil dahin und verschwanden 1967 ganz. Rudolf Augstein schrieb fast nur noch unter eigenem Namen. Nur als Adenauer starb, wurde Jens Daniel für den Nachruf aus der Grube geholt. Lediglich Günter Gaus durfte, seit er 1969 Chefredakteur wurde, neben Rudolf Augstein politische Leitkommentare schreiben und später auch Nachfolger Erich Böhme, aber nur sehr gelegentlich. Von Stefan Aust, dem Chefredakteur seit 1995, gibt es bis 2002 keine einzige Kolumne.[26]

* * *

Jetzt aber, Ende 1962, während der Herausgeber im Gefängnis saß und von dort Kolumnen schrieb, drängte sich Georg Wolff vor. Er hatte nach einer Gelegenheit gefiebert, Augstein zu spielen. Ein knappes Jahr zuvor war die Redaktionsspitze umgestaltet worden: Hans Detlev Becker, seit einigen Jahren unter Herausgeber Augstein Chefredakteur, wurde Verlagsdirektor. Georg Wolff, einer der drei Stellvertreter, hatte geglaubt, fest damit rechnen zu können, auf Beckers alte Stelle aufzusteigen. Er durfte im Herbst 1961 eine groß angekündigte Adenauer-Serie schreiben, Titel: »Mein Gott – was soll aus Deutschland werden?« Die Leser schrien auf: Von »Geschichtsklitterung«[27] reichten die Vorwürfe bis zu der absonderlichen Vermutung: »Der Rudolf Augstein ist dem Georg Wolff aus irgendeinem Grund verpflichtet. Vielleicht wurde er von ihm fürsorglich durch die Entnazifizierung geleitet. Vielleicht hat der Augstein dem Wolff ein Mädchen geklaut.« Bis hin zu der Hoffnung reichten die Mutmaßungen: »Der Augstein will dem Wolff nur Gelegenheit geben, sich total zu entblättern. Den solchermaßen in allen seinen Schwächen erkennbaren Wolff will Augstein dann dem *Rheinischen Merkur* verkaufen.«[28]

Die Mutmaßungen über die Motivlage waren falsch. Mädchen spielten hier keine Rolle, und die Geschichte mit der Entnazifizierung war, wie wir später sehen werden, auf groteske Weise verkehrt. Aber am Ende der Serie, gerade bildete Adenauer nach der September-Wahl mit Fußtritten gegen Erhard seine vorletzte Regierung, lieferte Augstein dem »lieben *Spiegel*-Leser« herzlichst und entschlossen und stellenweise in viel Selbstironie eingepackt eine Schilderung seiner Auseinandersetzungen mit dem Vize-Chefredakteur Wolff:

> »In nervenzerrenden Gesprächen haben Wolff und ich den täglichen Anschauungsunterricht, den Adenauer uns in den acht Wochen frisch vom Tatort geliefert hat, miteinander diskutiert. Wolff suchte Belege für seine These,

die haarsträubenden Handlungen seit dem 17. September seien Alters- und Ausfallerscheinungen. Ich hingegen stritt für meine Überzeugung, Adenauer schien, zumindest seit 1945, nie anders oder ›besser‹ gewesen als jetzt; nie wahrheitsliebender, nie weniger plump, nie weniger treulos, nie intelligenter, nie geschickter, nie verantwortungsvoller.«

Minutiös schilderte Augstein auf zwei *Spiegel*-Spalten seinen Streit mit dem Vize über Adenauer, wobei Wolff plötzlich und unvermittelt eine zweite Front eröffnete mit dem Vorwurf: »Ihr Strauß-Komplex!«

Dann ging Augstein mit Wolff essen und erklärte ihm dabei geduldig, warum sein Traum, alleiniger Chefredakteur des deutschen Nachrichtenmagazins zu werden, ausgeträumt sei. Da gab es noch einen ganz anderen Grund, davon reden wir später.

Augstein schuf eine Zweierspitze: Johannes K. Engel, bisher ebenfalls Stellvertreter, und Claus Jacobi, Redaktionsmitglied, zuvor in Bonn und New York, beide wurden gleichberechtigte Chefredakteure, Jacobi etwas gleichberechtigter, da kam im Alphabet des Impressums J vor E.

* * *

Das alles war vor einem Jahr geschehen. Jetzt aber, um die Jahreswende 1962/63, da Augstein, wer weiß wie lange im Gefängnis sitzen würde, witterte Wolff unter dem geschäftsführenden Redakteur Leo Brawand, der gern seinen Papen spielte, die Chance zur Machtergreifung. Mancher, der es miterleben musste, ist heute noch verwundert, welche Fragen da plötzlich im Raum standen: Kann der *Spiegel* so weitermachen wie bisher? Ist nicht die Zeit zu einem Richtungswechsel gekommen? Darf das deutsche Nachrichtenmagazin immer nur in Opposition machen? Fragen, die von der rechten Kamarilla geschickt in die zum Teil verängstigte Redaktion gestreut wurden.

Georg Wolff schrieb auf Seite 10 in derselben Aufmachung wie Rudolf Augstein erst auf Seite 13. Wolff wurde groß im Inhaltsverzeichnis angekündigt, Augstein überhaupt nicht, er wurde nicht einmal im Verantwortlichkeitsimpressum erwähnt.

Während die ganze Republik hinter Augstein stand, versteckte ihn die Redaktion wie eine Peinlichkeit, nachdem sie in der ersten Nummer danach sein Verhaftungsfoto noch auf den Titel genommen hatte.

Doch schon seine erste Kolumne aus der Haft (»Soll der Staat zugrunde gehen, damit einem Mann Genüge geschieht?«) wurde irgendwo unter Anzeigen auf Seite 38 vergraben, ohne irgendeinen Hinweis im Inhaltsverzeichnis, jede andere Redaktion hätte zumindest in einem gelben Streifen auf der Titelseite den Beitrag ihres im Gefängnis sitzenden Herausgebers angekündigt.

Nicht weniger schäbig verfuhr der geschäftsführende Redakteur Brawand vier Wochen nach der Festnahme, als Augstein aus dem Gefängnis endlich verkünden konnte: »Der Sturz des Ministers Strauß hat die Bundesrepublik von einer Gefahr befreit« – und sich dann Adenauer, die FDP und die SPD vornahm und dem Volk, das für ihn auf die Straße gegangen war, sagte: »Ihr seid immer so regiert worden wie in den letzten vier Wochen, ihr wolltet's nur nicht wahrhaben.« Das wurde wieder hinter eine fette Anzeigenseite weggetan, ohne jede Ankündigung vorn.

Wolff dagegen, der in seiner Kolumne über »Lebensfragen der Nation und jedes einzelnen Staatsbürgers« schwadronierte, betonte die Unschuld der »Beamten des Bonner Sicherungsdienstes«. Sie seien »verpflichtet – und Honi soit qui mal y pense –, Landesverrat zu verfolgen«.[29] Das war eine Unverschämtheit gegenüber Augstein, der da seit acht Wochen im Gefängnis saß.

Weiter vor wagten sich die *Spiegel*-Putschisten dann doch nicht, das halbe Land, das Ausland ohnedies, stand hinter Augstein, mehr denn je, als Adenauer im Bundestag von einem »Abgrund von Landesverrat« sprach.

* * *

Was war die Sicherungsgruppe Bonn (ob es sich bei der Wolff-Bezeichnung »Sicherungsdienst« um einen interessanten Zungenschlag handelt, werden wir noch sehen)?

Eigentlich wäre für die Leitung der Aktion gegen den *Spiegel* der Chef dieser Sicherungsgruppe Bonn Dr. Ernst Brückner zuständig gewesen. Er hatte ganz anständige Qualifikationen. Während seines Studiums gehörte er einer jener Marburger Burschenschaften (V. C. Turnerschaft Thiskonia Marburg) an, die sich im Studentenkorps Marburg beim Kapp-Putsch und bei der Ermordung von fünfzehn gefangengenommenen Arbeitern bleibende Verdienste um die Ordnung im Staat erworben hatten. Brückner war allerdings damals aus Altersgründen noch nicht beteiligt. Er bewährte sich vielmehr seit 1933 als Sturmmann im SA-Nachrichtensturm 212 in Itzehoe, seit 1937 in der NSDAP und bot seit 1939 als Staatsanwalt laut einer Beurteilung seiner Vorgesetzten unbedingt die Gewähr, dass er sich »stets für den nationalsozialistischen Staat einsetzen wird«[30].

Das waren an sich keine schlechten Voraussetzungen für die Leitung des Überfalls auf den *Spiegel*. Doch es traf sich, dass Brückner den Bundespräsidenten Heinrich Lübke, dessen Gäste übrigens schon acht Tage vorher von der bevorstehenden Aktion gegen den *Spiegel* plauschten,[31] bei einem Staatsbesuch im Ausland begleiten musste. So kam sein Stellvertreter Theo Saevecke zum Einsatz, der noch weit bessere Qualifikationen bot. Er gehörte schon mit sechzehn Jahren der Schilljugend jenes Freikorps Rossbach an, das sich, neben vielen anderen beachtenswerten Tätigkeiten, bei der Liquidierung streikender Landarbeiter in Ostpreußen verdient gemacht hatte. Da allerdings ging es Saevecke nicht anders als Brückner, als er 1927 zur Schilljugend stieß, war das alles schon vorbei. Kein Problem. Er fiel mit der Einsatzgruppe VI des Reichssicherheitshauptamts 1939 in Polen ein und wurde dann Leiter des – das schien nahegelegen zu haben – Mordkommissariats in Poznań, damals Posen genannt. Im März 1941 wurde er in das Reichssicherheitshauptamt Amt V A2 versetzt, das sich »Vorbeugende Verbrechensbekämpfung« nannte.

Von November 1942 bis März 1943 ging es nach Tunis. Saevecke, nunmehr SS-Hauptsturmführer, wurde dort dem SS-Obersturmbannführer Walter Rauff – ebenfalls Reichssicherheitshauptamt – unterstellt, der kurz zuvor in Polen die Gaswagen zur unkomplizierten Menschenvernichtung erfunden hatte. Rauff, der 1945 mit Vatikanhilfe nach Südamerika floh – warum eigentlich? –, war dort für den Bundesnachrichtendienst tätig, wurde aber – wieso eigentlich? – jetzt, 1962, im Jahr der *Spiegel*-Affäre, abgeschaltet.

Saevecke wiederum war im Juli 1943 Befehlshaber der Sicherheitspolizei geworden, zunächst in Verona und dann in Mailand, und bekam – zu Recht – das Eiserne Kreuz Erster Klasse und das Kriegsverdienstkreuz mit Schwertern. Ebenfalls Erster Klasse. Denn Saevecke hatte sich, »abgesehen von der Lösung der ihm gestellten sicherheitspolizeilichen und SD-mäßigen Aufgaben«, »besonders in der Bandenbekämpfung« in der Lombardei hervorgetan. Beide Orden waren auch Lohn dafür, dass Saevecke zuvor als Mitglied eines Einsatzkommandos »mit großem Erfolg die Judenfrage im tunesischen Raum bearbeitet« hatte.

Konnte es 1962 einen qualifizierteren Mann geben für den Einsatz gegen Augstein und den *Spiegel?* Er war nicht ohne Bedacht ausgewählt, denn die meisten führenden Leute des Bundeskriminalamts, zu dem Saeveckes Sicherungsgruppe Bonn gehörte, kannten einander gut aus ihrer Zeit im Reichssicherheitshauptamt, wie die Studie *Auf dem rechten Auge blind* von Dieter Schenk beweist, der von 1980 an selbst Kriminaldirektor im BKA war, dann aber lieber wieder ging. Das BKA war personell die Fortsetzung der Terrorzentrale des Dritten Reichs, des Reichssicherheitshauptamts, und insofern erscheint es doch erstaunlich, wie unblutig und kontraproduktiv für die Veranlasser der Sturm auf den *Spiegel* schließlich verlaufen ist.

Auch war es nicht korrekt, wenn eine schlecht informierte Auslandspresse von Gestapomethoden sprach, mit denen die Regierung den *Spiegel* heimgesucht habe. Das war insofern schlicht falsch, weil man da zwei Einrichtungen von Reinhard Heydrichs Reichssicherheitshauptamt schlicht durcheinanderbrachte. Denn Saevecke gehörte dem Amt V des Reichssicherheitshauptamts an, dem Reichskriminalamt unter Arthur Nebe, auf den wir später noch kommen. Für die Geheime Staatspolizei, die Gestapo, war das Amt IV zuständig, die hatte Heinrich Müller von ihrem Gründer Rudolf Diels übernommen, auf den kommen wir auch noch, etwas früher.

Der *Spiegel* enthüllte schon ein Vierteljahr nach seiner Besetzung Saeveckes Vergangenheit in der SD-Einsatzgruppe Tunesien, meinte aber nicht ohne Milde:

> »Den politischen Hintergründen und Komplikationen der *Spiegel*-Affäre stand der Kriminalfachmann Saevecke von Anfang an hilflos und verständnislos gegenüber. Er klagte, dass sich niemand schützend vor die Sicherungsgruppe stellen wollte, die schließlich die ganze Nacht-und-Nebel-Aktion nur auf Weisung der Bundesanwaltschaft veranstaltet habe ...«

Außerdem habe er sich doch bemüht, »den inhaftierten *Spiegel*-Journalisten das ungewohnte Gefängnisleben zu erleichtern«.[32] Das war Ende Februar 1963 – schon im Januar war der *Spiegel*-Stürmer aus dem Reichssicherheitshauptamt von der Sicherungsgruppe Bonn zurück zum Bundeskriminalamt nach Wiesbaden versetzt worden. Dass Saevecke auch irgend etwas mit Erschießungen in Italien zu tun gehabt haben könnte, wurde zwar bald bekannt, aber ob man ihm deshalb Vorwürfe machen könne, blieb doch sehr fraglich.

Später beging die Sicherungsgruppe (SG) Bonn ihr zwanzigjähriges Bestehen unter anderem mit einem vergnügten Presserückblick auf die eigene Bedeutsamkeit: »28.10.62, Schlagzeilen in der deutschen Presse: *Spiegel*-Redaktion überfallen – Nacht-und-Nebel-Aktion der SG – Ahlers aus Spanien entführt – Gestapo-Methoden in Hamburg – Sie hausen in *Spiegel*-Räumen wie die Vandalen – Tumult im Bundestag über *Spiegel*-Affäre.«[33]

1971, da hatte Saevecke im Amt den Reichskanzler Hitler, die Bundeskanzler Adenauer, Erhard, Kiesinger und den Regierungsantritt von Brandt überlebt, ging der SS-Hauptsturmführer von der Sicherungsgruppe regulär in Pension – mit guter Altersversorgung.

Unter Helmut Schmidt lebte er in Frieden. Im sechsten Jahr von Helmut Kohl gab es von der Staatsanwaltschaft Dortmund 1988 ein Ermittlungsverfahren wegen Mordes. Es wurde 1989 eingestellt.

Im Juni 1998, da war Kohl immer noch Bundeskanzler, verurteilte das Militärgericht Turin den nunmehr achtundachtzigjährigen Saevecke schließlich wegen Mord zu lebenslanger Haft. Das war nicht weiter schlimm, denn das Urteil erfolgte in Abwesenheit. Einen Saevecke holen die Italiener nicht so leicht aus Deutschland heraus wie die Deutschen einen Ahlers aus Spanien: Schließlich gibt es ein Grundgesetz, das die Auslieferung deutscher Staatsbürger an fremde Länder verbietet. Im Jahr 2000 verstarb Theodor Saevecke in Frieden, da hatte er dann von Adolf Hitler bis Gerhard Schröder alle Kanzler über- beziehungsweise erlebt.

Aber auch für Saeveckes bekanntestes Opfer, für Rudolf Augstein, nahm die *Spiegel*-Affäre ein gutes Ende: Die Auflage war kräftig gestiegen. Statt 395 000 *Spiegel*-Hefte zu Beginn des Jahres mussten jetzt 485 000 gedruckt werden. Augstein war der unumstrittene Held aller Demokraten in Deutschland. Und Franz Josef Strauß, das war ein Happy End für die Republik, blieb die schon sicher scheinende Kanzlerschaft versagt.

KAPITEL 8

»Führen Sie die Herren aufs Scheißhaus« – Springer, Augstein und das Feigenblatt

»Mal waren wir Freunde, mal waren wir Feinde,
zu Anfang und zu Ende nur Freunde.«
Rudolf Augstein bei der Trauerfeier für Axel Springer

Irgendwann im Frühsommer 1966 klingelte das Telefon auf meinem Schreibtisch in der *Pardon*-Redaktion. Ob ich Lust hätte, mal nach Hamburg zu fliegen, zu Herrn Augstein, zu einem Gespräch über berufliche Dinge, fragte Peter Thelen von der Frankfurter *Spiegel*-Redaktion.

Hm. Das wollte ich eigentlich schon immer. Aber jetzt, nachdem ich mir gerade erst ein bisschen Namen geschaffen hatte, in die Namenlosigkeit der *Spiegel*-Redakteure versinken? Dazu hatte ich keine Lust. Seit Juni 1963 war ich Redakteur der kurz zuvor gegründeten satirischen Zeitschrift, die mit einer fulminanten Attacke »Krieg wegen Axel Springer« den Boykott ängstlicher Grossisten und damit die Marktmacht des Springer-Konzerns zu spüren bekam, aber damit auch im Nu Bekanntheit erworben hatte. Ich sollte das journalistisch-politische Element in *Pardon* stärken und hatte mich dort seit drei Jahren etabliert. Das alles aufgeben, um als anonymer

Rekrut in das Strafbataillon des deutschen Journalismus eingezogen zu werden, wie Günter Gaus, damals bei der *Süddeutschen Zeitung*, den *Spiegel* genannt[1] hatte? Egal, die Rückflugkarte wurde ja auch bezahlt, und vielleicht könnte ich danach mit meinem Chef Hans A. Nikel pokern, damit er zwei oder gar drei Hunderter auf die kümmerlichen zwölfhundert Mark Gehalt drauflegte.

Als ich im sechsten Stock des Hamburger Pressehauses in Augsteins Zimmer gebeten wurde, saßen da vier Herren: er, sein Verlagschef Hans Detlev Becker, dazu die beiden Chefredakteure Claus Jacobi und Johannes K. Engel in ihrer antialphabetischen Reihenfolge des Impressums. Ob ich mir vorstellen könne, fragte Becker, im *Spiegel* ein wöchentliches »column« über Pressethemen einschließlich Fernsehen zu schreiben.

Ich übersetzte mir das rasch: Er meint eine Namenskolumne im *Spiegel*, das, wovon ich dreizehn Jahre zuvor auf der Parkbank in Würzburg geträumt hatte, und sagte nur: Ja, aber ich habe keinen Fernseher, und ich habe, außer im Schaufenster, noch nie ferngesehen.

Selbstverständlich bekommen Sie ein Dienstgerät nach Hause, aber auch ein Zimmer in der Redaktion und ob mir eine Pauschale von tausend Mark wöchentlich recht sei? Ich schluckte. Mehr als dreimal soviel wie bei *Pardon*.

Aber ich würde kaum umhin können, sagte ich, mich sehr oft kritisch mit der Springer-Presse zu beschäftigen. Das macht gar nichts, antwortete Augstein und lächelte fein.

Jacobi und Engel hatten wohl Bedenken, das entnahm ich ihren Fragen. Aber als ich Ja gesagt hatte, meinte Augstein: Dann machen wir es. Und darauf allein, das hatte ich schnell gemerkt, kam es an. Bald darauf, am 1. August 1966, schrieb Augstein in seiner Kolumne: »Kein einzelner Mann in Deutschland hat vor Hitler und seit Hitler so viel Macht kumuliert. Bismarck und die beiden Kaiser ausgenommen. Kein westliches Land ist bekannt, in dem ein einzelner Mann 40 Prozent der gedruckten Nachrichten kontrolliert, und zwar nicht als gewichtiger Minderheitsaktionär, sondern als Alleininhaber seiner Zeitungen, Zeitschriften und Druckereien, der sein Commonwealth vererben kann, wem er lustig ist.«

* * *

Medienkolumnist – so etwas gab es damals hierzulande noch nicht. Als Nebenkanonier von Augstein am Sturmgeschütz der Demokratie (so martialisch dachte der nur mühsam seiner Bleisoldaten und Kriegshefte Entmilitarisierte damals noch) im Kampf zuallererst gegen Springers überwältigende Medienmacht – das reizte mich.

Im September weilte Augstein zusammen mit seinem sachverständigen Geiwi-Chef Georg Wolff – das hieß: geschäftsführender Redakteur für Geisteswissenschaften – im Schwarzwald zu Exerzitien bei Martin Heidegger. Der Philosoph erläuterte den Herren vom *Spiegel* geduldig, dass alles, was er 1933 sagte, schrieb und machte, ganz anders als viele dachten, so etwas wie Widerstand gewesen sei gegen den Nationalsozialismus. Der umsichtige Philosoph bestand allerdings darauf, dass dieses Gespräch erst nach seinem Tod – das war zehn Jahre später – veröffentlicht werden dürfe.

Im Oktober 1966 zog ich ins Pressehaus am Speersort ein, das heißt, ich ließ mir eines der vielen kleinen Zimmerchen zuweisen und rang und rang mit mir, wie denn so eine Medienkolumne aussehen müsse. Irgendeine besondere Form müsse sie doch haben, dachte ich und rang weiter. Ein Glück nur, dass ich nicht gelesen oder schon vergessen hatte, was zweieinhalb Jahre zuvor in der Hausmitteilung des *Spiegel* stand: Kolumnen sollten den redaktionellen Teil des sehr umfangreich gewordenen Magazins auflockern und die »wissenschaftliche« Arbeitsweise des Story-Journalismus durch die Reportage »mit ihrem Stimmungsgehalt, ihrem kurzlebigen Regenbogenschimmer der Nebensächlichkeiten« und ihrer »Subjektivität« ergänzen.[2] Auflockerungsakrobat des deutschen Nachrichtenmagazins – das hätte mir gerade noch gefehlt.

Schließlich drückte mir Augstein die neueste Nummer von *Capital* aus dem gerade neu erstandenen Verlagszusammenschluss Gruner + Jahr in die Hand – ich solle doch einfach schreiben, wie ich immer schreibe. Der Titel des Wirtschaftsmagazins: »1966 Juden + Wirtschaft = ?????????« Im Gewand eines schmierigen Philosemitismus ein widerliches Stück über »das Volk ohne Fortune«, einschließlich der Klage, »die jüdische Elite« sei »nicht nach Deutschland zurückgekommen«, wobei die Geschichte auch noch mit der Präzision eines Globke zwischen »Juden« und »Halbjuden« unterschied. Versorgt werde Deutschland nur noch »mit Juden aus den Ostgebieten«. Höhnisches Fazit: »Die Juden in der Wirtschaft sind heute Juden in den Wirtschaften. Kein Gewerbe ist bei Juden beliebter als das Schankgewerbe...«

Das war dann meine erste *Spiegel*-Kolumne.[3] Augstein – später würde ich noch mal darüber nachdenken – hatte den Anstoß gegeben.

* * *

In Bonn war soeben die schwarzgelbe Koalition unter Ludwig Erhard zusammengebrochen. Der neue Unionskanzlerkandidat Kurt Georg Kiesinger verlangte, dass ein künftiger Koalitionspartner »mit uns auf Gedeih und Verderb unseren politischen Weg geht«, und fand unter solchen Bedingungen sofort einen, der so etwas schon immer besonders gern mitmachte: die SPD, zumal ihr Emigrant Brandt glücklich sein durfte, dass ihm der NSDAP-Mann Kiesinger seinen Widerstand nicht länger nachtrug.

Augstein war gegen die große Koalition. Die bisherige Regierung unter Erhard habe das Bonner System diskreditiert. Aber noch schlimmer sei, dass »die SPD dem von der CDU/CSU ausgehenden Verfall nichts anderes entgegenzusetzen wusste als die beiden christlichen Parteien nicht abzulösen, sondern einer Koalition mit der SPD geneigter zu machen.«[4]

Während vorne der Herausgeber noch gegen die drohende große Koalition polemisierte, machte dahinter die konservative Fraktion des deutschen Nachrichtenmagazins schon für den baden-württembergischen Ministerpräsidenten Kiesinger mobil. *Spiegel*-Reporter Hermann Schreiber, früher beim *Staatsanzeiger für Baden-Württemberg*, schrieb im schönsten Regenbogenschimmer eine zuckerwattige Homestory über den Kanzlerkandidaten Kiesinger (»Im Garten unter einem Apfelbaum hat der Hausherr eine Sitzecke, wo er bei gutem Wetter Historiker, Philosophen und die Zeitschrift *Universitas* liest.«).[5]

Und Conrad Ahlers, stellvertretender Chefredakteur, zauberte aus irgendwelchen Archiven ein Papier, das beweisen sollte, Kiesinger habe als Propagandaverbindungsmann zwischen Außenminister Ribbentrop und Volksaufklärungsminister Goebbels eine antijüdische Aktion gehemmt[6] – sie war ihm nur als unzweckmäßig erschienen. Aber bewiesen wurde damit: Er war nur in der NSDAP, aber nie ein Nazi.[7]

Eine Woche später zeigte sich der – so erschien er mir noch – aus Adenauers Kerkern entronnene mutige Fallschirmjäger Conrad Ahlers wütend, als er das Manuskript meiner zweiten Kolumne las. Sie begann: »Unser aller Bundespräsident, Heinrich Lübke, hat kürzlich in einer Festrede verkündet, was sich im Haus Springer zuträgt. Er sagte: ›Hier springt eine ganz klare Quelle.‹«

So darf man, sprach Ahlers, mit dem Bundespräsidenten nicht umgehen, die Kolumne könne nicht erscheinen. Solch eine Aufregung habe ich in den ersten vier Jahren meines Kolumnisten-Daseins nie wieder erlebt. Ich verstand auch nicht, was diesen Mann umtrieb.

Selbst Chefredakteur Jacobi, dessen ganzes Bestreben dahin zielte, sein gepflegtes Antlitz der edlen Kopfform der zwei garantiert reinen Rassehunde anzupassen, die bei ihm des öfteren vor dem Schreibtisch ruhten, selbst er stand mir gegen seinen Stellvertreter bei. Die Kolumne erschien. Einige Wochen später wurde erkennbar, warum Ahlers sich so aufgeregt hatte: Er schied aus des *Spiegels* Diensten aus und wurde stellvertretender Pressechef jener Regierung Kiesinger, der auch der Mann als Finanzminister angehörte, der ihn aus Spanien hatte herausholen lassen.

Es war weniger die an sich kaum erkennbare Despektierlichkeit gegen den Bundespräsidenten – sie wog allerdings schwer, denn ich hatte, damals eine Ungehörigkeit, Lübke wörtlich zitiert – als vielmehr der Inhalt der Kolumne, der Ahlers missfallen hatte, ich war über das einmütige Plädoyer aller Springerzeitungen für die große Koalition hergefallen.[8]

* * *

Nur gut, dass ich – es hätte mich damals irritiert – nicht wusste, dass an meinem ersten Donnerstag beim *Spiegel* Rudolf Augstein ausgeflogen und hart an der Mauer, in der Kochstraße, gelandet war. Dort weihte der nie zu vergessende Bundespräsident mit seinem Quell Axel Springers neues Hochhaus ein, dort kam aus Axel Springers Mund das Wort, das ich zitierte, bevor ich sie dann auch beging: dass es nämlich »eine aggressive Torheit« sei, seine Blätter »über einen Kamm zu scheren und die so geschorenen Organe mit der groben Vereinfachung ›Rechtskurs‹ abzustempeln.«

Augstein sprach nicht, er war nur Gast und durfte zu all dem höflich Beifall klatschen. Und bevor er dort auch Franz Josef Strauß aufs freundlichste begrüßte, hätte er mit seinem schönen Bariton das Lied mitsingen dürfen – ich zweifle, ob er's getan hat –, mit dem Axel Springer seinen Vortrag beendete: »Ich hab mich ergeben / Mit Herz und mit Hand / Dir Land voll Lieb' und Leben / Mein deutsches Vaterland.«[9]

Es hätte mich gegrämt, wenn ich das gewusst hätte: Der Herausgeber beim Erzfeind und beim Händchenschütteln mit einem noch ärgeren Erzfeind, nein! Und dann dieses eklig patriotische Lied, über das ich etwas später aus Anlass irgendeiner *Welt*-Geschichte auch noch herfiel, ich hatte wirklich keine Ahnung, was an diesem 6. Oktober in Springers neuem Hochhaus alles geboten wurde.

Aber eigentlich war das alles eine gesellschaftliche Selbstverständlichkeit, sie hätte mich nicht irritieren dürfen. Doch die zarte Seele des Traumtänzers, der ich damals war, hätte Schaden genommen, wenn sie all das geahnt hätte.

* * *

Man kannte sich schon lange. In den fünfziger Jahren wäre Springer ihm beinahe sehr nahe gekommen. Augstein hatte schon in Hannover seine Mitlizenzträger, den Verlagskaufmann Eduard Barsch für 100 000 Mark und später Roman Stempka, einen Journalisten, der in der nationalistischen Scherl-Hugenberg-Verlagsgruppe und dann während des Krieges in der Propaganda-Kompanie gedient hatte, für rund 150 000 Mark aus dem *Spiegel* hinausgekauft. Jetzt suchte Augstein einen Verleger, möglichst in Hamburg. Axel Springer hätte es damals durchaus sein können, Verhandlungen liefen schon, aber dem erschien schließlich das Geschäft, *Spiegel*-Verleger zu werden, zu riskant. So übernahm John Jahr, der *Constanze*-Verleger in Hamburg, die Hälfte von Augsteins Anteilen, der *Spiegel* zog 1952 nach Hamburg um, und John Jahr, neben dessen Villa im Maienweg Augstein das Kutscherhaus bezog, sorgte für mehr Auflage und vor allem für mehr Anzeigen, vorher nahmen die nur 20 Prozent des Hefts ein.

Die Anzeigen wurden immer wichtiger für das deutsche Nachrichtenmagazin. Und darum machte der *Spiegel* 1958 einen ersten Versuch, die »Führungsschicht der deutschen Wirtschaft zu durchleuchten, ihr Verhalten zum *Spiegel* zu ermitteln«.

Das Ergebnis, ermittelt von der Intermarket, einer Gesellschaft für internationale Markt- und Meinungsforschung in Düsseldorf, war maßgeschneidert und wurde 1959 vom *Spiegel*-Verlag in einer Broschüre gedruckt: »Ob es darum geht, mit der Führungsschicht der westdeutschen Wirtschaft in Verbindung zu treten oder die meinungsbildende Schicht der ganzen Bevölkerung anzusprechen – beide erreicht man durch den *Spiegel*.« Wichtig: »Von den befragten Führungskräften der deutschen Wirtschaft sind 65% *Spiegel*-Leser.«

Noch wichtiger aber: »Die Führungsschicht der Wirtschaft ist nur eine, allerdings sehr bedeutende Gruppe innerhalb der *Spiegel*-Leserschaft. Neben dem exklusiven Kreis der leitenden Persönlichkeiten aus den Bereichen der Wirtschaft, der Politik und des kulturellen Lebens erreicht *Der Spiegel* die intelligenten, geistig beweglichen Menschen – kurz: die meinungsbildende Schicht der Bevölkerung.«[10]

Damit war alles klar: Wenn die Wirtschaft der »Bevölkerung« etwas verkaufen will, muss sie zuerst ran an die meinungsbildende Schicht, und dazu braucht sie Anzeigen im *Spiegel*. Die Führungsschicht der deutschen, der westdeutschen Wirtschaft sah das ein und inserierte im deutschen Nachrichtenmagazin. Die Hefte wurden dicker und dicker. Die deutsche Werbeindustrie inserierte gern im *Spiegel*, die Zielgruppe stimmte. Darauf achtete besonders gewissenhaft Verlagsdirektor Hans Detlev Becker, dem das Wort nachgesagt wurde: Wir wollen keine Straßenbahnschaffner als Leser haben. Das dementierte er zwar. Aber sicher ist: Wenn er je einen Müllarbeiter gesehen hätte, der es wagte, am Kiosk den *Spiegel* zu kaufen, er hätte ihn eigenhändig erwürgt, so einer versaut doch die Zielgruppe.

Jedoch: Die deutsche Werbeindustrie inserierte nicht mehr gern im *Spiegel* des Jahres 1966. Das war noch immer das graue Papier, der miserable Druck, was konnte man schon von einer Zeitschrift erwarten, die im sozialdemokratischen Armenhaus, der Auerdruck GmbH ein paar Stockwerke tiefer, ihr Blatt produzierte.

Und so nahte sich ein teuflischer Versucher, der Rudolf Augstein schwach machen musste. Axel Springer baute eine hochmoderne Druckerei in Ahrensburg, direkt vor Hamburg. Die war eigentlich ausgelastet. Aber am Wochenende waren noch Kapazitäten frei – ideal für den *Spiegel*, der montags erscheint.

Es traf sich, dass Christian Kracht, der damalige Generalbevollmächtigte von Springer, ganz am Anfang in Hannover auch mal Mitarbeiter von *Diese Woche* und dann des *Spiegel* war. Er und Becker kannten sich besonders gut, und so einigten sie sich schnell. Aber Augstein. Wie stünde er da, wenn der *Spiegel*, die Stimme der bundesdeutschen Opposition, ausgerechnet in Springers rechter Meinungsfabrik gedruckt würde.

Das Ergebnis war ich. Es hätte jeder andere Journalist sein können, der gerade – halbwegs leserlich – etwas Böses über Springer geschrieben hatte. Sich – innovativ! – einen Medienkolumnisten halten, der über alle anderen herfällt und dabei regelmäßig und kräftig Springer verprügelt – was konnte es in dieser Situation für Rudolf Augstein Besseres geben.

Ich ahnte es langsam, aber richtig in allen Einzelheiten bewusst wurde es mir erst, als ich nach Springers Tod 1985 die Reden las, die bei der Trauerfeier gehalten wurden.

Und ich war wirklich lange dumm genug, nicht sofort zu merken, dass ich meine Stellung Axel Springer verdankte. Ich nahm mich zu wichtig. Das war nicht klug von mir, aber Spaß hat es gemacht. Nur, das Leben ist kein Spaß, und ich war nur ein Blatt, das schließlich im Wind verweht, ein Feigenblatt. Auf Rudolf Augsteins Blöße.

* * *

Aber was sollte er tun? Wenn aus dem *Spiegel* mehr werden sollte – er hatte schließlich eine Verantwortung für seine Leute –, dann musste er bei Springer drucken. Und darum brauchte er einen, der so oft wie nur möglich Springer attakkierte. Denn sonst stand die Auflage bei der »meinungsbildenden Schicht der Bevölkerung« auf dem Spiel, die gegen Springer mehr und mehr auf die Straße ging, und die Auflage wiederum war die Voraussetzung für die Anzeigen.

Axel Springer hat mir nie auch nur einen Pfennig dafür bezahlt, dass ich den Druckauftrag so gut absicherte. Nicht einmal in seinem Testament hat er mich bedacht, obwohl doch Augstein am Sarg stand und sagte: »Wie kompliziert unser Verhältnis von damals bis zum Ende blieb, sieht man daran, dass ich mit eigener Feder drei *Spiegel*-Titelgeschichten über Axel Springer geschrieben habe. Veröffentlicht worden ist keine, und das lag nicht daran, dass er interveniert oder ein *Spiegel*-Angehöriger es mir verboten hätte. Ich kriegte ihn nicht in den Griff.«

Aber ich musste ihn in den Griff kriegen, und das am besten Woche für Woche, damit der Druckauftrag keinen Schaden nähme. Es war doch alles so unerhört kompliziert. Augstein verriet es 1985 in seiner Trauerrede für den toten Axel Springer: »Am anstrengendsten waren unsere Beziehungen, als der *Spiegel* aus wohlerwogenen Gründen einen Druckvertrag mit dem Hause Springer schließen wollte, sollte oder musste. Damals erhoben die Linken ihr Haupt und schüttelten es. Es gab wie in der ›Jobsiade‹ ein allgemeines Schütteln des Kopfes.«

Hübsch, allerdings hatte Augstein Wilhelm Buschs Jobsiade seit seiner Kindheit nicht mehr gelesen und die Leichenrede auch nicht von der Hausdokumentation überprüfen lassen. Wie immer man die Intelligenz des Prüfungskollegiums in der Jobsiade beurteilen mag – dessen allgemeines Schütteln des Kopfes ist nur zu berechtigt, wenn auch zu milde. Denn der Kandidat Hieronymus Jobs, mit dem Augstein sich hier an Axel Springers Sarg vergleicht, ist rettungslos dumm, total betrunken und von stupender Unwissenheit.

Das alles war Augstein mutmaßlich nicht, als er den für den

Spiegel unerlässlichen Druckvertrag mit Springer unterschrieb. Keiner konnte damals in dieser Qualität so schnell am Wochenende drucken wie Axel Springer (den sozialdemokratischen Auerdruck trieb schließlich der Verlust des *Spiegel*-Auftrags in die Pleite).

Vor der Unterschrift besuchte Augstein Springer in dessen Klenderhof auf Sylt. »Es war ihm klar, dass er mir politische Vorschriften nicht anbieten konnte – aber eine eben doch«, sagte Augstein 1985 bei der Trauerfeier und zitierte den Toten: »Rudolf, ich möchte von Ihnen die Gewähr, dass Sie zu meinen Lebzeiten« – und an diese Floskel, sagte Augstein, erinnere er sich genau – »dass Sie zu meinen Lebzeiten niemals mehr schreiben werden, es hätte kein anderer Deutscher an der deutschen Spaltung mehr verdient als ich.«

Augstein, den ja die deutsche Spaltung auch immer wieder tief bewegte, verstand Springer. »Ich überlegte einen Moment und kam ohne große Bauchschmerzen zu dem Ergebnis, dass diese Behauptung wohl nicht haltbar sei. So sagte ich ihm, ich sei gesonnen, diesen Satz weder wörtlich noch sinngemäß zu wiederholen.«

Ergebnis: »Handschlag, ein Druckvertrag beträchtlichen Volumens war geschlossen.«[11]

Zu seinen Lebzeiten. Jetzt kann man es ja verraten: Springer verdiente besonders gut an dem Handschlag. Denn in Ahrensburg spendierte der Staat – ähnlich wie in Westberlin beim Hochhaus an der Mauer – eine beachtliche Zonenrandförderung, einen Sonderprofit dank der deutschen Spaltung.

* * *

Bevor der Druck in Ahrensburg anlief, gab es für den *Spiegel* eine Besichtigungsreise. Kracht hatte vorher Axel Springer per Hausmitteilung informiert, dass er Augstein und Becker gern durch das neue Haus in Ahrensburg führen würde, ob er Einwände habe? Hatte er nicht: »Führen Sie die Herren aufs

Scheißhaus«, kritzelte Axel Caesar Springer in vornehm englischem Stil auf den Zettel.

Wir fuhren dann im Charterbus nach Ahrensburg: Augstein, Becker, die Chefredakteure und Ressortleiter und ich. Den Ort der Erleichterung habe ich nicht gesehen – bis heute habe ich Zweifel, ob es so etwas in der Druckerei der *Bild*-Zeitung gibt.

Als die ersten *Spiegel*-Exemplare über Springers Druckmaschinen rotierten, war ich naiv genug, nicht wahrzunehmen, dass ich es war, der dafür sorgte, dass diese Druckmaschinen wie geschmiert liefen. Selbst meine ärgsten Beschimpfungen wurden willig auf Springers Maschinen gedruckt, alles andere wäre ein eklatanter Vertragsbruch gewesen. Es funktionierte glänzend. Springer waren die Hände gefesselt, früher konnte er sich leicht am Wochenende den *Spiegel* beschaffen und, wenn es ihm nötig schien, eine Einstweilige Verfügung erlassen, bevor das Heft an die Kioske ausgeliefert war. Jetzt sah er sich juristisch gebunden, vor der Auslieferung nichts zu unternehmen, obwohl er alles schneller wusste, weil er den *Spiegel* ja druckte. Vorsichtsmaßnahmen gab es gleichwohl. Als Adenauer im April 1967 starb, hatte der *Spiegel* exklusiv seine letzten Worte: »Kein Grund zum Weinen.« Der Adenauer-Trauertitel war das vierte Heft, das über Springers Druckmaschinen lief. Bis zur letzten Minute stand die Aufforderung »Öffnet das Fenster« als Adenauers letzter Satz auf der Druckvorlage. Erst als die Maschinen anliefen, wurde er gegen den richtigen ausgetauscht.[12] Springers Sonntagszeitungen sollten dem *Spiegel* nicht zuvorkommen.

Einmal nützte es nichts. Im Juli 1970 machte der *Spiegel* publik, dass Axel Springer zwei Millionen Mark Kirchensteuer nicht gezahlt habe. Doch Peter Boenisch, der offiziell von dieser Meldung noch nichts erfahren haben konnte, schlug vorher zurück: In *Bild am Sonntag* enthüllte er, dass Augstein aus der katholischen Kirche ausgetreten sei und damit eine »stattliche sechsstellige Summe« gespart habe. Aber sonst lief alles perfekt.

* * *

Obwohl ich ihm dieses glänzende Druckgeschäft absicherte, gab mir Axel Springer nicht nur keine Provision, er beschwerte sich auch noch über mich. Das war 1970. *Spiegel*-Chefredakteur Günter Gaus wollte ihm Gelegenheit geben, selbst seine Vorstellungen und Absichten in einem *Spiegel*-Gespräch zu erläutern, das er mit ihm führen wollte. Selbstverständlich zu den auch sonst üblichen *Spiegel*-Bedingungen, sie sind immer so fair und sollen deshalb zitiert werden:

> »Das von einem Stenographen und auf Tonband festgehaltene Interview wird – nach der notwendigen Redaktion – dem Interviewpartner zur Genehmigung vorgelegt. Nur der von ihm autorisierte Text wird – kommentarlos – veröffentlicht; der Gesprächspartner hat das Recht, die Veröffentlichung des Interviews nach Prüfung zu verweigern. Selbstverständlich ist es auch für ihn möglich, Änderungen und Ergänzungen in seinen Antworten vorzunehmen, bevor das Interview publiziert wird.«

Springer zweifelte in seiner Antwort nicht an der »Fairness« der formalen Prozedur, nach der die *Spiegel*-Gespräche zustandekommen. Er nahm aber Anstoß, dass er im *Spiegel* als »Zeitungs-Tycoon«, »Chef-Theologe«, »Presse-Zeus« bezeichnet wurde. Das allerdings fand er nur unseriös.

> »Anders ist es mit der Behauptung Ihres Mitarbeiters Otto Köhler, der nach gewalttätigen Demonstrationen gegen das Verlagshaus in der Berliner Kochstraße schrieb: ›Stacheldraht-Barrieren um sein Hochhaus an der Mauer machten es Ortsunkundigen schwer, zwischen Ulbrichts und Springers Machtbereich zu unterscheiden.‹«

Der Hochhausherr empört:

> »Diese perfide Bemerkung war darauf angelegt, die Unterscheidung zwischen dem Stacheldraht einer Diktatur und den polizeilichen Schutzmaßnahmen für ein bedrohtes Zeitungshaus auf dem Boden der Demokratie zu verwischen.«

Das Interview fand nicht statt.

Dass ich damals viel öfter Schwierigkeiten hatte, zwischen der Springer- und der Goebbels-Presse zu unterscheiden, machte ihm anscheinend kein Problem. Vielleicht lag es aber auch daran, dass ich nicht auch im Firstclass-Hotel an der Binnenalster verkehrte. Jedenfalls bedauerte Springer in seinem Brief an Gaus, »nicht zuletzt in angenehmer Erinnerung an frühere Begegnungen, wie z. B. im Hamburger ›Vier Jahreszeiten‹, zu sagen und an konkreten Beispielen zu zeigen, warum Ihre freundliche Aufforderung für mich sowohl überraschend als auch unannehmbar ist.«[13]

Sehr komisch allerdings war, dass Rudolf Augstein im *Spiegel* die Formulierung gelang: »Wenn richtig ist, dass die auf Druckzylindern verbreitete Aufreizung zur Gedankenlosigkeit nicht Springers Monopol ist ...«[14] – tatsächlich nicht, denn auch seine Aufforderung, sich Gedanken zu machen, lief über dieselben Druckzylinder.

Kurz darauf verließen wir das traditionsreiche Pressehaus am Speersort mit seiner Auerdruckerei im Erdgeschoss, die bald den Betrieb einstellte. Das Pressehaus war damals gerade mal dreißig Jahre alt. Zu seiner Grundsteinlegung im Oktober 1938 war übrigens Volksaufklärungsminister Joseph Goebbels persönlich erschienen. Die Grundsteinkassette enthält eine Urkunde, in der Goebbels als »Lehrmeister der nationalsozialistischen Presse« bezeichnet wird. Ebenfalls versenkt wurden eine Ausgabe von Hitlers *Mein Kampf*, Reden von Goebbels und je ein Exemplar aller »Gauzeitungen« der

NSDAP. Die Kassette samt Inhalt liegt noch immer unter dem Gebäude.

Das neue Haus, ein paar Steinwürfe weiter, hatte keinen Goebbels im Grundstein und war knallbunt wie ein Puff. Schön fand ich das damals in meinem noch leicht unerwachsenen Alter von vierunddreißig Jahren.

KAPITEL 9

»Die Sauna jedoch nur den Herren« – Eine Redakteursbewegung wittert Morgenluft

»Da gäbe es eine Menge zu philosophieren über den Spezialwahn von Zeitungsdiktatoren, über ihre Beziehungslosigkeit zu dem, was um sie herum los ist.«[1]

Rudolf Augstein im März 1972

»Den autoritär geführten und verkrusteten *Spiegel* nicht ausgenommen.«[2]

Rudolf Augstein im Juli 1969

Es war zu eng geworden, das alte Pressehaus am Speersort aus rotem Backstein mit dem Goebbels im Fundament. Am Montag, den 3. Februar 1969, zogen wir ein ins neue Glashaus, keine fünfhundert Meter weiter, hart am Freihafen, dort, wo einst der alte Dovenhof stand. Ich wäre am liebsten für immer gleich unten im Besucherfoyer geblieben, eine grüne Tropfsteinhöhle: grüne Teppiche, grüne Sessel und von der Decke grüne Pyramiden mit der Spitze nach unten.

Es war so schön, so bunt, der Ausbruch einer neuen Zeit. Fuhr ich mit dem Fahrstuhl nach oben, dann fuhr ich von

Etage zu Etage durch die Farben des Regenbogens. Nur oben im Himmel war's nicht bunt. In der Chefredaktion und beim Verlagsdirektor im elften und beim Herausgeber im zwölften Stock gab es vornehm-dezente Braun- und Beigetöne. Ich landete bei der Priesterfarbe Violett und fand das schön.

Das war einmal, das gibt's nicht mehr. Heute ist alles nüchtern, grau und ohne Phantasie – heruntergekommene Reste einstiger Farbigkeit sind in der Kantine zu bewundern, vor der es für Gefallene und Drogensüchtige Automaten mit Damenstrümpfen und zwölf Nikotinsorten gab.

Dass die neue Zeit ihren geregelten Gang ging, darüber wachte Verlagsdirektor Hans Detlev Becker:

> »Schwimmbad und Sauna können gleichzeitig von maximal 13 Personen benutzt werden und sind montags bis freitags betriebsbereit von 6.30 bis 23.00 Uhr. Zunächst sind Schwimmbad und Sauna montags den Damen vorbehalten. An den übrigen Wochentagen steht das Schwimmbad Damen und Herren gemeinsam zur Verfügung, die Sauna jedoch nur den Herren, mit Ausnahme des Donnerstag, der den Damen reserviert bleibt.«

Wegen dieser Vorschriften des Verlagsdirektors fanden Orgien in größerem Umfang dort nicht statt. Wer dazu noch imstande war, ging abends zu Gruppensex und Partnertausch nach St. Pauli in den ersten Stock[3] des »Salambo«. Ein Ort nicht immer der reinen Lustbarkeit. Da konnte es schon einmal vorkommen, dass Meinungsverschiedenheiten, die sich hier ergaben, in irgendeiner Form in der Redaktion fortgesetzt wurden.

Bekannt ist die Geschichte des stets sehr geschniegelten Ressortchefs, der mit seiner hinreißenden jungen Frau erschien, zunächst an diesem Ort ungehörige Probleme (»Ich zieh mich nicht aus«) machte, dann aber, seiner Kleidung ledig, alsogleich mitten im Raum auf der Gespielin der Frau eines *Spiegel*-Reporters niederkam, während seine, wie gesagt, hinreißende junge Frau mit besagtem Reporter in die dunkle Ecke eines anderen Raumes verschwand. Da aber das Anliegen, dem der Ressortchef auf der Gespielin der Frau des Reporters nachging, etwas praecox endete – verständlich, zu viele Beobachter beiderlei Geschlechts standen neugierig um das Tun und Lassen des Mannes, der sich ursprünglich nicht ausziehen wollte, herum –, erhob er sich, jetzt eher in Gänze, und begab sich missgestimmt auf die Suche nach seiner hinreißenden jungen Frau. Als er sie endlich gefunden hatte, quengelte er: »Komm mit, wir gehen nach Hause.« Die hinreißende junge Frau aber war noch im Gange mit dem Reporter, der seiner Ressortbefehlsgewalt nicht unterstand, so dass sich der Abmarsch aus dem »Salambo« trotz der stattgehabten Eiligkeit des Ressortchefs verzögerte.

Aus unerkennbarem Anlass schrieb einige Wochen später der Ressortchef dem Reporter eine empörte, wenn auch interne Hausmitteilung: wie er dazu komme, sich in Dinge seines Ressorts einzumischen. Aus dem Manne, der so energisch die Belange seines Ressorts zu wahren suchte, ist später noch viel geworden.

Das alles geschah in den goldenen Voraidszeiten. Trotzdem ward Rudolf Augstein selbst im ersten Stock des »Salambo« nie gesehen, nur gleich um die Ecke in der schönen Lesbenbar, im »Camelot«. Natürlich in Begleitung, anders durften Männer da nicht rein.

* * *

In dieser Zeit – es war die Zeit der Außerparlamentarischen Opposition (APO) – fühlte sich der Herausgeber gerüttelt und geschüttelt und schrieb darüber im *Spiegel:*

> »... sowenig die Apo ihrem Ziel – Enteignung der Presseherren – näherkommen konnte, so gründlich hat sie

das Selbstverständnis bei jenen Publikations-Menschen geschüttelt und gerüttelt, die überhaupt noch nicht bereit waren, ihre eigene Rolle und ihre eigenen Interessen zu überdenken (den autoritär geführten und verkrusteten *Spiegel* nicht ausgenommen) ...«[4]

Doch zumindest in der Sitzordnung bei der großen Montagskonferenz morgens um 11 Uhr war mit dem Umzug ins neue Haus die Verkrustung bereits aufgebrochen. Die Hierarchie wurde umgestoßen. Vorher hatte die Spitze des Hauses an der Spitze des langen Konferenztischs gesessen: rechts Augstein, links Becker; jeweils daneben an der Längsseite rechts Engel, links Jacobi, und neben ihnen die Ressortleiter, aufgereiht nach Anciennität, beginnend also links mit Leo Brawand und rechts mit Georg Wolff. Ganz unten am Tisch, wo das Territorium der Ressortleiter seine Grenze hatte, durfte jeder nach eigenem Gutdünken Platz nehmen, und da der Tisch nicht reichte, standen noch Stühle an der Wand.

Jetzt aber, nach dem Umzug, war alles ganz anders. Augstein und Becker saßen nunmehr an der Längsseite des Tisches, exakt in der Mitte mit Blick zur Ost-West-Straße, die Chefredakteure ihnen gegenüber mit Blick zum Dovenfleet, wenn nicht eine Wand dazwischen gewesen wäre. Jetzt waren alle Plätze am Tisch fest reserviert, das mindere Volk durfte sich – nach Belieben! – auf die Sitzbänke an Wand- und Fensterfront setzen. Ich versuchte, mich möglichst direkt gegenüber Augstein und Becker an die Glasfront zu plazieren, damit ich den nuschelnden Becker besser verstehen und mich leichter in die Diskussion einmischen konnte, die nicht stattfand. Augstein hielt Monologe, ich war der Störfaktor, und Chefredakteure und Ressortleiter ratterten schnell die Themen für das kommende Heft herunter, die große Konferenz sollte stets schnell ein Ende haben.

Gesprächiger war man auf den kleinen 10-Uhr-Konferenzen von Dienstag bis Freitag, die im alten wie im neuen Haus stets im Raum des Chefredakteurs Engel stattfanden und auf denen im Lauf der Woche all das umgestoßen wurde, was man am Montag beschlossen hatte. Eben deshalb lief ich auch immer hin, obwohl die Konferenz nur für Ressortleiter bestimmt war, ich musste nicht, aber ich durfte. Sitzen konnten auf dem Sofa und den wenigen Stühlen nur einige wenige in der Würde hoher Anciennität stehende Ressortchefs. Und wer, wenn Augstein oder Becker im Urlaub waren, versuchte, sich auf deren auch hier reservierte Sessel zu setzen, der beging ein schlimmes Sakrileg, ich habe es in über fünf Jahren nur einmal erlebt.

Doch schon vor dem *Spiegel*-Umzug ins neue Haus war Unfassbares geschehen:

> »Ein Linksruck ging durch die Republik. Die Straße erhob ihr Haupt. Die Umwertung der Werte begann. Knechte wurden zu Herren, Jäger zu Gejagten. Reichtum, bisher bewundert, wurde verteufelt. Sozialismus, bisher belächelt, wurde salonfähig. In der Wirtschaft hieß ›Gewinn‹ plötzlich ›Profit‹. Aus Erhards ›formierter Gesellschaft‹ wurde eine ›permissive society‹. Über Goethe wuchs Grass. An Hochschulen verdrängte ordinäre Macht die Ordinarienmacht. Das Aussehen der Masse wurde zu einem neuen Schönheitsideal, Grün zur Modefarbe in der Politik. Ostpolitik ersetzte die Westpolitik. Neid machte sich breit. Eines Tages fand ich eine brennende Zigarettenkippe auf dem angesengten Ledersitz meines offen geparkten Wagens: Ich stellte den Roadster fortan in eine Garage, die SPD bald darauf den Kanzler.«[5]

Claus Jacobi, der *Spiegel*-Chefredakteur seit 1961, von dem diese Klage später verfasst wurde, war uns auf dem Weg vom Pressehaus zum Dovenfleet abhanden gekommen. Es gab viele im neuen Haus, die ihn nicht vermissten. Für ihn war die

Spiegel-Affäre »eine Wendemarke im Strom der Geschichte der Bundesrepublik«, der sich jetzt als ausgedrückte Zigarette über die Polster seines Sportwagens ergoss. Jacobi hatte Verdienste, er hatte den *Spiegel* auf Hochglanz, das deutsche Nachrichtenmagazin auf Stromlinie gebracht. Aber Augstein war ihm dabei davongelaufen.

Das Jahr 1968 stand vor der Tür. Jacobi klagte und trotzte: »Sogar der *Spiegel* sollte sein Hemd wechseln. Aber noch hatte ich es an.« Der vornehme Presselord wusste nicht, dass man Hemden möglichst jeden Tag in die Wäsche gibt. Erst, als es zu streng roch, weit über das Pressehaus hinaus, musste er es endlich ausziehen. Der Mann, der sein Hemd nie wechselte, war durch und durch ideologiefrei und sprach das auch offen aus: »Ich bin Steinbock, parteilos und billig in der Haltung.«[6]

Anfang Mai 1968 hatte Jacobi besonders heftig Haltung gezeigt. Das Ressort Deutschland I (DI) hatte eine Geschichte veranlasst über ein Gespräch von Bundeskanzler Kiesinger (in Begleitung von Regierungssprecher Conrad Ahlers und Staatssekretär Karl Carstens) mit Vertretern des Verbandes Deutscher Studentenschaften. Es war das – wie es in der Geschichte dann hieß – »erste Speak-in der Spitzen des Bonner Establishments und der studentischen Rebellion« nach den durch den Mordanschlag auf Rudi Dutschke hervorgerufenen Osterunruhen.

Geschrieben hatte die Geschichte der Bonner Korrespondent Hans-Gerhard Stephani, ein allen Exzessen abholder Sozialdemokrat. Sie durchlief den üblichen Produktionsprozess. Stephani hatte das Manuskript am Donnerstag geliefert. Es wurde von DI redigiert und in Satz gegeben – je ein Durchschlag ging wie immer an den Autor, die Chefredaktion und die Dokumentation. Am Freitagmorgen hob Chefredakteur Claus Jacobi die Geschichte ins Blatt – ohne jeden Kommentar. Am Freitagnachmittag kam der Seitenabzug ins Ressort, das die (sachlichen) Einwendungen der Dokumentation übertrug und Satzfehler korrigierte. Vom Ressort ging die fertige Seite in die Chefredaktion, die weder beim Autor noch beim Ressort Änderungswünsche vorbrachte.

Am späten Abend – kurz vor Druckbeginn – sah einer der DI-Redakteure die druckfertige Seite beim Chef vom Dienst. Sie hatte sich verändert. Aus einer normalen *Spiegel*-Geschichte war mit kleinen Änderungen das geworden, was die Studenten meinten, als sie den *Spiegel* auf Transparenten als *Bild am Montag* beschimpften (und Augstein damit tief verletzten).

Der Satz: »Kiesinger konstatierte eine ›gewisse Verranntheit‹ seiner Kontrahenten« war jetzt eine beifällige Feststellung: »Kiesinger konstatierte untertreibend ›eine gewisse Verranntheit‹...«. Aus der Beobachtung: »Er warf ihnen ›moralischen Rigorismus‹ vor« wurde das Urteil: »Er hielt ihnen *ihren* [kursiv vom Autor] ›moralischen Rigorismus‹ vor.«

Kurz, der Leser sollte merken, dass der *Spiegel* eher auf der Seite des Kanzlers stand und auf die Studenten mit Spott herabblickte, wenn sie auch noch Protest gegen das damalige Folterregime der griechischen Obristen anmeldeten. Aus: »Die Studenten ... verlangten vom Kanzler, den deutschen Botschafter in Athen abzuberufen ...« wurde mit Hilfe von drei Buchstaben der Hohn: »... verlangten vom Kanzler *nur* ...« Das war professionell perfekt die Handschrift von Claus Jacobi, garantiert ideologiefrei. Er hatte eigenmächtig – vielleicht hatte die Ameise (siehe S. 390, Fn 8) die nunmehrige Regierungsblattlaus am Abend noch gemelkt – den Text ohne Rückfrage beim Ressort abgeändert und abgezeichnet.

Ein Vertreter des Ressorts lief zu Augstein. Der wurde wütend, als er das sah. Aber er entschied: »Das bleibt so. Lasst mich mal machen.«

Am Montagmorgen in der großen Konferenz nahm sich der Herausgeber den Artikel vor und fragte: Wer hat denn das geschrieben, von wem stammt diese Formulierung... So fragte Augstein sämtliche Jacobi-Eingriffe vor versammelter

Mannschaft ab. Und jedesmal musste der Chefredakteur schräg links von ihm mit zuletzt knallrotem Kopf gestehen: »Das war ich, Rudi. Das war ich.«

In seinen Memoiren sucht Jacobi den Eindruck zu erwecken, er sei freiwillig gegangen, weil er »ein finanziell besseres Angebot« bekommen habe und weil er fand, es sei »Zeit zum Gehen«. Letzteres traf zu.

Jacobi vollbrachte danach als Chefredakteur von *Welt*, *Welt am Sonntag* und *Bild* seine eigentliche Lebensleistung, die dieses Blatt zu seinem fünfundsiebzigsten Geburtstag im Januar 2002 in seiner Rubrik »Gewinner des Tages« angemessen würdigte: »Claus Jacobi ist der Staatsmann des Springer-Verlags. Er ist der Einstein, Churchill und Dumbledore [deutsch: Maikäfer] von *Bild*. Seine Kommentare und Kolumnen leuchten und leiten.«[7]

Noch anlässlich Jacobis fünfundsiebzigstem Geburtstag ließ Augstein seiner herzlichen Abneigung gegen den einstigen Chefredakteur freien Lauf. Von der *WamS* gebeten, den Geburtstag zu würdigen, schrieb er einen langen Artikel, der so begann:

> »Mit Claus Jacobi, der später mehrere Jahre einer meiner beiden Chefredakteure war, bin ich 1952 nach Unterägypten, das heißt nach Kairo, gereist. Ich hatte Jacobi mitgenommen, nicht weil er ein Fachmann war, sondern weil ich gern mit ihm reiste. Er konnte nicht mit ansehen, wie ich meinen Koffer packte und half mir freiwillig dabei, meine Koffer in Windeseile zu packen. Er sprach noch nicht so perfekt Englisch wie später, und auch mein Englisch war dürftig.«[8]

Damit endete Augsteins Würdigung zu Jacobis Fünfundsiebzigstem – im umfangreichen Rest des Artikels wurde der geniale Kofferpacker nicht mehr erwähnt.

* * *

Seit der *Spiegel*-Affäre 1962 war Augstein mehr und mehr ein anderer geworden. Er konnte sich nun selber um sein Gepäck kümmern. Und sorgte schon im alten *Spiegel*-Haus für frische Luft. Der nationale Mief der frühen *Spiegel*-Jahre zog ab. »In Ihren Schulbüchern hat zweifellos auch nicht gestanden, dass der Erste Weltkrieg von deutscher Seite begonnen worden ist wie der zweite: mit unverfrorenen Lügen«,[9] schrieb Augstein im Mai 1964 herzlichst dem »lieben *Spiegel*-Leser« und stand so Fritz Fischer bei, der gegen die apologetische Einheitsfront nahezu aller seiner Historikerkollegen mit neuen Dokumenten das nationale Dogma von der Unschuld Deutschlands am ersten Weltkrieg widerlegte. Ohne Augsteins Einmischung hätte Fischer nie den Sieg in der ersten großen Historikerdebatte der Bundesrepublik davongetragen.

Doch noch 1967 konnte Erich Kuby den *Spiegel* »rechts stehen sehen« unter einer Chefredaktion, die »de facto das Blatt bestimmte«.[10] Augstein, der die beginnende Studentenbewegung unterstützte, auch ihren Kampf gegen Springer, diskutierte in den Universitäten in Riesenveranstaltungen. Am liebsten mit Rudi Dutschke. Er gab auch Geld, bekam von Dutschke aber zu hören, er solle sich nur nicht einbilden, dadurch Einfluss zu nehmen.

1968 erschien, ganz im Geist der neuen antiautoritären Zeit, Augsteins Kampfschrift *Preußens Friedrich und die Deutschen*, in der er feststellte, was auch für die 2002 reanimierte Preußen-Debatte gelten kann: »Wenn nicht Friedrich, so hat ja zumindest die Friedrich-Geschichtsschreibung zu Deutschlands Verderben beigetragen.«[11] Es war Augsteins ausdrücklicher Tribut an das Jahr, im Vorwort schrieb der Autor selbst: »Gern hätte er das Buch ein Jahr später erscheinen lassen, um den Text zu feilen ... Aber das tolle ›Jahr‹ 1968 hat ihn verleitet, das Mitbringsel seines Abstiegs zu den Vätern auf beiden Seiten der nur physisch weggeräumten Barrikaden bekannt zu machen.«[12]

* * *

Vier Wochen vor dem Umzug ins neue Haus, zur Jahreswende 1968/69, war Chefredakteur Claus Jacobi auch aus dem *Spiegel*-Impressum verschwunden, Augstein hatte wirklich genug von ihm. Und Jacobi wurde als Chefredakteur von *Welt* und *Welt am Sonntag* so ideologiefrei, dass *Pardon* einen ganzen *WamS*-Artikel von ihm unter der Autorenzeile Adolf Hitler nachdruckte, ohne dass diese Infamie irgend jemandem auffiel. Jacobi hatte nun mal eine Sprache, die, wenn es um sein Lieblingsthema, die »Überbevölkerung«, ging, leicht verwechselt werden konnte. Dem Mann, der gerade in diesen Dingen stets von ehrlicher Sorge bewegt war, daraus einen Strick zu drehen, war gemein.

Ich hege für Jacobi eine tiefes und beinahe ehrliches Gefühl der Dankbarkeit. Springer-Geschichten, die aus der Redaktion kamen, hat er mit persönlichem Engagement[13] entschärft. Was muss es ihn an innerer Überwindung gekostet haben, all das zum Druck freizugeben, was ich in der Zeit seiner Chefredaktion gegen Axel Springer geschrieben hatte. Jacobi wusste doch, dass ich mit meinen Kolumnen beteiligt war an der »umfangreichsten Hatz, die in diesem Jahrhundert gegen einen Privatmann in Deutschland entfesselt wurde«. Jacobi wusste:

> »Sobald sein Name fiel, lief vielen das Wasser im Munde zusammen, wie Pawlows Hunden, wenn die Glocke schrillte: Heinrich Böll schrieb einen Anti-*Bild*-Roman, Schriftsteller veröffentlichten Boykott-Aufrufe, Demonstranten versuchten gewaltsam die Auslieferung von Springer-Zeitungen zu verhindern. Neid und Hass mobilisierten den Mob.«[14]

Gegen diesen Idealisten Axel Springer, der, wie Jacobi zitierte und unterstrich, schon 1977 vor der deutschen Automobilindustrie feierlich verkündete: »Ich wage zu sagen, dass Ihr Absatzgebiet eines nicht fernen Tages nicht nur West-Berlin, sondern ganz Berlin, nicht nur die Bundesrepublik Deutschland, sondern das ganze wiedervereinigte Deutschland sein wird.«[15] Der Visionär des gesamtdeutschen Autogeschäfts sollte recht behalten.

Gern zitierte Jacobi – es gefiel ihm und es war für damalige Zeiten weitgehend wahr –, was der Drucker Richard Gruner, dem damals noch ein Viertel des *Spiegel* gehörte, später schrieb:

> »Axel Springer stand einst der Sozialdemokratie nahe und starb als Konservativer. Rudolf Augstein griff früher Adenauer von rechts an und steht heute im Zweifelsfalle links. Henri Nannen war erst anti-kommunistisch, dann anti-amerikanisch. Und Gerd Bucerius ist so oft hin und her gesprungen, dass man nur schwer folgen kann. Claus Jacobi ist einer der wenigen Medienmacher, die ihre Blätter wechselten, aber nicht ihre Überzeugungen.«[16]

Dieser Jacobi war nun weg. Doch sehr schnell verschlechterte sich das Klima im neuen *Spiegel*-Haus. Wenn ich nach Hause kam, nahm Monika, die Frau, die mich geheiratet hat, Abstand und fragte so sanft wie sie konnte, warum ich so entsetzlich aus dem Hals röche. Es war das deutsche Nachrichtenmagazin, das aus meinem Halse stank.

Die Klimaanlage, dazu bestimmt, alle *Spiegel*-Angehörigen mit frischlufthaltigem Atemmaterial zu versorgen, versagte und verwirbelte irgendwelche Bakterien, die ich nicht vertrug. Ich duftete wie ein Schwein aus dem Hals, dasselbe war über die Klimaanlage in mich gekrochen. Der Hals-, Nasen-, Ohrenarzt, den ich konsultierte, konnte mir nicht helfen und etwa gar Augstein – der war auch bei ihm – veranlassen, die Klimaanlage zu erneuern. Schließlich war Augstein Privatpatient, ich aber Barmer.

Erst als in einem Großraumbüro unter mir die Klimaanlage

völlig zusammenbrach, weil ich in meinem Zimmer alle Öffnungen abdeckte, stieg ich auf in die blaue Sphäre des neunten Stocks. Dort war das Klima ein wenig besser, aber ich geriet in die unmittelbare Nähe des Verschwörernests von Deutschland I. Und es stellte sich verschärft die Klassenfrage, als ich dort erfuhr, dass Augstein in seinem zwölften Stock, wo er allein saß, eine eigene Klimaanlage hatte und so mit der Atemluft seiner Untertanen überhaupt nicht in Berührung kam.

Doch im nach draußen abgedichteten *Spiegel*-Glashaus wand sich eine ganze, immer größer werdende Redakteursbewegung aus den autoritären Verkrustungen und witterte Morgenluft, versäumte aber im Originaltext nachzuschlagen, wer da sagt: »I scent the morning air« – und wozu er es sagt, und wieviel Leichen am Ende weggetragen werden.

Ein Redaktionsstatut wollten wir haben, mitbestimmen wollten wir, wo Augstein und sein ausgewählter Herrenklub von Ressortleitern bisher allein bestimmten. Wir waren ein Aufbruch in die neue Zeit.

Doch zuerst einmal meldete sich sehr dringlich die alte und wollte uns allen vom ersten bis zum zwölften Stock an die Gurgel. Noch waren die ersten hundert Tage der sozialliberalen Koalition, der »Regierung, die wir gewollt hatten« (Augstein), nicht vergangen, da begann am 25. Januar 1970 mit einer Konferenz von Wirtschaftsleuten und Blattmachern des Bauer-Konzerns der Aufstand des großen Geldes. Zu der Konferenz wurde der CSU-Vorsitzende Franz Josef Strauß vom damaligen Konzern-Junior Heinz Bauer ins Hamburger Atlantic-Hotel eingeflogen. Der Mann, der wegen Augstein sieben Jahre zuvor sein Amt als Verteidigungsminister aufgeben musste, forderte die versammelten Unternehmer dazu auf, dem *Spiegel* und auch dem *Stern* die Anzeigen zu entziehen und sie anderen, unionsgeneigten Blättern zu geben – er meinte damit die Erzeugnisse des gastgebenden Bauer-Verlags.

Strauß hatte Erfolg. Zwischen 1969 und 1971 stieg beispielsweise der Bauer-Seitenanteil am Werbeetat der Strumpffirma Elbeo von 22 auf 44 Prozent, der Delikatessen-Produzent Hengstenberg erhöhte von 1,4 auf 49,2 Prozent, die Elektronikfirma Braun von 16 auf 29 Prozent. Und Hakle, der Marktführer für feuchtes und trockenes Klopapier, gönnte schließlich sogar 64 Prozent seines gesamten Werbeetats dem Bauer-Konzern.[17]

Das war kein Zufall. Der Bauer-Verlag hatte seine bisher scheinbar unpolitischer Unterhaltung dienenden Produkte umgestellt. Aus *Praline* etwa, einer Reiseillustrierten mit dezenter Exotenerotik (»Sexualbräuche der Naturvölker«) wurde zwei Monate nach dem Strauß-Auftritt im Atlantic ein wüster Polit-Porno. Hinten »hacken die Männer mit ihren Gliedern in die Schöße der Frauen«, »riecht es nach nackten, nassen Leibern, die den Geruch von Wollust verströmen«, vorne warnte *Praline:* »Passen Sie auf! Jemand greift nach Ihrem Portemonnaie!« Wer? Die Bundesregierung. Ein Glück nur, informierte *Praline*, dass »Dr. Stoltenberg und Dr. Barzel und Franz Josef Strauß« Kontra gaben.

Vorne klagte das Bauer-Blatt: »Die Regierung will Gruppensex und Kuppelei erlauben.« Und »wenn einer mit geöffneter Hose durch den Park läuft und Kindern seinen Penis zeigt«, dann wolle nur noch die CDU, nicht aber die SPD/FDP-Regierung, dass der Staatsanwalt einschreitet. Hinten in der Serie »Die Liebesfürstin« zog ein Starlet hundertsiebenunddreißig Männern – meist zweien pro Folge – den Penis aus der Hose.[18]

Im Dienst für die gute Sache der Christenunion nahm die anzeigenspendende Industrie nicht nur dieses schmierige redaktionelle Umfeld des Hamburger Pornokonzerns in Kauf, sie zahlte auch bereitwillig drauf: trotz der höheren Anzeigenpreise von *Spiegel* und *Stern* waren die Preise pro Kontakt mit den ohnedies weniger kauflustigen Lesern der schmuddeligen Bauer-Produkte merkbar teurer.

Springer bohrte kräftig mit am erratischen Block der *Spiegel*-Anzeigen. An die Spitze der Bewegung setzte sich jetzt, natürlich, der gegangene Claus Jacobi, der sich im viersprachigen europäischen Wirtschaftsmagazin *Vision* erregte: »Sie halten mit ihren Inseraten eine Presse am Leben, die ihren eigenen Untergang fordert.« Sie – das waren die Unternehmer unter der Regierung Brandt, mit »ihrem instinktiven Trieb, sich den Verhältnissen anzupassen«.[19]

Den Anzeigenboykott am Hals, uns mitbestimmungssüchtige Redakteure an seine Beine geklammert – kein Wunder, dass Rudolf Augstein austrat wie ein störrischer Hengst, dem man einen Sattel auflegen will. Des Herausgebers wilder Tritt traf drei Redakteure des Ressorts Deutschland I, in dem er das Zentrum von Aufsässigkeit und Widerstand ausgemacht hatte: den Ressortchef Alexander von Hoffmann (danach Publizistik-Professor an der Westberliner Freien Universität), seinen Stellvertreter Hermann Gremliza (später Herausgeber von *konkret)* und Bodo Zeuner (danach Professor an der FU und Verfasser von *Veto gegen Augstein*, einem informativen Buch über die Redakteursbewegung mit zahlreichen Dokumenten).

Gewiss, zuvor hatte Augstein versprochen: »Eine Nacht der langen Messer findet nicht statt« – das war, wie er aus einer alten *Spiegel*-Serie (wir kommen noch darauf) genau wusste, ein Wort, das schon der Urheber widerlegt hatte. Wir waren *Spiegel*-historisch noch nicht so beschlagen, sagten uns aber: Dann macht er es eben am Tage.

Machte er. Am 24. September 1971 hielt er vor dem Herrenklub der ihm geneigten Ressortchefs eine Rede, die schriftlich dann auch an das Fußvolk verteilt wurde. Sie begann: »Meine Herren, wir sind uns wohl einig, dass der *Spiegel* aus den Schlagzeilen herausmuss.« Und sie endete: »Wir sind und bleiben eine liberale, eine im Zweifelsfall linke Redaktion.«

Danach war der *Spiegel* in den Schlagzeilen, die drei Linksredakteure waren entlassen, und der Zweifelsfall war suspendiert. Und die Redaktionsbewegung fuhr im Herbst 1971 wie das Gespenst von Hamlets Vater, das Morgenluft wittert, in die Gruft.

Den Hinterbliebenen aber blieb eine dicke Erbschaft. Sie wurden bald darauf mit 50 Prozent am *Spiegel* beteiligt. Das brachte zunächst einmal Jahr für Jahr eine schöne Gewinnbeteiligung. Und Mitbestimmung auch. Sie konnten Augsteins 25 Prozent (den Rest hielt Gruner + Jahr) überstimmen. Doch wenn die Mehrheit mal anders wollte als Augstein, musste er nur sagen: »Dann werf ich hin.« Das wollte kaum einer. Und so setzte der Minderheitseigner – das ist Autorität – stets seinen Willen durch, wenn er nur richtig wollte. So, wie viel später, Ende 1994, als er gegen den ursprünglichen Willen der Redaktion Stefan Aust zum Chefredakteur bestellte.

* * *

Zum Weihnachtsfest 1971 bekam ich dann Post von Becker. Der Verlagsdirektor teilte mir meine Kündigung mit. Ich hatte Hans Detlev Becker das geliefert, was man in seiner Sportsprache eine Steilvorlage nennt: Drei der vier letzten Kolumnen des Jahres, mir war das selbst zunächst nicht aufgefallen, beschäftigten sich aus durchaus aktuellem Anlass – es war Metallarbeiterstreik – mit dessen Widerhall in der bundesdeutschen Presse. Sie waren das, was man getrost als wirtschaftsfeindlich bezeichnen konnte. Ein Affront gegen die Anzeigenkunden.

Silvester rief Becker bei mir zu Hause an. Wegen dieser »Scheißbeerdigung« – ein erst siebenundvierzigjähriger Redaktionskollege, der sich im Dienst am *Spiegel* zwei Herzinfarkte geholt hatte, war am 24. Dezember gestorben – habe er nicht früher nachfragen können. Ob ich auch wirklich das Kündigungsschreiben bekommen hätte? Ich sagte ja, wünschte ihm – so etwas tut man beim *Spiegel* nicht – einen schönen Beschluss des alten Jahres und dachte an Augsteins warnendes Wort, der *Spiegel* müsse aus den Schlagzeilen heraus.

Den ganzen Januar über blieb ich – damit schien Becker nicht gerechnet zu haben – still, kein Wort über meine Kündigung drang an die Öffentlichkeit. Dann kündigte er am 27. Januar 1972 auch noch Dieter Brumm. Der war eigentlich dazu vorgesehen, Nachfolger seines Ressortchefs Geisteswissenschaften Georg Wolff zu werden, hatte sich aber entschlossen, für den Betriebsrat zu kandidieren.

Erst Anfang Februar wurde meine Kündigung bekannt. Im darauffolgenden Heft beschäftigte ich mich mit dem, laut Eigenaussage, »altliberalen« Verleger Engelhard vom *Main-Echo* in Aschaffenburg. Er hatte einen Redakteur entlassen, der beim Bürgermeister unangenehm aufgefallen war und überhaupt und »unerträglich Bazillen seines persönlich-weltanschaulichen Standortes zwischen die Zeilen« streute. Fazit meiner Kolumne, die sich ausschließlich mit diesem Fall beschäftigte:

> »Merke: Die Pressefreiheit ist in unserem Lande nicht von dieser Art, dass selbst ein altliberaler Verleger es sich auf die Dauer leisten kann, einen Redakteur zu beschäftigen, der den Kunden des Blattes immer wieder auf die Zehen tritt.«[20]

Becker, ein leidenschaftlicher Ballspieler, der jeden Morgen vor Dienstantritt erst einmal mit seinem Trainer auf den Spielplatz ging, hatte sich eine überlegene Strategie ausgedacht, die Niederschlag fand in der Begründung, die er für meine Kündigung gab. Sie war auf den ersten Blick kurios. Seit ich 1966 als Kolumnist engagiert wurde, habe, schrieb mir Verlagsdirektor Becker, »zu keiner Zeit eine tragfähige Übereinstimmung über Thematik, Gestaltung und Kontinuität der Pressekolumne bestanden«.

Wie? Mehr als fünf Jahre hatte ich schwacher Mensch nahezu Woche für Woche meinen Herausgeber Augstein, meine Chefredakteure Engel, Jacobi und schließlich Gaus sowie meinen Verlagsdirektor Becker genötigt, meine Kolumne zu drucken, obwohl sie dieses Ding nicht wollten? Wahr konnte das nicht sein. Was aber beabsichtigte Becker mit dieser Begründung? Zumindest dies: Er wollte deutlich machen, dass der *Spiegel* nie wirklich etwas mit dem, was ich schrieb, zu tun hatte. Von Anfang an. Warum?

Die Lösung war ziemlich einfach. Sie stand in derselben Woche im hausinternen Informationsrundschreiben. Es waren die Zahlen über die Geschäftsentwicklung: 1971 sanken die Anzeigenseiten um 19,5 Prozent, der Anzeigenerlös um 12,3 Prozent – das hatte es noch nie gegeben.

Becker hatte sich gewünscht, dass ich seine kuriose Kündigungsbegründung – der *Spiegel* habe nie etwas mit meinem Treiben im deutschen Nachrichtenmagazin zu tun gehabt – laut in alle Welt schreie. Und zwar rechtzeitig vor dem Kronberger Dialog am 31. Januar 1972, bei dem sich die Spitzen der Redaktionen des Bauer-Verlages zusammen mit den Spitzen der Wirtschaft neue Boykottmaßnahmen gegen den wirtschaftsfeindlichen *Spiegel* ausdachten. Mein Protest gegen die Entlassung und ihre schöne Begründung wäre als Zeichen des guten *Spiegel*-Willens vor Unternehmerthronen verstanden worden. Es hatte so nicht funktioniert. Das tat mir leid. Nahezu.

Ach ja, kaum hatte mich Rudolf Augstein vor die Tür gesetzt, stank ich nicht mehr aus dem Hals, dafür bin ich ihm dankbar.

KAPITEL 10

»Dieser fleischstrotzende Knüppel der Unterwerfung« – Rudolf Augstein und die Frauen

> »Die Vielweiberei scheint dem Herrn der Bibel kein Greuel gewesen zu sein. Sein ausgewählter König Salomo(n) hatte ›siebenhundert Weiber zu Frauen und dreihundert Kebsweiber‹ und ›hing an ihnen mit Liebe‹. Er scheint den König Ibn Saud und August den Starken weit übertroffen zu haben, und dem Herrn gefiel das nicht übel. Etwas anderes missfiel ihm: Diese Frauen waren Ausländerinnen ...«
>
> *Rudolf Augstein 1962 aus dem Gefängnis*[1]

> »Ich kann doch nicht sagen, dass ich gerne ficken möchte.«
>
> *Der fast siebzigjährige Rudolf Augstein auf die Frage des SZ-Magazins, warum er zum vierten Mal verheiratet sei*[2]

Claus Jacobi, der ehemalige *Spiegel*-Chefredakteur, diagnostizierte bei Rudolf Augstein eine »Stärke seines Geistes«, die ihm »frühzeitig außergewöhnliche äußere und innere Unabhängigkeit« verliehen habe. Er exemplifizierte diese Geistesstärke mit der Feststellung: »Ich fürchte, ich bin einige Mal errötet, wenn ich Redewendungen hörte, die er zuweilen auch in Gegenwart von Damen gebrauchte …«[3] Der Phallus sei nun einmal, so zitierte Jacobi, für Augstein »dieser fleischstrotzende Knüppel der Unterwerfung«[4] gewesen.

Dieser Knüppel verhalf Rudolf Augstein zu mehreren Leben. »Was macht man«, fragte er seinen Freund Michael Thomas – und diese Frage wurde zum geflügelten Wort –, »wenn man gerade geheiratet hat, und lernt dann die Frau seines Lebens kennen?«[5] So gesehen hatte Augstein fünf vertraglich abgesicherte Leben gehabt, von all den wilden Nebenleben abgesehen.

Da war zunächst eine Wehrmachtshelferin, mit der zusammen er in amerikanische Gefangenschaft geriet. Da er sie aber als seine Verlobte ausgab, sei er, so erzählte er jedenfalls, noch am gleichen Tag freigekommen.

In Hannover hatte er zunächst eine Freundin. Sie wurde 1946 von Lore Ostermann abgelöst, die in derselben Podbielskistraße wohnte wie Augstein – wir sollten bei dieser Gelegenheit nicht versäumen darauf hinzuweisen, dass der preußische Generalquartiermeister Eugen Anton Theophil von Podbielski im Krieg von 1870 durch – das verpflichtet alle Anwohner der Podbielskistraße – »seine lakonischen, wahrheitsgetreuen Depeschen im deutschen Volk allgemein beliebt« ist, wie die sechste Auflage des *Universal-Conversations-Lexikon* von Major Pierer schon 1878 verlautbarte; was aber Brockhaus und Meyer heutzutage in Gänze unterschlagen, obwohl doch Podbielski »Moltke im Kriege nicht von der Seite wich« (Pierer).

Aus der Buchhandlung gleich um die Ecke am Beginn der Podbielskistraße holte Augstein Lore Ostermann heraus, brachte sie in der *Spiegel*-Redaktion unter, paukte mit ihr zusammen Abend für Abend Bildung und machte sie 1948 zur Ehefrau Nr. 1. Mit ihr zeugte er ein 1949 geborenes Kind. Das war zunächst ein Sohn, der sich aber Anfang der siebziger Jahre dann doch lieber von erfahrenen Ärzten in Malaysia in eine Frau umwandeln ließ, die heute als die Rechtsanwältin Maria Sabine Augstein in Bayern dem dortigen Ministerpräsidenten Edmund Stoiber einigen Kummer bereitet. Sie hat Verfassungsbeschwerde gegen ihn in Karlsruhe eingelegt, weil sie ihre Lebenspartnerin in Bayern nicht heiraten darf – das Standesamt in ihrer Heimatgemeinde legt sich auf Stoibers Geheiß quer. Das neue Lebenspartnerschaftsgesetz der rotgrünen Koalition wird in Bayern sabotiert, weil der Ministerpräsident fürchtet, dass bald »kein Kinderlachen mehr Bayerns Straßen erhellen«[6] würde, wenn er homosexuelle Partnerschaften standesamtlich zuließe. Vater Augstein immerhin hat, und das ehrt ihn, der Tochter, die sein Sohn nicht mehr sein wollte, keine Probleme gemacht.

Dann kam die Frau, deren Auftauchen Augstein zu der erwähnten Frage veranlasste, was man denn machen solle, wenn man gleich nach der Hochzeit auf die Frau seines Lebens treffe: Es war die *Spiegel*-Mitarbeiterin Katharina Luthard, als »eine sinnliche und begabte Journalistin, die Rudolf um Haupteslänge überragte«[7] beschrieb sie der gemeinsame Freund Michael Thomas.

Dieses Leben war zu Augsteins Glück auch schon vorbei, als die Sicherungsgruppe Bonn ihn 1962 in seinem Haus am Maienweg suchte. Da saß nur noch die verlassene Ehefrau Katharina, und die verpetzte ihn – wie wir schon wissen – nicht.

Bald danach heiratete Augstein sein drittes Leben, die Übersetzerin Maria Carlsson, die sich einen guten Namen gemacht hat, insbesondere durch ihre Übertragung der Romane von John Updike ins Deutsche. Während ihrer Ehe mit Augstein übersetzte sie *Ehepaare*,[8] den allzu pietistischen Partnertauschroman des Amerikaners. Mit Maria zeugte er Jakob, den Sohn. Und aus der Ehe ging auch Franziska hervor. Beide glänzende Journalisten bei der *Süddeutschen Zeitung*. Franziska, die vorher als Lichtblick im Feuilleton der *Frankfurter Allgemeinen Zeitung* wirkte, hat auch eine schöne psychologische Studie über ihr Aufwachsen mit dem drei Jahre jüngeren Bruder geschrieben.[9]

Dann heiratete Rudolf Augstein Ehefrau Nr. 4, die Filmemacherin Gisela Stelly, mit der er den Sohn Julian zeugte. Augstein hatte sie, so heißt es nur leicht verfremdet in einem Roman, auf den wir später noch kommen, »während der Unruhen in Berlin aus einem versprengten Ho-Tschi-Minh-Galopp buchstäblich unter Polizeiknüppeln weggefischt und das rebellische Gardemaß heimgeholt ins heimische Harvestehude. Er liebte sie; jedenfalls hatte sie genau die Größe, dass sie in seinem riesigen alten Chevi bei heruntergedrehtem Verdeck richtig zur Geltung kam.«[10]

Nach der Scheidung arbeitete Gisela Stelly ihre Ehe in Romanen auf. Etwa im »Traumbuch einer Reise ins Herz« unter dem Titel *Tristan in New York* (1994), einer Begegnung zwischen dem erfolgreichen Geschäftsmann Karl Quarz und Marie, der Traumforscherin. Ein Roman, von dem Margarete Mitscherlich fand, er sei »wie ein Krimi zu lesen, in dem man sich selbst auf die Spur kommt«.[11] Oder in *Lili und Marleen*, in dem sie das bekannte Koffer-Motiv aufgriff (»Wetten, flüsterte sie dem kleinen Koffer unter ihrem Bett zu, »wetten, dass ich mit Miss Molly nach Kairo fliege?«).[12]

Dann war für Rudolf Augstein – ehelich – im vergangenen Jahrhundert endlich Ruhe. Bis er im Oktober 2000 – unmittelbar vor der für den November angedachten Verleihung des Ludwig-Börne-Preises – die langjährige Lebensgefährtin und Galeristin Anna Maria Hürtgen heiratete.

* * *

Frauen waren für die Herren des *Spiegel* stets ein wichtiger Gebrauchsgegenstand, und das streng nach Hierarchie. Der dienstälteste Redakteur Leo Brawand erinnerte sich später, was sich vor dem Umzug von der prüden Hannoverschen Provinz ins Hamburg der Großen Freiheit ereignete:

> »Ein letztes Mal rief Rudolf Augstein seine Mitarbeiter in das Chefzimmer, allerdings nur fünf, was zu einigem Rätselraten Anlass bot. Kaum saßen die jungen Herren Redakteure, unter ihnen Becker, Brawand und Plathner, als weisungsgemäß eine vereinzelte junge Dame aus dem Archiv hereintrippelte und hochroten Kopfes Platz nahm. Augstein, hinter seinem Schreibtisch verschanzt, hob ohne Zuckerfloskeln an, jetzt gehe die Redaktion bekanntlich nach Hamburg, und die Liebschaften, wie die der hier Anwesenden, müssten aufhören. Überhaupt sei der Herr Jahr in Hamburg [der künftige Verleger] sehr seriös und ein ganz bewusster Familienvater. Kurz und gut: ›Freund und Freundin werden künftig nicht mehr in der Redaktion gesucht, sondern woanders. Habt ihr verstanden?‹«[13]

Eine vereinzelte junge Dame. Fünf Herren und ein »Mädchen« aus dem Archiv. Das war – nach Brawands mieser Darstellung – Triebabfuhr im Hause *Spiegel*, solange er noch in der Provinz weilte, vergleichbar mit dem antiquierten sexistischen Witz über jene einzige Bonner Dame, die das Nachtleben der Bundeshauptstadt darstellte.

Es handelte sich bei der jungen Dame, laut einer frühen Auskunft von Rudolf Augstein, um eines jener nützlichen Insekten, deren Tätigkeit er bei Gelegenheit des *Spiegel*-Umzugs von Hannover nach Hamburg dem »lieben *Spiegel*-Leser« herzlichst so beschrieb:

> »Das schwermütige Summen war wie unter Niggersklaven auf einem Baumwollfeld aus *Onkel Toms Hütte*, mit einem Unterschied: Diese geplagten zehn Archivbienen,

die jahrelang gegen eine nicht endende übermächtige Papierflut angerudert waren, hatten jetzt, beim Verladen ihrer Ordner das Gefühl, ›endlich einmal eine Arbeit zu tun, die man sieht‹.«

Nur eine von den Niggersklavinnen, die unten im Schiff ruderten, bekam bei Augstein Name, Alter und Gesicht (Foto): »Maria, (26), wegen ihrer Affenliebe zu der Musik Paul Hindemiths ›Zupfgeigengretel‹ genannt«.[14] Auf Augsteins exquisiten Musikgeschmack – er leistete mit Franz Lehár Widerstand gegen das Dritte Reich – kommen wir noch. Maria Rank, heute fünfundsiebzigjährig in Hannover wohnend, schon bei *Diese Woche* dabei, hatte als junge Abiturientin das vorzügliche Dezimalsystem für das *Spiegel*-Sacharchiv erfunden. Obwohl er nicht einmal ihren Glückwunsch zum fünfundsiebzigsten Geburtstag beantwortete, geschweige denn jetzt erwiderte, spricht sie in freundlicher Zurückhaltung von ihrem einstigen Chef.

An Rudolf Augsteins Verhalten gegenüber Frauen hatte sich auch nach dem Umzug nach Hamburg so wenig geändert, dass die Linguistik-Professorin Senta Trömel-Plötz bei der Sprachanalyse eines Fernsehgesprächs zwischen Alice Schwarzer und Rudolf Augstein ganz automatisch – ohne von dem 1952er Brief an die Leser zu wissen – auf einen Vergleich von Frauen mit Niggern kam, um Augsteins Einstellung korrekt zu beschreiben. Die Professorin arbeitete mit einer Seminargruppe den Gesprächstext durch und machte dann das Experiment, das sich ihr hier aufdrängte: wie sich der Augstein-Part des Gesprächs ausmachen würde, wenn er denselben Text, dasselbe Verhalten nicht gegenüber Alice Schwarzer, sondern gegenüber einem Schwarzen im damaligen Apartheid-Südafrika von 1984 vorgebracht hätte.

»Ich stelle mir folgende Szene vor«, schrieb die Professorin, »Augstein hat sich bereitgefunden, mit einem schwarzen Südafrikaner ein Gespräch zu führen … Ich stelle mir vor, wie sich der Schwarze fühlt, verhöhnt vom Mächtigen, der fett und voll oben sitzt, auf ihn herunterschaut und ihn zynisch auffordert: Kämpf nur und sieh, wie weit du damit kommst; freiwillig gebe ich dir nichts ab von meinem Besitz und von meinen Rechten; mach du nur, was du tun musst, aber ich habe die Macht und mache, was ich will; so geht es uns beiden gut, mir oben und dir unten.«

Am Ende des Gesprächs, in dem Kommunikation so gut wie nicht stattfand, resignierte Alice Schwarzer: »Ich sehe Sie unerschüttert, um so mehr sehen Sie mich erschüttert.« Augstein antwortete: »Das freut mich.«

Das war keineswegs bloße Fehlleistung. Die Linguistin diagnostizierte eine »menschliche Zurückgebliebenheit« Augsteins.[15] Er blaffte die Feministin an: »Die Frauen müssen sich mal fragen, auf wessen Kosten sie sich selbst verwirklichen. Die Frauen haben oft das Problem der Kinder und Väter aus den Augen verloren.«

Alice Schwarzer fragte: »Aber würden Sie sagen, Sie nehmen eine Frau so ernst wie einen Mann?« Da lachte er und antwortete mit einer Bedingung, die bei ihm wohl jeder Mann, aber mit Gewissheit nicht jede Frau erfüllen kann: »Aber natürlich, wenn sie so ernst zu nehmen ist, das kann man doch nicht verallgemeinern.«

Kann er nicht. Zuvor schon hatte er gesagt: »Wenn eine Frau ihren Beruf ernsthaft ausüben will und ernsthaft ausübt, dann kann ich ihnen dabei doch nicht im Wege stehen.«[16]

Wenn! Und er belehrte, als hätte er selbst damit nichts zu tun: »Ihr Frauen tut politisch nicht das, was ihr könnt: nämlich dafür zu sorgen, dass Frauen nicht so benachteiligt werden, wie sie benachteiligt werden.«

Die Sprachforscherin Trömel-Plötz analysierte: »Schwarzer, die sich differenzierter unterhalten will, muss sich auf die ignorante Ebene Augsteins begeben, der defensiv ihre Angebote und Versuche zurückweist.«

Ein normales Gespräch erwies sich als unmöglich. Wenn

Schwarzer ein Thema vorbrachte, das Augstein fremd war, machte er immer neue Ablenkungsmanöver und führte andere Themen ein, die mit dem Besprochenen nichts zu tun hatten.

Die Linguistin: »Schwarzer arbeitet wie eine Wilde, um all diesen Anforderungen zu genügen. Sie geht auf das geringste Signal Augsteins ein und versucht es ins Positive und Konstruktive zu wenden. Sie baut jeden Einwurf, jede Unterbrechung von Augstein in ihre eigenen Beiträge ein und beantwortet sie, anstatt z.B. sie zu übergehen und im eigenen Beitrag fortzufahren. Sie bringt immer neue Themenangebote, um Augsteins Aufmerksamkeit zu halten, sie ist witzig und schlagfertig, um ihn bei Stimmung zu halten, und vor allem unterlässt sie es völlig, ihn auf sein unsymmetrisches und dominantes Gesprächsverhalten hinzuweisen – kein einziges Mal macht sie auf eine Unterbrechung oder auf eine erneute Ablenkung vom Thema aufmerksam.«[17]

Augstein nahm sich zwei Drittel der Redezeit, Schwarzer blieb ein Drittel, er unterbrach sie dreißigmal, sie wagte das siebenmal. Vor allem aber, so die Professorin: »Hätte Schwarzer nicht immer wieder auf Augsteins Machtgesten hin ... die nötigen Unterwerfungsgesten erbracht, wäre der Fortgang des Gesprächs gefährdet gewesen. Sie hätte ein vorzeitiges Abbrechen des Gesprächs oder systematische Verweigerung der Mitarbeit Augsteins bis zum Erlahmen des Gesprächs riskiert.«

Sind es, so fragte Trömel-Plötz, »Themen, die Augstein fremd sind, über die er nie nachgedacht hat, über die er nie aufgefordert war zu sprechen?«

»Es ist nicht meine Haut«, sagte Augstein.

Fazit der Sprachwissenschaftlerin: »Diese Äußerungen Augsteins einem Juden oder einem Schwarzen gegenüber wären undenkbar. Man würde von entwürdigender Überheblichkeit und unberechtigter Dominanz, von Diskriminierung, von Rassismus bzw. Antisemitismus sprechen.«[18]

So urteilte Trömel-Plötz 1993. Das alles ist inzwischen

längst überwunden. Heute ist Deutschland wieder erwachsen geworden. Heute kann man in diesem Land so auch wieder mit Juden und Schwarzen sprechen.

* * *

»Unter seinen Scheidungen leidet er«, bestätigte 1995 Leo Brawand, der am längsten Dienst bei ihm tat, dem Freund Rudolf Augstein.[19] Sein eigenes Leidensquantum war geringer. Als Brawand einmal von einer Recherchenreise zurückkehrte, wurde er sogleich zum damaligen Chefredakteur bestellt. Der eröffnete ihm, er solle sich, gefälligst, woanders einen Job suchen. Denn seine, Brawands, Ehefrau sei zu ihm, dem Chefredakteur gezogen.

1987 in seiner *Spiegel-Story – Wie alles anfing* rühmte Brawand, wie sorgsam der Herausgeber mit dieser Begebenheit umgegangen war: »Als einmal zwei von Augsteins wichtigsten Mitarbeitern über eine Liebesaffäre, die bis zum Scheidungsrichter führte, aneinandergerieten, führte Augstein sie in ruhigen Gesprächen wenigstens so weit wieder zusammen, dass keiner die Redaktion verließ und die Arbeit nicht darunter litt. Den Gehörnten besänftigte er mit der Alltäglichkeit der Situation ...«[20]

Der gehörnte Brawand durfte bleiben, und nach einiger Zeit stellte der Chefredakteur die Frau trotz inzwischen erfolgter Scheidung wieder an seinen Untergebenen zurück, der sie pflichtgemäß entgegennahm und aufs neue heiratete. Nicht einmal die Kinder waren von der Scheidung und Wiederheirat ihrer Eltern informiert. Sie erfuhren es erst spät an einem Geburtstag Brawands im Atlantic-Hotel, bei dem Augstein die Festrede hielt und mit – Eingeweihten verständlichem – feinem Hohn vermerkte: »Ich habe es ja mit der Heirat viermal versucht, Leo zweimal. Aber zweimal mit derselben Frau. Und das verstehe ich. Seine Ruth ist ein guter Kumpel.«

Bei Brawand setzte die Selbstkontrolle aus, von Selbstachtung nicht zu reden, denn er selbst zitiert diesen Satz in einem Buch über Augstein,[21] obwohl wenigstens der gute Kumpel Ehefrau nach der Rede auf den *Spiegel*-Herausgeber eingeschimpft hatte.

Immerhin konnte Brawand mit einem gewissen Stolz eine Anfrage Augsteins anlässlich der silbernen Hochzeit des *Spiegel*-Reporters Hermann Schreiber ausdrücklich in sein Buch aufnehmen: »Da fragte er mit lauter Stimme über das Partygetöse hinweg Ruth Brawand: ›Heh, Ruth, nun kennen wir uns schon seit den Tagen von Hannover und haben noch nie eine Liebesnacht zusammen gehabt.‹«[22]

* * *

Tragisch endete die Geschichte mit Hildegard Knef. Augstein hatte sie immer still verehrt. Eines Montags erschien sie mitten in der hochpolitischen »Panorama«-Rubrik an der Spitze des *Spiegel*-Heftes, zwei Drittel der Seite füllend mit halboffener Bluse, aus der eine Rundung hervorschaute, die unendlich viel ahnen ließ, doch was man realiter sah, war nur die graue Druckerschwärze eines deutschen Nachrichtenmagazins, das mehr andeuten wollte. Unterschrift: »Zur Uraufführung der englischen Fassung ihres Films ›Die Sünderin‹ ließ sich Hildegard Knef in dieser Pose photographieren.«[23]

Als dann Augstein 1955 zusammen mit Henri Nannen vom *Stern* zur Eröffnung der neuen Lufthansa-Linie nach New York fliegen durfte, schien es dort endlich so weit. Auf einer Party der Knef flüsterte Nannen ihm zu, dass die Gastgeberin ganz wild auf ihn sei. Die arme Knef wunderte sich dann sehr, dass der Chef des deutschen Nachrichtenmagazins einfach nicht gehen wollte und von ihr regelrecht hinauskomplimentiert werden musste.

Von da an hatte ihr Busen im *Spiegel* ausgedient. Und Fritz J. Raddatz vermerkte noch 2001 in einer Jeremiade über den beklagenswerten Zustand des deutschen Pressewesens: »Bei den Druckerzeugnissen hat der zum Gespött am Montag herunterredigierte *Spiegel* die Nase vorn: Seinen Informationswert kann man an der Meldung messen, Hildegard Knef habe in ihrem Roman *Der geschenkte Gaul* ihre Krebskrankheit verarbeitet – seine Stilkünste an der Mitteilung, Time Warner sei der ›weltgrößte Medienkonzern der Welt‹.«[24]

Ja, hinter dem Kämpfer Augstein stand stets auch der Mensch, der liebte und irrte.

* * *

Am 19. Juli 1964 starb der Edelnazi und *FAZ*-Feuilletonchef Friedrich Sieburg, und Rudolf Augstein kam daraufhin zu einem Haus auf Sylt. Schuld daran waren Gabriele Henkel und Peter Tschaikowskij in gemeinschaftlicher Täterschaft. Gabriele Henkel, eine wichtige, ja wesentliche Kulturerscheinung der Bundesrepublik des ausgehenden 20. Jahrhunderts, wollte einen Nachruf auf Sieburg schreiben, sah sich aber nur imstande, wenn dazu das Klavierkonzert Nr. 1 vom Plattenspieler dröhnte. Sie und der Plattenspieler befanden sich im ersten Stock eines Ferienhauses in Archsum. Und Rudolf Augstein wollte im Erdgeschoss einfach nur ein mutmaßlich gutes Buch lesen.

Das alles endete damit, dass Augstein künftig bei jedem Sylturlaub das erste Stockwerk mit mietete und schließlich das ganze Haus kaufte. Verkäuferin war Annali von Alvensleben, die an das Hamburger Pressewesen noch ganz andere Dinge losschlug.

Ihr Vater Werner von Alvensleben hatte – dazu konnte sie nichts – die Weimarer Republik an Hitler und Goebbels verkauft.[25] Sie verkaufte statt der dafür vorgesehenen Anzeigenseiten Redaktionsplatz an interessierte Firmen, kurz, sie war – inzwischen hat sie sich zur Ruhe gesetzt – eine Agentin der Schleichwerbung, die durch Wolfgang Koeppens *Tauben im*

Gras auch in die Literatur einging (»Die dürre Gräfin Anne – sie war eine überaus geschäftstüchtige, gewissensfreie, herzlose und in aller Welt bekannte Dame aus der politischen Kulissenfamilie, die Hitler auf den Reichskanzlerstuhl half«).[26] Eingeweihte nannten sie, wie sie mit Stolz vermerkte, »die graue Eminenz der Schleichwerbung«.[27] Da war für sie die Bekanntschaft mit Rudolf Augstein von hohem Wert. Sie hatte dem Schah von Persien eine so ausweglose Falle gestellt, dass er im Hamburger Hotel »Vier Jahreszeiten« mit einer Suppentasse von Rosenthal, die er zwecks Prüfung ihres Wohlklangs ans Ohr hielt, fotografiert werden konnte, ein nützliches Werbefoto in den dafür ansprechbaren Kreisen. Philipp Rosenthal war der erste, der Annali von Alvensleben als Schleichwerberin verpflichtete, und nicht nur bei Resa Pahlewi, auch beim *Spiegel* gelang ihr offensichtlich immer wieder mal ein »product placement«.[28]

So durfte dann auch – eine Hand wusch mutmaßlich die andere – Annali von Alvensleben für Rudolf Augstein und Frau Gisela ein großes Haus einrichten, das er 1964 am Elbufer in Hamburg-Nienstedten erworben hatte. Mit Eifer stürzte sich die Adelsfrau in diese Arbeit, wobei es sich als »sehr erleichternd« erwies, dass »Rudolf wie Gisela mich im Prinzip nach meinen Vorstellungen arbeiten ließen«.

Doch wenn sie zu weit ging, dann setzte er in einer stillen Bescheidenheit der Edelmännin ihre Grenzen. Annali von Alvensleben: »Für das Esszimmer war bereits ein großer Tisch im Stil Louis-seize vorhanden, so dass es nahelag, dazu zwölf passende Stühle gleichen Stils zu beschaffen. Allerdings erforderte es einige Anstrengung, ein gleichartiges Ensemble echter Louis-seize-Stühle in dieser Anzahl aufzutreiben.« Es gelang, indes: »Ich begeisterte mich an solchen Erfolgen und versuchte, auch Augstein an diesem Finderglück, das seinem Haus zugute kam, teilhaben zu lassen. Als ich ihm beschreiben wollte, wie das Esszimmer dann allmählich, wenn erst die Appliquen angebracht seien und ich noch einen großen

Louis-seize-Spiegel gefunden hätte, Gestalt annehme, schaute er mich resigniert an. ›Brauch' ich das alles?‹ fragte er mich. Mir fiel keine spontane Antwort ein. Schließlich sagte ich: ›Was du für dich brauchst, also das dir Notwendige, ist sicherlich auf einem Handkarren zu verfrachten.‹«

Sie hatte kein Argument mehr gewusst gegen den schlichten Sinn des großen Verlegers. Doch auf dem Weg nach Hause fiel ihr alles ein, was für einen Louis-seize-Spiegel sprach: »Menschen, die im öffentlichen Leben eine herausragende Rolle spielen, die wie er die politischen Vorgänge in Deutschland Woche für Woche kritisch begleiten, die somit die Welt beeinflussen, diese Menschen müssen die Öffentlichkeit an sich heranlassen. Dazu gehört, die Rolle zu akzeptieren, in der die Welt sie sehen will. Rudolf Augstein ist ja nicht nur er selbst, sondern immer auch das Produkt *Der Spiegel*. Natürlich wird er sich, sagte ich mir, all dessen, und damit seiner Repräsentationspflicht, bewusst sein.«[29]

Dessen bewusst ist sich auch der Dichter, der Leben und Werk des Verlegers der Ewigkeit überantwortet und aus der sinnlichen Anregung, die ihm Augsteins Haus bietet, kühne Bilder von hoher poetischer Dichte gewonnen hat: »Er kann die Fotozelle in Brucks Lokus nicht satt kriegen, die die Spülung auslöst, sobald der Strahl ins Becken trifft.«[30]

Der Verleger Bruck ist eine höchst gegenwärtige, höchst realistische Romanfigur in Hermann Peter Piwitts 1979 erschienenem Roman *Die Gärten im März*. Piwitts Bruck besteht zu 90 Prozent aus Augstein – als Mensch –, der mit 10 Prozent Springer (nur mit dessen Pressereich) angereichert ist. Piwitt ist mit seinem literarischen Gegenstand vertraut. Er war zu Gast in Augsteins Haus auf Sylt, und er kennt auch sehr gut die Vierunddreißig-Zimmer-Villa, die Annali von Alvensleben dem *Spiegel*-Herrn eingerichtet hatte.

Die angeklungene existentielle Bedeutung des Urinierens in Rudolf Augsteins Schaffen hat schon der stellvertretende *Spiegel*-Chefredakteur Georg Wolff gewürdigt: »Er pinkelt dauernd Götterbilder an, in der Hoffnung, einmal von ihnen ein Donnerwort zu hören.«

Und in der Festgabe zu Augsteins siebzigstem Geburtstag vermerkte der Freund und *stern*-Karikaturist Peter Neugebauer aus persönlichem Erleben in Moskau, wie der *Spiegel*-Chef sich dort ohne jede Rücksicht auf diplomatische, ja daraus womöglich erwachsende kriegerische Verwicklungen die Hose aufgeknöpft hat: »Himmel, denke ich: Er wird doch nicht hier? Mitten auf dem Roten Platz! Stehen nicht immer Wachsoldaten vor dem Lenin-Mausoleum? Rudolf scheint's wenig zu kümmern . . .«[31]

Aber nicht nur Wichtigkeit und Wesentlichkeit des Urinierens in Augsteins Haus, sondern auch die, wie Annali von Alvensleben so richtig beobachtete, zur gesellschaftlichen Repräsentation unumgänglichen Festlichkeiten hat der Dichter Piwitt für die Nachwelt festgehalten. So schreiten wir mit Piwitt durch die leere Vorhalle mit den drei Panoramascheiben, in die er – dichterische Freiheit hin, dichterische Freiheit her, getroffen ist es allemal – »eine Geweihkrone unter der Decke« hineinsetzt, der »Lichtertüllen auf jedes ihrer Enden aufgesteckt waren«. Die Geweihkrone hing an Messingketten »und ging an ihren Wurzeln in die geschnitzte Halbfigur einer Frau über.«[32] Verifizierbar ist das nicht mehr, da Augstein, solcher Dinge überdrüssig, das Anwesen längst verkauft hat.

Doch wir wollen nicht unterschlagen, dass Piwitt ganz nebenbei auch die persönliche Bescheidenheit Rudolf Augsteins – diese »Mischung aus deutschnationaler Bedürfnislosigkeit« (vergleichbar mit dem großen alten Milliardär Friedrich Flick, der sein Mittagessen im Henkelmann mit ins Büro brachte) und »Großmannssucht, aufgemischt von einer ständig flackernden Ironie«[33] – intensiv würdigte: »Und dabei liegt er, . . . die Füße in alten Filzpantoffeln vor sich auf dem Tisch, im Schoß irgendeines herausgeputzten langen Lasters, das sich von einem Fick mit ihm Verwendung als Stylistin in einer seiner Illustrierten erhofft, und zuckelt sein Bier aus der

Flasche, während drumherum die Dom-Perignon-Korken krachen.« Wie gesagt, dabei ist manche dichterische Freiheit: über Illustrierte hat Augstein nie verfügt; damals, als Piwitt dies festhielt, besaß er nur den *Spiegel*.

»Jedenfalls«, schrieb Piwitt, »konnte er sich selbst seelenruhig ein ›Schwein‹ nennen, bevor ein paar Tollkühne aus dem Kreis seiner jungen Frau, Volltrunkenheit vorschützend, es ihm ins Gesicht zu sagen wagten.«[34]

Piwitt griff damit ein Motiv auf, das Augstein selbst vorgegeben hat. Seine Lieblingsgestalt in der Dichtung, behauptete der Herausgeber einmal, sei neben der Frommen Helene die hochgewachsene Circe, jene »schöngelockte melodische Göttin«, die nach Homers zuverlässigen Recherchen Männer in Schweine verwandelte. Da gibt es allerdings noch einen anderen Umstand, den Augstein auch gemeint haben könnte: Die in Schweine verwandelten Männer verlieren jede Erinnerung.

Aber Augstein muss sich nicht hinter antiken Helden der Literatur verstecken. Nicht nur Piwitt, auch der Liedermacher Franz Josef Degenhardt machte Augstein in seinem Werk *Brandstellen* zur, wenn auch flüchtigen Romanfigur, ihn, den »schmächtigen Herausgeber mit dem Jesus-Komplex, der Politiker werden wollte, aber dem Bonn zu gefährlich schien«.[35]

Bonn, zu gefährlich?

KAPITEL 11

»An Sekundanten soll es dir nicht fehlen« – Flucht nach Bonn und zurück

»Das ist ein Ziel, ob es möglich ist, ob wir es erreichen werden, weiß ich nicht, ich zweifle, aber ich möchte da mal überspitzen, auch wenn ich da falsch verstanden werde, ich weiß, dass Sie mich da nicht missverstehen werden ... vielleicht ist es nicht richtig, was ich jetzt sage, aber ich sage es trotzdem ... ich sage ja, dass ich keine Vorschläge machen kann, aber das haben Sie sicher auch nicht von mir erwartet.«[1]

Rudolf Augstein als FDP-Bundestagskandidat im ostwestfälischen Wahlkreis Paderborn

»Die erste Pflicht der Musensöhne
Ist, dass man sich ans Bier gewöhne.«

Wilhelm Busch, Bilder zur Jobsiade

Pardauz, da lag er, und der Ministrant Otto Köhler durfte dem Oberministranten Rudolf Augstein wieder auf die Beine helfen. Heut geht das ja alles automatisch, aber erfahrene Messdiener wissen, wie vorsichtig man mit dem Glockenstrick umgehen muss, wenn man nicht auf dem Arsch landen will.

»Diese Woche bin ich auf den Hintern gefallen«, scherzte der Herausgeber in der großen Montags-Konferenz und tat so, als tue es ihm überhaupt nicht weh. Wir müssen ein Jahr zurück, das war Ende 1971, und es ging um unser Dilemma. Als 1969 die widernatürliche Unzucht – wie man damals noch dachte – zwischen rüstungsbegeisterten Christen und reformwilligen Sozialdemokraten in Form der Großen Koalition unter NS-Kiesinger abgelöst wurde von der Regierung, die wir gewollt hatten, von der sozialliberalen Koalition unter Willy Brandt, da schauten wir etwas kurios aus dem *Spiegel*.

Das deutsche Nachrichtenmagazin übte sich in Hofberichterstattung, unterrichtete seine Leser wiederholt und in aller Ausführlichkeit über Freud und Leid des achtjährigen Kanzlersohns Matthias: wie er ein größeres Spielzimmer bekam, wie er, »während Papa Staatsgeschäfte besorgte«, mit Spielkameraden den Kanzlerpark inspizierte und wie »der Vater ihn daraufhin verwarnt und einen Lausebengel geheißen hat«.[2]

So konnte es nicht bleiben. Langsam lernte der *Spiegel*, auch die Regierung, die er gewollt hatte, zu kritisieren. Und die machte es ihm schon vor Willy Brandts beängstigendem Berufsverbotsdelirium nicht schwer. Aus Furcht, weiter der Hofberichterstattung geziehen zu werden, stellte der *Spiegel* der FDP und damit der Koalition vorschnell den Totenschein aus. Vorschnell, denn die deutsche Industrie konnte damals noch kein Interesse daran haben, die Regierung, die allein ihr mit ihrer neuen Ostpolitik die Erweiterung ihres Ostgeschäfts garantierte, zu Fall zu bringen.

Als drei Leute, die ohnedies nie für Brandt gestimmt hatten, die Fraktion verließen, sprach der *Spiegel* schon von einer »zerbrechenden FDP«. Einen Bericht über einen Landesparteitag der schleswig-holsteinischen FDP begann er mit der Information, er habe »im populären Schmaustreff der

Kieler nach Leichenbegängnissen auf dem nahe gelegenen Friedhof« stattgefunden. Resümee: »Fast genau ein Jahr nach der Wahl Willy Brandts zum ersten sozialdemokratischen Regierungschef der Bundesrepublik droht die sozialliberale Koalition zu zerfallen ...«[3] (ein Spiel, das sich später andersherum wiederholte: wie oft gab es hoffnungsschwangere *Spiegel*-Titel wie »Kohl am Ende«, die sich gut verkauften, und nix war's).

So wurde die FDP vom *Spiegel* hingebungsvoll zur sterbenden Partei geschminkt. Und Augstein machte eifrig mit, Meinungsforschern vertrauend, die er wirklich besser kennen musste. Eine Woche vor der wichtigen Hessenwahl im November 1970 eilte Augstein in den Glockenturm, ergriff das Seil der bekannten FDP-Sterbeglocke. Doch dabei verhedderte er sich, wurde hochgezogen, fiel runter und konnte am Montag von seinem Hintern ablesen, was er geschrieben hatte unmittelbar vor der Wahl, die mit einem 10-Prozent-Ergebnis für die FDP endete:

> »Das Starren auf die Landtagswahlen wird langsam komisch. Ob in Hessen noch bei 5,7 oder 4,8 Prozent, das Sterbeglöcklein der FDP bimmelt ja ganz silberig und unüberhörbar. Im Frühjahr spätestens ist Feierabend. Ein entschlossener Bundeskanzler wird die Ausfertigung des Leichenscheins nicht abwarten.«[4]

Seine Bemerkung vom Montag, er sei da auf einen eigenen Körperteil gefallen, erschien mir ein bisschen dürftig für unsere Leser. Als dann in der Konferenz die Reihe an mir war, mein Thema für die kommende Woche zu nennen, sagte ich – und er verzog keine Miene – »Totenglöckner Augstein«. So hieß dann auch die Kolumne, die so endete:

> »Nekrophilie oder *Spiegel*-Gläubigkeit – Rudolf Augstein läutete die Totenglocke für eine FDP, die mit einem

10-Prozent-Erfolg sichtlich auflebte. Augsteins Rezept für Brandt: Er solle auf Neuwahlen zugehen und dabei ruhig das konstruktive Misstrauensvotum riskieren.
Doch dies ist kein Risiko, sondern tödliche Gewissheit: eine FDP, die sich vom *Spiegel* einreden lässt, dass sie im Sterben liegt, dürfte sich nie auf Neuwahlen einlassen. Sie müsste für einen Kanzler Barzel stimmen, um noch drei Jahre am Leben zu bleiben. Barzel als Kanzler? Das kann man wollen, und es wäre gewiss gut für dieses Blatt – so wie sich einige SDS-Leute den Faschismus herbeiwünschen, damit sich das kapitalistische System hinreißender entlarven lässt.
Doch Totenglöckner Augstein sieht auch eine bessere Lösung: ›Kanzler‹, duzt er, ›rüste dich fürs Duell, übe täglich im Garten das Schießen mit Pistolen. Lass den Degen rosten, rede von Fairness, aber präparier dich auf schwere Säbel. Das Duell kommt. An Sekundanten und Leuten, welche parieren helfen, soll es dir nicht fehlen.‹
Dem Kanzler sekundieren – schön, Herausgeber, sehr schöööön! Doch dem Kanzler ist wenig gedient mit Helfern, die über den Säbel stolpern und sich mit der Pistole in den eigenen Hintern schießen.«[5]

Als ich meine Kolumne ablieferte, machte Chefredakteur Johannes K. Engel eine sanft fragende Andeutung, ob ich das wirklich wolle. Was für eine Frage. Auch wenn ich fortan immer mal wieder mein Mütchen an ihm kühlte, meinen Respekt vor Rudolf Augsteins journalistischer und verlegerischer Leistung änderte das auf Jahrzehnte nicht.

Engel hatte meine zwei Anti-Augstein-Spalten weiter hinten im Heft, auf Seite 126 mitten in einer BASF-Geschichte versteckt. Doch der Erfolg der Kolumne war beachtlich: Alle Leserbriefe lobten Augstein, weil er so etwas dulde.

Aber schließlich duldete auch die FDP seit knapp zwei Jahrzehnten ihren nunmehrigen Totenglöckner. Anfang der fünfziger Jahre war er ihr beigetreten. Schon 1957 einmal, im ersten Überdruss am *Spiegel*, plante er eine Kandidatur für den Bundestag. Er ließ es dann doch lieber. Später gab es zwischen ihm und dem langjährigen FDP-Major Erich Mende ständig Krach. Mende, heute vergessen, ein unentwegter Berufssoldat, seit 1949 im Bundestag, war der erste, der wieder öffentlich – im Frack – mit dem Ritterkreuz, das ihm Hitler verliehen hatte, herumstolzierte und der nichts anderes im Sinn hatte als den deutschen Soldaten inklusive Ehre und Ehrenzeichen. Er war einer von den dreien, die 1970 zur CDU überliefen. Seinetwegen auch hatte Augstein gleich zur FDP-Totenglocke gegriffen, grotesk.

Und Mende mischte sich ein, als Augstein einen etwas zivileren Orden als seinen eigenen, die Wolfgang-Döring-Medaille der FDP bekommen sollte. Wolfgang Döring? Ein guter Freund Augsteins, Landesvorsitzender der nordrhein-westfälischen FDP, den Strauß in sein Lager locken wollte, mit der Bemerkung: »Wir müssen doch einmal miteinander reden. Sie sind doch nicht wie die Pazifisten von der SPD. Sie müssen doch Verständnis haben für die Notwendigkeiten nationaler Machtentfaltung.«[6]

Als Adenauer am 7. November 1962 im Bundestag seinen bekannten »Abgrund von Landesverrat« aufgemacht hatte, da trat Döring ihm als erster entgegen: »Herr Bundeskanzler, ich bin es nicht nur meinem Freunde, sondern auch dem Staatsbürger Augstein und allen anderen schuldig, dagegen zu protestieren, dass Sie hier sagen: Herr Augstein verdient am Landesverrat. Dann haben Sie als erster hier ein Urteil gefällt, das zu fällen nur dem Gericht zusteht.«

Er sprach von den vielen Menschen, bei denen der Verdacht aufkam, es sei hier nicht alles rechtens zugegangen, und erwähnte dabei auch seine eigene Frau, »von deren 26 Familienmitgliedern 22 in deutschen Konzentrationslagern umgekommen sind, einer Frau, der es schwergefallen ist, nach Deutschland zurückzukehren, der ich mich wochen- und monatelang bemüht habe klarzumachen, dass all ihre Sorgen und Zweifel, die sie vielleicht hier und da haben könnte, unberechtigt sind, die mich fragt: Ist es möglich, dass, wenn nur ein Verdacht besteht, es sei nicht alles mit rechten Dingen zugegangen, irgendwo eine Hemmung besteht, diesen Verdacht aufzuklären?«

Und er sagte etwas, was er vielleicht, wir wissen es nicht, besser nicht gesagt hätte: »Ich bin heute noch nicht bereit, hier darüber zu sprechen, welche Bemühungen ich persönlich angestellt habe, um einen auch mir unerträglich erscheinenden Kampf zwischen zwei Institutionen abzumildern oder beseitigen zu helfen. Ich werde vielleicht gezwungen sein, eines Tages hier darüber zu sprechen.«[7]

Was er mit den zwei Institutionen meinte, ob vielleicht Bundesnachrichtendienst (BND) und Militärischer Abschirmdienst (MAD), die damals als scharfe Rivalen gegeneinanderstanden – der BND eher auf seiten des *Spiegel* (Adenauer hätte beinahe BND-Chef Gehlen verhaften lassen) und der MAD (wie schon in der Affäre Vera Brühne) bis zum letzten entschlossen auf seiten von Strauß –, das hat Döring nicht gesagt. Dass er eines Tages darüber sprechen werde, könnte mancher als Drohung verstanden haben. Aber dazu kam es nicht. Es war seine letzte Rede im Bundestag. Einundsiebzig Tage später – am 17. Januar 1963 – war der gerade erst dreiundvierzigjährige Wolfgang Döring tot. Ein Herzanfall im Dienstwagen, in die Klinik kam er zu spät.

Erich Mende, inzwischen CDU, verbreitete später das Gerücht: »Wäre es nicht denkbar, dass Döring schon am späten Nachmittag eine Herzlähmungskapsel mit Langzeitwirkung verabreicht wurde?« Wer es nicht gewesen sein kann, wusste er auch: »Ein westlicher Geheimdienst kam für eine Aktion dieser Art nicht in Frage. Hatte doch Döring nicht nur ein ausgezeichnetes Verhältnis zum Bundesnachrichtendienst einschließlich seines Präsidenten Reinhard Gehlen über Jahre hinweg. Auch mit Angehörigen des britischen Geheimdienstes hatte Döring häufig Kontakt …« Andere westliche Geheimdienste wie MAD oder CIA nannte Mende nicht. Er streute seinen Verdacht in andere Richtung: »Dagegen dürften kommunistische Geheimdienste seine häufigen Besuche bei der LDPD-Führung[8] in der Taubenstraße Ost-Berlins mit Misstrauen beobachtet … und möglicherweise entsprechend darauf reagiert haben.«[9]

Vielleicht war es tatsächlich nur ein Herzanfall, hervorgerufen durch den Stress dieser Tage. Die DDR ihrerseits reagierte mit einem Neunzig-Minuten-Fernsehspiel »Döring sagt, wie es ist«, das – verschwörungstheoretisch auch sehr interessant – Döring als Opfer eines Komplotts zwischen Heinrich von Brentano, Hans Globke und dem Strauß-Pressesprecher Gerd Schmückle darstellte. Wenn es nach der Frage Cui bono? geht, dürfte in dieser Situation ein Ostgeheimdienst eher ausscheiden. Aber vielleicht ist Wolfgang Döring ja ganz normal gestorben.

Augstein saß zu dieser Zeit noch im Untersuchungsgefängnis, und *Spiegel*-Verwalter Brawand sowie sein Mitkämpfer Georg Wolff zeigten wenig Eifer, den Tod Dörings aufzuklären.

Der plötzliche Tod seines Freundes machte Augstein betroffen. Zu Weihnachten hatte ihn das Ehepaar Döring noch in seiner Zelle besucht. Als er Jahre später die Wolfgang-Döring-Medaille in Empfang nehmen sollte, freute er sich. Es war schon alles vorbereitet. Der Saal für die Verleihung stand fest, das Musikprogramm war ausgewählt, Hildegard Hamm-Brücher sollte die Festrede halten, da entschied das Preiskomitee plötzlich anders.[10]

Mende hatte sich durchgesetzt. Augstein schmerzte das besonders. Denn der tote Döring war jetzt mehr noch als sein Freund.

* * *

Wir sind im Jahr 1972, und Augstein war nicht fröhlich. Das Glashaus war sauber, gereinigt von allen, die ihm allzu laut widersprochen hatten. Aber was da noch übrig war? Viele verachtete er. Dauernd lag ihm dieser Brawand in den Ohren: »Rudolf, du hast zwanzig Jahre lang alles ohne uns gemacht. Jetzt brauchst du uns. Was springt für uns dabei raus?«[11]

Die Luft war stickig geworden im Glashaus am Dovenfleet, da nutzte ihm auch die eigene Klimaanlage in seinem zwölften Stock nichts. Es stank ihm im *Spiegel*. Er musste hier raus.

Sein Gefängnisaufenthalt 1962/63 und die damit verbundene Bibellektüre führten 1972 zu seinem Buch *Jesus Menschensohn*, das 1999, kräftig neu bearbeitet, wieder erschien, nachdem er mehr und mehr eine Annäherung an Theologen feststellte, die wie er glauben, dass »der Mensch Jesus, wenn es ihn gab«, mit der »Kunstfigur des Christus« nichts zu tun habe.[12] Und was hatte der Mensch Augstein mit der Kunstfigur des Herausgebers zu tun? Nichts wie weg aus dem Glashaus.

Ja, Bundestag, das wär's. Endlich einmal handeln statt schreiben. Vielleicht als Außenminister der sozialliberalen Koalition? Oder sollte er – Genscher hatte ihm so etwas geflüstert, und das konnte ja wohl kein Spaß gewesen sein – Fraktionsvorsitzender der FDP werden? Der FDP, deren Totenglocke er gerade erst geläutet hatte. Ja, Fraktionsvorsitzender, das zumindest.

Ausgerechnet in Paderborn, wo Karl, den einige den Großen nennen, nach der Sachsenschlächterei den ersten Reichstag veranstaltete, da musste Augstein 1972 kandidieren. Warum? Ein geringerer Gegenkandidat als Rainer Candidus Barzel, der Führer der Opposition, durfte es für den *Spiegel*-Chef nicht sein. Die CDU hatte bisher in diesem Wahlkreis satte 60 Prozent, die FDP 3,7 Prozent.

Augstein zog seinen Wahlfeldzug etwas zu groß auf. Es wirkte gar nicht sehr gut, dass er auf die Frage, ob er jetzt häufig zu seinem Wahlvolk nach Paderborn käme, die Anwort fand: »Ja, zumal ich heute erst festgestellt habe, dass es hier einen Flugplatz gibt.«

Was damals Adolf Hitler die Aura der Allgegenwart verlieh, dass er seinen Wahlkampf aus dem Flugzeug betrieb, das auch über dem neunjährigen Rudi in Hannover schwebte, das wirkte vierzig Jahre später nur noch deplaziert. Zumal Augsteins Wahlreise nicht von Königsberg bis Aachen und von Berchtesgaden bis Kiel führte, sondern fast nur durch den Wahlkreis Paderborn.

Auch nicht gut, ja letztlich verhängnisvoll war die Absichtserklärung, die er für seinen Wahlkreis aussprach: »Natürlich stelle ich mich auch an die Theke, vor allem, weil es dort Bier gibt. Überall, wo es Bier gibt, können Sie mich finden.«[13] Und wenn er auf der Straße Nonnen ansprechen wollte, damit sie ihm ihre Stimme gäben, stoben sie kreischend davon, als wäre er der Gottseibeiuns persönlich.

Aber er war auf der Landesliste abgesichert und kam selbstverständlich als ein Abgeordneter aus Paderborn in den Bundestag. Der richtige war Rainer Barzel.

Dann kam es zu jenem Bild aus dem Bundestag: Das einfache FDP-MdB machte – Heinrich Manns Untertan Diederich Heßling redivivus – seinen Bückling vor dem Unionsfraktionsvorsitzenden Rainer Barzel, der ihm huldvoll die Hand reichte. Ein hinreißendes Foto: Rechts der Jungparlamentarier, der den Glückwunsch zum Reifezeugnis ausgesprochen bekommt. Er ist in Bonn Bundestagsabgeordneter geworden, nachdem er erkannt hatte, »dass man nämlich in der Politik heute nichts mehr gestalten kann, nicht in Bonn und nicht anderswo«. Er hat sich der FDP-Fraktion angeschlossen, nachdem er sicher war, dass sie »in der Frage gesellschaftspolitischer Reformen nichts, in Worten nichts zu bieten« hat.

Und links? Es gab verschiedene Möglichkeiten, den würdigen Herrn im schwarzen Anzug zu beschreiben. Man konnte ihn »Glücksjäger, Handlungsgehilfen« oder »Karrieristen« nennen. Man konnte ihn bezeichnen als »perfekten Opportunisten« oder als »diesen geölten Menschen«. Man konnte ihn gar entlarven als »Zelluloid-Ente ohne Blei im Bürzel«. Kurz als »einen Allesverkäufer, den es nicht schmerzt, eigene Überzeugungen hintanzusetzen, weil er sich gerade eigene Überzeugungen gar nicht erst leistet«.

Wusste Rudolf Augstein noch, dass er sich all diese Beschreibungen und Bezeichnungen über Rainer Barzel und über seine eigene FDP geleistet hatte? Da stand er nun, die Linke an der Hosennaht, in der Hüfte geknickt – glücklich, dass die »personifizierte Banalität«, die sich »immer nur anhängen«, die »an den Drücker um jeden Preis« will, endlich auch ihm einmal die Hand drückt.[14]

Und dann begrüßte ihn auch noch Egon Bahr im Bundestag mit einem herzlichen: »Guten Tag, Herr Fraktionsvorsitzender.« Aber das war – Rudolf Augstein konnte es nicht entgehen – nicht allzu feiner Hohn. Die FDP hatte den Herausgeber zum Hinterbänkler gemacht. Wie auch viele andere jetzt an ihm ausließen, was er und der *Spiegel* einst über sie geschrieben hatten.

Ja, in Bonn stand er eigentlich immer nur im Weg herum. Die ließen ihn nicht mitspielen. Aber Streiche spielten sie ihm. Gleich gegenüber der *Spiegel*-Redaktion in der Dahlmannstraße hatte die Parlamentarische Gesellschaft ihr Klubhaus. Bösartige SPD-Abgeordnete schlossen dort den arglos sein Bier trinkenden Augstein eine ganze Nacht lang ein.

Auch wenn ihn das geärgert haben mag, am nächsten Morgen hatte er den Vorteil des kurzen Weges in die *Spiegel*-Redaktion. Da musste er nämlich immer hin, um zu erfahren, was eigentlich so in Bonn alles passierte. Nein, das war nicht schön. Jeder dahergelaufene Politiker ließ seinen Ärger über das deutsche Nachrichtenmagazin an dem selbstbeurlaubten Herausgeber aus.

Nicht eine Rede durfte er im Bundestag halten, wo Adenauers Abgrund von Landesverrat ein Jahrzehnt zuvor noch nachhallte. Er wollte sehr schnell raus hier, zurück zum Dovenfleet, wo er kommandierte, wo ihn keiner einsperren durfte.

* * *

Sein Stuhl war freigeblieben während seines Gastspiels im Bundestag, keiner wagte in seiner Abwesenheit, den eigenen Hintern auf den vom Herausgeber geheiligten Stuhl zu setzen.

Und da saß er wieder. Er hatte schon im Januar nach der November-Wahl einen wunderschönen Grund gefunden zur Rückkehr: Die Verantwortung rief! Erstchefredakteur Günter Gaus war geflohen, ihn hielt auch nichts mehr beim *Spiegel*. Trotz weit geringerer Dotation hatte er mit Freuden ein Angebot Willy Brandts angenommen, als Ständiger Beauftragter der Bundesrepublik Deutschland nach Ostberlin zu gehen. Zwar schien das damals kein Traumjob zu sein – er machte erst etwas daraus –, aber besser, als weiterhin *Spiegel*-Chefredakteur zu bleiben, fand er das allemal.

Und der Zweitchefredakteur – an Anciennität alle anderen überragend – zählte ja nicht. Johannes K. Engel – K. für Kukuruz, wie wir erfanden – war stets nur ein besserer Chef vom Dienst, das aber mit Verlässlichkeit.

Rudolf Augstein also war wieder da. Er holte sich schließlich Erich Böhme aus seiner Bonner Redaktion als Nachfolger von Gaus, der hatte ihm Trost gespendet in den Tagen des Exils. Und langsam überließ er – immer wieder von Anfällen eigener Schreibwut geschüttelt – die redaktionellen Dinge mehr und mehr Böhme und denen, die nach ihm kamen bis hin zu Stefan Aust. Denn leider hatte er in Paderborn bei seinem Trip ins wirkliche Leben etwas entdeckt, was auch Trost zu spenden vermag.

Zum siebzigsten Geburtstag hat es Rainer Barzel in der *Spiegel*-Festschrift für den Herausgeber zart angedeutet. Ja, Augstein sei schlecht beraten gewesen, schrieb der einstige Gegenkandidat: Er mietete sich mit seinem Stab in einem Hotel ein – zu »hamburgisch«, zu »groß«, meinten viele der großen Zahl »kleiner« Leute dort in Ostwestfalen. Hinzu kam, und mehr verriet Barzel nicht, aber es wurde verstanden, dass »Augstein Schwierigkeiten mit den Ess- und Trinksitten der Menschen dort hatte«.[15]

Vor allem die barbarischen Trinksitten. In Paderborn hatte er sich an das Biertrinken gewöhnen müssen, um ernstgenommen zu werden. Ein Augstein lässt sich nicht unterkriegen. Aber ostwestfälische Landquantitäten waren zuviel für ein schmächtiges Kerlchen. Seiner Gesundheit tat es nicht gut.

KAPITEL 12

»Wir sind ein Volk« – Rudolf Augstein will wiedervereinigt werden

»Wir sind das Volk.«
Aufgegebene ostdeutsche Volksweisheit von 1989

»Deutschland den Deutschen.«
Wiedergewonnener deutscher Volkswille ab 1990

Und dann eilten Günter Grass und Rudolf Augstein im Februar 1990 zum Bahnsteig in Helmstedt. »Der Zug ist weg«, schrie Augstein atemlos. Grass steckte sich bedächtig seine schreckliche Pfeife an: »Und ich behaupte, der Zug ist noch nicht weg. Der Zug steht nicht, man kann ihn aber zum Halten bringen, man kann ihn auf ein anderes Gleis bringen, man kann noch erkennen, dass dieses Gleis, auf dem er so rast, scheinbar erfolgreich, nicht das richtige Gleis ist ...«[1]

Augstein, noch immer aufgeregt: »Der Zug ist abgefahren ...«

Grass zog an seiner Pfeife: »Das ist Realpolitik ohne Staatsphilosophie im Hintergrund ...«[2]

Augstein wurde das zu bunt: »Der Zug ist abgefahren. Sie

sitzen nicht mit drin. Und Sie haben nicht gemerkt, dass es Dinge gibt, die man philosophisch eben nicht lösen kann, die sozusagen das einfache Volk löst.«

Grass stieß eine Rauchwolke aus: »Lassen Sie mir doch meine Beispiele! Schelling, der früh erkannt hat, dass die Deutschen ein Volk von Völkern sind, dass bei uns das föderalistische Element eigentlich das glücklichere ist als das, das zum Einheitsstaat drängt.«[3]

»Dieses Gespräch ist nicht loszulösen«, Augstein reichte das philosophische Geschwätz nun wirklich, »von privaten Erfahrungen, beispielsweise war mein Großvater ein derart ferventer Antipreuße, dass mein Vater sich umdrehen musste, als der deutsche Kaiser durch Mainz ritt, mein Vater durfte ihn nicht angucken, er musste in ein Geschäft von Trikotagen hineinsehen.«[4]

Da liegt es im Blut, dass der sechsundsechzigjährige Enkel keine Damenunterwäsche mehr anschaut, wenn der Zug in die Einheit abfährt.

Grass versuchte es anders: »Die Zeit von 1871 bis 1945, in der wir staatliche Einheit verschiedenster Form gehabt haben, ist die unglücklichste Phase unserer Geschichte gewesen.«

Jetzt holte Augstein den nationalen Katechismus hervor: »Sie und ich, wir haben 1972 einen Wahlkampf geführt«, erinnerte er den Dichter und fragte ihn ab: »Was war das für ein Land, für das Sie damals in den Wahlkampf gezogen sind?«

Grass setzte an: »Das war ein Land ...«

»Deutschland war es!«[5] fuhr Augstein dazwischen.

Ja, Deutschland. Der Zug war wahrhaftig abgefahren, abgefahrener ging es nicht.

»Vielen Dank, Herr Augstein, vielen Dank, Herr Grass«, sagte Bahnhofsvorsteher Joachim Wagner. »Die Kunst des Möglichen. Wir haben sehr kontroverse Meinungen heute abend darüber gehört.«[6] Die Diskussion im NDR-Studio in Hamburg-Lokstedt war zu Ende.

* * *

Es war ein Geisterzug, und einmal gelang es Augstein, sich aufzuschwingen. Drinnen saß Conny Ahlers, der alte Fallschirmjäger, der mit ihm im Gefängnis gesessen hatte. Er war schon ein Jahrzehnt lang tot, aber glücklich. Rudi, sagte er und wiederholte, was er zwanzig Jahre zuvor, 1970, im Kanzlerzug nach Erfurt, mitfahrenden Reportern gesagt hatte. Man war unterwegs zur ersten Begegnung zwischen Willy Brandt und dem DDR-Ministerpräsidenten Willy Stoph, und *Welt am Sonntag* schrieb mit: »Durch dunkle Nacht ratterte der Express der Grenze entgegen. Wie denn die Stimmung im Kanzlerwagen sei, wurde Conrad Ahlers gefragt. ›Prima‹, sagte er, ›wie beim Einmarsch in Polen.‹«[7]

Wie das damals so zuging, erfuhren wir dann etwas später von einem Sonderkorrespondenten Augsteins, der 1939 beim Einmarsch mit dabei gewesen war.

* * *

Schon im Zustand des Präalphabetismus wollte Augstein das misshandelte Vaterland leimen. 1971 schrieb der Herausgeber:

> »Als ich Kind war, des Lesens noch nicht übertrieben mächtig, hatte ich den Atlas meiner älteren Schwestern gelegentlich in Gebrauch. Aus den Augen tropfte es, wenn sie auf das blaue Gebiet des deutschen Vorkriegsreichs starrten und dann auf die willkürlich zerrissenen Landesteile im Osten. Welcher Barbar hatte wegreißen können, was zusammengehörte? Waren farbig ausgezeichnete Ländereien denn dazu gemacht, so ohne Grund zerteilt zu werden, nur weil ein Krieg stattgefunden hatte? Ich pauste die alten und die neuen Grenzen auf Butterbrotpapier, schraffierte das Verlorene und deckte es schließlich blau ein. Den Vater schien die Schmach, die man mir angetan hatte und die ich nahezu

> anfassen konnte, wenig zu kümmern, fast schämte ich mich des Vaters.«[8]

So was kenn ich. Aber man muss irgendwann einmal erwachsen werden und Schluss machen mit dem Schraffieren, da hatte Augsteins Vater ausnahmsweise mal recht.

Doch der Sohn konnte es bis ins hohe Alter nicht lassen. Augenblicklich nach Berlin, wollte er mit Sack und Pack. Doch das wollte nicht mit. Einmütig versagte sich die *Spiegel*-Redaktion Augsteins Wunsch, den *Spiegel*-Sitz von Hamburg nach Berlin zu verlegen. Die Miteigentümer hatten nun mal ihre Häuser und Grundstücke an der Elbe. Und der Zug war schon abgefahren.

> »Nehmt Berlin nicht, wie es jetzt ist! Es hat schwer zu kämpfen. Nehmt Berlin, wie es sein wird, wenn wir die deutsche Hauptstadt wieder von den Rebenhügeln weg in die Streusandbüchse des Reiches verlegt haben.«

Das schrieb Rudolf Augstein 1952 beim Umzug von Hannover nach Hamburg herzlichst dem »lieben *Spiegel*-Leser«. Und er versprach den nächsten Umzug:

> »Nur von Berlin aus wird Deutschland seine neue Aufgabe, einen friedlichen Wall zu bilden gegen die Expansion des Ostens, erfüllen können. Nur in Berlin wird der *Spiegel* eine nationale publizistische Aufgabe haben für die Freiheit und Unabhängigkeit aller Menschen deutscher Nation ... Berlin ist die Welt für ein Blatt, wie es der *Spiegel* sein will.«[9]

Denkste. »Ich möchte nicht wiedervereinigt werden«, greinte der Chefredakteur Erich Böhme zehn Tage bevor die Mauer aufmachte. »Mich drängt nichts in jenen Reichsverband zurück, über dessen Wiege das Schwert hing und dessen Segnungen in gut 40 halbwegs friedlichen, viertelwegs demokratischen Jahren vom größenwahnsinnigen Endgalopp in den ersten Weltkrieg bei weitem überragt wurden.«

Und wandte sich gegen das Spielen mit dem »Feuer eines neuen ›Anschlusses‹ unseligen Angedenkens«, wie er dann auch kam, er sprach von den »beiden Nationen«, der ostdeutschen und der westdeutschen, mit völlig unterschiedlichen Vorstellungen, und vom Abbauen der Mauer für ein allenfalls »konföderiertes Zusammenleben der beiden Deutschland«.[10]

Das hätte sein Herausgeber nicht hören dürfen. Im nächsten *Spiegel* stellte er sich erst einmal richtig vor, so wie ihn die meisten *Spiegel*-Leser der letzten zwei Jahrzehnte kaum kannten: »Zur Person: Erich Kuby hat mich kürzlich einen Nationalisten genannt, und das bin ich auch ...«

Zwei deutsche Nationen, so rechnete der Herausgeber dem Chefredakteur vor, das ist »eine Mauer mitten durch Deutschland«. Nicht einmal der Jude kann so etwas erzwingen, sagte er nicht, aber er meinte: »Warum ein geteiltes Berlin, wo doch für Jerusalem trotz aller ethnischen und Annexionsprobleme gelten soll und gelten wird: Zweigeteilt? Niemals.« Und kam dann unmittelbar und unvermittelt zu diesem Satz: »Dies falsche Gewicht wird die junge Generation, weil das nämlich *nichts* mit Auschwitz zu tun hat, nicht mehr mittragen.«

Welches falsche Gewicht? Er sagte nichts. Etwas, womit Juden handeln? Wegen Auschwitz? Er sagte nichts. Er deutete nur an, dass die nächste Generation das nicht mehr mittragen wird. Was? Na eben das! Auf keinen Fall!

Und er war empört: »Ich bin auch nicht bereit, den Gneisenau von Waterloo« – Böhme hatte diesen Herrn überhaupt nicht erwähnt – »dem Kehricht der Geschichte zuzugesellen ...«[11] Das war zwar etwas unmotiviert, vielleicht hatte Augstein wieder mal einen Film gesehen, mutmaßlich *Kolberg* von Veit Harlan, den großen Durchhaltefilm von 1945, wo Gneisenau den Straßenfeger gab. Egal, Gneisenau, der große Feldherr, hat tatsächlich seine Verdienste: »G.s Verdienst auf dem operativen Sektor besteht in der kategorischen und kompromisslosen Forderung der Vernichtung der gegnerischen Streitkräfte«, meint die *Neue Deutsche Biographie* von 1964 und erläutert auch, wie Gneisenau am Tag von Waterloo diese selbstgestellte Forderung verwirklichte: »An diesem Tage setzte G. seiner operativen Konzeption die Krone auf, als er, sich selbst an die Spitze einer Truppe setzend, die Verfolgung des Feindes ›mit dem letzten Hauch von Mann und Pferd‹ aufnahm und diesem bis zur Auflösung an der Klinge blieb.«[12]

Mit solch einer operativen Konzeption zur kategorischen Vernichtung des Gegners in der Krone konnte der *Spiegel* seine »nationale publizistische Aufgabe« sehr gut auch von Hamburg aus in Angriff nehmen. Zuallererst Mitte Januar 1990 mit einem fulminanten Titel »Der Drahtzieher – SED-Chef Gysi«, wo von diesem Kohlenklau mit jüdischem Gesicht und typischer Schiebermütze nichts mehr übrig blieb, dem PDS-Chef, »dessen Partei mehr als vierzig Jahre lang ein ganzes Volk« – ein ganzes, das Deutschostvolk! – »kujoniert, stranguliert und unmündig gehalten, Andersdenkende von jeder politischen Mitbestimmung ausgeschlossen und enteignet hat.«[13]

Neben dieser deutschen Wiedererweckung stand ein Sieg des deutschen Nachrichtenmagazins. In der Drahtzieher-Nummer gab es die stolze Hausmitteilung: »Begonnen hatte es, 1947, mit einer Druckauflage von 22 662 Exemplaren. 42 Jahre danach, im Revolutionsjahr 1989, hat die verkaufte *Spiegel*-Auflage erstmals im Jahresdurchschnitt die Millionengrenze überschritten – sie betrug 1 008 816 Exemplare.«[14]

Aber die Ossis kauften nicht. Nachdem die erste Neugier befriedigt war, und das ging gerade beim *Spiegel* sehr schnell, war der Verkauf im Anschlussgebiet minimal. Allmählich schien es so, als nähme der *Spiegel* der SED die Maueröffnung übel. Augstein jedenfalls hatte schon elf Tage danach etwas verschwommen formuliert: »Nicht wir stellen die Grenzen der DDR in Frage. Das hat die Regierung der DDR, eine SED-beherrschte Regierung, selbst getan. Sie hat, unter, zugegeben, schwierigen Rahmenbedingungen ihre Grenzen selbst durchlöchert und aufgeweicht. Ob sie ihren Staat vor der Auflösung bewahren kann, weiß niemand.«[15]

* * *

»Sagen, was ist.« So überschrieb Augstein seine Kolumne elf Tage nach dem 9. November 1989. So unklar auch war, was er der SED vorhielt – die Mauer oder die Maueröffnung? –, außenpolitisch, nach Westen hin, wurde der bekennende Nationalist mehr als deutlich:

Erstens. Die Alliierten müssten endlich aufhören »alle nur denkbaren Machtmittel« einzusetzen, um »eine Neu-Vereinigung zu verhindern«.

Wenn sie das aber weiterhin tun, dann passiert was, Rudolf Augstein war – das hatte er schnell erkannt – der Sprecher eines unbeugsamen Volkswillens. »Die letzten Wochen haben gezeigt, wie spontan«, so drohte er, »Volkes Wille sein kann. Da wird man wenig Vorsorge treffen können.«

Zweitens. Die anderen haben seit 1945 den Deutschen ihre Souveränität geraubt, es gibt nun keinen Grund mehr, »den jetzigen Deutschen etwas vorzuenthalten, was alle anderen, namentlich die vier Alliierten, als selbstverständlich in Anspruch nehmen«. Die Deutschen wollen nur den ihnen zustehenden Platz an der Sonne, die Schande von Versailles muss endlich getilgt werden – so sagte es Augstein nicht, er formulierte es bescheiden: »So nationalistisch wie die vier Alliierten und Japan und sogar Italien sind wir noch« – noch! – »immer nicht und werden es auch als« – das allerdings ist Bedingung – »Euro-Wirtschaftsmacht nicht sein. Uns hat man den Chauvinismus ausgetrieben.« Das klingt etwas schwermütig, als hätte man ihm die Zunge gefesselt.

Drittens. Es hat sich ausgesiegt. Schluss mit der »naturgemäß unvernünftigen Linie der ›Sieger‹. Wo der Gallier Brennus sein Schwert hineinwarf, ist keine Waagschale mehr.«

Das muss man aus Augsteins seltsamem Altershistorizismus in eine verständliche Sprache übersetzen. Der Gallier Brennus, das sind ihm die Alliierten, die »Sieger« des Zweiten Weltkriegs (wie sie Augstein vorsichtig in Anführungszeichen gesetzt hat, denn allmählich sieht es ja doch so aus, als seien die Deutschen die Sieger). Der Gallier Brennus (ob es ihn wirklich gegeben hat, ist historisch umstritten, aber hier egal) hat nach der Überlieferung Rom, das ist hier Deutschland, überfallen, und nur die kapitolinischen Gänse haben verhindert, dass die Gallier auch noch das Herz von Rom, das Kapitol, besetzten. Als nun die Römer, also wir Deutschen, den Abzug des Brennus, also der Alliierten, mit Lösegeld erkaufen wollten, also mit Maastricht, dem Euro oder sonst einem Versailles, warfen die Alliierten, also Brennus, ihr Schwert in die Waagschale und brüllten »Vae victis« – Wehe den Besiegten, wie schon in Nürnberg.

Es ist Augsteins Meisterschaft, wie er mit elf Wörtern über den Gallier Brennus einen komplizierten geschichtlichen Vorgang auf einen einfachen und klaren Nenner bringt. Der Herausgeber des deutschen Nachrichtenmagazins hätte das alles von der unfehlbaren *Spiegel*-Dokumentation prüfen lassen sollen, die sicherlich auch zu dem Ergebnis gekommen wäre, dass es sich bei Augstein um eine der oben erwähnten kapitolinischen Gänse, mutmaßlich den kapitolinischen Ganter handelt, den Retter vor dem Verderben, das uns alle Welt unentwegt bereiten will.

Jedenfalls musste endlich einmal Schluss sein, wie Augstein so eindrucksvoll elf Tage nach der Maueröffnung unterstrich, mit der »ostentativen Underdog-Behandlung 45 Jahre nach dem Ende des Krieges«. Nein, so nicht weiter: »Die Rechnung, dass alle außer den Deutschen ihre Interessen wahrnehmen dürfen, wird nicht aufgehen.«[16]

Was war in Augstein gefahren, was hatte ihn so tumb gemacht? Der Mann, der sich noch 1986 im Historikerstreit aufs schärfste mit Ernst Nolte auseinandergesetzt hatte, erklärte jetzt plötzlich:

> »Der Ansatz Ernst Noltes, um den sich der sogenannte ›Historikerstreit‹ rankt, war ja philosophisch richtig, so überflüssig man dies Gerangel auch finden mag.«

Was ist jetzt – seit dem Mauerfall – an Noltes NS-Thesen »philosophisch richtig«? Augstein sagte es nicht. Stimmt es doch, dass Auschwitz ein Werk Stalins war? Ist es wahr, dass die Juden selber schuld sind, weil das Weltjudentum 1939 Deutschland den Krieg erklärt habe? Was meinte Augstein?

Zumindest dies, das sprach er aus, zwei Monate nach dem Fall der Mauer:

> »Ob die beiden deutschen Staaten zusammenfinden (müssen), liegt nicht so sehr an den Alliierten und nicht so sehr an den Juden.«

Und verkündete:

> »Die Stunde Null, von uns allen so sehnlichst herbeigefürchtet, sie ist da.«

Jetzt durfte sich wieder regen, was so lange unterdrückt war. Augstein weiß: Vom – er schreibt »vom«, nicht von – »internationalen Judentum«, wie es gerade Kohls Sprecher getan hatte, »sollte man nicht reden«. Nicht reden, aber nie vergessen? »Wie aber, wenn man den Begriff nur denkt, wäre das nicht schlimm genug?«[17]

Nur vier Tage nach Öffnung der Mauer hatte Augstein Deutschland schon auf dem Platz an der Sonne gesehen, dank einer frisch eroberten Kolonie:

»Die beiden deutschen Staaten, wie auch immer vereinigt, werden die stärkste Wirtschaftsmacht der EG sein. Sie werden sich nicht daran hindern lassen, ihren östlichen Landesteil mittels des verruchten, derzeit ja auch tatsächlich verkommenden Kapitalismus zu kolonisieren, solange dazu noch Zeit ist. Das würde schon mal fünf Jahre dauern.«

Er vergaß nicht – drohend?, ja: drohend – hinzuzufügen:

»Und wirtschaftliche Macht bedeutet immer auch politische Macht. Dies ist unsere politische Aufgabe jetzt. Tatsächlich gibt es auch heute noch, wie 1848, 15 bis 30 Millionen Deutsche zu viel auf der Welt.«[18]

Alle Bevölkerungswissenschaftler schreien nach mehr Deutschen, weil die sonst aussterben und die Rentenzahlungen nicht mehr aufbringen. In dieser bisher so nationalen Wissenschaft ist man inzwischen sogar bereit, fremdes Blut ins deutsche reinzulassen, nur damit das nicht versiegt. Und da phantasierte Augstein von bis zu dreißig Millionen Deutschen, die zuviel auf der Welt seien? Ach, er brauchte mal wieder einen Feind. In derselben Nummer – das hier war eine Buchbesprechung – schrieb er noch eine Kolumne, und da waren es nun – so die Überschrift – »20 Millionen zuviel«.[19] Was meinte er damit?

Das verriet er erst fünf Jahre später, 1995. Der alte Augstein fühlte sich immer noch von dem 1929 – da war Klein-Rudi gerade mal sechs – verstorbenen Georges Clemenceau bedroht und entdeckte auch den Erbfeind Frankreich wieder, der nach dem Waffenstillstand 1918 – kann man so etwas 1995 in nüchternem Zustand schreiben? – »auf die Vernichtung Deutschlands« ausgegangen sei. Augstein-Begründung: »Tatsächlich gab es in den Augen des ›Tigers‹ Clemenceau 20 Millionen Deutsche zuviel.«[20]

Gottlob, *Spiegel*-Leser wissen mehr, mehr als die *Spiegel*-Dokumentation, oder dürfen sich, wenn der Leserbriefredakteur aufsässig genug ist, eher mal etwas gegen den Herausgeber herausnehmen, was der auch ohne Lesernachhilfe einfachen Nachschlagewerken wie dem *Brockhaus* von 1968[21] oder der *Geschichte in Gestalten*[22] hätte entnehmen können. »Clemenceau hatte mit den ›20 Millionen Deutschen zuviel‹ nichts zu tun«, schrieb Dr. Heinrich Sprenger aus Bonn.[23] Das Wort geht auf Generalleutnant Eduard Liebert zurück, der so etwas Ähnliches 1910 in einem Vortrag vor dem Alldeutschen Verband sagte, als Argument für dessen expansive Ziele. Clemenceau dagegen erklärte am 11. Oktober 1919 zum Vertrag von Versailles vor dem französischen Senat: »Es leben da immerhin 60 Millionen Menschen, mit denen wir auskommen müssen. Wir wollen ihre Freiheit achten, wir wollen aber auch die nötigen Vorsichtsmaßnahmen treffen, damit sie die unsrige achten.«

Den Nachfolgern des 1929 verstorbenen Clemenceau ist vorzuwerfen, dass sie die gegenüber den Deutschen nötigen Vorsichtsmaßnahmen nicht mehr ergriffen und so den Zweiten Weltkrieg mit ermöglicht haben.

* * *

Zurück zum Kolonisieren, also zu dem, was das eine Deutschland, laut Augsteins Wunsch, mit dem anderen machen sollte. Das ist geschehen, die besten Voraussetzungen schuf Kohls Währungsunion (siehe S. 91f.). Aber das alles schien Rudolf Augstein vier Jahrzehnte nachdem er seinen Brüdern und Schwestern im Osten ein patriotisches Lebewohl gesagt hatte, nur noch wenig zu interessieren.

Nationalismus nach außen verband sich jetzt mit einem – ja, darf man das Wort noch benutzen? – Klassenkampf nach innen in einer rassistischen Variante, deren erstes Opfer die Ostdeutschen waren. Die Vernichtung der ostdeutschen Industrie, die gigantische Ausplünderung der DDR durch die blitzschnell in die Hände westdeutscher Konzerne gerissene Treuhand[24] (ursprünglich eine Einrichtung der Regierung Modrow zur Verteilung des Volksvermögens der DDR an ihre Einwohner), das alles regte den *Spiegel* nicht auf. Ein paar Skandalgeschichten über die kleinen und großen normalen Kriminellen, die sich da auch einnisteten, das gab es. Aber dass die ganze Treuhand mit ihren vorwiegend ehrbaren Exekutoren mehr Schaden anrichtete als alle Kriminellen, für den *Spiegel* war das nie ein Thema, nie eine Titelgeschichte.

Es gab, als alles gelaufen war, eine zweiteilige Serie, Vorabdruck eines Buches, das die Treuhandpräsidentin Birgit Breuel als wahre Patriotin pries. Sie sei »wegen ihres streitbaren Einsatzes für eine möglichst pure Marktwirtschaft«, so hieß es da, »der einzige Mann in der Treuhandanstalt«. Sie allein habe »die Statur« gehabt, Nachfolger des ermordeten Präsidenten Rohwedder zu werden.

Dies über die Frau, die zu Recht im Osten so verhasst war wie Franz Josef Strauß im Westen. Aber sie ist sportlich, lobte der *Spiegel:* »Steckt selbst weit überzogene Kritik an ihrer Arbeit weg, ohne zurückzukeilen.« Und gab ein rührendes Beispiel. Die große Brecht-Schauspielerin Käthe Reichel schrieb ihr beim Hungerstreik der bis heute betrogenen Kumpel von Bischofferode: »Geben Sie Ihren entsetzlichen Job auf, der Millionen in die Unfreiheit, in die Arbeitslosigkeit zwingt.« Der *Spiegel* hatte an ihrer unverschämten Antwort nichts auszusetzen, Breuel: »Wir lernen, wir machen Fehler, wir entscheiden, wir tragen Verantwortung. Wir sind Menschen wie Sie.«[25]

Niemals kam der *Spiegel* auf die Idee, über diese Treuhandpräsidentin auch nur eine Titelgeschichte zu veröffentlichen. Was Ossis interessiert, was sie aufregt, interessierte den *Spiegel* in Hamburg noch lange nicht.

Franz Josef Strauß hatte vom *Spiegel* dreißig Titelgeschichten bekommen, nur eine, die erste, war freundlich, alle anderen nicht. Zu Recht. Augstein musste verhindern, dass dieser Mann Kanzler wurde und die Deutschen, die Westdeutschen, in den Besitz von Atomwaffen brachte. Ein Kanzler Strauß, das war nicht nur seine Überzeugung, hätte die Menschheit einem dritten Weltkrieg näher gebracht. Diesen Kanzler verhindert zu haben, das ist Augsteins größtes und unbestreitbares Verdienst.

Aber jetzt, da sich Augstein auf dem nationalen Trip befand, musste der Rachegeist des toten Franz Josef Strauß in den Mann gefahren sein, der ihn besiegt hatte, und weckte auch in Augstein selbst den Wunsch, den er zu Lebzeiten des Bayern massiv bekämpft hatte, den Wunsch nach deutschen Atomwaffen. Im März 1992 schrieb Augstein unter dem Titel »Griff nach der Weltherrschaft« – gemeint waren die USA, aber in Augsteins Unterbewusstsein brodelte da ein anderes, ein besseres Land –, er könne sich Gelegenheiten vorstellen, bei denen sich Deutschland »unter Bruch bestehender Verträge«, ja, so schrieb er, »in den Besitz von Atomwaffen bringen« müsse. Natürlich nur »widerwillig« – blutenden Herzens, so hätte es Franz Josef Strauß auch gesagt.[26]

Jagd auf Kommunisten und was man dafür hält, Kolonisierung der Ostdeutschen, nationaler Größenwahn, und jetzt auch noch, zur Krönung der Einheit, der Besitz von Atomwaffen für Deutschland unter dem Bruch internationaler Verträge. Habe ich ihn fehlinterpretiert? Vielleicht meinte er es nicht so, wie es klang. Ich hatte wenig Lust, mich von dem Vorbild, das Augstein, trotz allem, für mich war, zu trennen.

Wir schrieben das Jahr 1992. Ich ahnte nicht, welche Entdeckung mir unmittelbar bevorstand.

Teil II

Im Organ der Aufklärung

»Warum sollte uns die Geschichte interessieren, wenn sie eine historische wäre, also Tatbestand der Vergangenheit, die vergangen ist? Wenn es überhaupt eine Vergangenheit gibt, dann ist sie Vergangenheit einer Gegenwart, also wirksamer Bestandteil der Gegenwart.«

Rudolf Augstein beim Empfang der Ehrendoktorwürde der Philosophie der Gesamthochschule Wuppertal »für seine im deutschen Nachrichtenmagazin Der Spiegel *umfassend dokumentierten Arbeiten«*[1]

»Augstein und der *Spiegel* haben eine große Vergangenheit; das ist wahrscheinlich erst heute richtig einzuschätzen.«

Oskar Negt, laut Spiegel *»eine Art Mentor des SDS«, im Jahr 1993*[2]

KAPITEL 13

»Die Hosen endlich runterlassen, und zwar bis ganz unten« – Der *Spiegel* war immer schon ein Organ der Aufklärung

»Und aus dem hohen *Spiegel*-Hochhaus schmeißt wer einen Stein.«

Wolf Biermann zu Augsteins 70. Geburtstag[3]

Und dann war plötzlich alles ganz anders. Für mich jedenfalls. Schuld daran war Augstein selbst. Im zweiten Jahr der Einheit war ihm der Spaß daran schon verdorben. Da waren Brüder seine Landsleute geworden, die er lieber nicht gehabt hätte.

Damals meldete der *Spiegel* seit längerem schon »weiter Aufklärungsbedarf« bezüglich der Kontakte zwischen dem Kirchenmann und nunmehrigen Ministerpräsidenten von Brandenburg Manfred Stolpe und der Stasi.

Vielleicht interessierte das den älter gewordenen Rudolf Augstein nicht übermäßig. Es war eher Stefan Aust, der spätere Chefredakteur, der seinen damals achtundsechzigjährigen Herausgeber mit zum Jagen trug. Aber der etwas müde gewordene Augstein ließ sich von Aust, damals erst Chef von *Spiegel-TV*, gern animieren. Er hatte noch mehr mit dem jungen Mann vor, der ihm glich.

Nein, nicht wie ein Ei dem anderen. Gewiss, es gab Gerüchte, die in Aust mehr als nur den publizistischen Ziehsohn Augsteins sahen. Vielleicht, mutmaßte mal so beim Wirbeln seiner Augengläser der gegangene Chefredakteur Erich Böhme, vielleicht sei Aust ja wirklich Augsteins Sohn. Und bewies es damit, dass beide von gleich kleinem Wuchs seien, randlose Brillen trügen, dass sich selbst Haarfarbe und Schnitt noch ähnelten.[4]

Courths-Mahler! Der unerkannte Fürstenspross, der durch eigene Tüchtigkeit die Stellung erringt, die ihm von Geburt wegen zukommt. Nein, Augsteins Sohn hätte Stefan Aust nur sehr, sehr knapp werden können. Er wurde in Stade am 1. Juli 1946 als Sohn eines Landwirts geboren. Augstein war im Juni 1945 aus dem Krieg nach Hannover zurückgekehrt und hatte Wichtigeres zu tun, als im September nach Stade zu fahren – die Eisenbahnen damals! – und seinen Nachfolger für jenen *Spiegel* zu zeugen, den es damals noch nicht gab. Und, dass er ihn im Juni 1945 – aber wo wäre im Kriegsgefangenenlager die Besenkammer? – mit der Wehrmachtshelferin zeugte, die er als seine Braut ausgab, um der Gefangenschaft zu entgehen, und die dann in Stade den Bauern geheiratet hätte, das ist ausgeschlossen – Aust ist sichtlich kein Dreizehnmonatskind.

Es musste etwas anderes sein, was Augstein und Aust verbindet. Dieses Etwas, woran der Ziehsohn unwissend rührte wie an der Klinke zu Herzog Blaubarts verbotener Kammer, 1997 beim *Spiegel*-Jubiläum, als er versprach, weiter »zurück zu den Wurzeln« zu gehen und das Blatt damit in die Zukunft zu führen.

Nein, das Geheimnis von Rudolf Augstein, dem ich jetzt, Anfang 1992, von ihm dazu verführt, auf der Spur war, das sind nicht nur die Wurzeln des *Spiegel*, die bis dahin im Innern der Erde, aus der er wuchs, verborgen waren. Es ist auch die ganz spezielle Bodenmischung, ähnlich streng vor der Öffentlichkeit gehütet wie die Fabrikationsmixtur von

Coca-Cola. Es ist das Geheimnis des Aufstiegs von Rudolf Augstein, der nicht allein auf den Glücksfall einer Zeitschriftenlizenz durch die britische Militärregierung zurückzuführen ist. Der Marionettenspieler aus der HJ-Puppengruppe, der fest daran glaubte, dass er die Strippen im *Spiegel* ziehe, wurde selber gezogen, eingespannt für Zwecke, von denen er nichts ahnte. »Ich habe den *Spiegel* gemacht, aber ich habe ihn nicht erfunden«, gestand er einige Jahre später, als man den Freund Henri Nannen zur ewigen Ruhe trug.[5]

Die Wurzeln des *Spiegel*. Ich war durch Augsteins unverantwortlichen Leichtsinn auf das feine und doch kräftige erdbraune Netzwerk gestoßen.

Zuvor waren sich Jäger und Opfer begegnet. Alexander Osang, damals bei der *Berliner Zeitung*, heute *Spiegel*-Korrespondent in New York, hat dieses Geschehnis beschrieben:

> »Manfred Stolpe wollte Stefan Aust kennenlernen – der brandenburgische Ministerpräsident den Chef von *Spiegel-TV*, der mit immer neuen Akten-Details dessen Stasi-Verstrickung offenlegte. Sie trafen sich im Flughafen Tegel, Highnoon im fast leeren Restaurant. Stolpe schaute mit seinen blauen Augen minutenlang durch Aust hindurch. Dann fragt er ihn nach seinen Motiven.
> ›Ich will Sie als Ministerpräsident nicht aus dem Amt kippen‹, antwortet Aust. ›Je länger Sie im Amt bleiben, desto mehr Geschichten können wir über Sie machen.‹
> Stolpe: ›Wie viele Geschichten wollen wir denn?‹«

Wie viele Geschichten? Die *Frankfurter Rundschau* sprach schon von einer Kampagne, die das »Diffamierungsorgan«, der *Spiegel*, gegen Stolpe betreibe. Und dann musste Augstein in der von ihm hoch geschätzten *Süddeutschen Zeitung* von einer »Enthüllungskampagne gegen Stolpe« lesen. Und dass auch der Selbstmord des PDS-Bundestagsabgeordneten

Gerhard Riege »Ausdruck des Stasi-Syndroms im vereinigten Deutschland« sei.

Augstein, der einmal gesagt hatte, das müsse man hinnehmen, wenn einer sich nach einer *Spiegel*-Geschichte umbringe, das könne viele Gründe haben, regte das auf. Er zitierte Leute wie Rainer Eppelmann (CDU), die von ihrem Bruder in Christo Manfred Stolpe (SPD) verlangten, er müsse »die Hosen endlich runterlassen, und zwar bis ganz unten«, und nicht »scheibchenweise erklären, was andere über ihn gefunden haben«.

Mit Eppelmann verlangte Augstein »rückhaltloses Offenlegen« schon aus Gründen einer guten Tradition: »Aber kann denn der *Spiegel*, der seit 45 Jahren aufklärerisch zu wirken sich bemüht, jetzt auf einmal Akten unterdrücken?« Und erwähnte stolz den »senilen Erich Mielke«, der »im *Spiegel* schon 1950 als Doppelmörder figurierte«.[6]

Das machte mich neugierig. Ich griff zu den in den achtziger Jahren erschienenen Faksimile-Bänden des *Spiegel*, die bei mir Staub angesetzt hatten und bei anderen wohl auch. Alle hatten wir sie nur gekauft, aber nie studiert.

1950, Doppelmörder Mielke zum ersten Mal? Heft 5, Seite 11, verrät das Register. Es ist die *Spiegel*-Ausgabe vom 2. Februar 1950, in der Mielke, genau wie Augstein schrieb, tatsächlich als Doppelmörder registriert ist. Diese Erwähnung findet sich in einer Geschichte über die nach NS-Vorbild gegründete antisemitische Untergrundbewegung NTS (Russische Solidaristen). Sie hat gerade einige Eisenbahnbrücken über die Oder und die Neiße gesprengt. Der *Spiegel* lobt, dass die NTS-Leute sich an Gandhis Beispiel orientierten. Wahr ist: Sie wollten Russland von Stalin *und* von den Juden befreien, dass sie so positive Resonanz im *Spiegel* fanden, machte mich stutzig.

Aber Augstein hatte sich geirrt. Es war nicht 1950 das erste Mal, Mielke figurierte, wie ich schnell feststellte, schon 1949 zweimal als Doppelmörder im *Spiegel*.

Erstmals am 5. Mai 1949. Im selben Heft entdeckte ich die

Ankündigung einer Serie »Die Nacht der langen Messer fand nicht statt«. Geschrieben von Rudolf Diels, dem ersten Chef der Geheimen Staatspolizei, der vielgefürchteten Gestapo der Nazis. Stasi-Chef Mielke, ein Doppelmörder, Gestapochef Diels, ein, wie sich bei der Lektüre der Vorausgeschichte herausstellte, liebenswürdiger *Spiegel*-Autor?

Dann eine zweite Erwähnung Mielkes als Doppelmörder, ebenfalls 1949, in Heft 44. Weiter hinten im selben Heft stieß ich auf die schon vierte Fortsetzung einer Serie über Arthur Nebe und die deutsche Kriminalpolizei. Nebe, den Namen kannte ich: Chef der Einsatzgruppe B, einer Todesschwadron, der Zehntausende von Menschen im Osten zum Opfer fielen. »Wir alle sind kleine oder größere Nebes«, schrieb Augstein in einer Kolumne zur Serie und verlangte die Rehabilitierung von Nebes Mitarbeitern.

Ich fand heraus, wer die Serie geschrieben hatte, das machte es noch schlimmer. Ich stieß auf eine weitere Serie vom Juli 1950, mit einem so harmlosen Titel, dass ich sie gar nicht erst anlesen wollte: »Am Caffeehandel beteiligt – Deutschlands Schmuggler«. Aber das war keine konventionelle Grenzgeschichte, nach einigen Fortsetzungen verteidigte Augstein die Serie gegen den Vorwurf, sie sei antisemitisch, und bediente dabei selber uralte antisemitische Klischees.

Schließlich entdeckte ich auch noch, wer die nicht genannten Autoren der Serie waren, woher sie kamen und was sie schließlich beim *Spiegel* geworden waren; das alles wird uns noch beschäftigen.

Damals, im Februar/März 1992, begann etwas zu zerbrechen. Ich erschrak über Augstein, den *Spiegel* und meine eigene Naivität. Natürlich war er nicht mehr mein Idol wie einst auf der Parkbank in Würzburg. Als Kolumnist im *Spiegel* kritisierte ich auch Augstein. Und es hatte mir danach, als ich entlassen war, immer mal wieder Spaß gemacht, in Glossen über ihn herzufallen, wenn ich glaubte, ihn bei irgend etwas zu ertappen. Aber er war für mich, wenn auch nicht mehr das Vorbild, so doch ein großer Journalist, vor dem ich allen Respekt empfand.

Dass er, irgendwie, ein Nationalist sei, dass er manchmal antisemitische Untertöne in seine Kolumnen einfließen ließ, um gleich wieder zu versichern, wie töricht Antisemitismus sei, das war nicht neu. Aber diesen anderen Augstein, den ich jetzt entdeckt hatte – durfte ich ihn so enthüllen, bloßstellen, indem ich ans Licht brachte, wo das Wurzelwerk des *Spiegel* lag? Konnte es wahr sein, dass Augstein den schlimmsten NS-Tätern die historische Camouflage ihrer Taten ermöglichte? Dass er persönlich sich für ihre Rehabilitierung einsetzte und Leute jagen ließ, die zur Festnahme von NS-Massenmördern beitrugen?

Was damals 1992 die Öffentlichkeit nicht wusste, obwohl die frühen *Spiegel*-Bände in vielen Bibliotheken bereitstanden, was die ersten *Spiegel*-Leser so nie wahrgenommen oder vergessen hatten – bliebe es nicht besser verborgen? Und würde ich nicht aller Welt als der vor die Tür gesetzte Arbeitnehmer erscheinen, der sich an seinem ehemaligen Arbeitgeber rächt?

Aber durfte ich – Vorbild Augstein! –, nachdem ich seit 1953 vom und später beim *Spiegel* gelernt hatte, mich aufklärerisch zu bemühen, jetzt unterdrücken, was ich herausgefunden hatte? Nur damit ich mich nicht einem Verdacht aussetzte, der mir in diesem Fall unangenehm wäre?

Ich brauchte einige Zeit, um damit fertig zu werden. Dann ging ich zu Ulrich Greiner, dem damaligen Feuilletonchef der *Zeit*. Als ich ihm vorlegte, was ich gefunden hatte, begriff er sehr schnell, dass darüber zu schweigen nicht erlaubt sein kann. Ich schrieb in seinem Auftrag einen langen Artikel, in dem ich – etwas sentimental – auch auf meine eigene Befangenheit einging. Er akzeptierte ihn.

Der Schlussabsatz:

»Es gibt Momente in einem Journalistenleben, da lehnt man sich nach langer Arbeit kurz zurück und klopft sich selbst auf die Schulter. Aber nach diesen Tagen der *Spiegel*-Lektüre aus den fünfziger Jahren steh ich am offenen Grab, singe das Lied vom alten Kameraden: ›... als wär's ein Stück von mir‹. Der Jugendtraum ist ausgeträumt. Die Schaufel her – und Erde drauf.«

Als ich ein paar Tage später wieder zu Greiner in die Redaktion kam, war er über das, was er mir sagen musste, selbst konsterniert. Chefredakteur Theo Sommer habe sein Veto eingelegt: Der Artikel über Augstein und den frühen *Spiegel* könne nicht erscheinen.

Warum? Sommer meinte, so etwas könne man auch über die Frühgeschichte der *Zeit* schreiben. Ich bat Greiner, noch mal mit Sommer zu sprechen, ich sei auch gern bereit, mich anschließend mit den ersten Jahren der *Zeit* zu beschäftigen. Soviel wusste ich schon, solche Leute wie für den *Spiegel* waren für die *Zeit* nicht tätig. An ihrer Spitze saßen gewiss nationalistische Ultras, aber die liberalkonservative Gräfin Dönhoff, die sie vor die Tür gesetzt hatten, kam zurück, und da mussten sie nun selber gehen.

Aber Theo Sommer wollte nicht, ein gutes Jahr später verstand ich, es waren nicht nur die paar alten Halbnazis der frühen *Zeit*, es waren wohl auch die Hämorrhoiden vom langen Sitzen, die ihn abhielten: »Mein lieber Rudolf«, so schrieb er, inzwischen Mitherausgeber der *Zeit*, ihm zum siebzigsten Geburtstag, »ich saß 20 Jahre lang in dem Zimmer, in dem Du residiert hast, bis der *Spiegel* vom Speersort an die Brandstwiete zog.« Gewiss, er habe ein Bücherregal angebaut und neue Vorhänge anbringen lassen. Aber, das gelobte er: »Sonst ließ ich alles bei den alten drei P: Palisander, Patina, Panzerschrank.«[7]

Darin lag dann wohl auch mein Manuskript.

»Du warst stets ein deutscher Patriot«, schrieb er damals. Er selbst ist inzwischen, auch nicht schlecht – ich entnehme es dem Impressum –, der Herausgeber in der Large der *Zeit*, was keine Tunke ist, sondern, wie mir die konsultierten Wörterbücher raten, die Großzügigkeit, die Freigebigkeit der *Zeit*, er isst ihr öffentliches Gnadenbrot.

Meine *Spiegel*-Geschichte erschien also nicht in der *Zeit*, sondern einige Wochen später unverändert in *konkret*, wie alles, was anderswo nicht erscheinen darf. Und das hatte natürlich Folgen, vielmehr so gut wie keine.

Was als Artikel in der *Zeit*, zumindest in der damaligen, sofort eine öffentliche Diskussion über Augstein und den *Spiegel* ausgelöst hätte, konnte, in *konkret*[8] gedruckt, hübsch unter dem Deckel gehalten werden. Die Agenturen, ADN, das ehemalige Nachrichtenbüro der DDR zuerst, bekamen Vorabmeldungen von *konkret* – keine Reaktion. Lediglich drei Berliner Blätter griffen die Enthüllungen über den *Spiegel* auf: die *Berliner Zeitung* und das *Neue Deutschland* im Osten und die *tageszeitung* im Westen der Stadt. Das Regionalfernsehen des NDR interviewte mich zu meinen Vorwürfen und die wackere Sandra Maischberger für den Kommerzsender *Premiere*. Der *Spiegel* verweigerte den beiden Fernsehsendern jede Stellungnahme. Das war dann alles. Die öffentliche Diskussion über den *Spiegel* und Augstein blieb aus.

Es wäre besser für ihn gewesen, er hätte es damals schon hinter sich gebracht. Dann hätte die Debatte über Augstein nicht mehr Jahre später zu einem völlig unpassenden Zeitpunkt einsetzen können.

»Keine Klage, keine Gegendarstellung, keine Erklärung«, schrieb zwei Monate danach die damals noch erscheinende *Weltbühne* aus dem Haus der Demokratie in Ostberlin: »Noch nicht einmal ein ›aufklärerischer‹ Artikel im *Spiegel*. Wozu auch. Haben doch alle Medien, die dies durch ihren Verbreitungsgrad hätten erzwingen können, keine Meldung darin gesehen.«

Immerhin war es der *Weltbühne* gelungen, Augsteins (inzwischen verstorbenen) Sprecher Wolfgang Eisermann zu einer Stellungnahme zu bewegen. »Irgendwo«, sagte er, »mussten die Leute ja herkommen – man konnte ja ein Land nicht mit Kindern aufbauen. Jeder Mensch, der 1945/1950 in einem gewissen Alter war, hatte eine ›Vergangenheit‹ – andere gab es nicht.« – Das war Adenauers Argument für die Wiedereinstellung der Hitler-Generale und des Rassenkommentators Globke.

Immerhin: Es liefen Diskussionen im Hause, ob der *Spiegel* diese Geschichte nicht selber aufgreifen sollte, doch »bisher gibt es da kein Ergebnis«. Er sei dafür, sagte Augsteins Sprecher, aber das sei Sache der Chefredaktion.[9]

Rudolf Augstein schrieb danach – das war ungewöhnlich – Woche für Woche seine Kolumne (nur die Ausgabe vom 31. August und zwei Hefte im November ließ er aus). Doch erst nach sieben Monaten, zum Weihnachtsfest, zeigte er sich getroffen und plädierte – »In eigener Sache« – auf nicht betroffen. Anlass war etwas anderes, nämlich die bereits erwähnte (siehe S. 47) harmlose alte Feuilleton-Geschichte aus dem *Völkischen Beobachter*, mit der ihm das Wiener *Forum* die Maske vom Gesicht zu reißen glaubte, worüber er sich wiederum mit gutem Grund mokieren konnte: »Kann man mich nun also als Mitarbeiter jenes Kampfblattes der NSDAP bezeichnen? Ich muss das den Lesern zur Beurteilung überlassen.«

Wovon die Leser aber nichts erfuhren, was sie nicht beurteilen konnten, das waren die ernsthaften Vorwürfe, die nicht im fernen Wien, sondern im nahen Hamburg erhoben wurden. Sie lasen nur seine Antwort auf etwas, was sie nicht kannten und wovon sie nicht einmal erraten konnten, dass es mit seinem *VB*-Feuilleton und dem *Forum* überhaupt nichts zu tun hatte. Wir sollten es ein zweites Mal zitieren:

> »Die beiden von Deutschen verursachten Weltkriege sind von Historikern dieses Hauses gründlich aufgearbeitet worden wie kaum sonstwo. In umfangreichen Serien hat

der *Spiegel* den Deutschen ihre Vergangenheit nahegebracht. Ein heuchlerisch nazistisches Magazin ist er nie gewesen. Das Gegenteil ist der Fall.«[10]

Wollen wir mal sehen.

KAPITEL 14

»Die Nacht der langen Messer« – Augstein und der Gestapo-Chef

»Geheime Staatspolizei (Abk.: Gestapo) hat als selbständiger Zweig der Staatsverwaltung die Aufgabe, alle für die Staatssicherheit u. für die Einheit u. für die Gesundheit des Volkskörpers gefährl. Bestrebungen u. Handlungen, bes. Hoch- u. Landesverrat, Spionage, Verhetzung u. seelische Vergiftung des Volkes, Sprengstoff- u. Waffenmissbrauch sowie strafbare Angriffe gegen Partei u. Staat, zu erforschen, zu überwachen und zu bekämpfen und die Träger solcher Bestrebungen, möglichst bevor sie Schaden anrichten konnten, unschädlich zu machen, soweit nicht die Organe der ordentlichen Rechtspflege zuständig sind. Um die illegale u. die getarnte Tätigkeit der Gegner des Nationalsozialismus feststellen zu können, ist eine umfassende Beobachtung aller Lebensgebiete u. eine tiefe Einsicht in die Bedeutung bes. der geistigen Zeiterscheinungen erforderlich. Die G. arbeitet daher weitgehend mit den Dienststellen der NSDAP, bes. mit dem Sicherheitsdienst des Reichsführers ϟϟ zusammen...«

Meyers Lexikon, *1938*[1]

12. Mai 1949 – die Berliner Blockade ist endlich aufgehoben. Die Sowjets lassen wieder Züge und Autos nach Westberlin. Gottlob. Denn hätten die Russen nicht endlich Vernunft angenommen, dann wäre den Bewohnern der Frontstadt ein tolles Geschenk des *Spiegel*-Herausgebers entgangen.

»Rudolf Diels, der unerschrockene Abenteurer zwischen den Regimen, und Gustaf Gründgens, der Gefreite des zweiten großen Krieges, werden Wiedersehen mit der Stadt ihrer heftigsten Wirksamkeit feiern«, so schrieb Rudolf Augstein am 19. Mai herzlichst dem »lieben *Spiegel*-Leser«, die Unterschrift in seinem krakeligen Sütterlin.

Heftigste Wirksamkeit. Gründgens zeigte sie, als ihn Hermann Göring, Hitlers zweiter Mann, zum Generalintendanten der Preußischen Staatstheater ernannte. Diels ließ sie spüren, als ihn Göring zum Chef seines Terrorinstruments, der neu geschaffenen Gestapo, der Geheimen Staatspolizei, machte. Allerheftigste Wirksamkeit zeigte Diels schon in der Nacht des Reichstagsbrands mit einer wohlvorbereiteten Massenverhaftungswelle. Kommunisten und Sozialdemokraten, aber auch Schriftsteller wie Egon Erwin Kisch, Erich Mühsam und Carl von Ossietzky ließ er in die neuerrichteten Konzentrationslager werfen. Aus der Beamtenschaft des Preußischen Innenministeriums heraus hatte Göring Diels, diesen Abenteurer zwischen Demokratie und NS-Staat, zum Anführer seines Unterdrückungsapparats gemacht.

Gründgens und Diels, versprach Augstein, werden ihrer Berliner Wirksamkeit »im *Spiegel* begegnen, dessen vorige Nummer pünktlich am Donnerstagabend in der halb freien und Reichsstadt Berlin eintraf«. Er kümmerte sich persönlich darum, dass den von der Blockade befreiten Westberlinern und den »Freunden aus dem Ostsektor« – die Mauer gab es noch lange nicht – kein Wort des einstigen Chefs der Gestapo entgehe: »Es ist Vorsorge getroffen, dass die Nummern der nun anlaufenden Diels-Serie den später hinzukommenden Berlinern nachgeliefert werden können.«[2]

Rudolf Augstein hatte Rudolf Diels in Hannover kennen gelernt. Der hatte vor den Toren der Stadt sein Gut Twenge, nachdem er 1936 nach einem Amtswechsel Regierungspräsident in Hannover geworden war. Augstein besuchte ihn auch in den Wäldern eines bayerischen Gutsbesitzers in der Nähe von Nürnberg, bei dem Diels regelmäßig zu Gast war. Dort, in der Natur, entdeckte er in dem einstigen Gestapo-Chef mit dem »dichten schwarzen Haarhelm über dem gebräunten Gesicht« einen frühen Grünen, »völlig fern jener Welt der öffentlichen Wirksamkeit, die ihn einst in ihre Wirbel und Abgründe zog«. Diels habe »seine botanischen Neigungen wiederentdeckt und sinnt über die Mimosenwelt der Moose und Flechten«. Und er denke auch nach »über die Heilung ausgepowerter Waldböden«. Augstein: »In den Wäldern bewegt sich Diels, als ob er von Rechts wegen dorthin gehöre. Leidenschaftlicher Weidmann war er seit je. Mit Göring teilte er die Vorliebe für die Falknerei.«

Leidenschaftlicher Menschenfänger war er auch: »Der junge Verwaltungsbeamte wusste die neuen braunen Herrscher zu nehmen. Und sie mochten ihn.«[3] Schließlich war Diels, der vor 1933 im Preußischen Innenministerium zunächst an Polizeiaktionen gegen Nazis mitgewirkt hatte, vor allem »Fachmann« im »Kampf gegen den Kommunismus«. Die umfangreichen Verhaftungslisten für Kommunisten und andere Staatsfeinde, die in der Reichstagsbrandnacht abgearbeitet wurden, hatte er großenteils schon unter der Regierung Papen vorbereitet.

Seine Erzählungen machten einen tiefen Eindruck auf den fünfundzwanzigjährigen Rudolf Augstein, der damals den *Spiegel* ja vor allem als Instrument gegen die Besatzungsmächte betrachtete. Und da war der Geheimdienstmann ein vorzüglicher Ratgeber, der, angewidert von dem, was seinem Vaterland seit 1945 widerfahren war, auf seinem Hof vor Hannover saß und über die Substanz des Deutschen sinnierte: »Ist er wirklich umgeformt worden nach dem Vorbilde der widerlichen Modellfiguren der Reeducation, oder schweben ihm noch im Geiste hoch über lärmenden Musterdemokraten und literarischen Tugendbestien, den Hassern und den Betulichen, edlere Vorbilder aus seiner Geschichte vor Augen? Ist er wirklich unter der Dollaratmosphäre des Wirtschaftswunders in eine satte Apathie verfallen, die sein nationales Bewusstsein ausgelöscht hat?«[4]

Hermann Görings einstiger Mordgehilfe sah sich und seinesgleichen auf seinem Gut Twenge nach 1945 in einer verzweifelten Lage: »Sosehr die deutschen Patrioten in ihren Gedanken den verlorenen Krieg und das verlorene Volk umschreiten, sie finden kein Luftloch, aus dem heraus ein frischer Wind die Stickluft des billigen Sonntags verjagen könnte, keinen Ansatz für eine sittliche Erneuerung …« Überall nur »hysterische Umerzieher« im »tiefsten staatsfeindlichen Milieu«.

Ein Luftloch fand der einstige Gestapo-Chef doch. Das war der *Spiegel* als »der einzige Exponent gegen die Betulichkeit unserer öffentlichen Meinung«.[5]

* * *

Diels schrieb die dritte Serie, die bis dahin im *Spiegel* erschienen war. Zu Ende gegangen war gerade eine Serie gegen die »Verräter« vom Nationalkomitee Freies Deutschland mit Erzählungen, wie sie ihre Kameraden in den sowjetischen Kriegsgefangenenlagern schlugen und quälten. Ein Prozess gegen einen solchen »Kameradenschinder« war dank der *Spiegel*-Veröffentlichung angelaufen. Augstein freute sich: »Hier ist der Tatbestand, nach dem die Richter bei Veit Harlan vergeblich suchten: Ausnutzung einer Gewaltherrschaft zu körperlichen und seelischen Grausamkeiten.«[6]

Harlan war, was dem *Spiegel* gut gefallen hatte, kurz zuvor von dem Vorwurf freigesprochen worden, mit seinem Film *Jud Süß* ein Verbrechen gegen die Menschlichkeit begangen zu haben. Der *Spiegel* wusste von jüdischen und »jüdisch verheirateten Zeugen« zu berichten, die erklärten, sie hätten den Film »seinerzeit nicht als antisemitisch empfunden«, und fand ein Argument des Verteidigers besonders bemerkenswert: »Antisemitische Instinkte würden verschärft. Ohne Not verschärft.« Natürlich nicht durch den Film. Sondern durch den Prozess gegen Veit Harlan. Augstein wird sein Leben lang dieses Argument wiederaufnehmen, dass die Kritiker des Antisemitismus selbst erst die Judenfeindschaft hervorrufen, die es ohne sie nicht gäbe.

* * *

Und nun eine ganze *Spiegel*-Serie, vom Gestapo-Chef persönlich. Diels erkannte schnell, wie formbar der junge intelligente, gewiss manchmal auch etwas skeptische Pressemann war. Augstein ließ sich von ihm viel erzählen, ja er glaubte dem Gestapo-Gründer sogar dies: »Dass er niemandem persönlich geschadet und vielen genutzt hat, rechnet er sich zur Ehre an.«

Allenfalls seinem Kneipenwirt hatte Diels – das legte Augstein offen und ohne falsche Rücksicht auf den Tisch – mal Schaden verursacht: »Er hat nie sittsam und zahm sein können. Der Korpsstudent« – dass er das war, blieb glaubwürdig in sein Gesicht geschlagen – »schickte seinem Leibkneipwirt das ausgehängte Gasthausschild in die Ferien nach.« Ach ja, noch etwas: Der Referendar Diels ließ »einen Ordnungshüter in seinem Schilderhaus auf der Lahn schwimmen«. Das war aber auch alles, was der Erfinder des gefürchteten Terrorinstruments des Dritten Reichs sich vorzuwerfen hatte, bei der Gestapo musste er nur »ab und an ›grand jeu‹ spielen«.[7] Der junge Augstein war ein wahrhaft gläubiger Mensch, schließlich kam er aus einer durch und durch katholischen Familie.

So begann im Mai 1949 die Rehabilitierung der Täter des

alten Staates im *Spiegel* pünktlich mit der Konstituierung des neuen Staates, der Bundesrepublik Deutschland.

Die Diels-Serie überdauerte mit ihren acht Fortsetzungen die Gründung der Bundesrepublik, reichte fast bis an die erste Bundestagswahl heran, bedeutete eine Ehrenrettung der Gestapo. Verbrechen, Mord, sadistische Quälereien gab es nur in den Konzentrationslagern von SA und SS. Bei der Gestapo ging alles rechtmäßig und menschlich zu. Und so hieß auch die Serie: »Die Nacht der langen Messer fand nicht statt« – ein Titel, der haften blieb: Drei Jahrzehnte später versicherte Rudolf Augstein unmittelbar vor der Säuberung seines Hauses den Redakteuren: »Eine Nacht der langen Messer findet nicht statt«[8] (siehe S. 175).

* * *

Gewiss mochte Diels Augstein erzählt haben, was im Vorwort der Buchfassung seiner *Spiegel*-Serie steht, dass er sich keines Beitrags zu der »heute« – 1949 – »vorherrschenden zeitgenössischen Geschichtsfälschung schuldig machen« möchte. Im Buch hatte er auch glänzend zusammengefasst, was 1945 mit den Deutschen, mit ihm selbst, mit dem Soldaten Augstein geschehen war, eine Mischung von Wunschtraum und beiläufigem Erschrecken:

> »Der deutsche Riese ist tot. Das Bemühen der Ankläger, an seinem Kadaver anatomisch zu erforschen, wie er lebend funktioniert hat, ist nutzlos vertane Mühe. Der Riese, der einmal mit einer Kraftanstrengung ohnegleichen, einem tobenden Stiere gleich, durch Europa raste, gibt keine Antwort mehr. Was in Deutschland noch lebt, will nichts mit ihm zu tun gehabt haben, nichts mit seiner Entstehung und seiner Existenz, nichts mit seinen Zerstörungen, Verwüstungen und Massakern. ›Keiner will es gewesen sein‹, und die anderen glauben, dass die

Deutschen charakterlose Lügner seien. Er ist wirklich tot, und sie können ihn aus Akten, Urkunden und Zeugenaussagen so wenig rekonstruieren, wie sie die Atmosphäre rekonstruieren können, in der er sich bildete und seine Kraft sinnlos verströmte. Der Riese war das deutsche Volk, und sein Gesicht war das deutsche Volk, dem es in ekstatischer Ergebenheit anhing.«

Und nun die Schlussfolgerung, auf die es entscheidend ankommt: »Dieser Riese lebt nicht mehr.«[9]

Das war Vergangenheitsvergewaltigung, wie sie maßgebend wurde für den gleichzeitig sich konstituierenden westdeutschen Staat. Denn die Faustregel für Historiker, die der einstige Herr der Gestapo daraus ableitete, lautet – und Rudolf Augstein druckte sie in einem Kasten (»Leitsätze«) am Serienbeginn ab:

»Die Geschichte des Dritten Reiches nach dem 30. Juni 1934 ist daher die Geschichte eines einzelnen.«[10]

Nämlich: Die Geschichte Adolf Hitlers.

Mit den Deutschen hat das alles überhaupt nichts mehr zu tun. Daran wird Rudolf Augstein noch oder wieder glauben, wenn er an seinem Lebensabend gegen den Juden Daniel Jonah Goldhagen polemisiert, den »jüdische Kolumnisten, Nichthistoriker also«, hochgejubelt hätten.[11]

Und da war noch eine These von Diels, die bei dem jungen Augstein in ihrer Schlussfolgerung auf fruchtbaren Boden fiel:

»Der Journalismus, jene Schaumkrone der Intelligenz, die auf dem trüben Wasser unserer vermassten Generation einherschwimmt, hat durch ihre tollwütigen Exzesse in der Freiheit der Demokratie nicht minder Schuld auf sich geladen als in der Hörigkeit des Diktators. So wie der Journalismus der *Weltbühne* die ent-

> scheidende Wendung zum Nationalismus bei den Wertvollsten bewirkte, die Hitler in der gebildeten deutschen Jugend zu Proselyten machen konnte, so kann man auch heute wieder beobachten, wie die Selbstgerechtigkeit der antifaschistischen Publizistik wieder die Faschisten macht und den Antisemitismus hochkitzelt.«[12]

Am Faschismus, am Antisemitismus ist schuld, wer sich dagegen wehrt, Augstein wird das noch um die Jahrhundertwende eine Lehre sein. Und die *Weltbühne* hatte die wertvollsten Deutschen zu Anhängern Hitlers gemacht, weil sie den Führer zu sehr bekämpfte – so gesehen war es ein Akt von Antifaschismus, dass Diels in der Nacht des Reichstagsbrands den Haftbefehl für Carl von Ossietzky ausstellen ließ, an dessen Folgen der *Weltbühne*-Herausgeber ums Leben kam.

Die erste große *Spiegel*-Legende, die Diels zusammen mit Rudolf Augstein strickte, lautete, dass es bis zum sogenannten Röhm-Putsch im Juni 1934 noch ehrbar, zumindest verständlich gewesen sei, an Hitlers neuem Staat mitzubauen.

Und wie Diels baute. Er wurde zwar schon Ende April 1934 als Gestapo-Chef abgesetzt (er bekam dann eine Sinekure in der Provinz, zunächst als Regierungspräsident von Köln, dann, 1936, von Hannover). Das war ein Bauernopfer, das sein Gönner und zeitweiliger Schwager Hermann Göring im Kampf mit Heinrich Himmler bringen musste. Aber zuvor hatte der einstige Beamte der Weimarer Republik den Gestapo-Terror im Geheimen Staatspolizeiamt (Gestapa) perfekt organisiert. Der Historiker Christoph Graf schreibt in der 1995 erschienenen großen Gemeinschaftsstudie *Die Gestapo. Mythos und Realität:* »Die Gestapa Rudolf Diels' bildete den Kern der Gestapo, welche als entscheidendes innenpolitisches Machtinstrument das Gesicht des Dritten Reiches als das eines totalitären Polizeistaates prägte.«

Die Ende April 1934 erfolgte Ersetzung Diels' an der Spitze der Gestapo durch Himmler und Heydrich habe zwar eine graduelle Verstärkung des SS-Einflusses auf die politische Polizei bedeutet, nicht aber einen prinzipiellen Wechsel oder einen Bruch in der Entwicklung der Behörde. Graf: »Vor allem aber wurde die Schutzhaft als wirksamste und einschneidendste Methode der Gegnerbekämpfung bereits im ersten Jahr des nationalsozialistischen Regimes in teilweiser Zusammenarbeit mit SA und SS gegen Staatsfeinde jeglicher Konvenienz willkürlich und in großem Stil angewendet.«[13]

Solche Allgemeinurteile verkennen allerdings, dass Augsteins unerschrockener Abenteurer zwischen den Regimen auch in den Verliesen der SA zuweilen mutig die Flagge der Humanitas hisste. Bei einer Inspektion des KZ Sonneburg entdeckte der Gestapo-Chef den preußischen Landtagsabgeordneten Kasper, den er seit Jahren kannte. »Der Anblick des gequälten Mannes bereitete mir, wenn es noch Steigerungen gab, die größte Erschütterung dieses Jahres. Ich streichelte ihn über seinen zerschlagenen kahlgeschorenen Kopf und versuchte ihm in dieser Marterhöhle einige menschliche Worte zu sagen. Kasper war weit abwesend.«[14]

Der Schutzhaftbefehl allerdings kam, wie alle während des Reichstagsbrandes, aus seinem Haus – Diels, der Chef, musste da wohl gedacht haben, dass Schutzhaft Schutz bedeute, genauso wie man heutzutage mancherorts glaubt, dass eine deutsche »Schutztruppe« keine Angriffstruppe sei.

Der Chef der Geheimen Staatspolizei wusste auch ganz genau, wie im NS-Staat die KZs entstehen konnten, und schrieb es im *Spiegel:*

> »Für die Entstehung der Konzentrationslager gibt es keinen Befehl und keine Weisung. Sie wurden nicht gegründet, sie waren eines Tages da.«[15]

Besser könnte Heinrich Lübke, der ehemalige Bundespräsident, nicht rehabilitiert werden, dem kommunistische Propaganda vorwarf, er habe KZ-Baracken geplant.

Wir hätten es fast vergessen. Unmittelbar vor Beginn der Serie, am 7. Mai 1949, gab es ein bemerkenswertes Zusammentreffen von aufklärerischem Wirken, dem der *Spiegel*, wie dessen Herausgeber 1992 sagte, seit fünfundvierzig Jahren nachging. Auf Seite 5 veröffentlichte Augstein die Aufklärung über den späteren Stasi-Chef »Polizei-›Generalleutnant‹« Erich Mielke: »Mielke ist Doppelmörder.« Und auf Seite 3 stand die Ankündigung der Aufklärung aus erster Hand:

»›Die Nacht der langen Messer fand nicht statt‹, heißt die neue Serie, mit deren Veröffentlichung der *Spiegel* in der nächsten Nummer beginnt. Der Verfasser ist Rudolf Diels, einst Stellvertreter Görings in der Leitung des Geheimen Staatspolizeiamtes.«

Diels' Leute hatten einst aus zwei Zeugen das Geständnis herausgeprügelt, dass Mielke Doppelmörder sei – was er, wie es scheint, auch war. So kommt Aufklärung zu Aufklärung, beim *Spiegel* von Anfang an.

Und noch etwas. Eine Woche nach Augsteins Berlin-Bekenntnis mit dem Gestapo-Chef tauchte, hervorstechend, zu Beginn des Hefts auf Seite 3 der Untertitel »Das deutsche Nachrichtenmagazin« auf.

Das erste Mal war diese Selbstbezeichnung am 26. Februar 1949 als *Spiegel*-Untertitel noch klein im Impressum am Ende des Hefts in einer dem Sütterlin entlehnten Schrift erschienen.[16] Rudolf Augstein hatte dazu auf Seite 5 ein freundliches Porträt von Arthur Mahraun (»Eigentlich geborener Demokrat«)[17] geschrieben, dem Gründer des Jungdeutschen Ordens (Jungdo), der die Weimarer Demokratie von rechts außen unterminiert hatte. Der Untertitel sollte im Mai des nächsten Jahres auf die Titelseite wandern, wo er heute noch steht; da war dann im deutschen Nachrichtenmagazin gerade eine Serie zu Ende gegangen, die an Quantität, an

Qualität und insbesondere mit ihren Konsequenzen alles übertraf, was die Gestapo-Serie leisten konnte. Denn ihretwegen hat so mancher erkannt, wozu sich Augstein und der *Spiegel* nutzen ließen.

KAPITEL 15

»Wir sind alle Nebes« – Augstein liest es aus den Sternen

»Ich bin aber überzeugt, dass jeder ehrliche *Spiegel*-Leser mit mir der Meinung ist: Diese Kripo ... gab ihr Bestes und steht auch unter dem Blickwinkel von heute sauber da.«

SS-Standartenführer und Oberst der Polizei Paul Werner, stellvertretender Leiter der Abteilung V des Reichssicherheitshauptamts, zur Spiegel-*Serie über seinen Chef Arthur Nebe. Die Berufung des »überzeugten Nationalsozialisten« Werner zum Chef des Bundeskriminalamts konnte mit knapper Not vermieden werden.*[1]

»Es müssen schon ziemliche Dummköpfe sein, die den *Spiegel*-Stil nicht verstehen. Was aber gedenken Sie gegen solche böswillige Dummköpfe zu unternehmen?«

Anfrage der Spiegel-*Leserin Elisabeth Grunenberg aus Mehrum bei Lehrte zur Nebe-Serie des* Spiegel. *Dessen Antwort: »Nichts.«*[2]

Dass er 1950 dem SS-Hauptsturmführer, der zwölf Jahre später den Überfall auf den *Spiegel* kommandierte, wieder ins Amt verholfen hatte, Rudolf Augstein hat es wohl vergessen. Das Amt allerdings heißt heute Bundeskriminalamt und nicht mehr Reichssicherheitshauptamt. Aber Augsteins Verdienst kann nicht geschmälert werden. Es steht sogar in den Sternen.

Die Qualität der *Spiegel*-Recherche war – das wissen wir alle – stets überragend. Doch nie hatte sich ein *Spiegel*-Redakteur so viel Mühe gemacht wie Rudolf Augstein selbst am 29. September 1949. Da schrieb er dem »lieben *Spiegel*-Leser« herzlichst: »Gestern war noch ungewiss«, ob der neue Fortsetzungsbericht des *Spiegel* »Das Spiel ist aus – Arthur Nebe« Anspruch darauf erheben könne, »Ihnen ein ausgeleuchtetes Spiegelbild des ersten und bisher letzten Chefs der deutschen Kriminalpolizei zu entwerfen«.

Es sei ihm da gegangen wie einem Kriminalisten, der einen Fall vollständig und lückenlos geklärt hat. An einem ganz entscheidenden Punkt aber lässt sich der Täter das Motiv seiner Tat nicht entreißen. Genauso hier:

> »Das Bild des Menschen Arthur Nebe stand, aber es gab da einige Tatsachen, die in das Bild nicht passen wollten, und der *Spiegel* war nahe daran zuzugeben, dass Nebe für ihn ein Mensch in seinem Widerspruch geblieben sei.«

Das wäre gewiss »keine Schande«, schrieb Augstein. Aber da sei ein langes Telegramm aus London gekommen und ein Brief aus der Ostzone Deutschlands. Was da drin stand, darüber äußerte sich Augstein nicht, wohl aber äußerte er sich zu einer höchst lebendigen Beglaubigung, einem »schwarz in schwarz gekleideten Zeugen«, einem, ja, Astrologen:

> »Gleichmütig hatte Wilhelm Wulff aus Arthur Nebes Himmelsfigur den Tod gelesen, gleichmütig hatte er ihn

hingenommen. Dieser Zeuge war in punkto Nebe völlig unverdächtig.«[3]

Einen besseren Zeugen gab es nicht, Zeitgeschichte aus erster Hand. Denn das war beweisbar: Arthur Nebe war tatsächlich tot. Überzeugt nahm Rudolf Augstein das Horoskop des Toten auf das Titelbild, Unterschrift: »Todesschatten am achten Feld – Wilhelm Wulff wusste (siehe Serie: ›Das Spiel ist aus – Arthur Nebe‹).«

Der Sternendeuter wusste. Was? Ach, egal, er wusste. Für Arthur Nebes Kriminalpolizei im Dritten Reich war das, wenn man der Serie glauben durfte, kein Scherz, und für Augstein schon gar nicht. Schließlich hatte auch sein großer Verlegerkollege Axel Springer wichtige geschäftliche und politische Entscheidungen (er fuhr 1958 mit einem hauseigenen Wiedervereinigungsplan zu Chruschtschow nach Moskau zu einem Termin, der nach dem Stand der Sterne berechnet war, allerdings ohne den Zeitunterschied zwischen Hamburg und Moskau zu berücksichtigen, so dass es dann zu Lebzeiten Springers doch nichts werden konnte) sowie die Auswahl seiner Ehefrauen nach dem Stand der Sterne getroffen und hielt sich einen eigenen Hofastrologen, der als Hans Genuit auch *Bild*-Lesern raten durfte.[4] Konnte der *Spiegel*-Herausgeber da zurückstehen und die wissenshungrigen *Spiegel*-Leser in Unwissenheit darben lassen?

Nein, *Spiegel-Leser wissen mehr*. Sie erfuhren aus ihrem Organ der Aufklärung schon in der ersten Folge der Nebe-Serie, wie treffsicher die deutschen Kriminalisten vor 1945 sich der Hilfe von Astrologen und Hellsehern bedienten, gefördert von ihrem obersten Chef Heinrich Himmler, dessen Reichssicherheitshauptamtsastrologe übrigens Augsteins Kronzeuge Wilhelm Wulff war.

»Als die rebellischen Badoglioten am 26. Juli 1943 den Benito Mussolini entführten, erhielt die deutsche Kriminalpolizei einen Auftrag.« So steht es im ersten Satz der Serie.

Badoglioten – es dürfte eine Augsteinsche Wortschöpfung sein aus Badoglio und Idioten. Der Marschall Pietro Badoglio, den der italienische König sechs Jahre vor der *Spiegel*-Serie zum Nachfolger des gestürzten Benito Mussolini ernannt hatte, und seine Soldaten – diese Verräter – waren, das muss man verstehen, bei Wehrmacht und SS so unbeliebt, dass man sie, wo man ihrer habhaft werden konnte, ohne Federlesens abschießen durfte. *Spiegel*-Stürmer Theo Saevecke (siehe S. 143 ff.) hätte Augstein da Sachen erzählen können – Schwamm drüber!

Der Auftrag hieß, den Aufenthaltsort des entführten Mussolini zwecks Befreiung durch den dann berühmten SS-Führer Otto Skorzeny herauszufinden. Zu diesem Zweck – wir halten uns exakt an die Geschichtsschreibung der *Spiegel*-Serie – fuhr Kriminalkommissar Schäfer ohne Vornamen ins KZ Sachsenhausen und machte dort mit zwei KZlern, einem medial veranlagten französischen Leutnant der Handelsmarine und einem deutschen Arzt und Neurologen, ein Experiment.

Der Neurologe musste seinen französischen KZ-Kollegen hypnotisieren. Der Kriminalkommissar Schäfer breitete ein Stück Zeitung so auf dem Tisch aus, dass der auf der Rückseite abgebildete Mussolini-Kopf nicht zu sehen war. Das Medium legte die Hand auf das Papier und fühlte sehr schnell, dass es sich um einen großen Staatsmann aus dem Süden handeln müsse. Das *Spiegel*-Protokoll französisch-deutsch weiter: »Parlez avec cet homme! (Sprechen Sie mit dem Mann) – Je ne peux pas (Ich kann nicht) – Pourquoi non? (Warum nicht) – Seemann gedehnt: Oh, il est un grand homme, et je suis un très petit homme. (Oh er ist ein großer Mann, und ich bin ein kleiner Mann).«

Der *Spiegel* konnte den noch wesentlich längeren Dialog so exakt wiedergeben, weil für den Kriminalkommissar Schäfer »alle Eindrücke insgesamt so stark waren, dass er noch heute die Sitzung mit dem französischen Medium wörtlich in Erinnerung hat, obwohl er sich keine Aufzeichnung gemacht hat«.

Aber mehr war aus dem Medium nicht herauszubringen als dies, dass der große Staatsmann »am Südabhang der Berge ist«. Doch für den Reichssicherheitshauptamtsastrologen Wilhelm Wulff war der Rest ein Kinderspiel. Die Sterne sagten ihm, dass der »vermutliche Aufenthaltsort Mussolinis ein Ort in geringer Entfernung Roms, in südöstlicher Richtung höchstens 75 km weit« sei. Der *Spiegel* weiter: »Damals konnte noch niemand wissen, dass Mussolini in der Tat südöstlich Roms auf die Insel Ponza gebracht worden war, bevor man ihn erst auf eine andere Insel und dann auf den Gran Sasso verschleppte.«[5]

Im Editorial des Heftes, in dem die Kriminalisten mit Hilfe von Hellsehern und Astrologen solch vorzügliche Arbeit leisteten, hatte Augstein an die mit dem Aufbau einer – 1949 – künftigen Bundeskriminalpolizei Befassten appelliert, »wie gut es wäre, wenn diese Verantwortlichen alles täten, die Eifersucht auszuschalten, die eine überwiegende Mehrzahl erstklassiger Kriminalisten unter dem Vorwand fernhält, sie hätten dem Regime gedient«.[6]

* * *

Der Autor der Serie – nicht angegeben. Es waren im Grunde zwei: Rudolf Augstein, der die Serie bearbeitete und in *Spiegel*-Form brachte, und SS-Hauptsturmführer Kriminalrat Dr. Bernhard Wehner, Leiter der Dienststelle V B 1a2 im Amt V. des Reichssicherheitshauptamts, seit 1931 in SA und NSDAP. Ohne im Impressum aufzutauchen, arbeitete er als Kriminalreporter und Lobbyist seiner alten Kameraden für den *Spiegel*, bis er 1954 endlich wieder als Leiter der Düsseldorfer Kriminalpolizei tätig werden und als Chef des Fachorgans *Kriminalistik* sehr prägend wirken konnte. Wehner wusste alles aus erster Hand, weil er enger Mitarbeiter des

Titelhelden SS-Gruppenführer Nebe und Leiter einer Institution war, die sich »Reichszentrale für [?!] Kapitalverbrechen« nannte – das DDR-*Braunbuch* warf Wehner vor, an der Tötung von sowjetischen Kriegsgefangenen im KZ Buchenwald beteiligt gewesen zu sein.

Dass Wehners Autorenname nicht genannt wurde, hatte den großen Vorteil, dass er selbst in seinem Fortsetzungswerk in Erscheinung treten konnte, und zwar ganz objektiv in – dafür sorgte Bearbeiter Augstein – optimaler Form.

Und so meldete sich der nachmalige *Spiegel*-Reporter nach dem Attentat vom 20. Juli 1944 in der Wolfsschanze: »Kriminalrat Dr. Wehner mit drei Beamten des Reichskriminalpolizeiamtes bei der Untersuchung des Attentats.« Er wurde sofort vorgelassen. Der leicht angeschlagene Führer hakte sich mit dem linken Arm bei Bernhard Wehner unter, ging mit ihm den Korridor entlang und erkundigte sich beim zukünftigen *Spiegel*-Mann: »Was sagen Sie zu dem Wunder, dass mir nichts passiert ist? Ist es nicht ein Wunder?«

Wehner wusste die richtige Antwort: »Doch, mein Führer, es ist ein Wunder.« Er sei allerdings, so schrieb er später in seiner *Spiegel*-Serie, »daraufhin innerlich ernüchtert« gewesen; kann aber sein, dass ihm Augstein das nur hineingeschrieben hatte. Dem werdenden *Spiegel*-Reporter jedenfalls erzählte Hitler alles, was er wusste über das Attentat, das ihm gegolten hatte.[7]

Was genau vom 20. Juli zu halten ist, hob Serienbearbeiter Augstein mit einem *Spiegel*-Punkt hervor, wenn er es seinem Autor nicht sogar selbst so hineingeschrieben hatte:

- »Der einzige Revolutionär unter den Putschisten, der Graf Stauffenberg, war bei allen menschlichen und geistigen Qualitäten ein politischer Wirrkopf. Wäre dieser eindrucksvolle Initiator und Organisator des Putsches voll zum Zuge gekommen, ständen die Russen heute nicht an der Elbe, sondern mindestens am Rhein.«

Und so ging es weiter im Text: Claus Graf Schenk von Stauffenberg sei ein »linksschwärmender Soldat« gewesen, »der die ›im Osten gefallene Entscheidung‹ derart zu respektieren gedachte, dass er ›Deutschland zusammen mit Russland gegen den kapitalistischen Westen‹ antreten lassen wollte«.

Was wäre passiert, wenn Hitler in die Luft geflogen wäre? Augstein-Wehner-Antwort:

> »Man kann sich heute ungefähr vorstellen, wie das ausgesehen hätte. Und man sieht, dass der 20. Juli, so wie er angelegt war, für die Westmächte und für die Deutschen noch problematischer war, als die meisten Beteiligten und Betroffenen damals ahnen konnten.«[8]

Bis hierher bewegte sich das auf der Ebene der Agitation der später verbotenen Sozialistischen Reichspartei (SRP), über deren vollbesetzte Versammlungssäle mit Marschmusik und forschen Reden des »20.-Juli-Generalmajors« Ernst Otto Remer der *Spiegel* damals immer wieder durchaus distanziert, aber in aller Ausführlichkeit berichtete, etwa so: »Wenn Remer spricht, träufelt er Balsam auf nur leicht entbräunte Herzen.«[9]

Balsam für kaum entbräunte Herzen war aber auch, was Augstein in dieser Serie an geschichtsphilosophischen Betrachtungen verbreitete. »Der einzige wirkliche Unterschied zwischen den Nazis und den Bolschewisten« sei, so fanden sich die *Spiegel*-Leser unterrichtet, »doch wohl der, dass die Nazis alle Nicht-Nazis und alle Juden umbrachten, während die Stalinisten sich damit begnügten, alle Nicht-Stalinisten umzubringen.«

Fazit für alle Deutschen:

> »Da hätte man es den Deutschen wohl kaum verübeln können, wenn ihnen bei solcher Alternative der böhmische Gefreite lieber gewesen wäre als der Herr aus Georgien.«[10]

Solche Geschichtsdeutung, von Augstein autorisiert und wohl auch – es ist sein damaliger Sound – formuliert, entspricht mutmaßlich nicht dem, was er im Gedächtnis hatte, als er nach meiner *konkret*-Veröffentlichung damit renommierte, wie sehr doch der *Spiegel* – »ein heuchlerisch nazistisches Magazin ist er nie gewesen« – den Deutschen ihre Vergangenheit nahegebracht hat. Geheuchelt hatte er damals nicht.

Tatsächlich nicht. Denn Augstein und Wehner erklärten in ihrer Nebe-Serie ganz genau, warum Heydrichs Terrorsystem »nicht vollkommen« sein konnte:

> »Der Hitler-Terror krankte daran, dass Deutschland ein Volk ohne Raum war. Der Heydrich war nicht so dumm, dass er nicht gewusst hätte, dass Blut und Vergasungsterror in solcher Massierung üble Wirkungen zeitigten. Aber der Josef Stalin hatte da von jeher bessere Möglichkeiten.«

Vergasungsterror in solcher Massierung? Wieviel hätte es sein dürfen, damit er weniger üble Wirkungen zeitigt? Wichtig aber ist, dass Heydrich nicht nur nicht so dumm war, sondern auch als stellvertretender Reichsprotektor »in der Tschechei besser als sein Ruf«.[11]

Nahegebracht hatte Augstein den Deutschen solche Vergangenheitskorrektur mit allen Mitteln, die ihm zur Verfügung standen. Die *Heidelberger Nachrichten* – dem »lieben *Spiegel*-Leser« zitierte er sie herzlichst – über die »Bomben-Reklame« des *Spiegel:*

> »Am Samstag um die Mittagsstunde erschütterten dumpfe Explosionen die Luft und scheuchten die nichtsahnenden Menschen, die sich zum Wochenende rüsteten, an die Fenster. Was war los, etwa ein Benzintank in die Luft gegangen oder eine gewaltige Fehlzündung? Blaue Dampfwolken stiegen vor der Universität, auf dem

Bismarckplatz und an anderen Verkehrszentren der Stadt in die dunstige Luft, und scheinbar aus heiterem Himmel rieselten rote Papierfetzen nieder.«

Den *Heidelberger Nachrichten* gewiss nicht allein war dieser Krawall zu viel: »Wir glauben aber im Namen vieler Mitbürger zu handeln, wenn wir uns diesen Unfug mit allem Nachdruck verbieten und die Polizei das Weitere veranlasst.«

Von wegen, Augstein stolz:

> »Was war geschehen? Der Verlag des *Spiegel* war auf die Idee verfallen, die Serie von Arthur Nebe und seiner Kriminalpolizei aus der Luft bekannt zu machen. Man verschoss in vielen westdeutschen Städten mit Raketen die kleinen roten Zettel, die den *Heidelberger Nachrichten* in die Grammatik hagelten.«

Noch stolzer zitierte Augstein seinen Vertriebsinspektor:

> »In Essen war der Aufzug der Kolonne schon eine Reklame für sich. Ein vollbesetzter Streifenwagen voraus. Vor unserem Wagen ein Motorradfahrer der Verkehrsstaffel und als Abschluss noch ein Fahrer. Auf jedem Abschussplatz war der zuständige Reviervorsteher mit einigen Beamten zur Absperrung zur Stelle.«[12]

Ja doch. Die Reviervorsteher dachten an ihre alten Kameraden von der SS, die zurück in den Polizeiapparat sollten. Denn darum ging es. Und diese Aufgabe hatte Augstein vorzüglich gemeistert, als er in einem Pitaval von dreißig Folgen – es war die längste *Spiegel*-Serie, die es je gab – die Reichskriminalpolizei im Schreckenszentrum des Dritten Reichs, in Reinhard Heydrichs Reichssicherheitshauptamt, als unpolitischen Verein von Fachkriminalisten schilderte, denen SS-Ränge aufgezwungen worden seien, die nichts zu bedeuten hätten.

Und dieser Augstein – es gab später einen anderen, der gegen die Notstandsgesetze kämpfte – forderte am Ende der Serie, fünfzig Jahre bevor Otto Schily dazu Anlauf nahm, ein Bundessicherheitshauptamt mit einer Kriminalpolizei, die »zentrale Weisungsbefugnis für das ganze Bundesgebiet« hat und »weitgehend unabhängig sein muss von den übergeordneten, nicht sachverständigen Polizeichefs«.[13]

* * *

Zurück zu Arthur Nebe. Er kam tatsächlich um. Er hatte eine dubiose Rolle beim 20. Juli 1944 gespielt und wurde deshalb von seinem eigenen Reichssicherheitshauptamt gejagt und gefasst, und schließlich wurde er gehenkt. Ein Mann, der eigentlich eng mit dem Helden der vorhergehenden *Spiegel*-Serie hätte zusammenarbeiten sollen, aber ganz schnell mit ihm aneinandergeriet.

Im Juni 1933 übernahm Arthur Nebe die Exekutive der neugegründeten Geheimen Staatspolizei unter Rudolf Diels. Der *Spiegel:*

> »Mit seinem Chef Diels versteht er sich vom ersten Tage an schlecht. Die beiden Göring-Männer sind sich in herzlicher Verachtung zugetan. Der Lebemann Diels, der (bis dahin) kleine Beamte Nebe, der ›gesinnungslose‹ Diels, der ›Nazi‹ Nebe, der Korps-Student Diels und der Volksschullehrersohn Nebe, der höhere Beamte Diels und der ›Polizist‹ Nebe, das alles passt schlecht zusammen in einem Amt, in dem man so tatkräftig intrigiert wie nirgendwo sonst im Dritten Reich, was schon etwas heißen will.«[14]

Als Diels 1934 seine Sinekure als Regierungspräsident bekam, wurde die Gestapo aus dem Göring-Ministerium ausgegliedert zum Reichsführer SS Heinrich Himmler, und schließlich entstand unter seiner obersten Führung das Reichssicherheitshauptamt mit Reinhard Heydrich an der Spitze. Dort saß die Gestapo als Amt IV unter Heinrich Müller und die Reichskriminalpolizei als Amt V unter Arthur Nebe. Ein Mann, dessen Bestimmung für die neue Serie Augstein zu Beginn so beschrieb:

> »Stehen blieb ein Mann, der in einer hervorragend angelegten Organisation groß wurde, der an ihre Spitze trat, sie vollendete und sie dadurch rettete, dass er für seine Person die Probe, der alle Deutschen ausgeliefert waren, nicht bestand.«[15]

Diplomatisch formuliert, mit äußerster Delikatesse.

Was war denn die »Probe«, hat er sie nach Augsteins Auffassung wirklich nicht bestanden? Oder waren die Deutschen – mehr oder weniger – alle so wie er?

Achtzehnte Fortsetzung der *Spiegel*-Serie »Das Spiel ist aus – Arthur Nebe. Glanz und Elend der deutschen Kriminalpolizei«:

1941. Nebe hatte sich wie viele hohe Chargen im Reichssicherheitshauptamt Himmler zum Einsatz im Osten zur Verfügung gestellt. Er war von Juni bis November Chef der Einsatzgruppe B. Eine Todesschwadron, mit der er nach seinen eigenen Meldungen 45 467 Personen liquidierte. Die Augstein-Wehner-Serie:

> »Irrenhaus in Minsk. Irrenhaus in Smolensk: Hunderte ärmster Menschen, irre, tobsüchtige, in Lumpen gehüllte und heruntergekommene Menschen, ohne Nahrung und ohne Pflegepersonal. Nebe funkt an Heydrich. Antwort: ›Liquidieren!‹ Nebe ist konsterniert. Er geht selbst in das Irrenhaus. Unmöglich! Wie sollte man diese Leute erschießen? Das war schon rein technisch unmöglich. Man müsste sie festhalten, binden, um den Schützen einen

> einigermaßen sicheren Schuss zu ermöglichen. Die Exekution würde Tage dauern. Wer sollte das aushalten.«

Mord ist ein schwieriges, verantwortungsvolles Handwerk, lernte der *Spiegel*-Leser, er bereitet auch erfahrenen Tätern schlimme Stunden. Aber es gibt einen Ausweg:

> »In Nebe entsteht ein Plan. Er lässt einen Teil der Kranken in eine kleine Holzbaracke, eine Garage, bringen und einen starken Pkw vorfahren. Der auf hohen Touren laufende Wagen strömt seine Auspuffgase in den Raum. Aber die Garage ist nicht dicht. Erschauernd vor einem Guckloch erschrickt Nebe vor seiner eigenen Grausamkeit. Aber er muss irgend etwas unternehmen. Wieder ventiliert er« – *ventiliert?* – »ventiliert er das Erschießen. Unmöglich! Dann lässt er die Garage vollständig abdichten und wiederholt den Versuch mit einem noch stärkeren Wagen. Erfolgreich. Nebe ist vollends am Ende. Er tröstete sich mit dem Gedanken, ordentliche Männer seiner Einsatzgruppe vor der Durchführung der grauenvollen Exekution bewahrt zu haben.«[16]

Erfolgreich – das heißt: Die zu ermordenden Menschen sind exekutiert. Sie sind am Ende und brauchen keinen Trost mehr – den braucht der Mörder. Es ist dasselbe Problem, das auch Himmler bewegt hat, wenn ihm beim Massenmordbesuch das Hirn der Opfer auf den Mantel spritzte – bei Augstein gedieh es zur Gewissensqual eines empfindsamen Menschen. Die Opfer sind nur Objekt, vermutlich empfinden sie nichts bei ihrem Tod, leiden jedenfalls weniger als Nebe, der seine Seelenqual beim Vergasen mit Champagner hinunterspülen musste – Marke Veuve Cliquot –, da zeigte sich wieder die Qualität der *Spiegel*-Recherche.

* * *

Für Rudolf Augstein war – als die Serie mit ihrer dreißigsten Fortsetzung endlich ein Ende nahm – Arthur Nebe, der Massenmörder und Chef der NS-Kriminalpolizei, nichts anderes als »ein ängstlicher, anständiger, ehrgeiziger Beamter, der vor der Gewalt zurückwich, bis er sich selbst nicht mehr ins Gesicht gucken konnte«. Vor der Gewalt zurückwich? War er das Opfer, und sind die Ermordeten Ursache seines Leidens gewesen?

Augsteins Fazit:

> »Arthur Nebe ist tot. Aber die Gewalt ist mächtiger denn je. Wir alle sind kleine oder größere Nebes.«

Doch da blieb ein Wunsch für die Zukunft, nachdem der Fall Nebe »gründlichst entwirrt« war. Die *Spiegel*-Serie führe doch, so Augstein, »den heutigen Polizei-Verantwortlichen vor Augen, dass die Kriminalpolizei ... auf ihre alten Fachleute zurückgreifen muss, auch wenn diese mit einem SS-Dienstrang ›angeglichen‹ worden waren«. 1950 nannte Augstein Beispiele, die er für positiv hielt: »Wer auf Vernunft stieß«, der sei »schon wieder Kripo-Leiter«. Andere SS-Sturmbannführer aber müssten, so klagte er, noch immer warten.

In Bonn hätten sich die Parteien schon beim Aufbau eines Bundeskriminalamts eingeschaltet, beschwerte sich Augstein und fügte hinzu: »Bleiben die ›Angeglichenen‹ ausgeschaltet, ist mehr Raum für Partei-Kriminalisten. Traun fürwahr.«[17]

Ja, richtig, das war das klassische antidemokratische Ressentiment: Im guten Kampf gegen Parteibuchbeamte der neuen Demokratie sollten die alten NS-Beamten, die alle nur das eine Parteibuch hatten, den Sieg davontragen. Und so geschah es dann auch: Im Rahmen des 131-Gesetzes, das die Wiedereinstellung der durch die Entnazifizierung »amtsverdrängten« Beamten vorsah, gab es in den fünfziger Jahren, ganz nach Augsteins damaligem Wunsch, auf dem Gebiet der

Bundesrepublik mit den aus dem Osten schleunigst Zugezogenen mehr Beamte aus der, nun ja: ehemaligen, NSDAP als in der NS-Zeit. Und das Bundeskriminalamt wurde zur Zentrale für NS-Kriegsverbrecher. Für. Nicht gegen. Das beweist der ehemalige Kriminaldirektor Dieter Schenk, der in seinem 2001 erschienenen Buch *Auf dem rechten Auge blind* die »braunen Wurzeln des BKA« bloßlegte. Er hat interessante Dokumente aus der unmittelbaren Nachkriegszeit ausgegraben.

Paul Dickopf etwa, der »Architekt des Bundeskriminalamtes«, ein Mann, der als deutscher Doppelagent in der Schweiz sowohl für den Sicherheitsdienst (SD) des Reichssicherheitshauptamts wie für die Amerikaner gearbeitet hatte, mahnte am 30. Dezember 1948: »Eine falsch verstandene Denazifizierung und daraus resultierende Nichtbeschäftigung nominell belasteter ehemaliger Kriminalbeamter stellen den Wiederaufbau in Frage.« Die Folge werde sein, so warnte er die US-Besatzungsmacht, und die ließ sich solche Briefe bieten, dass »der auch in den Konzentrationslagern Himmlers nicht ausgestorbene Stamm von Kriminellen erheblichen Zugang aus den Reihen der asozial gewordenen Jugendlichen, aus den Zentralen des Schwarzhandels, von seiten der in neuer politischer Illegalität Lebenden und nicht zuletzt aus dem in Deutschland verbleibenden Abfall der DP-Heere erhalten wird.«[18]

DP-Heere? Das waren die Menschenmassen, die Dickopfs SS-Kameraden zur Zwangsarbeit nach Deutschland verschleppt[19] hatten – Abfall!

* * *

Augsteins Engagement für die Wiedereinstellung der alten SS-Leute vom Reichssicherheitshauptamt ins neu zu schaffende Bundeskriminalamt war mit der Nebe-Serie nicht zu Ende. Im März 1951 legte der *Spiegel* nach: »Die Elite der bewährten deutschen Kriminalisten geht ... stempeln oder lebt von kleinen Wartegeldern.« Und stellte eine ganze Liste von »erfahrenen Kriminalisten« auf, die »heute erwerbslos« sind, einem sogar, vom *Spiegel* als Oberregierungs- und Kriminalrat a. D. Braschwitz und »Fahndungsfachmann« vorgestellt, ging es noch schlimmer: »heute erwerbslos, sammelt Pilze«. Der SS-Sturmbannführer vom Reichssicherheitshauptamt, der beim Reichstagsbrandprozess Belastungsmaterial zurechtgefälscht hatte, wurde dann sehr schnell stellvertretender Leiter der Kriminalpolizei Dortmund.

Der *Spiegel* aber klagte: »Kaltgestellt, zwangspensioniert oder auf Wartegeld gesetzt wurden zehn Kriminaldirektoren, 27 Regierungs- und Kriminalräte, 36 Kriminalräte und eine große Anzahl von Kriminalkommissaren.« Zwar sei die »Elite der alten Sherlock Holmes« rehabilitiert, aber »in der Mehrzahl bis jetzt noch nicht wieder eingestellt«.[20]

Fast alle wurden wieder eingestellt. Auf der Strecke blieben Emigranten und Sozialdemokraten – sie hätten nicht in das braune Nest des damals entstehenden Bundeskriminalamts gepasst. Als dann 1962 Franz Josef Strauß zum Sturm auf das Hamburger Pressehaus blies, stand an der Spitze einer von denen, die damals sehr schnell wieder ins Amt geschwemmt worden waren: SS-Hauptsturmführer Theo Saevecke von der Sicherungsgruppe Bonn des BKA.

Was schrieb Augstein im Kriegsjahr 1999 in dem schönen Bildband *Deutschland, Deutschland. 50 Jahre Frieden – Der lange Weg zur deutschen Einheit?* Er schrieb – nur wusste er es nicht – ein Geständnis: »Die Sturmtruppen, die den *Spiegel* damals einnahmen, hatten stille Helfer ...«[21]

Ohne Augsteins allerdings nicht stille, sondern sehr publizistische Hilfe hätte Theo Saevecke, der Henker von Mailand (siehe S. 143ff.), kaum den Weg zurück ins Amt und an die Spitze der Sicherungsgruppe Bonn geschafft.

Ob aber Hauptsturmführer Saevecke jederzeit den Komment gewahrt hat, ist fraglich. Hätte er nicht korrekterweise vor Beginn des Sturms auf das *Spiegel*-Haus bei seinem Kameraden, dem gleichrangigen SS-Hauptsturmführer und stellvertretenden *Spiegel*-Chefredakteur Georg Wolff, Meldung machen müssen?

KAPITEL 16

»Tolle Dinger wurden gedreht. Nicht immer einwandfrei. Aber für Six wurde es getan« – Die SD-Leute des *Spiegel* und ihre Barbie-Puppe

»Zu einer Art Leuchtturm geworden.«
Erich Kuby über Rudolf Augstein[1]

»So was Engelhaftes, etwas von einem Cherub.«
SS-Hauptsturmführer a. D. Georg Wolff
über Rudolf Augstein[2]

Sechsundzwanzig war er jetzt, aber dieses ständige Reißen und Ziehen in den Gliedern. Ach, wäre er doch zur normalen HJ gegangen, da hätte er sich beim Geländedienst abgehärtet. In den Dreck werfen, im Schlamm robben, immer noch besser als dieses fürchterliche Gezerre an allen Gliedmaßen.

Dass er aber auch ausgerechnet zur HJ-Puppengruppe gehen musste. Immerhin, ein Gutes hatte die Sache, wenigstens war er selbst der Puppenspieler. Er zog die Fäden am Kreuz, und die Marionetten bewegten sich, wie *er* wollte.

Dass dieser Hitler aber auch keine Ordnung gehalten hat. Das ganze Dritte Reich war doch eine einzige Widerstandsbewegung gegen die Nazis. Goebbels gegen den Nazi Ribbentrop, Himmler gegen den Nazi Göring, Rosenberg gegen den Nazi Goebbels. Hitler gegen Hitler, je nachdem welcher Nazi ihm gerade in den Ohren lag. Und auch im Reichssicherheitshauptamt, das doch dazu da war, dass Ordnung gehalten wird, kämpfte jeder gegen jeden. Er, der junge Rudolf Augstein, musste das jetzt ausbaden, an ihm zerrten sie jetzt alle herum.

Da war zuerst nur Rudolf Diels, dieser freundliche, noch gar nicht so viel ältere Herr, der Gestapo-Gründer auf dem Gut Twenge vor den Toren der Stadt, man konnte so schön mit ihm im Wald spazieren gehen, er fütterte die Tiere, die sauren Böden, die regten den Gestapo-Chef auf, was hätte er noch alles bei den Grünen werden können, wenn nicht dieser seltsame Jagdunfall gewesen wäre, als er sich mit dem eigenen Gewehr in den Bauch schoss ... so war es doch wohl 1957. Aber wir greifen der Zeit weit voraus, wir sind jetzt im Jahr 1950. Immerzu dieses Gezerre von den zwei Marionettenkreuzen. Der Diels zieht so, und die Nebe-Leute, diese tollen Sherlock Holmes aus dem Reichssicherheitshauptamt, mit all ihren Sterndeutern und Hellsehern – Geschichten, Lesegeschichten sind das! –, ziehen anders.

O nein, nein, bitte, das nicht auch noch – da ist schon das dritte Kreuz, an dessen Strippen er zappelt. Soll Rudolf Augstein, das schmächtige Kerlchen mit dem eisernen Willen, gedreiteilt werden? Ist es wieder eine Fraktion aus dem Reichssicherheitshauptamt?

Nein, es ist nur der Hamburger Kaffeehandel, der sich vom *Spiegel*, noch immer in Hannover, die publizistische Vertretung seiner Interessen ausbedungen hat (aber doch nicht etwa für die paar kleinen Anzeigen?), und spannend für den *Spiegel*-Leser ist das ja auch.

* * *

Im Juli 1950 begann im »deutschen Nachrichtenmagazin« – dieses Selbstwertgefühl war jetzt von Seite 3 direkt als Untertitel auf die Seite 1 gestiegen – eine neue Serie: »Am Caffeehandel beteiligt – Deutschlands Schmuggler«. Das hob an, wie eine konventionelle Grenz-Geschichte anhebt, und zwang doch Rudolf Augstein am 3. August zu der umständlich formulierten Beteuerung:

> »Sie, unsere Leser, wissen, dass wir uns selbst verbieten würden, wenn wir uns dabei ertappten, dass wir den wenigen deutschen Verbrechern und allen deutschen Spießern, denen antisemitische Scheuklappen Lebensbedürfnisse sind, Sukkurs gewährten.«[3]

Tatsächlich muss damals beim *Spiegel* ein Verbot bestanden haben, sich ertappen zu lassen bei solcher Lebenshilfe für deutsch gebliebene Deutsche.

Die erste Folge war noch harmlos, wenn man von den Schmugglern absieht, die »nach Zigeunerart wieder mal eine Fehde untereinander ausgetragen und einem der ihren die Knochen gebrochen haben«.[4] Doch dann wandte sich die Serie der Möhlstraße in München zu, die damals für den *Spiegel* das war, was später für *Bild* die Hafenstraße in Hamburg darstellte: Hauptquartier des Terrors, damals ausgeübt von DPs, von denen die meisten für die damalige Mentalität erkennbar als Juden beschrieben wurden. DPs, Displaced Persons, die Menschen also, die von den Nazis aus allen von ihnen beherrschten Ländern Europas verschleppt worden waren.

Schon im Mai 1948 kennzeichnete der *Spiegel* »eine Gruppe von Ausländern«, der »die Masse der DPs den Hass« verdanke, der ihnen überall entgegenschlage: »Es sind diejenigen Deplacierten« – Deplazierten –, »die vom Verbrechen leben, arbeitsscheue Elemente, denen es noch nie so gut gegangen ist wie in den DP-Lagern und auf dem deutschen

Schwarzmarkt.« Augsteins Magazin, das im Ungefähren ließ, wie denn die DPs ins Land gekommen waren, drohte: »Wenn sich die trüben Wasser klären, werden auch ihre Fischzüge ein Ende nehmen.«[5]

Und noch zur fünfzigsten Wiederkehr des Kriegsendes nahm Augstein den Zwangsarbeitern ihre Befreiung übel. In einem Sonderheft zum Jubiläum berichtete der »Soldat Augstein«, der sein Uniformbild einrücken ließ, wie es ihm damals erging:

> »Auf dem Weg nach München fielen wir mehrmals unter außer Rand und Band geratene ›displaced persons‹. Gerettet wurden wir immer wieder von amerikanischen Soldaten, die gegen diese Leute ziemlich rüde vorgingen.«[6]

Außer Rand und Band? Richtig, das SS-Wachpersonal hatte sich verkrochen und konnte Augstein nicht mehr schützen. Aber wer hatte denn die persons bloß so tatkräftig displaced? Es waren Soldaten wie Augstein, dem darum auch gar nicht auffiel, was sich in seiner Kaffee-Serie begab.

Dass die aus allen Teilen Europas nach Deutschland verschleppten Zwangsarbeiter sich nach ihrer Befreiung aus den KZs des Nazi-Reichs nicht benahmen wie freundliche Touristen, mochte, wer ein gutes Gewissen hatte, kritisieren; die *Spiegel*-Serie aber nannte sie »DP-Terroristen«, »Banditen«, fand gar Schwarzhandels-Strümpfe »bei zwei steinreichen Displaced Persons« in München, sprach vom »Ringverein der Möhlstraße«, von der »Möhlstraßen-Republik der Schmuggler und Hehler«, von »tobenden DPs« im »Münchner Balkan«, der »längst schon ein europäischer Skandal« geworden sei. Und wenn einmal Schmuggler vor Gericht gestellt würden, dann deutsche und nicht »die Drahtzieher«, die jüdischen.[7]

Es fehlte nicht an sachdienlichen Hinweisen, wohin der Volkszorn zu adressieren war: Jedem Judennamen war, wo immer sich das ermitteln ließ, die Adresse und sogar die Telefonnummer beigegeben – *Spiegel*-Service fürs Pogrom.

Da es nicht zustande kam und auch »die Lebensmittelhändler, die am 15. Juli 49 gekommen waren, um die Möhlstraßen-Schmuggler zu stäuben«, daran gehindert wurden, zeigte sich der *Spiegel* enttäuscht und dachte über die Unmöglichkeit einer Endlösung nach: »Das Ausbrennen der Schmugglerhochburg Möhlstraße ist insofern sehr schwierig . . .«[8]

Alles muss Deutschland sich bieten lassen: Wer sich als Freimaurer ausweist, dem kann keiner was anhaben. Da genügen drei Punkte unter einem Namenszug: »Wissen Sie, was das bedeutet? Das ist das Zeichen der Loge ›Zu den drei Weltkugeln‹. Wo ich das vorzeige, wird mir geholfen.« Damit können, entdeckte der *Spiegel*, Schmuggler die Zöllner ausschalten.[9]

Mit besonderer Genugtuung wurde von den nicht genannten *Spiegel*-Autoren – wir werden sehen, sie hatten Grund dazu, sich zu verbergen – der Urteilsspruch eines Landgerichtsdirektors Dr. Parey aus der Zeit nach der Befreiung 1945 zitiert: »Jeder Mann in der Umgebung Verdens kannte zu damaliger Zeit seit langem das Lager Bergen-Belsen als einen Hort vieler unehrlicher Elemente. Wirtschaftsverbrechen und Großschiebungen waren dort an der Tagesordnung . . .«[10] Was vorher in Bergen-Belsen war, brauchte keiner mehr zu wissen.

Am 31. Juli 1950 mussten Augstein und der *Spiegel* einen gerichtlichen Vergleich unterschreiben, der Grenzen ihrer Aufklärungstätigkeit aufzeigt: Sie hätten, so versichern sie, »nicht zum Ausdruck bringen wollen, dass vornehmlich Menschen jüdischen Glaubens an dem Kaffeeschmuggel beteiligt sind«.

Am 3. August schrieb Augstein dem »lieben *Spiegel*-Leser« herzlichst: »Klibansky als Anwalt der bayerischen Judenheit« habe zuvor eine einstweilige Verfügung gegen den *Spiegel* beantragt. Augstein beschrieb den Juden:

»Dieses Zwischending von einem römischen Volksredner und einem Teppichhändler aus Smyrna, dieser kleine dicke Mann …, der mit der Behendigkeit eines Waschbären und mit dem Habitus eines Pinguins den Gerichtssaal durchmaß …«

Und beklagte sich, dass in der Verhandlung »der Vergleich mit dem *Stürmer* mehr als einmal zelebriert« worden sei.[11]

* * *

Die Aufklärungsserie des *Spiegel* über den von Juden- und DP-Terror beherrschten Kaffeeschmuggel stammte nicht aus der *Spiegel*-Redaktion. So wie – Aufklärung aus erster Hand – die *Spiegel*-Serie über die Gestapo vom Gestapo-Chef, über Himmlers Reichskriminalpolizei vom SS-Hauptsturmführer aus ihren Reihen verfasst wurde, so wurde die *Spiegel*-Serie über den ruinösen Kaffee-Schmuggel im Kontor des an der Ausschaltung des Schmuggels höchst interessierten Kaffeehandels geschrieben – und natürlich mit Kaffeeanzeigen (»Wenn Bohnenkaffee, dann IDEE oder Darbohne«) garniert.

Aber das ist eine sehr vordergründige Sicht. Gewiss, die beiden Autoren hießen Georg Wolff und Dr. Horst Mahnke, der eine PR-Mann, der andere Chef der Abteilung Marktbeobachtung beim Kaffee-Einfuhrkontor im Hamburger Freihafen. Dass sich der *Spiegel* damals seine Serie von Vertretern des Verbands schreiben ließ, dessen Interessen in dieser Serie nachhaltig gefördert wurden, ist heute kaum noch aufregend.

Es gibt auch noch eine untergründige Sicht. Ein Kontor im Hamburger Freihafen, das sich mit dem Import aus der großen weiten Welt, aus Südamerika etwa, befasste, war nach dem Ende der NS-Herrschaft für bestimmte Leute auch für Export, für stille Hilfe, sehr interessant. Mahnke und Wolff waren schon vor ihrer Kontortätigkeit Kollegen, sie waren beide SS-Hauptsturmführer des SD (Sicherheitsdienst) im Reichssicherheitshauptamt. Nicht vom Amt IV Gestapo – da war schon Rudolf Diels, der allererste Chef, Serien-Autor. Nicht vom Amt V Reichskriminalpolizei – da war SS-Hauptsturmführer Bernhard Wehner als Autor für Augstein tätig. Nein, die beiden Hauptsturmführer Mahnke und Wolff waren im Amt VII, Gegnerbekämpfung, tätig. Dort, wo das Material gegen Juden, Marxisten und Freimaurer gesammelt und zur weiteren Veranlassung ausgewertet wurde.

Während des Krieges gehörte Georg Wolff, der schon mit neunzehn Jahren in der SA war, in Norwegen dem Stab des Befehlshabers der Sicherheitspolizei und des SD an. Dorthin war er im April 1940 eingefallen mit seinem Befehlshaber Dr. Franz Stahlecker, der sich später als Chef der Einsatzgruppe A im Osten rühmte, 128 432 Juden umgebracht zu haben. Wolff blieb bis 1945 zurück auf der Victoria-Terrasse in Oslo, dem Zentrum des Nazi-Terrors in Norwegen.

Beide, Mahnke und Wolff, waren Schüler eines Zeitungswissenschaftlers, Professor Dr. Franz Alfred Six, zunächst in Königsberg. Six wurde schon mit dreißig Jahren Dekan einer eigens für ihn an der Berliner Kaiser-Wilhelm-Universität geschaffenen Auslandswissenschaftlichen Fakultät und nahm seine Schüler mit nach Berlin.

Mit dem seinerzeit höchst dankbaren Thema »Die freimaurerische Presse in Deutschland. Struktur und Geschichte« holte sich Mahnke nach Kriegsbeginn am 17. Oktober 1939 seinen Doktortitel bei dem Professor für Zeitungswissenschaften. Six war auch Spezialist für, vielmehr gegen das jüdische Freimaurerunwesen.

Mahnke wurde sein Hochschulassistent. Als dann der SS-Standartenführer Professor Dr. Franz Alfred Six – ob neben- oder hauptberuflich, wer konnte das noch unterscheiden – das Amt VII »Weltanschauliche Forschung und Auswertung« in Reinhard Heydrichs Reichssicherheitshauptamt übernahm, brachte er seinen Assistenten, den damaligen SS-Untersturmführer Dr. Horst Mahnke mit, der übernahm das Referat VII B3 Marxismus.

Im Sommer 1940 – der sechzehnjährige Rudolf Augstein besuchte noch in Hannover das Ratsgymnasium – bekam Professor Six einen Auftrag im Rahmen des Unternehmens »Seelöwe«: Er durfte sich mit seinen Leuten an der Vorbereitung der Verhaftungslisten für Großbritannien beteiligen, die wir schon kennen (siehe S. 43). Der sechsundzwanzigjährige Horst Mahnke, der schon immer die Vorlesungen seines überlasteten Professors ausgearbeitet hatte, half ihm auch bei der wichtigen Arbeit für den Einsatz gegen England.[12]

Nachdem der Schüler Augstein den Erfolg des Unternehmens in einem Schulaufsatz skeptisch beurteilt hatte, wurde das Unternehmen Seelöwe von Hitler abgeblasen. Augsteins späterer Mitarbeiter hatte sich – bei *Spiegel*-Schreibern keine Seltenheit – umsonst bemüht.

1941 aber zogen der Professor und sein Assistent Mahnke tatsächlich zwecks praktischer Anwendung ihrer Gegnerforschung in den Krieg. Six wurde Leiter einer mobilen Mordtruppe, des Vorauskommandos Moskau der Einsatzgruppe B, Mahnke wirkte als sein Adjutant.

Chef der Einsatzgruppe B war Arthur Nebe. Six aber wollte sich Nebe nicht unterstellen, er wollte keine Befehle von einem gleichrangigen Amtschef entgegennehmen. Es gab Krach, weil Six auf der Sonderrolle seines Kommandos beharrte. Und so stehen wir vor dem Ergebnis, dass die drei Fraktionen aus dem Reichssicherheitshauptamt, denen es gelungen ist, auf Rudolf Augstein maßgebend Einfluss zu nehmen, einander spinnefeind sind: Gestapo, Kripo und SD.

Das Vorkommando Six sollte in Moskau die Listen der KPdSU-Mitglieder zwecks Liquidation sichern. Bekanntlich kam Deutschland nicht so weit. Aber schließlich war man nicht unterwegs, damit sich nichts ereigne. Und so gibt es zum Beispiel die Ereignismeldung Nr. 73 vom 4. September, wonach das Vorkommando Moskau sechsundvierzig Personen liquidierte, darunter achtunddreißig intellektuelle Juden, die versucht hätten, »im neu errichteten Ghetto von Smolensk Unzufriedenheit und Unruhe« hervorzurufen. Als Six-Adjutant dabei: Horst Mahnke.[13]

Da aus Moskau nichts wurde, zog es Six wieder an seinen Lehrstuhl nach Berlin; hier war Mahnke wieder Assistent und nicht Adjutant wie beim Liquidieren im Osten. Dann übernahm Six – das ist Karriere im Dritten Reich – nach dem Mordkommando als Gesandter I. Klasse die Leitung der Kulturpolitischen Abteilung. Jetzt wieder als Adjutant mit dabei: der inzwischen zum SS-Hauptsturmführer aufgerückte Dr. Horst Mahnke. Zu den kulturellen Aufgaben des neuen Amts gehörten Vorträge, in denen Six – wie am 3./4. April 1944 in Krummhübel – die wissenschaftliche Erwartung aussprach: »Die physische Vernichtung des Ostjudentums entzieht dem Judentum die biologischen Reserven.«[14]

1945 tauchte Six mit Mahnke unter. Mahnke organisierte eine Untergrundgruppe jüngerer Marineoffiziere, Ex-Reichsjugendführer und SD-Funktionäre für kommende Aufgaben, alle, wie er formulierte, hundertprozentig zuverlässige Leute. Er wurde am 29. Januar 1946 festgenommen.[15]

* * *

Im *Spiegel* tauchten Mahnke und Six am 29. Dezember 1949 auf. Über Mahnke, der schon ein halbes Jahr später Co-Autor der Kaffeeserie war, stand zu lesen – es war also dem *Spiegel* nicht unbekannt –, dass er Referent eines Professors und SS-Standartenführers Dr. rer. pol. Franz Six gewesen sei, dem ein Agent namens Walter Hirschfeld übel mitgespielt habe. Dieser Artikel zeigte die gleiche Handschrift wie ein halbes Jahr später die Kaffee-Serie. Von dem Agenten Hirschfeld wurde nicht nur die »Blutwarze auf der Knollnase« beschrieben, die Adresse von Hirschfelds »Feudalwohnung« war unverfehlbar angegeben: »Hirschgasse Nr. 16 (3mal läuten)«. Die Telefonnummer (»Hdlbg 5833«) zur persönlichen Aussprache zwischen den *Spiegel*-Lesern und dem Denunzianten anständiger Deutscher wurde sorgfältig vermerkt, ebenso wie die Autonummer AW 66–4443 seines »uralten 2-Liter-Adler«. Mit solch präzisen Angaben las sich ein offener *Spiegel*-Artikel von damals wie eine geheime Stasi-Akte später.

Vorwurf des *Spiegel:* Hirschfeld habe sich im Januar 1946 in das Vertrauen der Six-Schwester Marianne eingeschlichen, die habe ihm den Unterschlupf ihres Bruders und seines Adjutanten Mahnke genannt. Beide wurden vom Secret Service festgenommen. Das alles präsentierte der *Spiegel* als Verrat eines Kameraden und als Mord: Die Six-Schwester wurde tödlich vergiftet aufgefunden. Der *Spiegel* stellte den mutmaßlichen Selbstmord ohne jeden Beweis als Tötung durch Hirschfeld dar. Über die Tätigkeit von Six selbst dagegen kein aufklärendes Wort, obwohl das Nachrichtenmagazin im Jahr zuvor dreimal aus dem Nürnberger Einsatzgruppen-Prozess berichtet hatte, in dem auch Six zu zwanzig Jahren Zuchthaus verurteilt worden war.[16]

Am 16. Februar 1950 erschien im *Spiegel* ein Leserbrief – Unterschrift: Dr. Mahnke aus Mehrum (in dem kleinen Ort, wo Horst Mahnke mit den falschen Vornamen Jörg Michael einen vorläufigen Pass bekommen hatte,[17] gab es wohl manche an solchen Themen Anteil nehmende *Spiegel*-Leser, siehe S. 242). Der Mahnke-Brief machte Interessierte darauf aufmerksam, dass Hirschfeld, der 1946 die Festnahme von Six (und die von Mahnke) ermöglicht hatte, ein »schlecht blondierter Agent« sei. Ein anderer Leserbrief – unter der Überschrift »Auf der Liste« bereitwillig gedruckt, obwohl die Unterschrift »Name uninteressant« hieß – wurde deutlich: »Um den Hirschfeld machen Sie sich man keine Sorgen, der steht sowieso schon auf der Liste und wird wohl keines natürlichen Todes sterben.«[18]

Tatsächlich war der *Spiegel*-Beitrag vom Dezember 1949 unter dem in jeglicher Hinsicht sachdienlichen Titel erschienen: »Merkt euch den Namen Hirschfeld.«

Jetzt aber wurde es Augstein doch etwas peinlich, dass der *Spiegel* so umstandslos als Feme-Organ betrachtet werden konnte, ganz aber wollte er sich davon auch wieder nicht distanzieren. Und so schrieb er dem »lieben *Spiegel*-Leser« herzlichst, einige hätten aus dem *Spiegel*-Artikel die Aufforderung herausgelesen, »dem Hirschfeld ein Leids zu tun«. Doch da gab sich Augstein friderizianisch tolerant:

> *Erstens:* »Es wäre verkehrt, dem Hirschfeld ein Haar zu krümmen.«
> *Zweitens:* »Er mag so leben, wie es ihm in diesem Land noch möglich ist.«
> *Drittens:* »Die Amerikaner mögen sich überlegen, ob sie sich von dem Sturm und Drang ihrer ersten Jahre hier nicht entschieden absetzen sollten.«[19]

* * *

Warum sollten sich *Spiegel*-Leser den Namen Hirschfeld merken? Und warum wollten *Spiegel*-Leser diesen Mann getötet sehen? Hirschfeld war der Feme verfallen. Er war auch für den *Spiegel* ein Verräter. Das Untertauchen von SS-Massenmördern wurde von Augstein gebilligt, wer die Untergetauchten ans Tageslicht zog, galt auch für ihn als Denunziant. Dafür bietet die *Spiegel*-Geschichte über die Entdeckung von Six und Mahnke durch Hirschfeld noch ein schönes Beispiel:

> »Am frechsten hat er dem Augsburg mitgespielt. Kurz vor der Kapitulation war der SS-Sturmbannführer Dr. habil. Emil Augsburg, Russland-Spezialist im Amt VI (des Reichssicherheitshauptamtes), als Privatsekretär eines hohen Vatikanbeamten polnischer Herkunft im Benediktiner-Kloster Ettal untergetaucht.«

Zu ihm sei Hirschfeld gekommen, angeblich als Beauftragter von Six, und habe ihm nachrichtendienstliche Aufträge übermittelt. Der *Spiegel:*

> »Augsburg trommelte seine alten Fachleute zusammen. Tolle Dinger wurden gedreht. Nicht immer einwandfrei, nicht immer ungefährlich. Aber für Six wurde es getan.«

Für den *Spiegel* ein empörender Betrug. Denn Hirschfeld, mit seinem »verpickelten Gesicht« war nicht im Auftrag von Six, sondern des US-Geheimdienstes CIC erschienen. Tolle Dinger aber sind nur dann richtig toll, wenn sie tatsächlich auch für den Führer eines Judenmordkommandos gedreht werden.

Wer war dieser Six-Mitarbeiter Augsburg, der später für die Organisation Gehlen und dann für die CIA arbeitete?

SS-Standartenführer Dr. Emil Augsburg hatte vor 1945 eine Liquidationskartei sowjetischer Persönlichkeiten angelegt und »außergewöhnliche Ergebnisse ... bei Sondereinsätzen« – beim Massenmord also – erzielt. Wie er wurden Hunderte von NS-Verbrechern über die »Organisation Gehlen« direkt in den Bundesnachrichtendienst übernommen. Christopher Simpson schreibt in *Der amerikanische Bumerang. NS-Kriegsverbrecher im Sold der USA:*

> »Gehlens zweitwichtigster Mitarbeiter für Ostangelegenheiten war Dr. Emil Augsburg, ein ehemaliger SS-Standartenführer aus Himmlers Stab in Polen. Wie Eichmanns hatte auch Augsburgs Laufbahn in Six' Abteilung begonnen ... Während des Krieges leitete Augsburg ... ein Mordkommando im besetzten Russland.«

Simpson weiter:

> »Nach dem Krieg blieben Augsburg und Six mit den früher von Berlin finanzierten Emigrantengruppen in enger

> Verbindung und berieten die CIA bei der Auswahl von Agenten, die in Osteuropa bei Operationen hinter den Linien eingesetzt wurden.«[20]

Eigentlich war Rudolf Augstein gewarnt. Der *Spiegel* hatte sich wegen der Kaffee-Serie von Mahnke und Wolff öffentlich den Vorwurf des Antisemitismus zugezogen. Augstein musste, wenn er den *Spiegel* vom 29. Dezember 1949 gelesen hatte, wissen, dass Mahnke die rechte Hand von Franz Alfred Six war, einem gerichtsnotorischen Massenmörder.

Es scheint ihn nicht gekümmert zu haben. Am 27. Februar 1952 zeichnete im *Spiegel*-Impressum noch einmal Kurt Blauhorn für das Ressort Ausland und Internationales verantwortlich, ein früherer Redakteur des *Neuen Deutschland*, der bis zu seiner Flucht den *Spiegel* mit Informationen beliefert hatte. Am 5. März 1952 war das Ressort dann aufgeteilt. Ressortleiter Ausland war jetzt Georg Wolff, Ressortleiter Internationales Dr. Horst Mahnke.

* * *

Mahnke und Wolff: vom SD, der Mordzentrale des Reichssicherheitshauptamts, über den Freihafen-Kaffeehandel direkt in die Chefsessel zweier *Spiegel*-Ressorts – das sind zwei ungewöhnliche Karrieren, die nach Aufklärung schreien müssten. So schrieb ich es 1992 für die *Zeit:* Schon gar bei einem Organ, schrieb ich weiter, das seit fünfundvierzig Jahren aufklärerisch zu wirken sich bemüht. Doch da schrie nichts nach Aufklärung, denn der SD hieß – Rudolf Augstein wird das begründen können – nun einmal nicht Stasi.

In der *Zeit* wurde der Artikel nicht gedruckt, er erschien in *konkret*, und 1997 gab es die Reprise. Ich hatte Lutz Hachmeister, den damaligen Chef des Grimme-Instituts, bei einer Podiumsdiskussion in Marl kennengelernt, wo er mich auf den *konkret*-Artikel ansprach. Er saß gerade an einer größeren wissenschaftlichen Arbeit über die Karriere von Franz Alfred Six. Dazu schrieb er jetzt im Anhang einen Exkurs über die Frühgeschichte des *Spiegel* mit Mahnke und Wolff im Mittelpunkt, der bestätigte, was ich geschrieben hatte, und anhand von Aktenfunden in den Archiven weit darüber hinausgehen konnte.

Eine Zusammenfassung seiner Forschung bot er rechtzeitig zum fünfzigjährigen *Spiegel*-Jubiläum 1997 ebenfalls der *Zeit* an. Der Chefredakteur hatte gewechselt – er hieß jetzt Robert Leicht, doch die Hämorrhoiden waren geblieben. »Wenn wir das drucken, fangen die an, über uns zu recherchieren«, ließ der auch sonst eher ängstliche Nachfolger Hachmeister ausrichten.[21]

Diesmal sprang die *tageszeitung* ein und veröffentlichte Hachmeisters *Spiegel*-Untersuchung. Fünf Jahre zuvor hatte der *Spiegel* gemauert und nachfragenden Journalisten fast jede Antwort verweigert. Das ließ sich zum fünfzigjährigen Jubiläum nun nicht mehr völlig durchhalten. Als die ARD-*Tagesthemen* den Jahrestag abfeierten, erkundigte sich Sabine Christiansen beim *Spiegel*-Herausgeber nebenbei, aber live nach seinen SS-Offizieren. »Es sind drei richtige Fälle«, antwortete Augstein der Moderatorin, »die kann ich erklären.«

Er erklärte zwei. Falsch.

> »Da war der Kriminalrat Bernd Wehner, der wurde mein Polizeireporter, im übrigen war er kein SS-Mann natürlich, sondern ein Hauptmann der Kriminalpolizei, der 1954 die Kripo in Düsseldorf übernahm. Der Fall ist schon erledigt damit.«

Folgte der zweite SS-Hauptsturmführer des *Spiegel*-Gründers Augstein:

> »Dann Georg Wolff, der war nie Nationalsozialist, er war ein naiver Europäer. Er hat mich beschimpft, weil ich so

national sei, und niemand hat über die Achse de Gaulle/ Adenauer so anrührend geschrieben wie er. Er war ein großer Journalist. Und litt bis zuletzt an der unbestreitbaren Tatsache, dass er Hauptsturmführer im SD gewesen war. Ich hake diesen Fall auch ab.«

Den dritten, den schlimmsten – Hauptsturmführer Horst Mahnke, den Adjutanten beim Mordkommando – vergaß er in der Eile des Abhakens.

Augsteins »großer Journalist«, der Hauptsturmführer Georg Wolff, als Neunzehnjähriger in der SA, seit 1936 beim SD, laut Personalbericht »in jeder Hinsicht Nationalsozialist« mit ausgeprägter »Willenskraft und persönlicher Härte«,[22] durfte als »Georg der Deutsche«, wie ihn Augstein früher nannte,[23] Augsteins Kolumnen gegenlesen, wurde 1959 sogar stellvertretender Chefredakteur und fiel während der *Spiegel*-Affäre Augstein in den Rücken (siehe S. 140f.). Ulrich Greiwe, der 1994 einen Essay *Rudolf Augstein – Ein gewisses Doppelleben* schrieb, entdeckte, ohne von Wolffs Vergangenheit irgend etwas zu wissen, aus einer Textanalyse viel Wahrheit:

»*Spiegel*-Redakteur Wolff, in seiner Mischung aus philosophischem Pathos und aktueller Provokation damals [1956] der stilverwandteste in Augsteins Führungsriege, begann die Titelgeschichte über den welterregenden Aufstand in Ungarn ganz im Sinne seines Herausgebers: ›Heute ist klar, dass sich unter der versteinerten, in Parteidoktrinen und barbarischen Normen erstarrten Oberfläche der politischen Ordnung, die der titanische Tyrann Stalin in Osteuropa errichtete, ein glühendes Lavameer der Verzweiflung, des Hasses und des Sehnens nach einem besseren Leben angesammelt hatte. Anders ist nicht zu erklären, was in den letzten Wochen in Ungarn geschah.‹«[24]

Völlig unkritisch aber zeigte sich der Herausgeber gegenüber seinem SS-Hauptsturmführer nicht. Als einmal Gehlen zu Besuch beim Ehepaar Wolff war – *Arnold* Gehlen, der große Sozialphilosoph, der dafür eintrat, dass der Mensch sich von den Institutionen »konsumieren« lässt, nicht Reinhard, der war auch sehr nett, gehörte aber doch mehr zum Bekanntenkreis der Verleger Hans-Detlev Becker[25] und Gerhard Frey[26] –, da war Rudolf Augstein auch dabei und entdeckte bei seinem Stellvertreter einen ihn empörenden Verstoß gegen die weibliche Emanzipation: Auf dem Türschild stand »Georg Wolff«. Am nächsten Tag kam – wie ein Dieb in der Nacht – Augsteins Chauffeur vorbei und wechselte das Türschild aus. »Hanna und Georg Wolff« prangte jetzt an der Tür.

Kollege Brawand, der diese schöne Episode aus dem Leben seines Herausgebers überliefert hat,[27] meinte dazu, Rudolf Augstein erweise sich »auch wo Erotik nicht ins Spiel kommt, als Kavalier eigener Schule«. – Klar, Frau Hanna hatte schon als SD-Sekretärin auf der Victoria-Terrasse in Oslo ihren Mann gestanden.

Ach ja, noch eine hübsche Episode hat Lutz Hachmeister herausgefunden, als er einen etwas anderen Six-Schüler als Mahnke und Wolff befragte, den späteren Rundfunkintendanten Hans Abich. 1945, auf der Flucht in Salzburg, ließ sich Six von ihm einen Tornister organisieren und fragte zum Abschied: »Sagen Sie, Herr Abich, was glauben Sie, wann wird unsereiner wieder publizieren können?«

Abich war erst einmal erschrocken: Woran denkt der, der will doch erst mal sein Leben retten. Doch Six fragte weiter: »Fünf Jahre?« Da unterbrach ihn sein Begleiter, der SS-Hauptsturmführer Dr. Horst Mahnke: »Wenn überhaupt, 20 Jahre.«[28]

Die Voraussage des Gefährten beim Lehren und Liquidieren war realistisch: Six wurde in Nürnberg zu zwanzig Jahren Gefängnis verurteilt. Mahnke kam als Zeuge davon. Aber sie war nicht realitätsnah. 1952 wurde Six vorzeitig aus dem Kriegsverbrechergefängnis in Landsberg entlassen. Ein Jahr später war er als Gesellschafter des Leske-Verlags bereits Verleger und brachte dort auch die wiedererschienene *Zeitschrift für Geopolitik* mit raumgreifenden und antijüdischen Beiträgen heraus.

Und er verlegte im Oktober 1953 die beiden *Spiegel*-Ressortleiter Mahnke und Wolff mit einem Buch: *1954 – Der Frieden hat eine Chance*, das einige den Autoren sehr unangenehme Zeiterscheinungen beschrieb:

> »Selbst ein so in der zivilisatorischen Entwicklung zurückgebliebener Menschenblock wie das Negertum Afrikas meldete nach dem zweiten Weltkrieg seinen Anspruch auf einen Platz in der Weltgeschichte an.«[29]

Oder ganz im erlernten Nazi-Jargon:

> »Die täglichen polizeilichen Fischzüge im Sumpf des Untermenschentums ziehen fast nur gemeines Verbrechertum an Land.«[30]

Mahnke und Wolff, die in einem Absatz gleich zweimal das Wort »Untermenschentum« unterbrachten, bestimmten nun auf Jahre die Auslandsberichterstattung des *Spiegel*.

Zwei Monate zuvor hatte Kriegsverbrecher a.D. Franz Alfred Six ein noch wichtigeres Buch herausgebracht: Jens Daniel: *Deutschland – ein Rheinbund?*, Rudolf Augsteins gesammelte *Spiegel*-Kolumnen vom 2. Oktober 1948 bis zum 5. August 1953. Ein Schnellschuss: Das gelbe Taschenbuch, in dieser Kolumne im *Spiegel* angekündigt, war schon zwanzig Tage später an allen Kiosken zu haben. Auf der Rückseite soviel Deutschland wie nur möglich. Der Westen weiß – der Osten, einschließlich aller polnischen Gebiete, rot.

Das anonyme Vorwort könnte SS-Brigadeführer Franz Alfred Six selbst geschrieben haben, es empörte sich: »Der amerikanische Außenminister konnte ohne Dementi aus

Bonn erklären, der deutsche Bundeskanzler habe ihm gesagt, er sei gegen eine deutsche Nationalarmee, damit es zwischen den europäischen Völkern nie wieder Krieg gebe.« Da geistere wieder einmal »das Schreckgespenst des ›preußischen Militarismus‹« hervor.[31]

Ein knappes Halbjahrhundert später muss es eine Opposition gegen Augstein in der Anzeigenabteilung des *Spiegel* gegeben haben. Kaum war 1998 Hachmeisters Buch erschienen, kaufte sich der *Spiegel* für 154 680 Mark – das jedenfalls war der Tarif – eine Doppelseite im *Stern:* Links auf Seite 188 vor dunkel dräuenden Wolken steht ganz klein der Spruch »*Spiegel*-Leser wissen mehr«. Gegenüber auf Seite 189: Barbie in Rodins Denkerpose auf einem Felsen sitzend. Dazu rechts oben der Schriftzug *Der Spiegel* – sonst, außer dunklen Wolken, nichts.

Es war freilich, damit keine Missverständnisse aufkommen, nicht der Mahnke&Wolff-Kollege Klaus Barbie abgebildet, dessen Einsatz gegen »jüdische bzw. emigrantische Organisationen« bei Hachmeister erwähnt ist. Es handelte sich vielmehr um eine schmächtige Barbie-Puppe mit vorgefertigter und deutlich sichtbarer Gelenkigkeit.

Nur die Strippen, an denen diese Barbie-Puppe gezogen wird, sah man nicht. Aber die *Spiegel*-Leser wussten ja mehr. Nämlich, was den *Spiegel* betrifft: nichts.

KAPITEL 17

»Für ein gesundes Deutschland« – Das Reichssicherheitshauptamt redigiert den *Spiegel*

»Nazi-Verbrechen und Zusammenbruch hatten eine Einheitsfront gegen Krieg und Ausbeuterkapitalismus geschmiedet, die Verbundenheit mit den Opfern des Nationalsozialismus war von Scham diktiert.«

Leo Brawand zum fünfzigjährigen Jubiläum des Spiegel[1]

Rodins Statue »Ehernes Zeitalter« steht, beobachtet der *Spiegel*, der bei Dr. Werner Naumann zu Gast ist, »en miniature mit einer geballten Faust auf dem Fensterbrett«. Es ist die Ausgabe des deutschen Nachrichtenmagazins vom 5. August 1953, Seite 6. Blättert man die Seite zurück, steht inmitten der Kolumne von Jens Daniel noch ein Kasten mit dem Hinweis, dass in zehn Tagen für 1,90 DM *Deutschland – ein Rheinbund?* erscheint, Augsteins große Anklage gegen Adenauer. Und zwar im C. W. Leske Verlag.

Der gehört, das wissen wir schon, dem früheren SD-Chef der beiden neuen *Spiegel*-Ressortleiter Mahnke und Wolff, dem seit einem Jahr aus dem Gefängnis entlassenen SS-

Gruppenführer a. D. Franz Alfred Six. Und wenn man wieder weiterblättert zu Dr. Werner Naumann, auf Seite 6, dann wird man feststellen, dass es sich um den Staatssekretär a. D. des Reichsministeriums für Volksaufklärung und Propaganda handelt, der soeben nach halbjähriger Untersuchungshaft aus dem Gefängnis in Werl entlassen wurde. Wie Six und der Goebbels-Vize Naumann zusammenhängen, davon gleich.

Zuerst einmal müssen wir uns, so behutsam wie der *Spiegel* sonst selten ist, um den »noch von der Haftpsychose befangenen« Goebbels-Stellvertreter kümmern. Denn der »bereits in den Kriegsjahren viermal Verwundete« kann »in seinen ersten Freiheitstagen schwer begreifen, dass Adenauer als ›profilierte Persönlichkeit‹ nach wie vor von der Naumannschen Schuld überzeugt ist und so wenig menschliche Größe besitze, einen Irrtum einzugestehen …«[2]

Eigentlich ist es unerklärlich, wie das alles passieren konnte. Der *Spiegel* hat, seit sich im Januar dies alles zutrug, in einer Folge von anrührenden Geschichten versucht, die Absurdität der britischen Verhaftungsaktion gegen ganz normale deutsche Männer zu beschreiben. Die erste beschäftigte sich zunächst fast eine Seite lang mit dem absonderlichen Geschehen, das sich eine Woche zuvor gegen 22 Uhr 20 im Haus des »praktischen Arztes und Geburtshelfers Dr. med. Heinrich Haselmayer, 40, in der Hamburg-Bergedorfer Chrysanderstraße 32« zugetragen hatte.

Fünfzehn mit Maschinenpistolen bewaffnete britische Militärpolizisten stürmten das friedliche Haus und verteilten sich auf alle Räume. Drumherum standen weitere zwölf bewaffnete Militärpolizisten. Der Geburtshelfer wurde verhaftet, seine vier Kinder wurden geweckt und während der Haussuchung in ein unbeheiztes Nebenzimmer gebracht. »Die häufigen Bedürfnisse der vierjährigen Christiane durften nur unter militärpolizeilicher Aufsicht verrichtet werden«, registrierte der *Spiegel*.

Eine Erklärung für »das ungewöhnliche Treiben« der Männer, die »auf die in Schulenglisch vorgetragenen Anknüpfungsversuche des ältesten der vier Kinder nicht reagierten«, blieb aus. Alles wurde durchsucht. »Auch der WC-Wasserkasten blieb nicht verschont.« Und selbst die Telefonverzeichnisse nahmen die Briten mit.[3]

Der bedauernswerte Geburtshelfer war lediglich irgendwelchen absurden Vorstellungen der englischen Besatzungsbehörden zum Opfer gefallen. Ich las das damals schon als gerade Achtzehnjähriger – die eine Mark für das Sturmgeschütz der Demokratie knapste ich mir als reichlich mittelloser Schüler ab – und glaubte es, so wie ich acht Jahre zuvor noch an den Führer geglaubt hatte.

Das »Opfer« Haselmayer, dieser praktische Arzt, war Hamburger NS-Studentenführer, Rassenforscher und als Sterilisierungsexperte eher das Gegenteil eines Geburtshelfers. 1935 wurde ihm die seltene Ehre zuteil, als Vorbild der Bewegung in das nationalsozialistische *Deutsche Führerlexikon* aufgenommen zu werden.

Die bewegende Haselmayer-Geschichte stand unter der flapsigen Überschrift »Nau-Nau« (nach der 1952 von den britischen Kolonialherren unterdrückten »Mau-Mau«-Aufstandsbewegung in Kenia). Erst nach der zweispaltigen Einleitung über die Leiden des Geburtshelfers erfuhren *Spiegel*-Leser, worum es ging: Um eine Verhaftungsaktion der britischen Besatzungsmacht gegen eine Gruppe ehemals führender Nazis um den einstigen Staatssekretär im Propagandaministerium Werner Naumann, den Hitler als Nachfolger von Goebbels ausersehen hatte.

Die Engländer! Verschwörung? Von wegen. Alles harmlos. Ich las im *Spiegel:*

> »Der Kreis war eher eine NS-Erinnerungsgemeinde und eine braune Hilfe, die Stellungen vermitteln wollte. Der Kreis war weder geschlossen noch ein Kreis im geometrischen Sinne, dessen Punkte – sprich Mitglieder – vom

Mittelpunkt gleich weit entfernt waren. Die meisten der etwa hundert Gesinnungsfreunde waren nur durch gelegentliche Besuche und Korrespondenzen verbunden.«

Woher der *Spiegel* das alles so schnell und so genau wusste? Ach Gott, man kannte sich. Man gehörte zum Kreis. Man pflegte auch Erinnerungen. Und bezog Stellungen. Schließlich saß das Reichssicherheitshauptamt mitten in der Redaktionsspitze. Die beiden Hauptsturmführer im Sturmgeschütz der Demokratie, Mahnke und Wolff, waren mit der NS-Erinnerungsgemeinde eng verbunden. Und sie sorgten auch für Ordnung innerhalb des SD-Kameradenkreises. So wurde der früher ebenfalls für die Six-Abteilung im Reichssicherheitshauptamt tätige ehemalige SD-Agent und SS-Sturmbannführer Giselher Wirsing[4] im *Spiegel* zur Ordnung gerufen. Der nunmehrige Chefredakteur von *Christ und Welt* war nach 1945 von der US-Besatzungsmacht in Oberursel interniert. Die Reichssicherheitshauptleute des *Spiegel* hielten dem einstigen SD-Kollegen Wirsing vor, dass er dort zusammen mit dem NS-Botschafter Otto von Hentig in einer Denkschrift für den US-Geheimdienst die »Idee von Deutschland als einer US-Kolonie erbrochen« habe. Das sei, meinten die Deutschland Treugebliebenen, »opportunistisch«[5] gewesen.

Der direkte Draht von Mahnke und Wolff zum Naumann-Kreis lief über ihren – und Eichmanns – früheren Chef Franz Alfred Six, der nach seiner kürzlichen Entlassung aus dem Kriegsverbrechergefängnis, das man im *Spiegel* damals gern nur »›Kriegsverbrecher‹-Haftanstalt« nannte (mit Tüttelchen, wie sie Springer, nun aber ganz anders gerichtet, später für die DDR verbrauchte), schnell in Kontakt mit dem »Gauleiterkreis« um den Goebbels-Staatssekretär getreten war.

Zur Naumann-Gruppe gehörten neben dem Namensgeber, nun Chef der Düsseldorfer Import-/Exportfirma Cominbel, Hans Fritzsche, der bekannteste Rundfunkkommentator der Nazis, der Heidelberger Six-Kommilitone und Reichsstudentenführer Gustav Adolf Scheel, die beiden Gauleiter Josef Grohé (Köln) und Karl Florian (Düsseldorf) und viele andere wichtige NS-Funktionäre – nicht zuletzt der einflussreiche Sprecher des Auswärtigen Amtes und streng antisemitische Ribbentrop-Vertraute Paul Karl Schmidt alias Paul Carell, der – darauf kommen wir noch – ebenfalls für den *Spiegel* tätig war.

Naumann hatte auch eine Partei fest in seiner Hand: die NS-FDP. Dieser Ehrentitel gebührte vor allem der nordrhein-westfälischen Parteiorganisation, aber auch den niedersächsischen und hessischen Freidemokraten. War es ein Wunder? Nein. »Ob man eine liberale Partei am Ende in eine NS-Kampfgruppe umwandeln oder mit einer föderalistischen Gemeinschaft« – gemeint war die Deutsche Partei – »großdeutsch handeln kann, möchte ich bezweifeln, wir müssen es aber auf einen Versuch ankommen lassen«, hatte Werner Naumann für eine Zusammenkunft in Hamburg am 18. November 1952 notiert (der *Spiegel* war sechs Wochen zuvor von Hannover an die Elbe gezogen) und hinzugefügt: »Gäbe es keine FDP, müsste sie noch heute gegründet werden.«[6]

Die Engländer fanden das Redemanuskript und auch ein Papier, auf dem der Goebbels-Nachfolger notiert hatte, was ihm in diesen schweren Zeiten eine FDP-Größe empfahl:

> »Um den Nationalsozialisten unter diesen Umständen trotzdem einen Einfluss auf das politische Geschehen zu ermöglichen, sollten sie in die FDP eintreten, sie unterwandern und ihre Führung in die Hand nehmen. An Einzelbeispielen erläuterte er, wie leicht das zu machen sei. Mit nur 200 Mitgliedern können wir den ganzen Landesvorstand erben. Mich will er als Generalsekretär o. ä. engagieren!!«[7]

Der FDP-Ratgeber für die eigene Unterwanderung hieß Dr. Ernst Achenbach, war als NS-Diplomat in Paris an der Deportation der französischen Juden beteiligt, saß nun seit 1950 für die FDP im Landtag und war unentbehrlich bei der Erschließung der Geldquellen der Ruhr-Industrie. Sobald die Bundes-FDP im Gefolge der Naumann-Verhaftung ein wenig Distanz zu Achenbach zeigte, bekam sie von der Industrie eins aufs Haupt. Der *Spiegel* betätigte sich als Alarmglocke und verlautbarte am 17. Juni 1953 unter der Überschrift »Hörensagen«: »Nach neuestem Bonner ›on dit‹ wenden zahlreiche Firmen der Ruhr-Industrie, die bisher den Wahlfonds der FDP unterstützen wollten, ihr Interesse der CDU zu.«

Wegen der Nazis in der FDP? Im Gegenteil. »Besondere Verstimmung«, warnte der *Spiegel*, herrsche bei der Industrie über die »Kaltstellung« des Rechtsanwalts und FDP-Politikers Achenbach.[8]

* * *

Die Meldung entstammte dem Machtbereich des Six-Adjutanten Horst Mahnke, der hatte seit einiger Zeit zusätzlich zu »Internationales« das von Augstein als besonders wichtig erachtete Ressort »Panorama« bekommen – die kleinen vielgelesenen Meldungen auf den ersten Seiten des *Spiegel*, mit denen sich vorzüglich Politik machen ließ. Und das ganz besonders mit dem »Bonner ›on dit‹«, das sich einer Beweispflicht entzog.

Auch die Interessen der ehemaligen SS- und SD-Leute ließen sich hier unauffällig vertreten. So hob Mahnke im Oktober 1952 – Überschrift: »Rettung« – eine Notiz ins Heft, dass auf einer Konferenz von Nato-Militärärzten der »große Nutzen« gerühmt worden sei, den die USA in der Schlussphase des Krieges gegen Japan »aus der Auswertung deutscher KZ-Experimente« gezogen hätten wie »Seewassertrinken, Kälteexperimente mit Häftlingen, abrupter Luftdruckwechsel usw.«.[9] Lebenshilfe vom deutschen Nachrichtenmagazin für SS-Ärzte, die wegen brutalster Menschenexperimente vor Gericht standen oder schon verurteilt waren.

Eine Woche später steht unter »Panorama« das Zitat des Amsterdamer *Telegraf* zur Begnadigung eines Mahnke-Kollegen, des Amsterdamer SD-Chefs Willy Lages:

> »Wir sind nicht mehr imstande, einen Deutschen hinzurichten, wenn der deutsche Staat sich hinter ihn stellt. Über kurzem fehlt uns die Kraft, einen Deutschen lebenslänglich gefangen zu halten. In einiger Zeit ist Lages ein freier Mann. Wir müssen – das ist die Konsequenz der elenden Politik, die nach dem Kriege geführt wurde – Deutschland schon wieder den Kopf in den Schoß legen. Wir haben Deutschland nötig für unsere Verteidigung, für unsere Wirtschaft und unsere Finanzen. Wenn Westdeutschland in zwei oder drei Jahren die Freilassung von Lages fordert, gestehen wir sie zu.«[10]

Solche Hilfestellung vom Adjutanten Mahnke musste in einem Essener Büro Begeisterung auslösen, das Ernst Achenbach betrieb und vom Stinnes-Konzern bezahlt wurde. *Dagens Nyheter* (Stockholm) im November:

> »In seinem Büro sind der frühere Reichskommissar von Dänemark, Dr. Werner Best, und der frühere SS-Obergruppenführer Professor Franz Alfred Six tätig. Außenpolitisch lehnen die Nazis den Generalvertrag und die Europa-Armee ab, weil sie Deutschland nicht genügend nationale Unabhängigkeit geben.«[11]

Six-Kollege Werner Best, Heydrich-Stellvertreter und geistiger Vater des Reichssicherheitshauptamts, konnte bis zu seinem Lebensende dank ärztlicher Atteste nie verurteilt werden, war aber gesund genug, um zugunsten seiner SD-Kollegen vor Gericht auszusagen und ihre Verteidigung vom Achenbach-Büro aus zu koordinieren. Und natürlich gehörten über Six auch Mahnke und Wolff zum Netzwerk des Dr. Best.

1956 zog Achenbach die Strippen, als die FDP-»Jungtürken« unter Wolfgang Döring, der einer der besten Freunde Augsteins war, zusammen mit der SPD die CDU-Regierung Arnold in Nordrhein-Westfalen stürzten.

Adenauer, mit dem bewährten Hans Globke an seiner Seite, begriff nach dem Machtwechsel in Nordrhein-Westfalen, womit er es da zu tun hatte: Achenbach, Best und Döring hätten es »in einer an die nationalsozialistischen Methoden erinnernden Weise verstanden, den Parteiapparat der FDP in die Hand zu bekommen«, sprach er am 10. März 1953 vor dem CDU-Bundesvorstand, und sie würden dabei »von gewissen Industriellen finanziell unterstützt«. Um die eigenen Geldgeber nicht zu vergrätzen, fügte Adenauer hinzu: »Ich betone: von gewissen Industriellen.«

* * *

Als die Briten dann im Januar 1953 unter Rückgriff auf das Besatzungsrecht den Geheimbund um Werner Naumann und Franz Alfred Six zerschlugen, kanzelte der *Spiegel* die Engländer ab, weil sie über »einflussreiche Verbindungen mit Ruhrindustriellen« schwadroniert hätten. »Also das«, so höhnte der *Spiegel,* »was in ausländischen Augen untrennbar zu einem revanchelüsternen pangermanischen Reich gehört.«[12]

Naumann, der letzte Propagandachef des Dritten Reichs, gab sich als geläuterter Nationalsozialist. »Obwohl die Parteigänger Hitlers verfolgt und gequält wurden«, schrieb er, »wie es in einem Rechtsstaat bisher nicht üblich war, obwohl man sie deklassierte und aus der Gesellschaft ausstieß, haben sie sich dennoch als ein vorbildliches Element der Ordnung, der Zuverlässigkeit und des Arbeitswillens erwiesen.«

Doch die Vorbildlichkeit der zuverlässigen Hitlerleute war für Naumann nur die eine Seite seiner Medaille; auf der anderen war für ihn klar erkennbar, dass »der sogenannte Antifaschismus nichts anderes war als eine geschickt getarnte

Offensive für den Bolschewismus, auf die viele unserer Staatsmänner blind hereingefallen sind«.[13]

* * *

Mit nur wenig anderen Worten beruhigte am Ende der Naumann-Affäre Jens Daniel, der Erfolgsautor des SD-Verlegers Six, seine *Spiegel*-Leser. Unter der von den richtigen Leuten leicht richtig zu verstehenden Überschrift »Für ein gesundes Deutschland« drängte er, was in anderen Fragen nicht seine Art war, auf Entwarnung:

> »Die Krankheit des Nationalsozialismus ist überraschend, wenn auch nach einer fürchterlichen Pferdekur, überwunden worden. Dass die alte Garde wieder nach vorn drängt, wen wundert das? Wie gründlich auch immer ein Regime abgehalftert wird, seine Nutznießer werden nach einer Weile doch wieder nach Macht und Einfluss streben. In Italien drohen die Neo-Faschisten bereits, ihre Gegner einen Kopf kürzer zu machen. Bei uns muss sich ein Naumann zum bewegten Verteidiger des Rechtsstaats aufwerfen, wenn er Stimmen fangen will. Es gibt kaum ein Volk, das so wenig chauvinistisch denkt wie derzeit das deutsche ... Es gibt keinen zuverlässigeren Partner gegen den Weltkommunismus.«[14]

Das war zahm wie Naumann in seinen öffentlichen Äußerungen und geschmeidig wie der Einsatzgruppenmörder Six, der neben seiner Verlagstätigkeit bald auch, wie Hachmeister beobachtete, dank seiner guten Kontakte im Netzwerk ehemaliger SD-Freunde große Erfolge als »selbständiger Unternehmensberater« erzielte.[15]

»Wir sind international wieder salonfähig geworden«,[16] freute sich Jens Daniel, und Georg der Deutsche mag das beifällig gegengelesen haben – die SS hatte sich stets für den

Europagedanken eingesetzt. Die rechtsradikale Deutsche Reichspartei stellte den wieder auf freiem Fuß befindlichen Naumann an die Spitze ihrer Landeslisten für den Bundestag. Die Entziehung des passiven Wahlrechts aufgrund der Entnazifizierungsbestimmungen verhinderte dann, dass er tatsächlich gewählt werden konnte.

Naumann kam nicht in den Bundestag. Mahnke zog nach einigen Jahren vom *Spiegel* weiter zu Springer, Wolff aber, als »Georg der Deutsche« Augsteins stets wachsames Gewissen, blieb beim *Spiegel* bis zu seiner Pensionierung aus Altersgründen.

KAPITEL 18

»Geläuterter Nationalsozialismus« – Drei Rosen am Ausschnitt

> »Was Augstein interessierte, wofür er ein Ohr hatte, was er womöglich respektierte, war die pure Gegenwart seines Gegenübers, falls ihn der interessierte, kein Davor und Danach.«
>
> *Der Schriftsteller Peter Schneider*[1]

Er war am 27. Mai 2000 der erste Programmpunkt bei der »größten nationalen Saalveranstaltung« am »zweiten Tag des Nationalen Widerstandes« in der Nibelungen-Halle. Vor dem »Parteiführer« Udo Voigt und dem »Visionär« Horst Mahler kam er, der »Zeitzeuge« Wilfred von Oven, achtundachtzig Jahre alt, zum Schauplatz nationaler Politik und Kultur nach Passau, wo Tausende Nationalisten aus ganz Deutschland sich versammelten. So ist es heute noch im weltweiten Internet nachzulesen.

Das Treffen mit Rudolf Augstein, fünfzig Jahre zuvor, war weniger öffentlich. Wilfred von Oven hatte einen Leserbrief an den *Spiegel* geschrieben, in dem er einige Angaben über den 20. Juli 1944 richtigstellte. »Ich bekam eine Einladung von Augstein«, erzählte er im Februar 1997 dem *Kritischen Tage-*

buch des WDR, »alle Unkosten für die Reise nach Hannover würden erstattet.«

Das muss man verstehen. Wilfred von Oven war von 1943 bis 1945 der letzte Adjutant von Joseph Goebbels, des Reichsministers für Volksaufklärung und Propaganda. Und für Aufklärung war Augstein immer zu haben. »Dann bin ich so schnell wie möglich dorthin gereist«, erklärte der Goebbels-Adjutant der Südamerikakorrespondentin des WDR Gaby Weber in seinem argentinischen Domizil. »Dann wurde ich bei Augstein zu Hause sehr freundlich empfangen, und da haben wir uns praktisch eine ganze Nacht miteinander unterhalten.«

Der Goebbels-Mann sagte Augstein, dass er noch unter falschem Namen im Untergrund lebe. Der antwortete: »Herr von Oven, das müssen Sie halt durchstehen, Sie haben das bisher geschafft, und Sie werden das weiter durchstehen.«

* * *

Beim *Spiegel* traf Wilfred von Oven alte Kameraden. Roman Stempka, von den Engländern als Mitherausgeber lizenziert, bis ihn Augstein 1952 preisgünstigst auszahlte, der war zusammen mit von Oven in der Legion Condor zum Kampf gegen die spanische Republik ausgezogen. »Und der hat dann dem Augstein natürlich gesagt: Kannste dich drauf verlassen, das ist der von Oven, den kenne ich schon aus dem Spanischen Bürgerkrieg.«

1939 war von Oven von Anfang an in Polen dabei, auch beim üblichen Mord, wie er selbst festhielt: ». . . trat ein Kommando der Ordnungspolizei unter dem Befehl eines Polizeileutnants an. Ein kurzes Kommando. Die Polizisten standen in Doppelreihe. Die ersten sieben Polen wurden vor der Mauer des Rathauses aufgestellt. Ein neues Kommando, die Karabiner gehen blitzschnell in Anschlag, zwanzig Schüsse hallen über den Platz, wie vom Blitz gefällt sinken die sieben um.«

Und das ist richtig so: »Ob die zwanzig erschossenen Polen schuldig oder unschuldig waren, ist eine Frage, die nicht beantwortet zu werden braucht. Ihr Tod war nötig, um zu verhindern, dass noch mehr deutsches Blut in dieser Stadt floss.« Dass sich die »Humanitätsapostel der westlichen Demokratien« darüber »die Mäuler zerrissen« haben, interessiert ihn nicht.[2]

Die mir vorliegende Auflage von *Schluss mit Polen*, seiner Aufklärungsschrift, 1939 noch »herausgegeben von einer Propagandakompanie«, umfasste das 31. bis 55. Tausend. Gut möglich, dass Rudolf Augstein die Broschüre als Arbeitsdienstmann im polnischen Chelmno zu lesen bekam.

* * *

Offensichtlich hatte der *Spiegel*-Chef den besten Eindruck. Wilfred von Oven: »Im Laufe unseres Gesprächs und vor allem zum Abschied hat er mir wiederholt gesagt: Ihnen stehen die Seiten meiner Zeitschrift offen, und ich hoffe, Sie werden sich als ein fähiger und wichtiger Mitarbeiter unseres Blattes erweisen. Und ich hatte Lust dazu.«

Der Goebbels-Adjutant wurde wie gewünscht fähig und wichtig für den *Spiegel*. Beim Honorar gab es wohl Unterschiede: Der eher linke Bernt Engelmann klagte, wie er in den ersten Jahren für eine Reportage über einen großen Streik an der Ruhr »das Honorar, wenn man es so nennen kann«, erst nach »langem Drängen und herzzerreißendem Jammern« ausbezahlt bekam, nachdem er eigens dazu nach Hannover gereist war, ein Honorar, das nicht einmal die Kosten für die telefonische Durchgabe des Manuskripts gedeckt habe[3] (er bekam zum Ausgleich bei seinem Tod 1994 einen Nachruf, in dem seine langjährige *Spiegel*-Tätigkeit nicht erwähnt, wohl aber eine »Wahrnehmungsstörung gegenüber manchen Lebenslügen der Linken« sowie »politische Einäugigkeit« gescholten wurden).[4]

Der Goebbels-Mann dagegen war sehr zufrieden, der *Spiegel* habe damals »ungewöhnlich hohes Honorar« bezahlt. Das ging nicht nach Zeilen, sondern ein großer Bericht über die Eröffnungsfeier des schleswig-holsteinischen Landtags wurde »nach Bedeutung und Umfang« bezahlt.

An die Bedeutung erinnerte er sich auch im Interview von 1997. Wie 1951 die Räume in Kiel nach der Festlichkeit ausgesehen hätten: »Und das war wirklich haarsträubend, es sah aus wie nach einem wüsten Gelage, mir wurden hinter den Sesseln verschiedene benutzte Präservative gezeigt. Und wir haben im *Spiegel* einen Bericht gebracht, dass das vielleicht nicht die richtige Art wäre, die demokratische Wiedergeburt des Landes Schleswig-Holstein zu feiern.«

Die Präservative hat er im deutschen Nachrichtenmagazin unterschlagen. Im *Spiegel* stand nur, damit der Goebbels-Adjutant der Demokratie auf die Beine helfe: »Am nächsten Morgen fand der Hausmeister die eingeweihten Räumlichkeiten in hässlichem Zustand vor: Brandlöcher in den neuen Klubsesseln, menschliche Exkremente aller Art auf dem spiegelnden Plattenfußboden, Urinspuren an den frischgestrichenen Wänden.« Und vor allem war da ein SPD-Landtagspräsident, der einen Vorbestraften zum Landtagsstenographen gemacht hatte. Grund: »Sie hatten zusammen im KZ gesessen.«[5]

* * *

Wilfred von Oven zog anderen, gewohnten Umgang vor und fand dabei viel Zuspruch von Augstein. »Ich habe Naumann durch Zufall in Düsseldorf wiedergetroffen«, erzählte von Oven Gaby Weber, »weil ich bei einem Auftrag, den ich für den *Spiegel* erfüllte, im Telefonbuch den Namen von Werner Naumann fand und bei ihm anrief, und siehe da, es war mein ehemaliger Staatssekretär. Er sagte, warum kommen Sie nicht mal zu Besuch, und können Sie heute bei uns zu Abend essen?«

Der *Spiegel*-Mitarbeiter konnte und staunte: »Ich bin dann mit 'ner Taxe rausgefahren, in einem Trümmerfeld, das Düsseldorf damals noch war, gab es also ein Haus, das war unversehrt, eine wunderschöne Villa mit großer Einfahrt, und es kam ein Diener in Livree und sagte: Sie sind sicher der Herr von Oven, Sie werden erwartet. Dann kam Naumann im Smoking, seine Freundin, das war die Frau eines ehemaligen Auslandsbeamten des Ministeriums, und die war im Abendkleid und hatte eine Rose in ihrem recht tiefen Ausschnitt. Und der *Spiegel* veröffentlichte dann auch meinen entsprechenden Bericht mit der Überschrift: ›Rose im Ausschnitt‹.«

Da hat sich der Mann aus dem Volksaufklärungsministerium wohl ein wenig geirrt: Die Rose war nicht in der Überschrift, es waren vielmehr »drei rote Rosen im Ausschnitt« und die blieben im Text. Aber ansonsten wurde eine schicke Homestory über das deutsch-belgische Dreierverhältnis daraus, die beiden männlichen Teile, Naumann und der ehemalige Ministeriumsangestellte Herbert Lucht, kamen von Goebbels, die gemeinsame Dame war Tochter eines belgischen Generals, und die Geschichte, die war so schön, dass mit Sicherheit der Chef persönlich seine kundige Hand an sie gelegt hatte. Sie hob so an:

> »Die ›sweet seventeens‹, das Backfischalter, hatte sie eben hinter sich, als im östlichen Nachbarland Hitler zur Macht kam. Sie konnte sich der magischen Anziehungskraft seiner über die Grenzen Deutschlands ausstrahlenden Idee ebensowenig entziehen wie ihr Landsmann Léon Degrelle[6] und verschrieb sich dem Nationalsozialismus mit zarter Haut und seidenglänzenden dunklen Haaren. Haut und Haare, die den deutschen Propaganda-Oberleutnant Herbert Lucht vielleicht noch mehr als die gemeinsame Weltanschauung bewogen, der schönen Brüsslerin die Hand zum Lebensbund auf NS-europäischer Grundlage zu reichen.«

Als sie dann in Düsseldorf verblieben, legte der nunmehr einstige Propagandastaatssekretär Dr. Werner Naumann (40) seine Hand als »Dauergast und Freund des Hauses« obendrauf zur menage à trois.

Mag da auch milde Ironie mitgeschwungen haben, entscheidend war die Botschaft, die diese prächtige *Spiegel*-Prosa 1951 transportierte: Der aus der brennenden Reichskanzlei entkommene Naumann lernte unter falschem Namen das Maurerhandwerk, »verdiente als am demokratischen Aufbau beteiligter Illegaler den Lebensunterhalt für seine siebenköpfige Familie und tauchte nach vorsichtigem Ausfahren des Sehrohrs vor nicht langer Zeit wieder auf. Seitdem läuft er wieder mit voller Überwasserfahrt. Kurs geläuterter Nationalsozialismus.«[7]

Wie zauberhaft, doch dann kamen, wie wir schon wissen, die bösen Engländer und machten alles kaputt. Dabei wäre es doch so schön gewesen. Von Oven 1997 zu Gaby Weber: »Zwei hohe Mitglieder des Propaganda-Ministeriums brachten es als Mitglieder in der FDP bis zur Stellung – wie früher des Gauleiters – also, der Bezirksvorsitzende in einem Bundesland. Das war einmal der Dr. [Wolfgang] Diewerge, und zum anderen war es mein Kamerad an der Seite von Goebbels, mit dem ich täglich in seiner Begleitung war, der Hauptsturmführer [Günther] Schwägermann. Naumann selber hatte diese Beziehungen geschaffen und stand über einen gewissen Achenbach, einen Rechtsanwalt, in enger Verbindung zur FDP und leitete diese Art der Unterwanderung. So dass mir damals Schwägermann in seiner Eigenschaft als Landesvorsitzender sagte: Warum trittst du nicht auch in die FDP ein? Und ich bin damals tatsächlich Mitglied der FDP geworden, deren Parteichef damals Heuss war, der ja auch gleichzeitig, vorher oder nachher, Bundespräsident war.«[8]

Und auch Augstein trat der FDP bei und wollte sogar schon 1957 für den Bundestag kandidieren.

* * *

So tat jeder, was er konnte. Und als der Adjutant dann nach Südamerika übersiedeln wollte, nach La Plata, wo er 1912 geboren worden war, da gab ihm Rudolf Augstein einen Presseausweis mit, ausgestellt am 24. April 1951. Wenn es dann irgendwo in Südamerika ein besonderes Kulturereignis gab, etwa die Aufführung eines Harlan-Films – im *Spiegel* konnte man es nachlesen. Irgendwann gingen die Wege Ovens und Augsteins auseinander. Wer sich von wem trennte, ist nicht ganz klar.

Man hört aber, dass es der Goebbels-Mann war, der sich unzufrieden zeigte, er soll eine despektierliche *Spiegel*-Einstellung gegenüber Juan Peron, dem großen Gastgeber des deutschen NS-Volkes, übel genommen haben. Der Ex-*Spiegel*-Korrespondent gründete Nazi-Blätter in Südamerika und reiste immer mal wieder als Redner zurück nach Westdeutschland, wo er wohl kaum eine rechtsextremistische Partei als Veranstalter ausgelassen hat. 1997, im *Spiegel*-Jubiläumsjahr, erhielt er – sehr verdient – die Ulrich-von-Hutten-Medaille der nicht weniger verdienstvollen »Gesellschaft für freie Publizistik«.

Nur der *Spiegel* konnte sich seiner schon gar lange nicht mehr so recht erinnern. Dort war eines Tages von einem etwas andersnamigen »Wilfried van Oven« die Rede, »bis Ende April 1945 Pressereferent« des NS-Propagandaministers Goebbels, dem eine aufs äußerste verknappte Nachkriegsbiographie zugeschrieben wurde:

> »Van Oven, der seinen früheren Chef immer noch als ›faszinierendste Persönlichkeit der NS-Führung‹ verehrt, lebt seit 1945 in Südamerika. In Deutschland tritt der rüstige Reisekader immer wieder als Vortragsredner rechtsextremer Vereine und als Autor für rechtsextremistische Strategieblätter wie *Nation und Europa* auf.«[9]

Da schrieb der Düsseldorfer Soziologe Hersch Fischler dem *Spiegel* einen Brief. Er wollte eigentlich nur wissen, ob Wilfried van Oven und Wilfred von Oven ein und dieselbe Person sind.

KAPITEL 19

»Goebbels: ›Aber es stimmt.‹« – Augsteins Reichstagsbrand und seine Verfasser

> »Doch die Vorstellung, der *Spiegel* habe versucht, das NS-System in diesem Punkt zu entlasten, mutet angesichts der grundsätzlichen Linie des Blattes ausgesprochen verschwörungstheoretisch an.«
>
> Die Welt *von 2000 über die Reichstagsbrand-Serie des* Spiegel *von 1959*[1]

Hersch Fischlers Frage löste im *Spiegel*-Haus Unbehagen aus. Wohl nicht wegen von Ovens Korrespondenten-Tätigkeit für den *Spiegel*. Das hatte inzwischen auch schon mal knapp in der *Bild*-Zeitung gestanden. Es ging um mehr: Wenn Wilfried van Oven und Wilfred von Oven ein und dieselbe Person sind, dann könnte das an ein *Spiegel*-Tabu rühren, an einen der heiligen Sätze des Herausgebers, den Rudolf Augstein am 21. Oktober 1959 ex cathedra verkündet hatte:

> »Über den Reichstagsbrand wird nach dieser *Spiegel*-Serie nicht mehr gestritten werden. Es bleibt nicht der Schatten eines Beleges, um den Glauben an die Mittäterschaft der Nazi-Führer lebendig zu erhalten.«[2]

Wilfred von Oven in der Schreibweise Wilfried van Oven, manchmal auch Owen, könnte so ein Schatten sein. Dann wäre, aber wir sollten nicht übertreiben, der *Spiegel*, bevor es ihn gab, mit seinem eigenen Korrespondenten – und was könnte sich ein investigatives Organ Besseres wünschen – an der Vorbereitung des Reichstagsbrands beteiligt gewesen, ein Vorausschatten gewissermaßen. Das allerdings ist arg verschwörungstheoretisch. Denn es gab ihn 1933 noch nicht, den *Spiegel* – nur den Schatten.

Das deutsche Nachrichtenmagazin antwortete Hersch Fischler, der später noch mehr solcher typischen Querulantenfragen stellte, ja in seinem Brief auch noch auf die merkwürdige Rolle eines Wilfried van Oven 1933 in Zusammenhang mit dem Reichstagsbrand hingewiesen hatte, erst nach einer längeren Zeit, die der Überlegung gedient haben könnte.

Fischler sagt: »Es dauerte zwei Monate, bis ich Antwort erhielt. Der Autor des Berichts, Uwe Klußmann, schrieb mir, die Angabe seines Namens differiere in Artikeln von und über von Oven. Weitere Fakten über das im Artikel Publizierte hinaus könne er mir nicht nennen. Offensichtlich haben es *Spiegel*-Dokumentation und -Redaktion nicht einfach, wenn es um Goebbels' ehemaligen persönlichen Pressereferenten geht.«

* * *

Wenn es die *Spiegel*-Dokumentation schon bei so einfachen Anfragen so schwer hat, können wir heute natürlich nicht mehr herausfinden, was der Goebbels-Adjutant in jener Nacht, die er vor einem halben Jahrhundert in Augsteins Haus verbrachte, dem neugierigen *Spiegel*-Herausgeber alles erzählt hat. Sehr wahrscheinlich ist es nicht, dass von Oven, falls er in irgendeiner Form am Reichstagsbrand beteiligt war, sich darüber ausließ, obwohl sich zwischen ihm und Augstein sehr schnell ein echtes Vertrauensverhältnis entwickelte. Das ging so weit, dass Augstein auf eine Anfrage von SAT 1 durch seinen Sprecher Wolfgang Eisermann 1992 erklären ließ, nein, damals, als er den *Spiegel*-Presseausweis für von Oven unterschrieb, habe er gar nicht gewusst, dass der neue Südamerika-Korrespondent irgendeine Rolle bei Goebbels gespielt hatte.

Augsteins Unterschrift im Presseausweis trägt das Datum vom 24. April 1951. Ein Jahr zuvor, am 6. April 1950 – und dazwischen lag eine ausgedehnte Mitarbeitertätigkeit für den *Spiegel* –, hatte Augstein unter der eindrucksvollen Überschrift »Goebbels erzählte mir« einen Brief – mit Foto in Uniform – ins Blatt gehoben, in dem Wilfred von Oven »als ehemaliger persönlicher Pressereferent von Dr. Goebbels« mitteilte, dass dem »kaltblütigen, ja genialen Attentäter« Stauffenberg doch wohl »einige andere Voraussetzungen« gefehlt hätten.[3] Und noch am 24. Januar 1951, in der Homestory über seinen einstigen Staatssekretär Werner Naumann, kam der *Spiegel*-Mitarbeiter, der an ihr mitschrieb, auch selbst vor: als »Goebbels-Referent v. Oven, der nach mehrjährigem Untergrund als Bauernknecht seinen echten Namen wieder annahm« und das Buch schrieb *Mit Goebbels bis zum Ende* ...[4]

Ja, was man als *Spiegel*-Herausgeber trotz der fleißigen »Archivbienen« sehr verlässlich vergessen kann. Jedenfalls gab es, nachdem Augstein an der Reichstagsbrandfront den dann lange Zeit gehorsamen Historikern »Wegtreten« kommandiert hatte, einen Brief, der auch dem *Spiegel* bekannt wurde.

Er stammte von dem Berliner Journalisten Alfred Weiland, früher Mitglied der rätekommunistischen Allgemeinen Arbeiter-Union (AAU), wurde am 28. Oktober 1967 an Arno Scholz, den Herausgeber des Westberliner *Telegraf*, geschrieben und liegt als Kopie im Schweizerischen Bundesarchiv. Seit 1932, geht aus dem Schreiben hervor, wurde die AAU von Nazis unterwandert. Als der von den Nazis später als Reichstagsbrandstifter verurteilte van der Lubbe in Berlin auch bei der AAU auftauchte und für den revolutionären Kampf agitierte, nahmen sich – wie Weiland schreibt: »mehrere unserer Mitglieder – allen voran Fritz Hensler und Wilfried van Owen (gleichfalls Student) seiner an«. Hensler, ein Jurastudent, stand mit der »Gruppe internationaler Kommunisten Hollands« in enger Verbindung. Er und »van Oven«, wie Weiland an anderer Stelle schreibt, gaben in der AAU vor, sie würden nur »zur Tarnung« zu den Nazis gehen.

Über die Zeit nach dem Reichstagsbrand berichtet Weiland: »Ich muss unterstreichen, dass ich seit jener Zeit Fritz Hensler nicht wiedergesehen habe. Ebenfalls verschwand der Student Wilfried van Owen. 1935 traf ich ihn im Grunewald wieder – er trug SS-Uniform.«[5]

Wilfred von Oven behauptet in seinem 1998 veröffentlichten Buch *Mit ruhig festem Schritt: Aus der Geschichte der SA*, er sei 1931 der NSDAP und der SA beigetreten und 1932 als Anhänger des gegen Hitler putschenden SA-Führers Walter Stennes wieder ausgetreten. Er will den 30. Januar 1933 als Privatsekretär eines »ziemlich weit links orientierten Intellektuellen«, des russischen Emigranten von Sementowski, erlebt haben, der wiederum noch in der Nacht des Reichstagsbrands nach Mallorca emigriert sei.[6] Der spätere Goebbels-Adjutant sah sich stets auf dem »linken« Flügel der SA angesiedelt. Vom SS-Oberabschnitt Ost wurde er am 15. Mai 1937 als »ungeeignet« für die SS abgemustert.[7]

Das alles sind Dinge, für die sich der *Spiegel* nicht so recht zu interessieren vermochte. Man hatte ja ausgezeichnete Fachleute mit unverwechselbaren Namen für die Reichstagsbrandserie, musste sich um diese seltsame Geschichte mit einem ziemlich unbekannten Menschen, der mal *Spiegel*-Korrespondent gewesen sein wollte und sich mal so und mal anders schrieb, nicht kümmern.

* * *

Das Ur-Manuskript für die Serie stammte schließlich von einem völlig unverdächtigen Mann, dem sozialdemokratischen Verfassungsschutzbeamten Fritz Tobias in Hannover, der wegen eines Regierungswechsels Däumchen drehte und einem alten Hobby nachging, der Suche nach den Reichstagsbrandstiftern. Dabei traf es sich günstig, dass in Hannover auch wieder Walter Zirpins wirken konnte, der Kriminalkommissar, der van der Lubbe im Februar 1933 als erster verhörte.

Zirpins wurde im Mai 1937 nicht wie von Oven von der SS abgemustert, er wurde zu diesem Zeitpunkt vielmehr aufgenommen und stieg bis 1942 zum Sturmbannführer auf. Der SS-Führer war aber immer sehr human, wie der *Spiegel* ermittelte: »Er sei, sagte der kleine, stets elegante Zirpins im Prozess aus, van der Lubbe ›auch menschlich sehr nahe‹ gekommen.«[8]

Er soll noch vielen anderen menschlich nahe gekommen sein, insbesondere als Leiter der Kriminalpolizei im Ghetto von Lodz, das man damals Litzmannstadt nannte und wo er sich naturgemäß der »Bekämpfung des jüdischen Verbrechertums« widmete und Gold und Wertsachen aus jüdischem Besitz organisierte, wie man so etwas damals nannte. In der von Heydrich herausgegebenen Zeitschrift *Kriminalistik* zeigte er sich auch theoretisch als guter Antisemit.[9]

Der schnell wieder eingestellte SS-Obersturmbannführer – er stand 1946 auf Polens Kriegsverbrecherliste[10] – wurde Leiter des Landeskriminalamts in Hannover. Alle Verfahren, die gegen Zirpins wegen Teilnahme an der Judenvernichtung liefen, wurden eingestellt, das war so üblich, wenn einer als Polizeichef an der Quelle saß.

Dem *Spiegel* lieferte er gern und häufig Material über Kriminalfälle und schrieb auch schon mal selbst für das deutsche Nachrichtenmagazin, so über einen Sprengstoffattentäter dies: »Wir fanden Halacz. Von Oberregierungs- und Kriminalrat Dr. Walter Zirpins. Leiter der Sonderkommission ›S‹ der Landeskriminalämter Bremen und Niedersachsen«.[11] Er war Augstein wohlbekannt. Und er war sich treu geblieben, so wie die anderen ihm. Eine Zirpins-Schrift von 1955, die nach eingehender Prüfung gleich in hundertfünfzig Exemplaren vom Bundeskriminalamt zu Schulungszwecken bestellt wurde, forderte die »Verbrechensbekämpfung durch totales Erkennen und Erfassen des Gegners in seiner Gesamtheit und durch seine Unschädlichmachung«. Genau das also, was in der Nacht des Reichstagsbrands passierte.

1951 erzählte Zirpins dem Kollegen Tobias, dass van der Lubbe allein den Reichstag angezündet habe. Der wollte das fast nicht glauben, wurde aber durch geduldige Überzeugungsarbeit bekehrt und begann alles zu sammeln, was mit dem Reichstagsbrand zusammenhing. Auf Zirpins Versicherungen und seine manipulierten Verhörprotokolle konnte sich Tobias berufen, um die Nazis von jedem Verdacht reinzuwaschen.

* * *

Vom Hobby des Hannoveraner Verfassungsschützers erfuhr Augstein um 1955. Sein Vater hatte ihm zwar, als es passierte, gesagt: Erst zünden sie den Reichstag an, dann machen sie Krieg. Der freundliche Rudolf Diels von der Gestapo hatte ihn nun schon vor zehn Jahren aufgeklärt, wie es wirklich war.

Doch die Aussagen des einstigen Gestapo-Chefs zum Reichstagsbrand hatten ihre Konjunkturen und ihre Konjekturen, und das war letztlich nicht förderlich für seine Gesundheit. Zunächst einmal sagte Diels in Nürnberg aus, die SA habe den Reichstag angezündet. Dann klärte Diels 1949 in Hannover Rudolf Augstein und die *Spiegel*-Leser in seiner *Spiegel*-Serie »Die Nacht der langen Messer fand nicht statt« auf, dass es doch van der Lubbe ganz allein war. Er musste es wissen. Schließlich hatte er als Leiter der politischen Polizei, schon bald nannte man das Gestapo, pünktlich sechs Stunden bevor der Reichstag angezündet wurde, ein Polizeifunk-Telegramm abgesandt, das gegen 18 Uhr an alle Polizeidienststellen in Preußen abgesetzt wurde. Das Telegramm war nahezu geschickt formuliert:

> »Kommunisten sollen am Tage der Reichstagswahl bzw. kurz vor- oder nachher zugleich mit dem Ziele der Entwaffnung planmäßige Überfälle auf Polizeistreifen und Angehörige nationaler Verbände [...] beabsichtigen.«

Dagegen muss man natürlich etwas tun, und zwar sofort und nicht erst, wenn es zu spät ist:

> »Geeignete Gegenmaßnahmen sind sofort zu treffen, kommunistische Funktionäre erforderlichenfalls in Schutzhaft zu nehmen.«

So funktionierte Diels' nächtliche Verhaftungsaktion nach dieser Vorbereitungszeit einwandfrei.

Mit Zirpins aber, der bei ihm in der Dienststelle saß und im April mit ins neue Geheime Staatspolizeiamt (Gestapa) übernommen wurde, bekam Diels Krach. Der hatte nämlich einen Spitzel benutzt, der nicht arisch war, und wurde zur Strafe an die Polizeischule versetzt, was jedoch, wie wir schon wissen, seiner weiteren Karriere nicht schadete.

Solch alte Feindschaften unter Kollegen wirken sich angemessen auf die Geschichtsschreibung aus.

Vielleicht hatte Diels schon erfahren, was Tobias da mit Hilfe von Zirpins für den *Spiegel* zusammenbraute, jedenfalls kehrte er plötzlich gegenüber *Stern* und *Weltbild* zu seiner alten These von Nürnberg zurück: Es sei doch die SA gewesen, die den Reichstag in Brand setzte.

Das war eine wirklich sehr ungesunde Meinung. Die beiden Illustrierten begannen Anfang November 1957 mit ihren Serien zum Reichstagsbrand und schon am 18. November war Diels tot – jener mysteriöse Jagdunfall im hessischen Katzenelnbogen, bei dem er sich beim Aussteigen aus dem Wagen mit dem Gewehr in den eigenen Bauch geschossen haben soll, wie eben das Leben, respektive der Tod, so spielt.

Im November 1957 begann auch die Bearbeitung des Tobias-Manuskripts beim *Spiegel*. Augstein jedenfalls sagte zu Beginn der Reichstagsbrand-Serie am 21. Oktober 1959 herzlichst dem »lieben *Spiegel*-Leser«: »Zwei Jahre vergingen mit ständigen Prüfungen und Rückprüfungen.«[12]

* * *

Zur Bearbeitung des Tobias-Manuskripts hatte der *Spiegel* einen exzellenten und bereits bewährten Fachmann gefunden: Paul Karl Schmidt, den Ribbentrop-Vertrauten und Pressesprecher des Auswärtigen Amts, der Erfahrungen mit Themen nach Art des Reichstagsbrands hatte. 1944 erfuhr er von dem Plan, die Budapester Juden nach Auschwitz zu deportieren. Er fand, so einfach gehe das nicht, was sollten die Leute von uns denken. Darum schrieb er – »Geheim« – am 27. Mai 1944 eine »Notiz für Herrn Staatssekretär«:

> »Aus einer recht guten Übersicht über die laufenden und geplanten Judenaktionen in Ungarn entnehme ich, dass im Juni eine Großaktion auf die Budapester Juden geplant ist. Die geplante Aktion wird in ihrem Ausmaß große Aufmerksamkeit erregen und Anlass zu einer heftigen Reaktion bilden. Die Gegner werden schreien und von Menschenjagd usw. sprechen und unter Verwendung von Greuelberichten die eigene Stimmung und auch die Stimmung bei den Neutralen aufzuputschen versuchen. Ich möchte deshalb anregen, ob man diesen Dingen nicht vorbeugen sollte dadurch, dass man äußere Anlässe und Begründungen für die Aktion schafft, z. B. Sprengstoffunde in jüdischen Vereinshäusern und Synagogen, Sabotageorganisationen, Umsturzpläne, Über-

> fälle auf Polizisten, Devisenschiebungen großen Stils mit dem Ziel der Untergrabung des ungarischen Wirtschaftsgefüges. Der Schlussstein unter eine solche Aktion müsste ein besonders krasser Fall sein, an dem man dann die Großrazzia aufhängt.«[13]

Einen Besseren als Schmidt konnte der *Spiegel* für die Bearbeitung der Reichstagsbrand-Serie nun wirklich nicht finden: Schon vor 1931 als Oberprimaner begeisterter Nationalsozialist, brachte er es in der SS bis zum Obersturmbannführer und wurde 1938 die rechte Hand des neuen Reichsaußenministers Joachim von Ribbentrop, der ihm den hohen Titel eines Gesandten I. Klasse verlieh. Als Chef der Nachrichten- und Presseabteilung des Auswärtigen Amts baute Schmidt einen schlagkräftigen Gegenapparat zum Propagandaministerium des Ribbentrop-Feindes Goebbels auf – der an nationalsozialistischer Grundsatztreue und antisemitischer Zuverlässigkeit in nichts den Rivalen aus dem Goebbels-Ministerium nachstand. Einer der engsten Mitarbeiter Schmidts im Auswärtigen Amt, Dr. Karl-Friedrich Grosse (NSDAP seit 1931), wurde 1953 Berliner Korrespondent des *Spiegel* (später ging er zum *Bayernkurier);* im Krieg betreute der alte Kämpfer für Schmidt zeitweise den »Auslandspresseclub«.[14]

Da Schmidt bei der Bearbeitung des Tobias-Textes etwas langsam war, stellte man ihm den *Spiegel*-Redakteur Dr. Günther Zacharias an die Seite. Und da passierte nun etwas, worüber man heute noch beim *Spiegel* empört ist. Kritiker der Serie sollen Zacharias als NSDAP-Mitglied bezeichnet haben. Das war eine Verwechslung mit einem ganz anderen Zacharias. Außerdem ging es ja wohl zu weit, vom *Spiegel* zu verlangen, dass jeder, der mit solch zeitgeschichtlich sensiblen Serien zu tun hat, unbedingt ein NSDAP-Parteibuch gehabt haben muss, das deutsche Nachrichtenmagazin tat da nun wirklich schon, was es konnte.

* * *

Auf Zirpins' Versicherungen und seine manipulierten Verhörprotokolle berief sich der *Spiegel,* um die Nazis in den Stand der Unschuld zu versetzen. Aber neben Augstein gibt es in dieser Affäre auch einen deutschen Großhistoriker, der bei dieser Gelegenheit einen kaum noch aus der Welt zu schaffenden Kollateralschaden erlitten hat. Die Schweizer *Weltwoche* jedenfalls fragte im November 2000: »Haben das Institut für Zeitgeschichte und sein ehemaliger Mitarbeiter Hans Mommsen geholfen, eine Geschichtsfälschung des *Spiegel* zu vertuschen?«[15]

Hersch Fischler hatte im Münchner Institut den Schriftverkehr durchforscht und war dort auf die »Spur eines Wissenschaftsskandals« gestoßen: 1960 war man beim Institut für Zeitgeschichte über die, wie man meinte, wissenschaftliche Sorglosigkeit, mit der von Augstein und dem *Spiegel* der Reichstagsbrand behandelt wurde, entsetzt. Der damalige Institutsleiter Helmut Krausnick beauftragte einen Mitarbeiter, den Oberstudienrat Hans Schneider, Vorschläge zu machen für eine Ausarbeitung, »die den wahren Stand der Forschung in Sachen Reichstagsbrand, insbesondere die Grenze des wirklich Erwiesenen *und* Nichterwiesenen genau bezeichnen würde«. Daraus entstand der Auftrag für eine umfangreiche Arbeit.

Inzwischen aber war Six-Adjutant Horst Mahnke aus Augsteins Dienst zu seinem dritten Arbeitgeber Axel Springer gewechselt als Chefredakteur der Illustrierten *Kristall,* während sein SD-Kollege Georg Wolff zum stellvertretenden Chefredakteur des *Spiegel* emporstieg und als »Georg der Deutsche« dem deutschen Nachrichtenmagazin sein ideologisches Korsett anlegte.

Mahnke nahm seinen SS-Kollegen Paul Karl Schmidt mit, der bei *Kristall* unter dem Namen Paul Carell viele erfolgreiche Landserserien schrieb, die alle davon handelten, dass der deutsche Soldat den Krieg gewonnen hätte, wenn ihm Hitler nicht ins Handwerk gepfuscht hätte.[16]

Von *Kristall* aus eröffneten die ehemaligen SS-Führer Mahnke und Schmidt Störfeuer gegen Krausnick und das Institut für Zeitgeschichte. Krausnick knickte ein und verhinderte, dass Schneider, wie zugesagt, seine *Spiegel*-Widerlegung in den *Vierteljahrsheften für Zeitgeschichte* veröffentlichen durfte. Er beauftragte den damaligen Institutsangestellten Hans Mommsen mit einer Expertise, wie man Schneider daran hindern könne, anderswo zu publizieren. Was Mommsen nach einer Unterredung mit dem Instituts-Rechtsanwalt Delp als vierseitige Aktennotiz »betr. Rechtslage in der Angelegenheit Schneider«[17] zu Papier brachte, dürfte in die deutsche Wissenschaftsgeschichte eingehen. Eine juristisch unschädliche, aber trotzdem zutreffende Bezeichnung dieses Vorgangs ist allerdings ohne Neuinterpretation des Beleidigungsparagraphen nicht möglich.

Mommsen kam in seiner Aktennotiz zunächst zu dem Schluss:

> »Nach der derzeitigen Rechtslage ist das Institut formell nicht in der Lage, von dem mit Schneider geschlossenen Vertrag zurückzutreten, d. h., es kann wohl eine Publikation des Manuskripts seinerseits ablehnen, muss aber dann einer anderweitigen Publikation des Manuskripts durch Herrn Schneider seine Zustimmung geben, sofern der Name und die Mitverantwortung des Instituts für Zeitgeschichte in diesem Manuskript nicht zum Ausdruck kommen.«

Nach dem Urheberrecht könne man, sorgte sich Mommsen weiter, auch nicht darauf bestehen, dass Schneider die ihm vom Institut zur Verfügung gestellten Quellen nicht benutzen dürfe. Das sei »rechtlich aussichtslos«. Aber man könne »Herrn Schneider durch eine sofortige Zurückforderung des gesamten Materials matt setzen«. Schließlich habe, schrieb Mommsen weiter, das Institut ein Interesse, »die Publikation

Schneiders überhaupt zu verhindern«. Wobei er als eine Begründung angibt, dass

> »aus allgemeinpolitischen Gründen eine derartige Publikation unerwünscht scheint«.

Sein Rat:

> »... ist es angezeigt, in Verhandlungen mit diesem von Herrn Schneider auf Grund mangelnder juristischer Beratung offensichtlich ernst genommenen Argument diesen zu einem Vergleich zu bewegen.«

Über die von ihm genannten »allgemeinpolitischen Gründe« hat sich Mommsen bis heute nicht öffentlich geäußert. Doch die Geschichte des 1949 gegründeten Instituts gibt Hinweise. In der Zeit zwischen der Beauftragung Schneiders im März 1960 und seiner Entbindung 1962 wurde am 20. September 1961 das Institut in die Trägerschaft einer Stiftung überführt, in deren Stiftungsrat der Bund mit drei und die Länder mit fünf Stimmen vertreten sind – sie sorgten auch für die Finanzierung und bestimmten (und bestimmen noch heute), die Bestellung und Entlassung des Institutsdirektors. Vorausgegangen war dem am 25. Mai 1960 ein Besuch des Bundespräsidenten Heinrich Lübke in Begleitung des bayerischen Kultusministers Theodor Maunz (CSU), dem späteren Grundgesetzkommentator und Rechtsberater der rechtsextremistischen DVU. Chef des neuen Wissenschaftlichen Beirats wurde Hans Rothfels, der sich als deutscher Volkstumskämpfer so lange wie nur möglich den Nazis anzudienen versucht hatte, aber als Jude wegen ihrer rassistischen Obsessionen in die Emigration getrieben wurde. Das war die allgemeinpolitische Lage für das Institut.

Zu den allgemeinpolitischen Gründen, die Mommsen und Krausnick bewegten, äußerte Hersch Fischler Ende Januar

2001 zur *Net-Zeitung* eine Vermutung: »Es gab einen hohen Beamten im Bonner Innenministerium, der ein Interesse daran hatte, seine kriminelle Verstrickung in den Fall Reichstagsbrand zu verheimlichen.« Und zwar Ministerialdirektor Hans Schneppel (1903–1973), damals Leiter der Abteilung VI des Bundesinnenministeriums, Öffentliche Sicherheit, zuständig für Geheimschutz, Staatsschutz I und Bundesverfassungsschutz, Staatsschutz II und Bundeskriminalamt, Bundesgrenzschutz und Bereitschaftspolizei, einer der wichtigsten und einflussreichsten Bonner Beamten.

Tobias arbeitete ab 1959 in Hannover im Verfassungsschutz, während Schneppel zur gleichen Zeit in Bonn als oberster Beamter die Aufsicht über den Verfassungsschutz übernahm. Fischlers Fazit: »In Sachen Reichstagsbrand strickte also ein Verfassungsschutzbeamter mit der Alleintäterthese eine Legende, die frühere kriminelle NS-Verstrickungen des obersten Ministerialbeamten, der den Verfassungsschutz beaufsichtigen sollte, vertuschte.«

Tatsächlich war der Bonner Verfassungsschutzbeamte Hans Schneppel die rechte Hand von Gestapo-Chef Diels gewesen und hatte in der Brandnacht zahlreiche Haftbefehle unterzeichnet, die für viele den Tod im KZ zur Folge hatten. Da war Solidarität unter Verfassungsschützern auch allgemeinpolitisch geboten. Und Mommsen wiederum erörterte in seiner Aktennotiz die einzuschlagenden Wege zur Förderung der Allgemeinpolitik:

> »Das erstere wäre, zurückhaltend Herrn Schneider an den Vertrag weiter zu binden und währenddessen über Stuttgart zu arbeiten, um eine größere Vergleichsbereitschaft zu erzielen.«

Mit »Stuttgart« war wohl gemeint die baden-württembergische Staatsregierung, damals unter Kurt Georg Kiesinger, dem ehemaligen Verbindungsmann zwischen Goebbels und

Ribbentrop zur Abstimmung der Auslandspropaganda (Spezialgebiet: Nachrichtenfälschung).

Mommsen über den zweiten Weg:

> »Der zweite besteht darin, rasch und energisch alle Druckmittel, die in unmittelbarer Verfügung des Instituts stehen, auch da, wo sie einer endgültigen juristischen Prüfung nicht standhalten, auszuspielen, um Herrn Schneider daran zu hindern, Zeitgewinn zu haben, sowohl hinsichtlich der Verhandlungen über eine anderweitige Publikation als auch hinsichtlich der Verarbeitung des ihm einstweilen noch zur Verfügung stehenden Quellenmaterials.«

Es funktionierte. Institutschef Helmut Krausnick (CSU) schickte Schneider am 30. November 1962 einen Brief voller Drohungen:

> »Es liegt auch in Ihrem Interesse, wenn Sie von einer keine reale Erfolgsaussicht versprechenden Arbeit entlastet werden, die in der Tat Ihre Gesundheit ernsthaft schädigen würde, wenn sie noch jahrelang fortgeführt würde. Wir würden dies vor Ihrer Schulbehörde kaum verantworten können, wie wir umgekehrt glauben, dass Ihnen an einem offenen Konflikt mit dem Institut nicht gelegen sein kann.«

Und dann noch weiter nach Mommsens Ratschlag:

> »Ihre Vorstellung, dass das Institut jemals seine Einwilligung dazu geben würde, dass Sie ein großenteils auf im Eigentum des Instituts befindliches oder mit Hilfe des Instituts gewonnenes Material gestütztes Manuskript (ob mit oder ohne Nennung des Instituts) veröffentlichen können, ist irrig.«

Er dürfe sich zwar »gelegentlich publizistisch zu dem Reichstagsbrandproblem« äußeren. Jedoch – und hier spricht nicht die Mafia, sondern das Institut für Zeitgeschichte – »machen wir Sie darauf aufmerksam, dass Sie dafür keineswegs die von seiten oder durch Vermittlung des Instituts zur Verfügung gestellten Materialien auszugsweise zitieren oder mit Angabe der Fundstelle benutzen können.«

Schneider, so erpresst, veröffentlichte sein Manuskript nicht, obwohl er zum großen Teil seine Quellen und Belege selbst in Archiven in Ost und West, wenn auch unter Berufung auf seinen Institutsauftrag, besorgt hatte. Und Mommsen, der nützliche Helfer bei diesem Wissenschaftsskandal, schrieb für die *Vierteljahrshefte* seine Darstellung des Reichstagsbrandes, die Unschuldsthese Augsteins voll unterstützend. Nach dem allgemeinpolitischen Vorspiel ist es verständlich, dass Mommsens Vision vom Reichstagsbrand offiziösen Charakter bekam, sie wurde von der Bundeszentrale für politische Bildung eiligst in der *Parlament*-Beilage *Aus Politik und Zeitgeschichte* nachgedruckt, und auszugsweise dann in der *Frankfurter Allgemeinen Zeitung für Deutschland*. Selbstverständlich war auch, dass der vorher noch unbekannte Hans Mommsen von da an mit des *Spiegels* Hilfe zum Großhistoriker aufstieg.[18]

Als im Januar 2001 die *Welt* auf seine Aktennotiz verwies und Fischler zitierte, Mommsen suche »die Freiheit der Forschung aus politischen Gründen zu beschneiden und manipulativ eine ungerechtfertigte Geschichtsschreibung zum Dritten Reich herbeizuführen«, da stellte der in einem Leserbrief majestätisch fest, dass »trotz der umtriebigen Aufklärungsbemühungen von Hersch Fischler kein Tatbestand vorgelegt worden ist, der die seinerzeit von Fritz Tobias vorgelegte und von mir bestätigte Alleintäterschaft van der Lubbes ernsthaft in Zweifel stellt«. Sodann griff Historiker Mommsen fern von den Quellen entschlossen zum »gesunden Menschenverstand«, der »lehrt«, dass die NS-Führung, »nicht im Entferntesten das Risiko eingehen konnte, den erwarteten Wahlsieg durch eine Brandlegung zu gefährden«.[19]

Dann verteidigte sich Mommsen, ohne auf sein Papier einzugehen, mit dem dreimaligen Gebrauch des Wörtchens »absurd« beziehungsweise »geradezu absurd«. Und die *Welt* setzte Mommsen die Krone auf – sie versah seine Verlautbarung mit der schlagkräftigen Überschrift: »Meine Reichstagsbrand-These bleibt richtig.«

Seine. Es war Augsteins urbi et orbi verordneter Glaubenssatz, dem er sich, mit allem, was er konnte, unterordnete. Während Augstein wiederum nach dem Mommsen-Aufsatz jubelte, nunmehr habe *die* Wissenschaft alles bestätigt.

* * *

Auch Augsteins eigener Autor Fritz Tobias hatte sich längst schon zu einem Mann mit einer unerbittlichen Liebe zur historischen Wissenschaft entwickelt, einer Strenge, über die es zuweilen übertriebene Vorstellungen gab. In einer juristischen Auseinandersetzung stellte er richtig, was er wirklich meinte. Er habe, erläuterte Tobias dem Amtsgericht Hannover, lediglich erklärt, dass es »in historischer Zeit in Mittelamerika einen König gegeben habe, der zwar keine Kriege geführt habe, aber eine segensreiche Regierung. Er sei weise und milde gewesen, nur in einem Punkt unbarmherzig: er habe Geschichtsschreiber, die die Unwahrheit berichtet hätten, mitleidlos hinrichten lassen. Ich bedauerte, dass ein solches Gesetz heute nicht mehr bestünde.«[20]

Zu Mommsens Gutachten von 1962 hat inzwischen das Institut für Zeitgeschichte Stellung genommen. Es zitierte die Mommsen-Sätze, dass »aus allgemeinpolitischen Gründen« eine Publikation des Schneider-Manuskripts durch das Institut »unerwünscht« scheint und dass auch eine anderweitige Publikation »durch Druck auf Schneider vermittels des Stuttgarter Ministeriums« verhindert werden könne. Diese Äußerungen Mommsens, so erklärt das Institut heute, »sind unter wissenschaftlichen Gesichtspunkten völlig inakzeptabel«.[21]

* * *

Beim *Spiegel* jedoch ist der Glaube an Tobias und Mommsen noch unverändert. Als der *Stern* seine exklusiven Hitler-Tagebücher vorlegte, kannte das deutsche Nachrichtenmagazin nur Spott: »Das Siegel ist unecht, das Initial verkehrt, die Schrift gefälscht – wenn das der Führer wüsste.«[22] Das Hohngelächter vom Dovenfleet kam aus reinem Herzen und aus dem sicheren Bewusstsein der eigenen Überlegenheit. Was im *Spiegel* stand, konnte der Führer ruhig wissen. Einen Kujau musste Augstein nie beschäftigen, seine Serien wurden von echten Nazis geschrieben, nicht von einem Gerd Heidemann, der sich immer nur an sie ranschmierte. Und die letzten Beweise stammten aus Tagebüchern, die mit einiger Sicherheit nicht völlig gefälscht waren. »Nach langem Streit ist wissenschaftlich erwiesen, was der Amateur-Historiker Fritz Tobias bereits in einer *Spiegel*-Serie (43/1959 bis 21/1960) belegt hatte, dass die Nazis weder ein kommunistisches Komplott vorgetäuscht noch gar selbst gezündelt hatten, sondern van der Lubbe als Alleintäter handelte«, schrieb der *Spiegel* im August 1992 und fuhr fort:

> »Goebbels' Aufzeichnungen erhärten diese These. Schon seine erste spontane Tagebuch-Reaktion – ›tolle Phantasie‹ – zeigt, dass die NS-Führung von dem Brandanschlag völlig überrascht wurde und so recht nicht daran glauben konnte. Goebbels: ›Aber es stimmt.‹«[23]

Das nennt man Erhärtung der Wissenschaft. Aber warum soll Rudolf Augstein, der schon dem Goebbels-Adjutanten geglaubt hatte, nicht auch dessen Herrn und Meister glauben?

Muss man aber wirklich damit argumentieren, dass ein Goebbels, der in irgendeiner Form am Reichstagsbrand beteiligt wäre – der ehemalige *Spiegel*-Korrespondent Wilfried oder Wilfred van oder von Oven könnte es wissen –, dass Goebbels dann in sein Tagebuch schreiben würde: Ja, wir waren es?

Goebbels hatte sein Tagebuch nur unter dem Aspekt einer späteren Veröffentlichung geschrieben, der Eher-Verlag der Partei hatte ihm Millionen für die Rechte angeboten. Und das gilt für das Tagebuch aus den Jahren 1932/33 ganz besonders. Es wurde nämlich schon 1934 unter dem Titel *Vom Kaiserhof zur Reichskanzlei* herausgebracht.

In mancher Hinsicht allerdings war diese Buchfassung sogar aussagekräftiger als die gekürzte »Urfassung« des deutschen Nachrichtenmagazins. Wo es im *Spiegel* heißt: »In der Nacht werden alle kommunistischen Parteifunktionäre verhaftet«,[24] steht im Buch sehr präzise: »Mitten in der Nacht noch erscheint Oberregierungsrat Diels vom preußischen Innenministerium und gibt mir eingehend Bericht über die bisherigen Maßnahmen. Die Verhaftungen sind reibungslos verlaufen.«[25] Das klingt fast wie das Geständnis, dass sie schon vorher geplant waren.

Im April 2001 versuchte der *Spiegel* Augsteins Dogma von der erwiesenen Unbeflecktheit der Nazis mit der Schuld am Reichstagsbrand ganz vorsichtig minimal zu relativieren – mit Blick auf die im Mai bevorstehende Börne-Preis-Verleihung an den Chef:

> »Bei fast allen großen Kriminalfällen gibt es ein Restquantum an widersprüchlichen Zeugenaussagen, abweichenden Spuren, unerklärlichen Hinweisen. Beim Reichstagsbrand sind solche Unwägbarkeiten besonders zahlreich.«

Aber im Grunde ist alles, was die Gegner der reinen *Spiegel*-Glaubenslehre vortragen, sehr problematisch, ja lächerlich.

Unproblematischer Kronzeuge dagegen ist jetzt neben Goebbels ein anderer Nazi:

> »Hitlers Fotograf Heinrich Hoffmann, der beim Führer saß, beobachtete die Szene genau; Hitler wollte die Nachricht nicht glauben: ›Was ist los, Hanfstaengl? Na, hören Sie auf. Leiden Sie an Halluzinationen? Oder haben Sie zu viel Whisky getrunken? Was ...? Sie sehen die Flammen von Ihrem Zimmer aus?‹«

Joseph Goebbels habe, als Hanfstaengl anrief, gerade ahnungslos in seiner Privatwohnung mit Freunden und auch dem Führer zu Abend gegessen, »es gab«, das kann der *Spiegel* beweisen, »Forelle, der Vegetarier Hitler verspeiste Eier und Salat«.[26]

Dieser Eiersalat historischer Mutmaßung, mit sehr viel Senf, könnte alles sein, was dem *Spiegel* bleibt, wenn eines Tages der Herausgeber nicht mehr über sein Dogma von der Nazi-Unschuld wachen kann.

KAPITEL 20

»Meine Leitkultur war jüdisch« – Wie Rudolf Augstein mit Löhner-Beda für Hitler die Front hielt

»Was es heute gibt, sind Antisemiten, die a) entweder nicht zugeben, dass sie es sind, oder b) nicht wissen, dass sie es sind, in jedem Fall aber sich [zu aufrichtigen Antisemiten] verhalten wie ein Handtaschenräuber zu einem ordentlichen Safeknacker. Das heißt, es mangelt ihnen nicht nur an Courage, sondern auch an Niveau. Erwischt man sie auf frischer Tat, sozusagen mit beiden Armen bis zum Ellenbogen im Mustopf, werden sie einem versichern, sie seien grad dabei, die Bestände in der Vorratskammer zu überprüfen, damit nichts abhanden komme ...«

Henryk M. Broder 1986,
bevor er als Reporter zum Spiegel *kam*[1]

Sogar das deutsche Nachrichtenmagazin durfte es melden. Im »Register«. Unter »Eheschließungen«, die einzige. Mit Bild. »Rudolf Augstein, 76, Herausgeber des *Spiegel*, heiratete am Freitag vergangener Woche seine langjährige Lebensgefährtin, die Galeristin Anna Maria Hürtgen, 51, im dänischen Tondern.« Auf dem Foto: das hohe Paar vor dem Hubschrauber auf der grünen Wiese. Hoch? Nun, eigentlich nur sie, er ist einen Kopf kleiner, nein, sie ist, wie fast alle seine Frauen, einen Kopf größer.

Spotten? Das fehlte noch. Es ist ein Lieblingsthema von saudummen Herrenstammtischwitzen: der kleine Mann, die große Frau, hähä. Und warum ist es andersherum normal? Die Frage eröffnet den Ausblick auf Herrschaftsverhältnisse, nach denen zu fragen Augstein fremd ist. Nein, es muss etwas anderes sein, was den engagierten Antifeministen Augstein zu Frauen treibt, die größer sind als er.

Wir alle sind von frühkindlichen Prägungen abhängig. Manchmal können wir uns von ihnen lösen, manchmal nicht, und Augstein kommt einfach nicht von der Wilhelm-Busch-Lektüre seiner frühen Jahre los. In der Trauerrede des, nun ja, Freundes Axel Springer, zitierte er die *Jobsiade* (siehe S. 156), beim Heiraten scheint er stets an die *Fromme Helene* zu denken: »Hier die zierlichen Mosjös, / Dort die Damen mit den süßen / Himmlisch hohen Prachtpopös.« Je höher der Popö, um so höher die Frau, eine einfache Rechnung.

»Eigentlich hast du alles erreicht, was in deiner Reichweite lag.« Der Gedanke sei ihm mit siebzig gekommen, bekannte er ein halbes Jahr später der *Welt am Sonntag* und fügte hinzu: »Und wenn du dich eines Tages niederlegtest und würdest nicht mehr aufwachen, dann würde das auch kein großes Unglück bringen. Dass sich das inzwischen ein bisschen geändert hat, hat auch mit meiner Frau Anna zu tun.«[2] Kein Wunder also, dass die beiden ein Buch mit auf die Hochzeitsreise genommen hatten, das den Titel trug: *Dein ist mein ganzes Herz*.

Doch das Buch enthält keine Liebeslyrik zum Wonnemond, es stammt von einem gleichaltrigen *Stern*-Kollegen, von Günther Schwarberg, und klärt auf, was in jener Zeit, da Rudolf Augstein als Soldat gegen den Bolschewismus kämpfte, aus dem jüdischen Librettisten Fritz Löhner-Beda wurde. Der hatte für den Komponisten, den der Führer gleich nach Wagner am liebsten mochte, für Franz Lehár, den Liedtext »Dein ist mein ganzes Herz« geschrieben und viele andere mehr.

Und das weckte in Augstein Erinnerungen an große Stunden, als er nämlich als Soldat an der Ostfront dazu ausersehen war, die Bunten Abende für die Truppe zu gestalten, und er dabei mit einem, wie er betont, kräftigen Bariton sein ebenfalls von Löhner-Beda geschriebenes Lieblingslied »Es steht ein Soldat am Wolgastrand / hält Wache für sein Vaterland« schmetterte.

Und geschrieben hat er auch das »von uns jungen Soldaten am häufigsten gesungene Lied: ›Dein ist mein ganzes Herz! Wo du nicht bist, kann ich nicht sein. So, wie die Blume welkt, wenn sie nicht küsst der Sonnenschein.‹«

Beim Singen des ersten Liedes hat Augstein sogar Widerstand geleistet: »Auf Anweisung mussten wir statt ›Wolgastrand‹ ›Waldesrand‹ singen, was ich aber missachtete.«

Während Soldat Augstein 1942 mutig am Wolgastrand gegen den Kommunismus kämpfte und im Widerstand gegen die Nazis sang, wurde der Jude Löhner-Beda in Auschwitz erschlagen. Das musste der Hochzeitsreisende Augstein achtundfünfzig Jahre später nachlesen. Tragisch, gewiss. Aber konnte es einen besseren Beweis geben, wie ungerecht gewisse Vorwürfe gegen den *Spiegel*-Herausgeber sind?

So schrieb er nach der Rückkehr von der Hochzeitsreise unter Berufung darauf, dass er an der Front die Lieder des erschlagenen Juden gesungen hatte:

> »Mir selbst wurde und wird gelegentlich Antisemitismus vorgeworfen. Was mich persönlich betrifft, so konnte ich, wenn ich den Debatten zuhörte, feststellen: Meine ›Leitkultur‹ war jüdisch.«

Die Leute übrigens, die den Tod des Juden Löhner-Beda verschuldeten, konnten auch keine Antisemiten gewesen sein.

Als die IG-Farben-Chefs Carl Krauch, Otto Ambros, Fritz ter Mer, Heinrich Bütefisch und Walter Dürrfeld, fast alle von der BASF in Ludwigshafen, gerade ihr Werk in Auschwitz besichtigten, kam ihnen ein KZ-Häftling über den Weg. »Diese Judensau könnte auch rascher arbeiten«, sagte einer dieser IG-Direktoren, worauf ein zweiter bemerkte: »Wenn die nicht mehr arbeiten können, sollen sie in der Gaskammer verrecken.« Ein SS-Mann hatte zugehört, und Löhner-Beda wurde noch am selben Abend totgeschlagen.[3]

Was aber lehrt uns das, dank des Augstein-Essays? Die IG-Herren hätten ihre Hüte vor dem jüdischen KZ-Häftling gezogen, hätten sie nur gewusst, dass von Löhner-Beda das Lied stammt: »Ich hab mein Herz in Heidelberg verloren« – so mancher von ihnen wohnte dort, gern, am Neckarstrand. Es wäre ihnen nicht anders gegangen als Augstein beim Singen der jüdischen Lieder: »Draußen an der Front war das Singen dieser Schlager für uns ein Stück Heimat, und natürlich flossen Tränen.«

Draußen an der Front. Es gibt übrigens zum Soldaten am Wolgastrand und zu Auschwitz noch einen Text aus dem Jahr 1978, der zum Singen wie auch für *Spiegel*-Essays wenig geeignet ist und darum von seinem Urheber Norbert Blüm schnell zurückgezogen wurde, nachdem sein CDU-Parteifreund Professor Dr. Gerhard Rose in einem Leserbrief an die *Welt* deswegen Blüms Ausschluss aus der CDU gefordert und verlangt hatte, er dürfe nie Minister einer Unionsregierung werden. Der umstrittene Blüm-Text lautete: »Hitlers KZs standen nur so lange, wie die Front hielt.«[4]

Auch Hitler übrigens, vermerkte Augstein in seinem Essay, hatte in seiner Wiener Zeit nichts gegen die Juden gehabt.

Und so war Augstein – wenn auch unbewusst – an der Abwehrfront gegen den Bolschewismus der jüdischen Leitkultur erlegen.

* * *

Es ist nicht einfach so, dass Augstein den erschlagenen Juden nur dazu instrumentalisierte, seinen mangelnden Antisemitismus zu beweisen, sondern dahinter steckte schon ein echtes Gefühl:

> »Jemanden wie mich, der damals schon erwachsen war, erfasst heute noch das Gefühl der Beschämung und einer unsäglichen Ohnmacht, denn ich war Teil einer Gesellschaft, die solcher Verbrechen fähig war. Und immer wieder stellt man sich die Frage, wie es zu all dem kommen konnte.«

Ja, wie nur, wie? Wie kam es dazu? Weil die Deutschen die Juden verfolgten? Weil die Nazis sie in Vernichtungslager brachten? Weil ganz normale deutsche Männer sie dort umbrachten? Augstein weiß die richtige, die einzig wahre Antwort:

> »Wahr ist, die westliche Völkergemeinschaft hat die Juden schmählich im Stich gelassen. Allen voran die großen christlichen Kirchen, aber auch die damals ja wirtschaftlich schon sehr starken Amerikaner. Unter deren Führung trat im Juli 1938 in Evian am Genfer See eine internationale Flüchtlingskonferenz zusammen. Das Treffen war eine Reaktion auf die rigorose Vertreibung jüdischer Bürger aus Österreich und Deutschland. Vertreter aus 32 Ländern versuchten, sich über eine Quote zu einigen, um die Anzahl der jüdischen Einwanderer in ihre Länder zu erhöhen. Daraus wurde nichts.«[5]

Daraus wurde nichts. Also sind die Amerikaner, die Kirche, ist die ganze westliche Völkergemeinschaft daran schuld, dass wir die Juden umbringen mussten. Wo hätten wir sie denn hintun sollen?

Nein, ein Antisemit ist er nicht, war er nie, und wird er nimmer sein – wie denn? Hat er nicht sogar Juden zu Freunden? Hat er nicht sogar Goldhagen in sein Haus auf Sylt eingeladen?

Daniel Jonah Goldhagen. Augstein war über den Juden empört: »Jüdische Kolumnisten, Nichthistoriker also«, hatten Daniel Jonah Goldhagen, diesen Soziologen, der kein Historiker ist, hochgejubelt im Verein mit dem Historiker Gordon A. Craig, und den kann man ja schließlich auch nicht einen »Fachmann für den Holocaust« nennen.

Typisch, dass der jüdische Nobelpreisträger Elie Wiesel Goldhagens Buch »einen riesigen« – Wiesel schreibt »tremendous« – »Beitrag zum Verständnis des Holocaust« nennt. Das darf er nicht. Denn, so Augstein: »Wiesel erforscht nichts anderes.«

Mit einem kollektiven, sechsfachen »Wir« erhob Augstein sein Glas zu einem Ex auf den Holocaust und verkündete in deutschem Namen:

> »Wir bestreiten die Grausamkeiten nicht, wir haben sie nie bestritten, seit wir davon wussten. Wir bestreiten aber, dass in Deutschland vor Hitler (›pre-Hitler Germany‹) der ohne Zweifel vorhandene Antisemitismus so ›bösartig auf Ausrottung bedacht‹ war; wir bestreiten das nicht nur, wir finden die Behauptung allenfalls ignorant, wenn nicht gar bösartig.«

Hitler war es – nicht die Deutschen. Wenn Augstein Goldhagens Buch gelesen hätte, wären ihm die Dokumente deutscher Judenvernichtungsphantasien und -pläne seit Luther und insbesondere seit der letzten Jahrhundertwende nicht unbekannt geblieben. Er hatte immer noch nicht verstanden, was Goldhagen auch ihm endlich begreiflich machen wollte. Es geht nicht um die »Verbrechen des Nazi-Diktators« – wie schnell Augstein wieder auf diesen Einzeltäter verfiel –, es geht um die Verbrechen der Deutschen, der deutschen Wehrmacht, der deutschen Polizei.

Doch Goldhagens Buch konnte ihm nichts Neues bieten, er wusste doch längst und Freund Walser würde diesen Gedanken zwei Jahre später in der Paulskirche ausspinnen: »Berichte über die Mord- und Unrechtstaten der Nazis lesen sich immer wieder grässlich.« Damit darf Goldhagen den *Spiegel*-Herausgeber nicht schon wieder anöden. Da stöhnt der auf: »Tant de bruit pour une omelette«[6] – Auschwitz, ein Eierpfannkuchen. Immerhin hielt Augstein für den »charmanten Überzeugungstäter« – so nannte er den Holocaustforscher – fachmännische Hilfe zum besseren Verständnis der deutschen Geschichte bereit: »Der verhinderte Historiker hätte 1572 bei der Bartholomäus-Nacht in Paris Mäuschen spielen sollen.«

Er selbst war mutmaßlich nicht verhindert, als aufmerksames TV-Mäuschen zum Historiker aufzusteigen: Eine Woche vor der Niederschrift seines Beitrags konnte Augstein innerhalb von 135 ARD-Minuten das Historiendrama *Die Bartholomäus-Nacht* inhalieren, das ihn mit seiner opulenten Bildsprache auf die auf der Hand liegende Idee brachte, Auschwitz ins Frankreich des Jahres 1572 zu verlegen. So avancierte der *Spiegel*-Herausgeber zum Historiker mit Weitblick und musterte seine Kollegen auf ihre Widerstandsfähigkeit gegen Goldhagen.

Und welche Freude: Der »einschlägige« – was immer das sein mag – »israelische Fachhistoriker« Raul Hilberg hatte Goldhagen kritisiert. (Nur, weil es Augstein darauf ankommt, eine Klarstellung: Hilberg war nie Israeli, er ist US-Staatsbürger an einer US-Universität, seit er mit seiner Familie aus Österreich vor den Nazis hatte fliehen müssen. Aber Jude ist Jude, jeder Jude ist ein Israeli und jeder Israeli ist Jude – wäre ja noch schöner.)

Wer aber war der einschlägige Fachhistoriker Hilberg vor seinem Einsatz gegen Goldhagen für den *Spiegel?* Wer war Hilberg für die Deutschen? In den USA hatte er 1961 sein berühmtes Standardwerk *Die Vernichtung der europäischen*

Juden geschrieben. Nach einer von der Öffentlichkeit nicht beachteten deutschen Übersetzung 1982, die ein kleiner linker Verlag herausbrachte, wurde Hilbergs Werk erst 1991 – nach dreißig Jahren – durch eine Fischer-Taschenbuch-Ausgabe bekannt und vom *Spiegel* noch immer ignoriert. Erst als das deutsche Nachrichtenmagazin das weltberühmte »Standardwerk« für seine besonderen Zwecke instrumentalisieren konnte, wurde es genutzt. Der *Spiegel* druckte eine Serie »Jüdische Nazi-Opfer, die zu Mittätern wurden«, in der es um einzelne Juden ging, die für die Gestapo oder den SD arbeiteten. Die *Spiegel*-Serie sollte dazu dienen, mit einem angeblichen »Tabu der Holocaust-Forschung« zu brechen. Zu diesem »dunklen Kapitel in der [!] jüdischen Geschichte« durfte 1996 Holocaust-Forscher Hilberg als Kronzeuge mit seinem »Standardwerk« im *Spiegel* auftreten.[7] Erstmals nach einunddreißig Jahren. Instrumentalisieren nennt man das, wenn so etwas nicht Arier, sondern Juden machen.

* * *

Um nun von der Judenfrage – eine Deutschenfrage gibt es gottlob nicht, nicht einmal eine Augsteinfrage – kurz zur »Ausländerfrage« zu kommen: In dem Essay, in dem sich der *Spiegel*-Herausgeber zu seiner jüdischen Leitkultur bekennt und betrübt vermerkt, dass ihm selbst »gelegentlich Antisemitismus vorgeworfen« wird, entdeckt er auch mit Befremden, dass Paul Spiegel, der Präsident des Zentralrats der Juden in Deutschland, inzwischen schon von der »Fremdenfeindlichkeit politischer Eliten« spricht. Das kann Augstein nun schon gar nicht verstehen.

Fremdenfeindlichkeit. Wer im Gymnasium begeistert singen musste (und neben ihm der kleine Jude, von dessen jüdischer Mutter er sogar Kuchen gegessen hatte, sang mit): »Prinz Eugen der edle Ritter, / hei, das klang wie Ungewitter / weit ins Türkenlager hin ...« – kann man dem übelnehmen, dass

Nahaufnahme: Rudolf Augstein 2001.

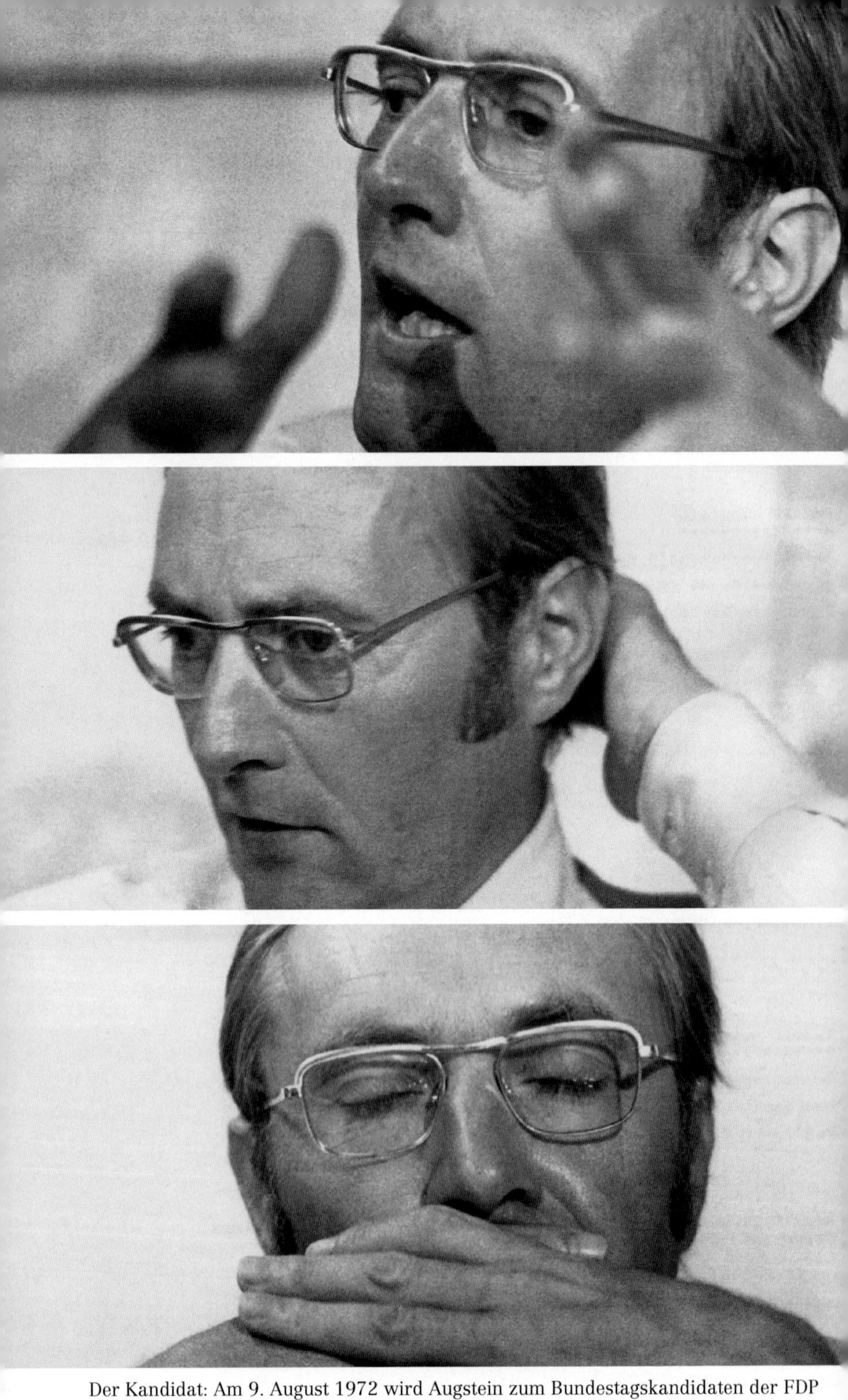

Der Kandidat: Am 9. August 1972 wird Augstein zum Bundestagskandidaten der FDP für den Wahlkreis Paderborn/Wiedenbrück gewählt.

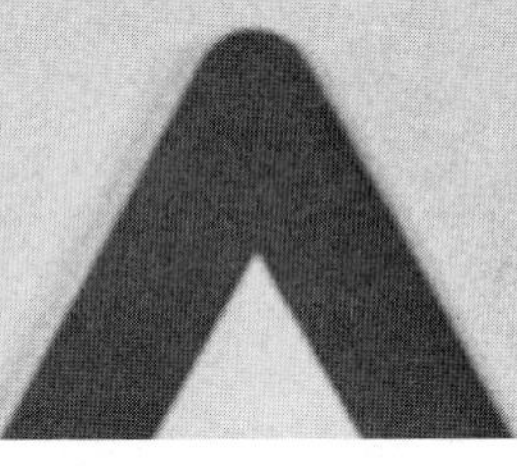

Auf dem FDP-Parteitag in Freiburg (24. Oktober 1972).

Auf der FDP-Fraktionssitzung mit Werner Maihofer *(Mi.)* und Innenminister Hans-Dietrich Genscher *(re.)*: Zwei Monate nach der Wahl legt Rudolf Augstein sein Bundestagsmandat nieder (17. Januar 1973).

Mit Bundeskanzler Willy Brandt (27. Juni 1970).

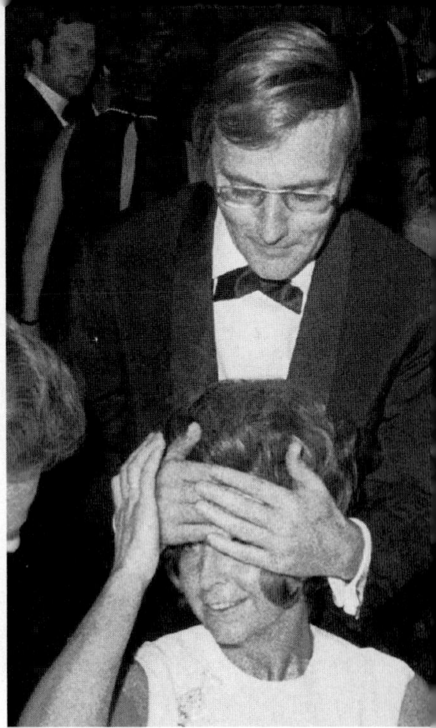

Überraschung für Rut Brandt (7. November 1970).

Handschlag mit Rainer Barzel im Bundestag (13. Dezember 1972).

t Bundespräsident Richard von Weizsäcker
Oktober 1989).

Mit Bundespräsident Roman Herzog
(15. Januar 1997).

Ordensfeind mit Bundesverdienstkreuz
. August 1997).

Mit Marcel Reich-Ranicki (13. Mai 2001).

1977: Mit seiner vierten Ehefrau Gisela Stelly.

Mit den Kindern Franziska *(li.)* und Jakob.

:hzeit mit Anna Maria Hürtgen,
ıer fünften Ehefrau (13. Oktober 2000).

1997: Mit seiner Tochter Franziska.

Zähne zeigen: Rudolf Augstein 1997.

er immer, wenn er so einen Türken sieht, an Prinz Eugen denkt und das auch im *Spiegel* schreibt? Jedenfalls konnte er nicht anders, als er sich nach den »Vorfällen« von Mölln und Solingen der »Ausländerfrage« annahm, da war es ihm – so hat er es nun mal gelernt – einfach nicht möglich, auf den edlen Ritter zu verzichten. Was wir Deutschen heute von den Türken zu halten haben, beschrieb er: Sie »gehören einem Kulturkreis an, der mit dem unseren vor und nach Prinz Eugen nichts gemein hat«.

Und so denkt man halt auch in Solingen und Mölln über die Türken und verbrennt sie und andere Abkömmlinge fremder Kulturkreise, das war schon immer so: »Wie Untaten einiger Gewalttäter absolut verhindert werden können, sehen wir nicht. Es sei denn, man führte die öffentliche Prügelstrafe und das Todesurteil wieder ein.«[8] Einen anderen Weg gibt es für den *Spiegel*-Herausgeber nicht.

* * *

Augsteins bedingungslose Judenfreundschaft wurde allerdings auf eine Probe gestellt durch eine unglaubliche Provokation, die sich gegen das wiedererwachte Deutschland richtet:

> »Nun soll in der Mitte der wiedergewonnenen Hauptstadt Berlin ein Mahnmal an unsere fortwährende Schande erinnern. Anderen Nationen wäre ein solcher Umgang mit ihrer Geschichte fremd. Man ahnt, dass dieses Schandmal gegen die Hauptstadt und das in Berlin sich neu formierende Deutschland gerichtet ist.«

Widerstand scheint zwecklos: »Man wird es aber nicht wagen, so sehr die Muskeln auch schwellen, mit Rücksicht auf die New Yorker Presse« – jüdisch, wissen wir doch! – »und die Haifische im Anwaltsgewand, die Mitte Berlins freizuhalten von solch einer Monstrosität.«[9]

Haifische. Sie sind die Ratten des Meeres. Sie sind hinterlistig, feige und grausam und treten meist in großen Scharen auf. Sie stellen unter den Tieren das Element der heimtückischen unterirdischen Zerstörung dar. Nicht anders als die Juden unter den Menschen.

Nein, falsch, die Ratten entstammen dem Goebbels-Film *Der ewige Jude*.[10] Nur die Haifische sind original Augstein, Haifische allerdings, gegen die deutsche Muskeln schwellen müssen, weil die Haifische es sind, die den Antisemitismus neu hervorrufen, von dem der deutsche Mensch seit der Katastrophe von 1945 völlig geheilt ist.

Das ist völlig klar: »Man würde untauglichen Boden mit Antisemitismus düngen, wenn den Deutschen ein steinernes Brandmal aufgezwungen wird.« Sagt Augstein. Untauglichen Boden. Im Berliner Reichstag wird bester Boden aus ganz Deutschland gesammelt.

Nur Hitler hat den Deutschen schlimmen Antisemitismus aufgezwungen, hatte Augstein dem jungen jüdischen Historiker aus den USA in seinem Haus auf Sylt geduldig erklärt. Vorher gab es nichts, nur ganz normalen Antisemitismus, nachher gab es nichts, der Antisemitismus, mit dem Goldhagen die ganze deutsche Geschichte, den dafür untauglichen Boden, verseuchen will, war einzig ein Phänomen der Nazizeit.

1933 – gibt es einen besseren Beweis? – »sah ich ja, dass mein Vater zu Hause – obwohl er Antisemit war – der Mutter ihre naiven Antisemitensprüche verbot«, wird Augstein gleich im nächsten Kapitel Martin Walser erzählen. Und Antisemitismus ist doch nun nicht gleich Antisemitismus. Schließlich hatte er selbst als Schüler in Hannover die schönen Bildergeschichten von Wilhelm Busch gelesen, die *Fromme Helene:* »Und der Jud mit krummer Ferse, / krummer Nas' und krummer Hos' / schlängelt sich zur hohen Börse / tiefverderbt und seelenlos.«

Witzig, aber nicht antisemitisch, denn richtigen Antisemitismus gab es doch im Grunde gar nicht. Wie auch? Wilhelm

Busch wurde siebenundfünfzig Jahre vor Adolf Hitler geboren. Und als er 1908 starb, war selbst der Führer noch kein Antisemit. Und die *Fromme Helene* ist, wie Augstein im *FAZ*-Fragebogen bekannte, seine Lieblingslektüre, kann also schon deshalb nichts Antisemitisches enthalten.

* * *

Im Mai 1981 hatte sich ein Israeli an einem Deutschen herausgenommen, was sich viele Deutsche gern mit allen Juden erlauben. Er hatte ihm Unrecht getan. Er wisse nicht, hatte Ministerpräsident Menachem Begin gesagt, was Bundeskanzler Helmut Schmidt während des zweiten Weltkriegs »in bezug auf die Juden« an der Ostfront getan habe. Und er brachte etwas durcheinander. Er behauptete, Schmidt sei Zeuge gewesen, als die Männer des 20. Juli »mit Klaviersaiten aufgehängt wurden« – in Wirklichkeit war Schmidt Zuschauer an einem Prozesstag.

Mit seinem unbedachten Angriff schweißte Begin die Deutschen zu einem Volk und einem Reich und – wenn man dem *Spiegel* glauben wollte – zu einem Führer zusammen:

> »So etwas hatte der Kanzler schon lange nicht mehr erlebt. Wo er sich letzte Woche blicken ließ, schlug ihm Beifall entgegen. Seine eigenen Leute scharten sich um ihn, die Gegner von der Opposition boten ihm Hilfe an. Und ein Ereignis besonderer Art: Welche Zeitung er auch aufschlug, überall gab es nur Sympathiebeweise.«

Die »maßlosen Angriffe des Ministerpräsidenten aus Jerusalem« hätten die – ja, richtig – »Gemeinsamkeit der Demokraten« erzeugt. Vor allem aber auch, so freute sich der *Spiegel*, den »Nachweis für den Wunsch der Politiker, dass mit der Aufrechnung von Schuld und Sühne einmal Schluss sein müsse. 36 Jahre nach Kriegsende wollen sich die Deutschen nicht als ein einig Volk von Nazis fühlen.« Der *Spiegel* fragte auf der Titelseite groß, in altdeutschen Lettern: »Sind wir alle Nazis? Begins Attacke«. Und das vor einem schneidigen Hochzeitsfoto des uniformierten Oberleutnants Schmidt mit Affenschaukel und Braut. Im schwarzen Titelhintergrund dräute Begins wüstes Gesicht, jüdisch![11]

Dass die Juden inzwischen das seien, was die Deutschen seiner Soldatenzeit waren, nämlich Herrenmenschen, das ist für Augstein eine Selbstverständlichkeit, die ihn noch bis in die Paulskirche verfolgen wird, wenn er den nach dem Juden Börne benannten Preis endlich in Empfang nimmt. Der »Judenstaat« werde nicht, sagte Augstein schon 1990, »durch Logik und Vernunft«, sondern durch die »traumatische Erinnerung an den Holocaust« zusammengehalten.

Und da erließ er das Verbot, dass sich »dieselben Leute, die uns und denen, die nach uns kommen, die Erinnerung an die Rampe von Auschwitz für immer ins Gedächtnis brennen wollen – was nach aller menschlichen Erfahrung erfolglos bleiben muss –, den Palästinensern gegenüber als ›Herrenmenschen‹ aufführen.«

Das kann man zusammenzählen. Dem jüdischen Herrenmenschen, der sich gegenüber den Arabern so aufführt wie vielleicht mal irgendwelche Nazis gegenüber den Juden, dem wird es nicht gelingen, uns die Erinnerung an Auschwitz ins Gedächtnis zu brennen, und da Israel keine andere Staatsidee als den Holocaust hat, warum soll es dann nicht auch zugrunde gehen.

Wer so denkt, kann ohne Probleme Scharon mit Hitler auf eine Stufe stellen und damit seine Überlegenheit sogar noch vor denen beweisen, die bisher nur einen Saddam Hitler und einen Adolf Milošević zustande gebracht haben und mit dem Ruf »Nie wieder Auschwitz« in den dritten deutschen Krieg gegen Belgrad zogen.

Als es 1985 zum vierzigsten Jahrestag der Vernichtung der deutschen Kriegsmaschinerie Helmut Kohl gelang, den US-

Präsidenten Ronald Reagan auf den SS-Friedhof in Bitburg zu verschleppen, schrieb Augstein: »Wer, um Himmels willen, könnte ein Interesse haben, den 8. Mai 1945 zu begehen ...« Keine Frage: »Die Sowjetrussen ..., um Keile und Keilchen zwischen ihre jetzigen Feinde zu treiben.« Aber auch die Israelis, denn: »Sie wollen die Erinnerung an die deutsche Schuld wachhalten, um materieller und rüstungstechnischer Gründe willen.«

Kommunisten und Juden also haben »handfeste Interessen«, den Jahrestag zu – hier vielleicht tauchte diese Formulierung als Abwehrwaffe zum ersten Mal auf – »zu instrumentalisieren«.

Augstein drohte:

> »Wollen wir nun wirklich noch ein Seminar abhalten, wer mehr Menschen umgebracht hat, Stalin oder Hitler? Wollen wir nach den Kriegsverbrechen der westlichen Alliierten fragen? Wollen wir aufrechnen, ob mit Stichdatum 8. Mai mehr Menschen befreit als entmündigt worden sind?«

Wollen wir aufrechnen? Er tut es, indem er so dumm fragt, und sagt danach sehr klug: »Das kann niemand wollen.«[12]

Zu Weihnachten 2001 verrechnete er den israelischen Ministerpräsidenten Ariel Scharon zugunsten Deutschlands mit Adolf Hitler.[13] Als Augstein die Reaktionen wahrnahm, die er damit erzeugte, versuchte er sich zu salvieren, indem er die Unfähigkeit seiner Redakteure anklagte, sich gegen den Antisemitismus, den er an sich vermisste, zu wehren. »Meine Redakteure«, so schrieb er dem israelischen Botschafter Shimon Stein, würden »mich darauf aufmerksam machen, wenn ich einen so schwerwiegenden Fehler oder auch nur eine Taktlosigkeit begangen hätte.«

Aber es war nur die Reprise einer – netter Ausdruck – »Taktlosigkeit«, die er sich schon sechzehn Jahre zuvor genehmigt hatte, als Scharon noch lange nicht Ministerpräsident war: »Arik« – er meinte Ariel, aber der Herausgeber ließ sich auch im April 1985 von der Dokumentation nichts sagen, die es im Jahresregister richtig weiß – »Scharon darf in Israel Ministerpräsident werden, er ist es noch nicht, obwohl, obwohl, obwohl ...« Drei Obwohl und drei Punkte, die mehr als ein SD-Einsatzkommando umschließen, denn Augstein fuhr fort: »Ein Friedhof aber, wo SS-Gefallene bis zur unerhörten Höhe eines einzigen Untersturmführers (Leutnant) liegen, darf nicht versöhnlich begangen werden.«[14]

Augsteins Aufschrei ist verständlich. Der letzte der Hauptmänner (Hauptsturmführer), nicht im Grab, sondern im *Spiegel*, lebte noch und war erst vor genau sechs Jahren in Pension gegangen: SD-Mann Wolff, »Georg der Deutsche«, der Augsteins Kolumnen vor dem Druck gegenzulesen pflegte – aber das war nun auch nicht mehr nötig. Denn eine ausgesuchte Infamie, wie sie der in dieser Beziehung stets lernfähige Klaus von Dohnanyi[15] siebzehn Jahre später in der Walser-Debatte zur schlichten Gleichsetzung zwischen den Juden und ihren Mördern ausbaute, gelang Augstein hier schon 1981:

> »Was hätte ein Nicht-Nazi denn tun können? Er hätte als ein Held und Heiliger das tun können, was die Opfer selbst auch nicht getan haben, die Helden und Heiligen immer ausgenommen. Er hätte sich für seinen biblisch Nächsten opfern können, mit seinem Leben. Das haben die Deutschen, das haben die Juden nicht getan. Kein moralischer Unterschied also zwischen der schweigenden Mehrheit der Deutschen und der schweigenden Mehrheit der Juden.«[16]

Henryk M. Broder, der 1986 diese Augstein-Kolumne zusammen mit ähnlichen Texten in seinem Buch *Der Ewige Antisemit* untersuchte, unterbrach genau an dieser Stelle seine

Analyse mit einem einfachen, aber einleuchtenden Hinweis: »Keiner stand auf und haute dem Rudi eine runter.«[17]

Jahre später stellte Broder seine Attacken auf Augstein ein. Der Zyniker Augstein hatte *ihn* eingestellt.[18]

KAPITEL 21

»Politisch sollten wir uns nicht mehr ducken. Wir sind ein normales Volk ...« – Zwei ältere deutsche Herren trinken Wein in St. Tropez und hecken einen Streit aus

»Wir müssen uns unsere Geschichten immer wieder erzählen«, sagt Augstein, »vielleicht gibt es ja hier und da auch mal einige, die daraus etwas zu lernen vermögen.«

Spiegel-*Hausmitteilung vom 20. November 2000*

»Es gibt heutzutage im Kino so viele deutsche Komödien. Man sollte auch dieses Gespräch verfilmen. Mit Heinz Schubert als Augstein, Horst Tappert als Walser und Witta Pohl als Mutterkatastrophe.«

Joachim Rohloff in jungle world *vom 11. November 1998*

Dass zwei ältere Herren sich an einem warmen Herbsttag, es kann schon Abend gewesen sein, beim Wein über die Zeitläufte unterhalten und dabei auch philosophieren, kommt oft vor. Da aber der eine – nach späteren Berechnungen einer *Frankfurter Allgemeinen Sonntagszeitung*[1] – der drittwichtigste deutsche Intellektuelle ist und der andere der neuntwichtigste unter den deutschen Geistesträgern, lief ein Tonband mit.

Der eine ist der nunmehr vierundsiebzigjährige Rudolf Augstein, den kennen wir schon ein wenig, was auch ganz wichtig ist, denn: »Jeder muss wissen, was Augstein denkt«, verordnete das erwähnte Blatt. Der andere ist der einundsiebzigjährige Martin Walser, ein glänzender Dichter, ein – wie wir gleich sehen werden – guter Psychoanalytiker, aber seit 1977 vom Vaterlandsvirus befallen. Das hinderte ihn nicht am Dichten, er kann das, genau wie Honoré de Balzac, der große Stinkreaktionär, der zugleich ein noch größerer Dichter war – das hat schon der heilige Karl Marx anerkannt. Doch beim Denken bereitete das Virus dem armen Martin Walser arge Ausfälle, besonders wenn es um sein geliebtes deutsches Vaterland ging.

Eingefangen hatte sich Walser das Virus in Bergen-Enkheim. Der einstige Freund der Deutschen Kommunistischen Partei bekam Wundfieber und rief damals:

> »Wir dürfen, sage ich vor Kühnheit zitternd, die BRD so wenig anerkennen wie die DDR. Wir müssen die Wunde Deutschland offen halten.«

Die von einer unzulässig geschwungenen Auschwitzkeule verursachte Wunde Deutschland sollte fortan das deutsche Wunder ablösen. Inzwischen aber ist die Wunde zu und kann selbst wieder anderen Wunden zufügen, ob in Belgrad oder sonstwo in der Welt.

Ganz so weit war es im September 1998 noch nicht. Die beiden saßen bei St. Tropez in einem von Augsteins Häusern und bereiteten die Geburtstagsüberraschung vor, die der *Spiegel*-Herausgeber dem Rudolf Augstein zu seinem fünfundsiebzigsten Geburtstag im November bereiten wollte: ein Großes Gespräch zwischen zwei Freunden über den Stand der deutschen Dinge. Außerdem ist im November das Heft dick von Anzeigen, da muss auch der redaktionelle Rest fleißig gefüllt sein.

Bei einer Frage, der sich andere Deutsche erst mit der fünften Flasche Bier nähern, bei der landete Augstein – die beiden tranken aber auch Rotwein – gleich zu Beginn: »Sind wir Deutschen«, fragte er den Martin, »wieder ein ganz normales Volk – ich habe das ja auch schon geschrieben. Oder wünschen wir uns das nur – als ältere Zeitgenossen?«

Weltläufig antwortete der Dichter also: »Ich war gerade in Amsterdam und habe die Frage eines holländischen Intellektuellen beantworten müssen: ›Was können Sie den europäischen Nachbarn sagen zur Beruhigung über die wiedererstarkte Großmacht Bundesrepublik, sprich Deutschland?‹ Da habe ich gesagt: ›Sie sprechen wie aus dem 19. Jahrhundert, wie zu Bismarcks Zeiten, als es noch hegemoniale Probleme gab, mit denen dieser Bismarck wunderbar jonglierte. Seine Nachfolger haben es dann verpfuscht. Und Sie reden jetzt wieder so, als hätten wir noch einmal das Ende des 19. Jahrhunderts.‹«

Das Gespräch schwebte, damit der *Spiegel*-Leser es auch versteht, auf einer hohen Kunstebene, im Stil etwa jener großen Schauspieldialoge, in denen die Schwester auftritt und den Bruder anspricht mit den Worten: »Ich bin, wie du lieber Bruder wohl weißt, deine Schwester.«

Meinte Augstein: »Du hättest ihm auch mit dem früheren amerikanischen Außenminister James Baker antworten können: ›Deutschland ist an der Leine.‹«

Walser begriff sofort – da half das Virus –, was das wieder für eine Gemeinheit sein musste: »Nein, auch das wäre gefährlich. Etwas, was an der Leine ist, das kann plötzlich losbrechen und beißen. Auch das ist nicht der Fall. Aber gerade das wollte der Holländer ja von mir wissen.«

Fragte Augstein: »Du hast ihn beruhigt.«

Antwortete Walser: »Ich habe gelacht und gab mich unheimlich viel lockerer, als ich war, und habe gesagt: ›Mein Gott, Sie wissen offenbar zu wenig über die Leute in Deutschland. Nach meiner Kenntnis ist von diesen Menschen, die ich durch all diese Jahrzehnte kenne, nichts mehr zu befürchten.‹«

Genug, wir sind nur ein Buch und kein Nachrichtenmagazin und müssen uns deshalb kürzer fassen. Aber zur Mutterkatastrophe dürfen wir noch ungekürzt vordringen. Herr Augstein?

»Das ist ja klar. Aber was heißt das schon? Dass die Menschen aus der Geschichte nichts lernen, ist ein Satz, der ebenfalls ziemlich sicher gilt. Sie werden dasselbe wieder machen, aber an einer anderen Stelle und unbewusst. Sie werden dasselbe nicht an derselben Stelle machen. Allerdings haben wir aus dem Ersten Weltkrieg auch nichts gelernt.«

Herr Walser?

»Von dem Golo Mann – wie ich finde, zu Recht – gesagt hat: Es ist die Mutterkatastrophe des Jahrhunderts.«

Darauf Augstein: »Ja, das ist wohl richtig. Aber es ist Quatsch zu sagen, niemand habe ihn gewollt. Das stimmt nicht. Der erste Weltkrieg war natürlich...«

»... die Mutterkatastrophe!« beharrte Walser.

»... eine Bankrotterklärung«, konterte Augstein und kam ins Sinnieren, wie wer den ersten Weltkrieg nennt. Und das ist auch so eine gallische Frechheit, die er entdeckt hat, die Franzosen finden den ersten übler als den zweiten, das nimmt der Ostfrontleutnant des zweiten, Augstein, übel.

Walser war aber auch noch beim ersten: »Und danach kommt Versailles. Erst dann '33« – darauf legte er Wert – »und so weiter. 1918 war kein Frieden, sondern war wirklich Diktat. Und die wirtschaftliche Misere danach ermöglichte Hitlers Aufstieg.«

Augstein fing den Ball: »Hitler hat schon 1920 in einer seiner frühesten Reden gesagt, die Juden müssten weg.«

Walser: »Das hat 1885 auch schon dieser Philosoph Paul de Lagarde gesagt.«

Augstein, noch bei Hitler: »Der wollte sie nach Madagaskar schicken. Ja, ja.« Augstein schenkte mutmaßlich nach und dachte an Goldhagen: »Aber er hat doch nicht gesagt, die müssen ausgelöscht werden. Hitler selbst hat ja nicht gewusst, wie er das machen würde. Das hat er seinen Kumpanen überlassen. Er wollte damit auch nicht behelligt werden.«

Und darüber darf man sich nicht täuschen: »Hätte er das Gegenteil befohlen, hätten alle das Gegenteil getan.«

Alle hätten dann die Juden abends zum Rotwein geladen und mit ihnen philosophiert, nein, so kann man das nun auch wieder nicht sagen. Augstein also: »Allerdings konnte er« – der Hitler – »sich wohl auf einen gewissen Antisemitismus stützen, den es immerzu überall gegeben hat. Das Wort Antisemit setzte übrigens als erster der Schriftsteller Wilhelm Marr in Umlauf, er war, soweit ich weiß, Hamburger. Um 1880 herum gab er die *Deutsche Wacht* heraus, ein judenfeindliches Blatt.«

Walser, bewundernd: »Hast du denn das alles damals schon gewusst?«

Augstein: »Nein, wissen konnte ich das nicht, aber die Atmosphäre in meiner Familie war danach. Ich habe erst, als mein Vater tot war, bemerkt, wie politisch gebildet der war. Ich hatte ihn immer unterschätzt. Aber er wusste genau Bescheid. In dem Sinne hatte ich natürlich großes Glück. Für uns stand von Anfang an fest: ›finis Germaniae‹.«

Wie hübsch sich das so trifft. ›Finis Germaniae‹ – das waren auch die letzten Worte der Schrift *Der Sieg des Judenthums über das Germanenthum* von Wilhelm Marr, dem Mann, der das Wort »Antisemitismus« unter die Leute brachte. Verständlich, dass sich Augstein für ihn interessierte, denn bei Marr war es genau umgekehrt: Der war in der Mitte seines Lebens ein Antisemit, in seinen frühen und in seinen späten Jahren ein radikaler Demokrat.

Marr, zunächst Anarchist im Gefolge Proudhons, wurde 1846 in Hamburg politischer Journalist und 1848 als linkes Mitglied der radikal-demokratischen Partei in die Hamburger Konstituante gewählt. Dann fing er plötzlich an und gründete die »Antisemitenliga«, mit der er die »Vernichtung jüdischen Wesens mittels Aufrichtung deutschen Volksbewusstseins« durchsetzen wollte. Doch als er darauf bei seinen Mitkämpfern »Geschäftsantisemitismus« und die »Instrumentalisierung« der Judenfeindschaft für finanzielle Zwecke bemerkte, hat er als »verbitterter, zurückgezogener Mann in Hamburg die schlotternden Sympathien seines Greisenalters wieder den anarchistischen Idealen seiner Jugend zugewandt«. Das schrieb schon 1895 der Anarchismusforscher Ernst Viktor Zenker.[2]

Aber wir sind im September 1998, in St. Tropez, bei Augstein, dem Rotwein und dem Walser, der fragte: »Ihr wusstet von Anfang an das Ende?«

Aber klar, und hier brachte Augstein, macht nichts, die diversen Finalitäten durcheinander. Während vorher, bei Marr, das Ende Deutschlands eine Machenschaft der Juden war, wurde es jetzt plötzlich ein Ergebnis der Nazipolitik: »Finis Germaniae war für alle Anti-Preußen – und das war mein Vater ja – ein geflügeltes Wort. Ab 1933 schon. Man wusste, dass Krieg kommen würde. Man wusste, dass man ihn verlieren würde. Und das war der Punkt. Und insofern hat man einfach seine Rolle in der Gegnerschaft gesehen. Gleichzeitig musste man am Leben bleiben und nicht vom Regime zermalmt werden.«

Das wollten die Walsers auch nicht, und darum trat die Mutter schon 1932 in die Partei ein, doch darüber sprach man nicht in der Familie.

Ganz anders bei Augsteins: »Für mich waren die Familienerzählungen sehr wichtig. Mein Großvater muss ein ziemlich unausstehlicher Mensch gewesen sein. Mein Vater durfte bei ihm nicht in seiner« – der Anti-Preuße? mit finis Germaniae am Helm? – »Militäruniform als einjährig freiwilliger Offiziersanwärter erscheinen. Er musste sich bei einem Freund Zivilkleidung anziehen. Geld für ein privat gehaltenes Artilleriepferd war freilich da. Wenn meinem Vater vom Finanzprüfer vorgehalten wurde: Sie machen ja Spesen wie ein preußischer General, dann sagte er: Ich bin auch soviel wie ein preußischer General. Er wählte die katholische Zentrumspartei und hasste die Nazis.«

Walser vermerkte, fast ein wenig missmutig, seine Familie konnte sich »abendliche Plaudereien über Vorfahren nicht leisten«.

Augstein beschwichtigte: »Na ja, bei uns reichten die goldenen Jahre der Weimarer Republik auch nur bis 1928/29. Bis dahin war mein Vater noch im Besitz von Produktionsmitteln.«

Das interessierte Walser: »Er hatte eine Fabrik?«

Augstein: »Ja, die produzierte Kameras und fotografisches Gerät.« Aber sehr tüchtig sei der Vater nicht gewesen, er »musste die Fabrik, bevor sie in Konkurs ging, für 35 000 Mark verkaufen. Das war 1930. Und er ist das Schlimmste geworden, was man auf der Welt werden kann.«

Der Dramatiker, der Walser auch ist, wusste sofort Bescheid: »Handelsvertreter.«

Augstein erzählte: »Das ist entsetzlich. So was Erniedrigendes, eine ständige Demütigung. Da haben wir im Familienrat gesagt, das muss ein Ende haben. Also haben wir ihn de facto gezwungen, sich ein kleines Fotogeschäft zu kaufen. Viel war das nicht für den Sohn eines der reichsten Männer von Bingen.«

»Also doch«, Walser erregt: »Das hätte ich gleich sagen können, dein Großvater war reich.«

Und so schleppte sich das Gespräch hin, es war ja zum Nachdruck im *Spiegel* bestimmt. Und darum erwähnte Augstein auch nicht, wie der verarmte Vater – es war 1936 – günstig zu einem Fotoladen kam.

Irgendwann aber wurde der psychoanalytisch begabte Walser misstrauisch. Der erfahrene Romanautor traute Augsteins Erzählungen nicht mehr, sobald der zurückkehrte in die Kindheit, als er zehn war, ins Jahr 1933. Augstein: »Mein Vater brachte mich zur Einschulung in ein Gymnasium, das am weitesten weg war von all den anderen Gymnasien in Hannover, weil er dachte, da sind mehr Katholiken. Waren aber nicht. Da kamen auch schon SA-Männer in Uniform, die ihre Kinder hinbrachten.«

Walser: »Bist du sicher? Das gibt es doch gar nicht, dass jemand, um sein Kind in die Schule zu bringen, die SA-Uniform anzog. Das halte ich für die nachträgliche Inszenierung eines Films.«

Augstein: »Ich weiß es noch. Sonst hätte es sich mir ja nicht eingeprägt. So was kann man nicht erfinden. Und da hat mein Vater zu mir gesagt: ›Guck die Büste da vorne an.‹ Es war die Büste des Reichspräsidenten Ebert. ›Du wirst sie nie wieder sehen.‹«

Walser: »Und das hast du dir gemerkt? Da warst du erst zehn.«

Augstein bewies es: »Ja, sonst wüsste ich es ja heute nicht mehr. Und dann sah ich ja, dass mein Vater zu Hause – obwohl er Antisemit war – der Mutter ihre naiven Antisemitensprüche verbot. Er tat das auf seine durchdringend gelinde Weise, aber er hat es ihr verboten.«

Antisemit sein, solange es für die Juden nicht gleich gefährlich wird – das ist eine besondere Form der humanitas, die der Sohn vom Vater gelernt haben könnte. Für die Betroffenen wäre dieser Antisemitismus beinahe akzeptabel, würden nicht die rabiateren Arten der Judenfeindschaft dadurch genährt.

Augstein war inzwischen im Jahr 1934: »Ich wuchs in politische Gespräche hinein; und als Hitler die SA-Rabauken um Ernst Röhm erschießen ließ, da dachten wir« – wir, damals war er zehneinhalb –, »es wird nun besser, dabei wurde es schlimmer.«

Walser: »Du warst wirklich ein frühreifer Junge.«

Augstein merkte nichts: »Ja, eine gare Furie, wie es im Ruhrgebiet heißt. Aber bei uns war ja auch alles klar. Es gab doch zum Beispiel keine Diskussion darüber, wer den Reichstag angezündet hatte. Das waren die Nazis.«

Walser, noch immer verblüfft: »Darüber wurde in eurer Familie geredet oder auch noch mit anderen?«

Augstein erinnerte sich genau: »Wir wussten, dass der Krieg verlorengeht, und nur danach haben wir gehandelt. Deshalb haben mein Vater und ich auch die Juden in unserer Bekanntschaft – im ganzen sind es vier gewesen – gedrängt, sie sollten das Land verlassen. Ich habe ihnen Butter hingetragen, weil sie die nicht kaufen durften.«

Das wirft ein Problem auf. Der Vater war bis 1933 Antisemit. Dann hörte er damit auf; gab es jetzt erst »die Juden in unserer Bekanntschaft«? Oder gab es die schon, als er noch Antisemit war?

Walser war an einem anderen Punkt hängengeblieben: »Die konnten doch nicht weg.«

Augstein: »Doch, sie hätten es gekonnt. Der einen Familie haben wir geraten: ›Ihr habt doch Bilder von Lovis Corinth. Verkauft sie und haut ab hier.‹«

Walser: »Das hast du nicht gesagt, jetzt verklärst du irgend etwas.«

Augstein: »Das ist falsch.«

Walser: »Du wusstest doch nicht, wer Lovis Corinth ist und dass man die Bilder verkaufen muss. Gib zu, das hat dein Vater gesagt, Rudolf!«

Rudolf gibt nur wenig zu: »Wer was gesagt hat, weiß ich nicht mehr. Es war eben unsere Meinung. Und objektiv war sie ja auch richtig. Das muss vor den Olympischen Spielen 1936 gewesen sein oder kurz danach.«

Zu der Zeit, als der Familienrat beschloss, einen Fotoladen zu kaufen. Die Juden jedenfalls schlugen dann, so erinnerte sich Augstein, ohne einen Namen zu nennen, »uns vor, dass wir ihre Corinths nähmen, vielleicht zehn, und sie auf dem Land irgendwo auslagerten. Und wenn sie den Krieg überlebt haben würden, dann sollten wir ihnen die Hälfte zurückgeben.«

Doch da habe der Vater gesagt: »Ich denke doch nicht daran, solch schweinische Bilder überhaupt in Besitz zu nehmen.«

Doch der damals Dreizehnjährige sah durch und sagte ihm: »Sie nicht zu nehmen war richtig. Der Grund war falsch. Wir wollen nach dem verlorenen Krieg ...«

Walser lachte: »Das ist doch nicht wahr.«

Augstein: »... nicht im Besitz jüdischen Eigentums angetroffen werden.«

Der Freund durchschaute etwas: »Aber eins, Rudolf, weißt du auch: Die Auswahl von Bildern und Erlebnissen, die du so unglaublich farbig und hinreißend produzierst, ist eine ganz bestimmte Auswahl aus einer Gesamtgeschichte, die du jetzt mit der höchsten Legitimation ausstattest. Alles, was du getan hast, war richtig. Alles, was dein Vater getan hat, war richtig und toll.«

»Wir fühlten uns überhaupt nicht toll«, Augstein sah sich missverstanden. »Ich hatte nur das Glück, einen Vater zu haben, der von einem Tag auf den anderen nichts an Antisemitismus mehr zuließ und nach dem Krieg sofort wieder Antisemit war. So war die Sache.«

»Das kann man«, formulierte Walser beinahe höflich, »fast nicht glauben.«

Doch Augstein, mutmaßlich verscheuchte er gerade eine Fliege, er wusste: »Aber so war es eben.« Und vergaß auch nicht: »Meine Mutter« – diese Katastrophe – »war eine naive Antisemitin, die sich aber dennoch geweigert hat, das von den Nazis gestiftete Mutterkreuz anzunehmen.«

Walser: »Hat sie sich geweigert? Oder habt ihr ihr gesagt, das darf sie nicht nehmen?«

Sie wollte es nicht, sagte Augstein. »Ich habe meine sieben

Kinder doch nicht für die Nazis gekriegt«, habe sie gesagt. Doch keine Mutterkatastrophe.

Und so ging es weiter, Abend mochte es schon geworden sein, die Mücken zudringlicher, vielleicht zappelte schon eine im Rotwein, die erste Flasche war es – mutmaßlich – nimmermehr, als Freund Martin – beweisbar! – in den tollsten Superlativ seines eigenen Dichterlebens ausbrach: »Rudolf, du bist wirklich der beste, schönste, liebenswürdigste, ungefährdetste Roman, der zu Herzen gehendste, den ich je gelesen habe. Das muss ich einfach sagen. Dagegen sind alle, die es bis jetzt probiert haben, Stümper. Nur eines ist sicher: Es ist ein Roman. Mit der Wirklichkeit kann es nichts zu tun haben. Einverstanden?«

Der Angesprochene, eiskalt: »Nein.«

Der Freund: »Hältst du es für Wirklichkeit?«

Augstein, eindeutig: »Es ist erlebte Wirklichkeit, nicht geschönt.«

Walser, zweideutig: »Aber jetzt pass mal auf, Rudolf: Mich macht das irre. Nietzsche, dem ich sehr glaube und den ich für einen wirklichen Gefühlsimpressionisten halte, meint ja, dass Geschichte eine Fiktion sei. Und du erzählst das so, dass man glaubt, so muss es gewesen sein. Deswegen muss es ein Roman sein. Es ist ja versuchungslos. Du warst nie in Versuchung. Du bist im Grunde genommen die Krönung der Wehrmachts-Wanderausstellung für alle Zeiten.«

* * *

Alles nur Fiktion? Ein Roman? Walser erkannte Unstimmigkeiten in Augsteins Erzählungen. Geschichten oder Geschichte? Ein antipreußischer Vater mit preußischer Uniformgeilheit? Ein Antisemit bis 1933, dann Freund der Juden und 1945 wieder Antisemit? Wie passt das zusammen? Passt es zusammen? Ist es nur ein Roman? Ein Rechtfertigungsroman? Augstein sagte, wir wollten nach dem verlorenen Krieg nicht im

Besitz jüdischen Eigentums angetroffen werden. Die Gefahr bestand nicht, weil der Vater die »schweinischen« Corinth-Gemälde nicht wollte. Trotzdem hält Walser diese Geschichte, auf die Augstein immer mal wieder zurückkommt, nur für den Teil einer Gesamtgeschichte, die der Freund nun mit höchster Legitimation ausstattet. Die »Arisierung« der Bilder wäre legitim gewesen, weil sie ja den Augsteins von den Juden regelrecht aufgedrängt wurden. War die Gesamtgeschichte, die hier, wie Walser sagt, legitimiert wird, etwa die, dass Vater Augstein etwas weniger Schweinisches in seinen Besitz brachte?Augstein verfügt in seinen späten Jahren über ein sehr präzise arbeitendes selektives Gedächtnis, auf dessen exakt funktionierende Löschfunktionen er sich verlassen kann. Das hat er im Fall Oven (siehe S. 295f.) bewiesen, das hat er vor aller Welt im *Tagesthemen*-Gespräch mit Sabine Christiansen klargemacht, wo er seinen dritten Mann vergaß (siehe S. 271f.).

Wer die Juden waren, die den Augsteins ihre Corinth – nur die Gemälde oder mehr? – anboten, sagte er im Gespräch mit Walser nicht. Hervorgeholt wie aus einer lange verschütteten Erinnerung, fiel der Name erst im Mai 2001 in der Paulskirche, dort, wo das Transparent »Salonantisemit« Augstein erwartete: Rüdenberg. An diesen Namen sollte sich der mit dem Börne-Preis Geehrte in seiner Dankesrede plötzlich erinnern.

* * *

Wo bleibt die Wirklichkeit jenseits der Erzählung? Aus dem, was das Hannoversche Stadtarchiv – viel ging durch die Bombenangriffe verloren – zu bieten hat, lässt sich folgendes feststellen:

Vater Friedrich Augstein ist in den zwanziger Jahren als Inhaber der Photo-Fabrik Orionwerk verzeichnet in der Podbielskistraße 310, 1. Stock. G. Rüdenberg junior hat sein Versandhaus für Photographie und Optik in der Odeonstraße 7 und wohnt ebenfalls in der Podbielskistraße, aber Nr. 16, dort wohnt Gustav Rüdenberg 1940 noch immer, hat aber nunmehr nach der Vorschrift des späteren Adenauerstaatssekretärs Globke den zweiten, den aufgezwungenen Vornamen Israel. 1942 steht der Kaufmann Friedrich Augstein noch im Adressbuch, Gustav Rüdenberg, der sich Israel nennen musste, ist daraus verschwunden. Er wurde 1941 im Alter von dreiundsiebzig Jahren nach Riga deportiert.[3]

Nach Riga gab es – aus dem Reichssicherheitshauptamt angeordnet und koordiniert – aus dem ganzen Reich von Ende November 1941 bis Ende Januar 1942 Transporte mit rund fünfzehntausend Juden aus zwölf Städten. Rund tausend kamen am 15. Dezember 1941 aus Hannover. Die meisten wurden in Riga gleich nach ihrer Ankunft ermordet.

Die Mörder? Es waren in Riga nicht die Männer des Sonderkommandos von Augsteins späterem Verleger Franz Alfred Six und dessen Adjutanten, dem *Spiegel*-Ressortleiter Horst Mahnke. Es war nicht die Einsatzgruppe B von Augsteins (»Wir sind alle Nebes«) Serienliebling knapp acht Jahre später. Es war die Einsatzgruppe A unter dem Befehl von Franz Walter Stahlecker, der in »sehr enger, ja fast herzlicher« Zusammenarbeit mit der Wehrmacht[4] seiner Ausrottungstätigkeit nachging. Stahlecker war von der Viktoriaterrasse in Oslo, dem SD-Hauptquartier in Norwegen, gekommen. Sein Untergebener, »Georg der Deutsche«, Augsteins späterer Stellvertretender Chefredakteur, hatte das Glück, dass ihn Stahlecker in Oslo belassen hatte.

Ob Rüdenberg, der jüdische Freund des von 1933 bis 1945 nicht antisemitischen Friedrich Augstein in Riga noch kurze Zeit in einem Ghetto überlebte oder wie die meisten seines Transports sofort erschossen wurde, ist nicht überliefert.

Und wir wissen nicht, was aus der Ausstattung des Fotoversandhauses von Gustav Rüdenberg wurde.[5]

* * *

Das Gespräch zwischen Augstein und Walser war inzwischen an einen Punkt gekommen, an dem Freund Martin dem Rudolf nachträglich böse wurde: »Mich hast du 1961 beeinflusst, indem dein *Spiegel* angst machte vor Franz Josef Strauß als das schlechthin Bedrohende. Der Strauß will die Atombewaffnung der Bundesrepublik, habt ihr geschrieben.« Und da habe er extra ein Büchlein für die SPD herausgegeben: *Die Alternative, oder Brauchen wir eine neue Regierung?* Das war falsch: »Nachträglich tut es mir leid, dass ich den Strauß – wie ich jetzt glaube – falsch erlebt habe. Für mich ist es ein Beispiel meiner Verführbarkeit oder Nichtzuständigkeit.«

Der Verführer, etwas gekränkt: »In gewisser Weise kann ich ja hier wohl als Fachmann reden.« Und sprach von den »vielen vergnüglichen Stunden«, die er mit Strauß verbrachte, hinterher. »Aber vorher musste er weg.«

Später, der gedruckte Teil des Gesprächs neigt sich dem Ende zu, sagte Augstein etwas Überraschendes: »Ich beispielsweise kann mit der Stasi-Verdächtelei wenig anfangen, im *Spiegel* aber und auch in anderen Blättern kann ich darüber lesen. Von mir aus hätte man aus allen Stasi-Akten zusammen ein Feuerchen machen können.«

Eine Reue, verständlich nach all dem Ärger, den ihm die Prahlerei mit der *Spiegel*-Aufklärung eingebracht hat.

Irgendwann – zuvor musste noch, auch verständlich, das Gespräch zwischen Schiller und Goethe bemüht werden, aber wer ist hier in St. Tropez, wer? – bricht der Dialog zwischen diesen beiden ganz normalen deutschen Männern ab – zumindest in der schriftlichen *Spiegel*-Wiedergabe.[6] Sie werden an diesem Septemberabend – Augstein weniger, Walser mehr – noch manches Glas getrunken und manches Wort gewechselt haben, aber irgendwann setzt auch die Fürsorgepflicht eines deutschen Nachrichtenmagazins für seinen Herausgeber ein, das dem Abdruck des Gesprächs für die lieben *Spiegel*-Leser deshalb herzlichst ein Ende setzen musste.

Worüber mögen sie noch geredet haben? Keine Frage. Walser war an diesen Septembertagen anno 98 längst mit der Friedenspreisrede beschäftigt, die er am 11. Oktober in der Paulskirche zu halten hatte. Und sie waren schon während des ganzen Gesprächs beim Thema, dass die Deutschen endlich wieder ein normales Volk werden müssen. Damals konnten sie wirklich noch nicht ahnen, dass die Deutschen mit dem rotgrünen Regierungsantritt kein halbes Jahr mehr brauchten, um ihren ersten Nachkriegsangriffskrieg hinzubekommen, in aller deutschen Normalität, einen Krieg, dem die besten Söhne und Töchter der deutschen Friedensbewegung ihren Segen gaben – lässt sich mehr Normalität vorstellen als die olivgrüne Hochzeit?

Wieder – machten sie es da schon miteinander aus? – sollte Martin Walser vor Kühnheit zittern (wie damals 1977 in Bergen-Enkheim, als er die eine ungeteilte Nation ausrief) und nach der Schließung der deutschen Wunde zum letzten Schlag ausholen: die Nation von Auschwitz befreien.

Und so geschah es dann: Martin Walser – der neue Andreas Hofer – legte seine Brust frei vor den »Meinungssoldaten« mit »vorgehaltener Moralpistole« und sprach – und spricht in der Paulskirche, wo er den Friedenspreis des Deutschen Buchhandels empfängt, dass »ich jetzt wieder vor Kühnheit zittere, wenn ich sage, Auschwitz eignet sich nicht dafür, Drohroutine zu werden, jederzeit einsetzbares Einschüchterungsmittel oder Moralkeule.« In ihm wehre sich etwas, trotzt er mutig, gegen die »Instrumentalisierung unserer Schande zu gegenwärtigen Zwecken«.[7]

Das deutsche Volk, dessen würdigste Vertreter sich wieder einmal in der Paulskirche versammelt haben, erhebt sich wie ein Mann, soviel Beifall hat die Paulskirche selten gesehen. Standing ovation für den Dichter, der deutsch redet. Nur zwei bleiben sitzen, trotzig, verstockt, der Jude mit seinem Weib: Ignatz und Ida Bubis.[8]

»Niemand hat soviel ernstgenommen wie er«, schrieb Martin Walser schon fünf Jahre vorher zu Augsteins siebzigstem Geburtstag. »Er hat für uns gesorgt. Wir konnten uns gehenlassen. Er hat aufgepasst. Was ganz Schlimmes konnte nicht einfach passieren, solange er aufpasste.«[9]

Und wie der aufpasste, wenige Tage vor seinem fünfundsiebzigsten Geburtstag. Nach dem Auftritt des Freundes triumphierte Augstein: »Jedes Tabu wird irgendwann, und dann regellos, durchbrochen.« Und fand es völlig unverständlich, dass »der als gemäßigt anerkannte frühere Frankfurter Baulöwe« jetzt dem Freund »geistige Brandstiftung« vorwarf. Bubis habe sich damit »in ein gesellschaftliches Abseits« begeben.

Schließlich musste, Augstein sah es mit Unverständnis und Bedauern, nach Walser auch noch der geduldige Klaus von Dohnanyi bei Bubis einklagen, er möge mit seinen »nichtjüdischen Landsleuten etwas behutsamer umgehen; wir sind nämlich alle verletzbar«.

Augstein als nichtjüdischer Landsmann, auch er klagte bitter: »So geht es nun immer weiter bis zu der Feststellung von Ignatz Bubis, jeder dritte Deutsche sei antisemitisch oder dafür anfällig. Das ist eine gewagte Behauptung.«

Sehr gewagt![10] Denn gerade dadurch – Bubis wird sehen, was dabei herauskommt – entsteht ja Antisemitismus, den es sonst nicht geben würde. Da müssen doch alle Deutschen wie ein Mann antisemitisch werden, wenn man sie so verleumdet, wir alle, »die wir von der ›Endlösung‹ nichts wussten«. Bekannte doch selbst Helmut Schmidt, »heute fast 80 Jahre alt«, er habe »von den Verbrechen und der Judenvernichtung erst nach dem Krieg erfahren« – seine Teilnahme als Beobachter am Prozess gegen die Attentäter des 20. Juli lief mutmaßlich unter dem Rubrum staatsbürgerlicher Aufklärung.

Und wenn dann auch noch, Augsteins Sorge um die Juden ist unermesslich, das Schanddenkmal in Berlin gebaut wird, dann »schaffen wir Antisemiten, die vielleicht sonst keine wären«, und beziehen – das ist gemein – für diese so geschaffenen Antisemiten »Prügel in der Weltpresse jedes Jahr und lebenslang, und das bis ins siebte Glied«.

Bis ins siebte Glied. Juden machen das so, bekanntlich, und ihre Weltpresse macht es auch.

Die betreibt seit je gegen Deutschland, das weiß Augstein, »eine Stimmungsmache, der schon Konrad Adenauer Anfang der fünfziger Jahre mit den Worten Ausdruck gegeben hatte: ›Das Weltjudentum ist eine jroße Macht.‹«[11] Adenauer wird man ja wohl noch zitieren dürfen.

Was aber Augstein nicht ahnen konnte, war: Er schuf so eine der Voraussetzungen, ohne die er kaum je zwei Jahre später Börne-Preisträger geworden wäre.

Es war, nebenbei, das letzte Jahr des deutschen Juden Ignatz Bubis. Er, der alles getan hatte, damit Juden auch in Deutschland wieder eine Heimat finden, wollte hier lieber nicht begraben sein.

Frank Schirrmacher aber, der junge energische Mitherausgeber der *Frankfurter Allgemeinen Zeitung für Deutschland* – er wird uns gleich wieder über den Weg laufen – schrieb: »Spätere werden der Debatte einen Rang zuweisen, der ihr gebührt. Auch die historische Umgebung wird genauer zu bestimmen sein. Etwa die Tatsache, dass an jenem Oktobersonntag in Deutschland die erste wirkliche Nachkriegsregierung an die Macht gekommen war.«[12]

Und vielleicht beschloss er da, einem anderen den ihm gebührenden Rang zuzuweisen, für das, was der ihm hatte antun lassen.

KAPITEL 22

»Der backenblasende Verkünder epochaler Ab- und Aufbrüche« – Schirrmachers Rache, Augsteins Not

> »Ich umarme meinen Rivalen, aber um ihn zu ersticken.«
>
> *Racine,* Britannicus, *1669*[1]

Ahnt irgendein Mensch, wie es dazu kommen konnte, dass Rudolf Augstein zur Jahrtausendwende den Ludwig-Börne-Preis bekam? Was dahintersteckt? Eines jedenfalls ist seither klar: Der Börne-Preis, der, wie so viele andere, seit seinem Beginn als Beziehungspreis gilt – A verleiht ihn an B, der damit C ehrt, damit der wiederum A ... –, hat damit den Ruch eines Geschenks auf gegenseitige Gefälligkeit verloren, er ist zum tödlichen Skorpion geworden.

Allerdings gehörte es auch nicht unbedingt zur Zweckbestimmung des Börne-Preises, dass er an antisemitisch bemühte Kandidaten verliehen werden müsse. 1993 hatte die Frankfurter Jüdische Gemeinde den Preis gestiftet als Auszeichnung für besondere Leistungen in den Bereichen Essay, Kritik und Reportage. Ein jährlich wechselnder Preisrichter sollte allein bestimmen, wer es ist, der den Preis bekommt.

Es geschah aber in des Preises siebentem Jahr, dass dieser alleinbestimmende Juror Frank Schirrmacher war. Der »Kind-Kaiser« *(Süddeutsche Zeitung)*, der mit vierunddreißig Jahren Anfang 1994 Mitherausgeber der *Frankfurter Allgemeinen Zeitung für Deutschland* wurde. Und der sich schon am Ende desselben Jahres vom US-Magazin *Time* neben Bill Gates eingereiht sah unter die hundert bedeutendsten Persönlichkeiten der Welt, die das nächste Jahrhundert bestimmen werden.

So nahm das Unglück seinen Lauf, das seither für Rudolf Augstein nicht mehr geendet hat. Denn Schirrmachers Preis wurde zum Racheakt, zum Vernichtungsfeldzug, wie ihn die Welt unter Intellektuellen kaum je gesehen hat.

* * *

Es begann am 13. Mai 1996, einem *Spiegel*-Tag. »Schlaraffenland abgebrannt« stand auf dem Titel, der zeigte Breughels berühmtes Bild mit dem kleinen ausgehöhlten Ei in der Mitte, das auf eigenen Füßen in der Gegend herumläuft. Da ging es lediglich um »Die Pleite des Sozialstaats«. Aber im Heft weiter hinten enthüllte der *Spiegel* die »Karriere-Tricks des *FAZ*–Herausgebers Frank Schirrmacher«, und was da zu lesen war, kam einem Todesurteil gleich.

Es begann, noch harmlos, mit einem »Dokument der Rebellion« gegen den Führungsstil des »Überfliegers« mit dem »weichen Primanergesicht«, das elf Feuilleton-Redakteure den übrigen vier *FAZ*-Herausgebern unterbreitet hatten. Der Arbeitsplatz, so hieß es da, sei für die Redakteure ein Ort geworden, »den man morgens mit Beklemmung betritt und den man abends erleichtert verlässt«.

Der »altkluge Kohl-Jünger« und »backenblasende Verkünder epochaler Ab- und Aufbrüche«, so hieß es da über Schirrmacher, traktiere seine Kollegen als »autoritärer Chef-Ideologe«, der kaum Widerspruch ertrage. »Irritiert« seien sie vor allem durch seinen »sorglosen Umgang mit der eigenen Biographie«. Er habe, das kann passieren, das Jahr seiner Promotion falsch angegeben und seinen Doktortitel aber nicht mit einer »Arbeit über den amerikanischen Dekonstruktivismus« erworben. Der *Spiegel:*

> »Schirrmacher hatte möglicherweise guten Grund, Thema und Datum seiner Promotion ein bisschen zu verfälschen. Aufmerksamen Lesern wäre sonst aufgefallen, dass er den Großteil der Doktorarbeit bereits ein Jahr zuvor, im Februar 1987, in einem Kafka-Sammelband der Edition Suhrkamp veröffentlicht hatte.«

Das aber bricht, wie der *Spiegel* unter Zitierung namhafter Kommentatoren des deutschen Wissenschaftsrechts belegte, »mit allen akademischen Sitten«.

Mehr noch. Der Suhrkamp-Text, der für die Dissertation nur um etwa 10 Prozent aufgestockt worden sei, gehe auf eine Arbeit zurück, die ihm drei Jahre zuvor an der germanistischen Fakultät in Heidelberg bereits den Magistertitel eingebracht habe. Solche akademische Doppelverwertung ein und derselben wissenschaftlichen Arbeit gelte aber unter Experten als »besonders anrüchig«.

Nur einer der drei bestellten Promotionsgutachter, der Romanist Hans Ulrich Gumbrecht, habe sich vorbehaltlos für den Text von Schirrmacher begeistern können und darum ein »magna cum laude« durchgesetzt. Schirrmacher wiederum habe Gumbrecht noch vor Abschluss der Promotion in der *FAZ* hoch gelobt, weil er »neue Perspektiven für die Geisteswissenschaften« eröffne. Danach habe er den verdienten Doktorvater mit Berichten und Rezensionen für die *FAZ* beschäftigt.

Dem *Spiegel* entging, dass so etwas bei der *Frankfurter Allgemeinen Zeitung für Deutschland* nicht ungewöhnlich ist: Schirrmacher-Vorgänger Joachim Fest konnte Honorar-Professor in Heidelberg werden, nachdem zwei Feuilleton-Mitarbeiter der *FAZ* dort für ihn gegutachtet hatten, und zwar sehr gut.[2]

Und wie sich bei Joachim Fest der gerade dem Studium entronnene junge Schirrmacher einschmeichelte, war auch im *Spiegel* zu lesen: Er habe ihm auswendig gelernte Passagen aus dessen *Hitler*-Opus vorgetragen und ihm auch den Text eines Vortrags überreicht, den er über die Hitler-Biographie vor der »Society of Fellows« an der amerikanischen Harvard University gehalten habe. Fests Werk sei »das intellektuell, ästhetisch und politisch einflussreichste Werk, das seit 1945 in Deutschland veröffentlicht worden ist«, hätte er dort seinen staunenden Zuhörern erzählt.

Hatte er? Der *Spiegel* recherchierte und fand keinen Menschen in Harvard, der je von einem solchen Schirrmacher-Vortrag gehört hätte. Eine Society of Fellows gibt es dort zwar, zur Vergabe von Stipendien, doch ihr Sekretär wusste von nichts: »Wir organisieren Essen, aber keine Vorträge.«

Und zuletzt auch noch dies, muss er sich das bieten lassen? Schirrmacher, der Wiesbadener Beamtensohn, ein vom Verfolgungswahn besessener Maniker, der selbst enge Vertraute mit der phantastischen Erzählung verblüffe, er sei als Kind unter äthiopische Räuber gefallen, die jederzeit bereit waren, ihn zu töten.[3] So jedenfalls schrieb es der *Spiegel*.

Für einen Sterblichen ist solch eine *Spiegel*-Geschichte tödlich, falls ihr nicht unverzüglich eine Gegendarstellung oder eine Verleumdungsklage folgt. Die *Süddeutsche Zeitung* zeigte sich verblüfft, zu welch »peinlichen Manövern des Taktierens, Schmeichelns, schummelnden Zitierens« der Ehrgeiz den *FAZ*-Herausgeber getrieben habe: »Dieser Unselige vermochte nicht erfolgreich zu verschleiern, welche peinliche Manipulation sich hinter seiner Doktorarbeit ›über den amerikanischen Dekonstruktivismus‹ in Wahrheit verbirgt.« Seine betroffenen Mit-Herausgeber seien nicht zu beneiden, »ob sie nun handeln oder dulden«.[4]

Und die *tageszeitung* würdigte die Ausführlichkeit, mit der man im *Spiegel* nachlesen könne, »auf welch eigenartige Weise Frank Schirrmacher, der für das *FAZ*-Feuilleton verantwortliche Herausgeber, an der Gesamthochschule Siegen – einem typischen Produkt des sozialliberal-egalitären Reformbildungswesens – zu seinem Doktortitel gekommen ist …«

Es falle schwer, sich »nach diesen Enthüllungen die Häme zu versagen«, schrieb die *taz* und untersagte sich nichts: »Hat der Herausgeber jener Zeitung, die in schnarrendem Ton zur Attacke gegen die bildungspolitischen ›Weltverbesserer‹ mit ihren totalitären Gleichheitsidealen ruft, von dem liberalen Schlendrian ebenjenes Systems profitiert?«[5]

Eine ausweglose Situation für den *FAZ*-Herausgeber, so schien es. Um so bewundernswerter, wie er sich herauswand. Er unternahm zunächst einmal nichts, nur zwei seiner Zeitung verpflichtete Geistesgrößen durften eine erste Verteidigung bei der Leserbriefredaktion des *Spiegel* abliefern. Der erste allerdings, der Dr. Dr. h. c. mult. Siegfried Unseld, gab sich wenig Mühe. Er schaute in den *Spiegel* und sah ein Nichts:

> »Welch ein journalistischer Kraftakt: aus einem höchstmöglichen Nichts an Inhaltlichem die höchstmögliche Wirkung von Häme zu ermitteln. Das Kolportieren vermeintlicher ›Ungereimtheiten‹ im Lebenslauf Schirrmachers, die angeblich ›irritieren‹ – wen und warum? –, entstammt barem Neid, journalistischer Missgunst und lächerlicher Spießigkeit.«

Nicht viel besser der problematische Augstein-Freund Martin Walser. Ein Nichts – das ist alles, verkündete der *FAZ*-Fortsetzungsromanautor im Leserbrief an das Nachrichtenmagazin, das vielleicht mal einen Böll gedruckt hatte, aber noch nie einen Walser-Roman:

»Man muss den *Spiegel* loben: aus einem solchen Nichts an Inhalt, Information, Substanz eine solche Brutalattacke gegen einen Intellektuellen zu schmieden.«

Und dann doch etwas erregt:

»Alle Achtung! Jetzt können wir wirklich ruhig schlafen. Der *Spiegel* kann jetzt jede Person kaputtmachen, er braucht keine Fakten, der bloße Wille genügt. Da wird zusammenzitiert, was nicht zusammengehört. Klatschquatsch und zweckdienlich bestellte Sorgentöne akademischer Sittenwächter.«

Der Dichter vom Bodensee erkannte sogar, dass seines Freundes *Spiegel* keine Gärtnerei sei:

»Da sehen wir wieder, was wir an so einem Medium haben. Einen Baum pflanzen kann es nicht, aber doch kaputtmachen, was es will.«[6]

Und dann war erst einmal Stille. Präsident Bush ließ sich, das fiel ihm schwer, vier Wochen Zeit, bis er den »Angriff auf unsere Lebens- und Werteordnung« mit Streubomben auf Afghanistan beantwortete. Herausgeber Schirrmacher nahm sich vier Jahre. Jahre der Überlegung, der Beratung mit Freunden – er ließ den Baum wachsen.

Bis er groß genug war, Rudolf Augstein zu erschlagen.

* * *

Als Schirrmacher im Jahr 2000, entsprechend der Satzung, der in diesem Jahr allein zuständige Preisrichter wurde, rief er Rudolf Augstein zum Ludwig-Börne-Preisträger der Jahrhundertwende aus mit der feinsinnig im Oberton formulierten Begründung, der *Spiegel*-Herausgeber habe es der jungen

Bundesrepublik ermöglicht, »wieder in ein Gespräch mit sich selbst und der Umwelt« einzutreten. Er habe damit Deutschland seine »innere Freiheit wiedergegeben«.

Der Prozess der Dekonstruktion, dem Augstein durch diesen Preis von Schirrmacher unterworfen wurde, hätte teuflischer und vorzüglicher nicht geplant sein können. Eine Preisverleihung – von goldener Zitrone oder olivfarbener Kröte mal abgesehen – kann an sich ja nie als Racheakt, als Bösartigkeit verstanden werden.

Hatte Schirrmacher sich ausrechnen können, was passieren würde, wenn er Augstein für einen Preis vorschlägt, der nach dem Juden Ludwig Börne benannt ist? Es wäre eine geniale Chuzpe, einem mal mehr, mal weniger verkappten Antisemiten den jüdischen Preis zu verleihen, den der trotzdem sofort annimmt, annehmen muss, weil er seiner intellektuellen Eitelkeit schmeichelt. So viel Chuzpe hatte es unter Deutschlands Journalisten noch nie gegeben.

Ob Schirrmacher einen Plan hatte oder nicht, jedenfalls verlief alles so, als wäre die totale Dekonstruktion eines Journalisten, der sein ganzes Leben für Deutschland gelebt hatte, gründlich geplant gewesen.

Zunächst reagierten nur einige linke Zeitschriften wie *konkret*, *junge welt*, *jungle world* mit Ablehnung und Spott und Hinweisen auf Augsteins Vergangenheit.

Mich forderte die *Jüdische Allgemeine Wochenzeitung* auf, die geplante Preisverleihung zu würdigen. »Ein ganzes langes Publizistenleben hat sich der *Spiegel*-Gründer hohe Verdienste«, so schrieb ich, »um das Fortleben des Antisemitismus in unserm Land erworben.« Augstein hätte damals noch rechtzeitig gewarnt sein können; ich schrieb:

> »Nein, so umsichtig der *FAZ*-Herausgeber den Preisträger ausgesucht hat, so überzeugend die Wahl des Mannes ist, der den Deutschen ihre innere Freiheit wiedergab, so unmöglich ist die Benennung des Preises, takt-

und geschmacklos. Ludwig-Börne-Preis! Dieser Prototyp des jüdischen Literaten, der eigentlich, wie *Meyers Konversations-Lexikon* von 1937 lehrt, Löb Baruch heißt, das ist Rudolf Augstein unzumutbar, der stets ein Deutscher war und stets ein Deutscher bleiben wird. Frank Schirrmacher hat das alles sicherlich gut gemeint – aber so geht es nicht.«

Ich hatte ja keine Ahnung, was noch folgen sollte. Wusste Schirrmacher schon, dass der Festakt in der Paulskirche eine phantastische Gelegenheit zur niemals nachweisbaren Abrechnung mit Augstein und seinem *Spiegel* bieten würde? Dort hatte der *FAZ*-Herausgeber schon im Oktober 1998 die Laudatio auf den Friedenspreisträger Martin Walser gehalten, dessen Dankesrede zum Skandal führte und dessen Ertrag er in einen 688-Seiten-Band *(Die Walser-Bubis-Debatte)* für Suhrkamp einfuhr.

Ich gestehe meinen Neid: Was ich 1992 nicht fertig brachte, was Hachmeister 1997 versagt blieb, was Fischler 1999 nicht konnte, eine wirklich öffentliche Debatte anzuzetteln über die fortwirkende Vergangenheit Augsteins und seines *Spiegel* – mit dem Börne-Preis gelang es.

Denn je näher das Ereignis rückte – Augsteins Geburtstag, gekrönt mit der Börne-Preis-Verleihung in der Paulskirche –, desto verheerender brach die Schutzmauer, die von der Hamburger Kumpanei um ihren Augstein errichtet worden war.

Für Augstein einen Börne-Preis, das erregte jetzt doch Diskussionen, so sehr, dass Augstein – so oder so – krank davon wurde. Jedenfalls gab man am Vortag des 5. November 2000 bekannt, dass die Preisverleihung wegen einer Krankheit Augsteins auf unbestimmte Zeit aufgeschoben werden müsse. Er selbst schrieb stattdessen seinen unvergänglichen Essay »Meine Leitkultur war jüdisch«.

Doch mit der Absage begann erst recht das Spekulieren um Augstein. Am Tag danach, so hieß es, sei er »putzmunter« in der Redaktion erschienen. Als dann Anfang Dezember auch noch das angesehenste deutschsprachige Blatt, die *Neue Zürcher Zeitung (NZZ)* in die Diskussion um Augstein einstieg, war der Damm um den *Spiegel*-Herausgeber endgültig gebrochen. Die *NZZ* zweifelte an seiner Preiswürdigkeit: Augstein habe ehemaligen Nazis nicht bloß im Rahmen des deutschen Wiederaufbaus Arbeit gegeben, sondern hochrangige Nazis gezielt protegiert. Und zählte sie alle auf, Fazit: »Was unter Augstein betrieben wurde, sieht verdächtig nach Weißwäscherei aus.«

Und der Reichstagsbrand? Die *Zürcher:* »Vernachlässigung der journalistischen Sorgfaltspflicht ist das mindeste, was den Blattmachern vorzuwerfen wäre.«[7]

Alles halb so schlimm, wenn sich Augstein darauf eingelassen hätte, seine Tochter Franziska zu schicken, wie vorgeschlagen wurde, um für ihn den Preis in Empfang zu nehmen und seine Rede zu verlesen, die sie, eine glänzende Journalistin, sicherlich klug redigiert hätte.

Nein, nein, nein! Augstein wollte den Preis, und dazu gehörte, dass er ihn selbst in Empfang nähme, dass er selbst in der Paulskirche aufträte. Und so rannte er immer tiefer in die Falle. Inzwischen wurde ein neues Datum für die Preisvergabe festgelegt: der 13. Mai 2001. Irgendein Datum? Nein. Es war auf den Tag genau der fünfte Jahrestag der tiefsten Erniedrigung, die Schirrmacher je erfahren hatte: am 13. Mai 1996 war der *Spiegel*-Artikel erschienen, der ihn vor aller Welt als Hochstapler und Lügenbaron demütigte. Zufälle gibt's.

* * *

Wie charmant jetzt der *Spiegel* seine Honneurs vor Schirrmacher machen konnte. Der *Spiegel-Almanach 2001*, der einen »Weltüberblick auf *Spiegel*-Niveau« bietet, reihte Frank Schirrmacher ebenso wie Rudolf Augstein unter die »Personen des Jahres« ein. Während Augstein als »Journalist des

Jahrhunderts« und als von Schirrmacher erkorener Börne-Preisträger (der Redaktionsschluss des Almanachs lag vor dem ursprünglich geplanten Übergabetermin vom 5. November) gewürdigt wurde, sah sich Schirrmacher als *FAZ*-Revolutionär von »struktureller Unberechenbarkeit« gefeiert. Der *Spiegel-Almanach:* »Das Jahr 2000 gab dem gleichzeitig weit nach hinten und stürmisch vorausschauenden *FAZ*-Mann mehrfach Gelegenheit, diese strukturelle Unberechenbarkeit zu beweisen.« Die ahnungslosen Aufklärer vom Dovenfleet hatten Schirrmacher sogar einige Zeilen mehr gegönnt als dem eigenen Herausgeber.

* * *

Drei Monate nach dem Eklat um Augsteins einstweilige Absage wurde vollends klar, dass es seinetwegen auch Krach in der Ludwig-Börne-Stiftung gegeben haben musste. Ihr Vorstandsvorsitzender, der Geschäftsführer der Schweizer Hypo-Bank Michael A. Gotthelf, meldete sich in der *Süddeutschen Zeitung* unaufgefordert zu Wort. Seit vor rund zehn Jahren die Idee des Ludwig-Börne-Preises geboren wurde, hätte es eine Reihe namhafter Preisträger gegeben, die »an die Börnesche Tradition in der einen oder anderen Weise angeknüpft« haben: »Große Essayisten und Kritiker wie Marcel Reich-Ranicki, Joachim Kaiser, Josef Joffe und als letzter Preisträger Georges-Arthur Goldschmidt – um nur einige zu nennen – haben in der Frankfurter Paulskirche für ihr Ringen um die Aufklärung diese Ehrung entgegengenommen.«

Was dann folgte, klang wie eine Bitte um Entschuldigung oder um Schuldverlagerung: Im letzten Jahr habe die Ludwig-Börne-Stiftung »nun als alleinigen Preisrichter den *FAZ*-Herausgeber Frank Schirrmacher nominiert«. Und *der* habe Rudolf Augstein als Börne-Preisträger benannt.

Ja doch, es gebe Übereinstimmungen, »viele« sogar, behauptete Gotthelf, zwischen dem Namensgeber des Preises –

Börne – und dem Preisträger Augstein (noch 1967 war der bescheidener und schrieb von »Ludwig Börne, mit dem wohl niemand hier sich vergleichen kann«).[8]

Aber, so Gotthelf, bereits im Vorfeld habe es Stimmen der Kritik an Schirrmachers Entscheidung für Augstein gegeben, Gotthelf formulierte sie vorsichtig: »Augstein habe in den fünfziger Jahren beim *Spiegel* ehemalige Nazis beschäftigt«.

»Ehemalige«, meinte der Börne-Stiftungschef sagen zu müssen, immerhin, er fügte noch hinzu: »Ein mehr oder weniger latenter Antisemitismus-Vorwurf stand im Raum.« Offensichtlich stand er dort so fest, dass auch Augsteins vorhergehende Selbststilisierung zum Verbreiter jüdischen Liedguts an der Ostfront den Stiftungschef Gotthelf nicht davon abhalten konnte, jetzt in der *Süddeutschen* in aller Ausführlichkeit »Gerüchte« weiterzuverbreiten. Etwa, dass Augstein gar nicht krank gewesen sei und sich nur wegen der Kritik an seiner Person zurückgezogen habe. Oder – und das alles schrieb Gotthelf nur, um es selbstverständlich zurückzuweisen –, dass sich beim *Spiegel* »ein Unbehagen über eine kritische Aufarbeitung der Vergangenheit des Hauses breit machte und man mit einem nicht bis ins Detail zu kontrollierenden Auftritt Augsteins in der Paulskirche möglicherweise Öl ins Feuer gieße«.

So etwas verbreitet man als Preisstifter eigentlich nicht, wenn man wünscht, dass der von Schirrmacher Ausersehene tatsächlich auch seine Gelegenheit zum unkontrollierten Auftritt bekomme. Doch Gotthelf legte nach, man könne Augsteins Verhalten »kaum noch als in der Börneschen Tradition stehend bezeichnen«. Eine Chance aber gab der Stiftungsvorsitzende Augstein: »Eine kritische Aufarbeitung der eigenen Vergangenheit beim *Spiegel* ... würde ... gewiss nicht auf den erbitterten Widerstand Börnes stoßen«, und die sei – »wie wir aus Hamburg hören« – derzeit schon im Gange.

Aber Börne war tot und Augstein lebt, und eine kritische Aufarbeitung der eigenen Vergangenheit hatte der *Spiegel* vor Jahren schon einmal zu seinem fünfzigjährigen Jubiläum versprochen, Vertuschung kam dabei heraus. Was da Anfang 2001 in Hamburg im Gange war: Anfang April die neue Kolportage über die garantierte Unschuld der Nazis am Reichstagsbrand (siehe S. 311f.), deren einziges Zugeständnis war, dass sich »Debatten wie die um den Reichstagsbrand nicht beenden lassen« (Augstein hatte 1959 versichert: »Über den Reichstagsbrand wird nach dieser *Spiegel*-Serie nicht mehr gestritten werden«). Und dann wurde, sechs Tage vor der Preisverleihung, doch da war nichts mehr aufzuhalten, von der *Spiegel*-Redaktion Adolf Hitler persönlich zur Vergangenheitsbewältigung in Dienst genommen – wir kommen noch drauf.

Drei Tage vor der Preisverleihung schlug wieder die *Neue Zürcher* zu. »Trübe Frühgeschichte« war ein Bericht überschrieben über eine Diskussion, die im Düsseldorfer ASG-Bildungsforum zum Thema »Augsteins *Spiegel* als ›Sturmgeschütz der Demokratie‹ und als Maskierung von Nazi-Vergangenheit« stattgefunden hatte. Den *Spiegel* der Nachkriegszeit zu verteidigen, meinte das Weltblatt, wäre »für jeden Advokaten ein zu dicker Brocken«. Von einem »Netzwerk alter Kameraden«, die teilweise mit rassistischen Artikeln ihr »altes Weltbild nahezu bruchlos ins Blatt brachten«, hatte Lutz Hachmeister auf dem Forum gesprochen. Und die *Zürcher* schrieb, es gehe nicht so sehr darum, dass der *Spiegel* nach dem Krieg Nationalsozialisten beschäftigt hatte. Das hätten auch andere deutsche Zeitungen getan – allerdings nicht derart kompromittierte Figuren und auch nicht gleich als Ressortleiter. Entscheidend aber:

> »In irritierendem Widerspruch zum heutigen Image als demokratisches ›Sturmgeschütz‹ steht vielmehr, dass sich das Wirken der Alt-Nazis im Magazin publizistisch niederschlug, was ja Augsteins Billigung bedurfte.«[9]

Während die regionale Presse nichts oder nur wenig über die stark besuchte Veranstaltung berichtete, machte der *Kölner Stadtanzeiger* am Tag vor der Preisverleihung »Des *Spiegel* frühe Jahre – Braune Erblasten« zum Thema. Die Frühgeschichte des *Spiegel* war, so las man da, »gekennzeichnet durch massive personelle NS-Überhänge«, Mahnke und Wolff mit »lupenreiner SS-Karriere auf herausgehobener Position«, SS-Hauptsturmführer Bernhard Wehner aus dem Reichssicherheitshauptamt als Serien-Autor, und als Südamerika-Korrespondent der Goebbels-Adjutant Wilfred von Oven, ein »notorisch Unbelehrbarer« – das seien »nur die dicksten Knoten in einem Netzwerk von Tätern, die sich in der *Spiegel*-Redaktion zusammenfanden«.

»Bemerkenswert« fand das Kölner Blatt den Hinweis, den der Moderator Hans Leyendecker – heute bei der *Süddeutschen Zeitung* beschäftigt, früher selbst investigativer Journalist beim *Spiegel* – zu dessen Arbeitsweise gegeben habe. Das Selbstverständnis als Recherche-Organ verdanke sich ganz eindeutig der Herkunft wichtiger Mitarbeiter aus dem Umfeld des nationalsozialistischen SD: »Da hatten die ihre Ermittlungsmethoden gelernt.«

Und Lutz Hachmeister habe auf dem Forum nachgewiesen, dass der frühe *Spiegel* und seine sich »quasi als ordensgleicher Männerbund verstehende Redaktion« exzellente und für die eigene Arbeit äußerst ergiebige Beziehungen zu Geheimdiensten hatte – etwa zur Organisation Gehlen, dem nachmaligen Bundesnachrichtendienst.

»Wir haben Augstein linker gelesen, als er war«, wurde der Frankfurter Politikwissenschaftler Iring Fetscher zitiert. Im Licht der neuen Erkenntnisse müsse auch Rudolf Augsteins publizistische Arbeit neu bewertet werden. Die Kritik an Adenauer sei stets als Ablehnung des konservativen Obrigkeitsstaates rezipiert worden, während in Wahrheit nur ein den Traum von einem mächtigen Deutschland träumender »Nationalist« und Frankreich-Feind seine Ressentiments gegen die vom ersten Bundeskanzler betriebene rheinbündische Westbindung der Bundesrepublik herausgelassen habe.[10] Auch die *Neue Zürcher* meinte:

> »Ein Linker ist er nie gewesen, vielmehr ein Nationalliberaler mit Hang zum Radikalismus und zur Adoration grosser Männer. Die CDU war ihm zu bürgerlich, und Adenauer bekämpfte er, weil dieser ihm nicht national und konservativ genug war.«[11]

Noch zeigten, unmittelbar vor der Preisverleihung, die meisten deutschen Blätter Zurückhaltung, erwähnten nichts über Augsteins und des *Spiegel* Vergangenheit. Noch war der letzte Akt nicht angebrochen in einer Inszenierung, die nicht allein Schirrmachers quälenden Kafka-Studien entsprungen sein konnte, diese Verwandlung eines scheinbar immerwährenden Herausgebers in einen stillen Dulder, der keine Möglichkeit mehr sieht, sich zu wehren.

Noch ist Samstag, der 12. Mai 2001. Bevor Gregor Samsa am nächsten Morgen erwacht und bemerkt, was mit ihm geschehen ist, denkt er: »Wie wäre es, wenn ich noch ein wenig weiterschliefe und alle Narreteien vergäße.«

KAPITEL 23

»Deutschland die innere Freiheit wiedergegeben« – Rudolf Augstein erhält doch den Börne-Preis

»Wenn man Rudolfs Alter erreicht hat, fängt man zwangsläufig an, Bilanz zu ziehen. Rudolf kann das triumphierend tun.«

Henry Kissinger im Jahr 1993 zum 70. Geburtstag[1]

»Mir kommt Rudolf Augstein immer noch vor wie ein Siegfried, den sie nicht gekriegt haben. Aber auch wie ein Jäger, der genauso ein Gejagter ist.«

Martin Walser im Jahr 1998 zum 75. Geburtstag[2]

2001, Sonntag, den 13. Mai. Mit dem Frühzug treffe ich von Erfurt am Hauptbahnhof in Frankfurt am Main ein. Von den Kiosken, von den Plakaten grüßt noch immer Adolf Hitler mit der erhobenen Rechten, neben ihm das Hakenkreuz im Lorbeerkranz. Obendrauf sitzt der Vater des Bundesadlers und hebt drohend seine Schwingen. Seit Montag ist das so, seit der Führer auf dem Titel für die neue *Spiegel*-Serie »Hitlers langer Schatten – Die Gegenwart der Vergangenheit« wirbt. Aus zahllosen Plakatwänden streckt der »Dämon«,[3] wie ihn die Hausmitteilung benennt, überlebensgroß und allgegenwärtig die Hand zum Heil heraus: Heute bekommt der Herausgeber des deutschen Nachrichtenmagazins den Ludwig-Börne-Preis.

* * *

Was machen wir nun mit PEN-Mitglied Rudolf Augstein? Gestern, bei der Jahresversammlung des noch nicht lange vereinten deutschen PEN[4] in Erfurt, sind wir eher zufällig auf dieses Problem gestoßen. Erich Köhler, bekannter DDR-Autor, der aber erst nach der Wende, 1991, in den Ost-PEN aufgenommen wurde, soll nach Erledigung aller juristischen Formalitäten auf der nächsten Jahresversammlung im April 2002 ausgeschlossen werden. Er hatte seinen, unseren Kollegen Klaus Schlesinger für die Stasi bespitzelt – doch der hatte schon vor Jahren erklärt, dass er Köhler nichts nachtrage, dass er weiter mit ihm im PEN leben könne, und während wir in Erfurt diskutierten, starb Klaus Schlesinger in Berlin, wir erfuhren es noch am selben Tag.

Gut, Erich Köhler ausschließen – und was machen wir dann mit Rudolf Augstein?

Einen Sartre verhaftet man nicht, hatte de Gaulle gesagt. Und einen Augstein wirft man nicht aus dem PEN. Was aber dann?

Was können wir den Kollegen im Osten antworten, die sagen: Unseren Erich Köhler setzt ihr jetzt vor die Tür, euren Augstein aber müssen wir behalten. Den Mann, der Rudolf Diels über acht *Spiegel*-Hefte hinweg bereitwillig ein Forum zu seiner Rechtfertigung gab, dem Gestapo-Chef, der nach dem Reichstagsbrand auch Schriftsteller – Egon Erwin Kisch, Erich Mühsam und Carl von Ossietzky – verhaften ließ.

Die Fälle Rudolf Augstein und Erich Köhler sind nicht einfach vergleichbar. Aber was ist besser, was ist schlimmer? Verträgt sich das, was Augstein tat und nie bereute, besser mit den Statuten des PEN als die Spitzelei Erich Köhlers, die der Bespitzelte ihm nicht nachtrug? Steht der Spezi von Reinhard Heydrichs Mordgesellen über dem Kumpan von Erich Mielkes Lauschgenossen? Was antworten wir? Sollen wir sagen, unser Ostkollege Erich Köhler hat einen Schriftsteller bespitzelt, während unser Westkollege Rudolf Augstein doch nur einem Nichtschriftsteller eine neue Wirkungsstätte bot, dessen Massenmordkommando ungezählte Menschen liquidierte? Und unter den Opfern ist auch kein Schriftsteller nachweisbar.[5] Können wir damit bestehen?

Der Ost-PEN hatte nie eines seiner Mitglieder ausgeschlossen, auch Wolf Biermann nicht, als die DDR-Oberen das verlangten. Sollen wir das jetzt nachholen und dann vielleicht, warum auch nicht, den Börne-Preisträger zu unserem Ehrenpräsidenten machen? Seine Lieblingstugend sei der Zynismus, sagte Rudolf Augstein der *FAZ*.

* * *

Das war gestern. Neben dem alten Hitler-*Spiegel* vom Montag liegt im Frankfurter Bahnhofskiosk die *Welt am Sonntag* von heute – darin ein ganzseitiges Interview mit dem Mann, dem gleich der Börne-Preis ausgehändigt wird.

»Gibt es etwas, wofür Sie sich entschuldigen müssten?« fragt die *WamS*.

Antwort: »Aber ja, ich habe Schuld auf mich geladen. Da war ich sehr jung. Ich habe in einem kleinen hannoverschen Blättchen, gleich nach dem Krieg, darauf aufmerksam gemacht, dass die Frau des Reichserziehungsministers Rust inzwischen als Masseuse tätig war. Daraufhin ist sie entlassen worden. Dies rechne ich mir als eine Verfehlung an. Dass ich jung war, es nicht besser wusste, das ist keine Entschuldigung.«

Fünfundfünfzig Jahre ist das her – sonst gibt es nichts, was der Entschuldigung harrt? »Kein Wort, Herr Augstein«, insistiert die *WamS*, »zu den jetzt wieder erhobenen Vorwürfen, der *Spiegel* habe sich in den ersten Jahren auch auf ehemalige Nazis gestützt?«

Augstein: »Diese Vorwürfe treffen den *Spiegel* so wenig wie mich.« Und doch ein Wort, ein Satz sogar, den er gleich wieder wegwischt: »Ja, es hat beim *Spiegel* in den Anfangsjahren auch einige ehemalige Nazis gegeben. Wer daraus aber den Schluss ziehen will, der *Spiegel* habe den Nationalsozialismus gerechtfertigt, sei gar antisemitisch, hat den *Spiegel* nicht unbefangen gelesen.«

Doch Wegwischen nützt nichts. Am Tag danach wird in den meisten Tageszeitungen an der Spitze der Meldung von der Preisverleihung zumindest der Satz stehen:

> »Hamburg (dpa) – Rudolf Augstein (77), Gründer und Herausgeber des *Spiegel*, hat bestätigt, dass das Hamburger Nachrichtenmagazin in den Anfangsjahren auch frühere Nazis beschäftigt hat.«

Links von der Paulskirche steht der rote DRK-Rettungswagen (Kennzeichen F-RK 548), rechts warten vier dräuende Gestalten, die »Vorkämpfer der deutschen Einheit«, Dichter, die »Deutsche Sitte, Hohe Wacht« verkünden. Die beschwören: »Wahre Treu, was schwer errungen / bis ein schönrer Morgen tagt.« Und wissen: »Wir sind geschlagen, nicht besiegt / In solcher Schlacht erliegt man nicht.«

In der Mitte, vor dem Eingang zur Paulskirche, Transparente gegen den »Salonantisemiten Augstein«, ein Tisch mit Flugblättern über Augstein und seine Redakteure aus Reinhard Heydrichs Reichssicherheitshauptamt. Dahinter junge Leute. Davor Polizeiminister Otto Schily mit seinen Bodyguards. Fein lächelnd liest er die Flugblätter. Als ich hinzutrete, läuft er schnell ins Innere der Paulskirche. Der Bekenntnisträger von Law and Order ist der einzige Minister, der zur Börne-Preisverleihung gekommen ist.

Fünf Monate später, wenn Jürgen Habermas hier in der Paulskirche den Friedenspreis des Deutschen Buchhandels bekommt, sind sie alle da: Bundespräsident Johannes Rau, Bundeskanzler Gerhard Schröder, Bundestagspräsident Wolfgang Thierse, die Präsidentin des Bundesverfassungsgerichts Jutta Limbach, Bundesaußenminister Joseph Fischer, Bundesfinanzminister Hans Eichel und Kulturstaatsminister Julian Nida-Rümelin. Aber heute gibt's von den Obersten der Republik nur, schlimm genug, Schily. Es war ja auch Habermas und nicht und nie – das sei doch zu seiner Ehre gesagt – Rudolf Augstein, der den letzten deutschen Krieg im 20. Jahrhundert so rechtfertigte: »Tatsächlich haben die ›chirurgische Präzision‹ der Luftangriffe und die programmatische Schonung der Zivilisten einen hohen legitimatorischen Stellenwert.«[6]

Kurios ist das schon: ein kriegskompatibler Friedenspreisträger und ein antisemitisch unterfütterter Börne-Preisträger, beide am selben Ort, durch fünf Monate getrennt.

* * *

Die Leute in der Paulskirche wenden sich um. Ich erschrecke und werde gleich selbst zwanzig Jahre älter, als ich bin: das Idol meiner Studentenjahre, meiner Jugend, hinfällig. Langsam setzt er Schritt vor Schritt, die Stufen herunter, gestützt auf die neue Ehefrau Anna Maria und die Tochter Franziska. Seine Augen, erfahre ich später, sind so trübe, dass er nur noch wenig sehen kann. Darf man gegen diesen altersschwachen Mann noch ankämpfen? Die jungen Protestierer unten hätten, lese ich später, die Transparente eingerollt und den Platz geräumt, als sie ihn erblickten. Oder ist es nicht gerade eine Beleidigung seines Geistes, wenn man aus Mitleid den Kampfplatz räumt?

Es ist klar. Er will es wissen. Er will noch einmal die alte Kampfarena des deutschen Bürgertums betreten; hier hat er vor Jahrzehnten gegen die Notstandsgesetze gesprochen, hat, darauf besteht er, Änderungen, Verbesserungen durchgesetzt, hier hat vor zweieinhalb Jahren sein seltsamer Freund Martin Walser die zündelnde Rede gehalten, er ist nicht da. Ja, und Ignatz Bubis sitzt hier nicht mehr; ob Augstein den Nachfolger Paul Spiegel provozieren kann?

In der ersten Reihe hat der zu Ehrende Platz genommen, Begrüßung durch einen Vertreter der Stiftung. Dann tritt ans Pult in Vertretung der Oberbürgermeisterin Petra Roth (CDU), die lieber auch fernblieb, der städtische Dezernent für Kultur und Freizeit Hans-Bernhard Nordhoff (SPD), eher Freizeit als Kultur, und redet auch so, er sagt, was auf seiner Hand liegt: »Es liegt auf der Hand, die Namen Augstein und Börne in Verbindung und Beziehung zu bringen – und dies fällt«, fügt er wie begütigend hinzu, »nicht schwer.« Denn »der gemeinsame Nenner der Inhalte lässt sich schnell formulieren: Pressefreiheit als Grundlage und Ermöglichung der Demokratie. Kritischer Journalismus für eine breite Öffentlichkeit, die Bereitstellung von gründlicher Recherche, pointierten Fragen und überzeugenden Argumenten ...«

Undsoweiter, Folter für Augstein, aber er hat es gewollt, wenn auch nicht so. Undimmersoweiter bis zur Schlussfrage dieses Kultur&Freizeitexperten: »Wer ist, frage ich, Rudolf Augstein?« Er weiß auch die Antwort: »Nun, meine Damen und Herren, er ist ein echter Charakter, eine wahrhaft exzeptionelle und individuelle Figur, ihre Eigenschaften ... Unabhängigkeit ... Nähe zu Ludwig Börne ... Im Namen von Ludwig Börne Herrn Rudolf Augstein heute zu ehren und zu würdigen heißt eine Idee, einen Geist, einen Impetus namhaft zu machen ... Börne und Augstein – sie haben beide ihr Ich sprechen lassen. Für Deutschland.«

Gott, wie richtig: Rudolf Augstein – ein Leben für Deutschland.

Folgt nach der traurig-grotesken die krähend-humoristische Einlage. Die Bulldogge vom 4. Oktober 1993, »der Verreißer«, der macht Männchen: »Ich verneige mich«, heißt sein Text. Doch Marcel Reich-Ranicki hat es nicht über sich gebracht, Augstein zu Ehren etwas Neues zu schreiben, der alte Text, der Wort für Wort so zumindest im Sonderheft zum *Spiegel*-Jubiläum 1997 erschienen war, handelt im wesentlichen davon, welch ganz besondere Ehre es sei, dass er, Reich-Ranicki, schon am Samstagabend den *Spiegel* vom Montag ins Haus bekommt – wie toll man doch damit vor Partygästen angeben könne.

Partygäste? Hat man nicht gerade gelesen, wie einsam er in seinen Redakteurszeiten bei der *FAZ* lebte? Nur mal mitgenommen von Joachim Fest zu einer Party mit einem der, ja »schrecklichsten Kriegsverbrecher«, mit Albert Speer.[7] Und seit Jahren, das ist dem Großkritiker entgangen, kann sich jeder, ob in Honolulu oder Hintertupfing aus dem Internet schon am Samstagnachmittag das Wichtigste aus dem *Spiegel* vom Montag herunterladen. Sein Partyereignis – eine Antiquität. »Ja, ich verneige mich tief und respektvoll«, verliest er seinen ebenfalls antiquarischen Text, »ich verneige mich in Bewunderung und Dankbarkeit. Ich verneige mich vor Rudolf Augstein.« Höflicher Beifall.

Und jetzt erhebt sich der Laudator. Frank Schirrmacher weiß: sein Sieg, Augsteins Niederlage wird die Rede des Preisträgers sein. Er selbst darf im Hudelmantel der Preisrede nur andeuten, damit man ihm nichts beweisen kann.

Ausgerechnet Augsteins Waterloo, das »Gratuliere Kanzler« für Helmut Kohl, den »Kanzler der Einheit«, macht er zum Leitmotiv seiner Preisrede. Der backenblasende Verkünder epochaler Ab- und Aufbrüche beschreibt exakt fünf Jahre nach seiner Schmach den *Spiegel* als Verehrungsverweigerungsorgan, in dem Augsteins »Gratuliere Kanzler« das höchstmögliche Lob für den bis dahin stets geschmähten Kohl bedeutete.

Schirrmacher wusste, musste ganz genau wissen, in welcher Wunde er bohrt, wenn er von Anfang bis zum Ende seiner Preisrede an die minimalistische Anerkennung für Kohl erinnert, die Augstein in seinem Wiedervereinigungsrausch unterlaufen war. Wenige Monate nachdem der *Spiegel* Schirrmacher zu vernichten suchte, hatte Augstein auch endgültig mit Helmut Kohl abgerechnet. Er fühlte sich über alle Maßen – verstehe das, wer da will – gekränkt, weil der Pfälzer trotz seines »Glückwunsch, Kanzler!« Vertreter des *Spiegel* nicht gebührend beachtete. Augstein hatte Kohls Pressesprecher Andreas Fritzenkötter geschrieben, er sehe – »da der *Spiegel* kein verfassungswidriges Organ ist« – keinen Grund, warum »unsere Mitarbeiter von Auslandsflügen offenbar prinzipiell ausgeschlossen werden«. Fritzenkötter antwortete Augstein: »Die Meinung des Bundeskanzlers über den *Spiegel* ist Ihnen ... nicht unbekannt.« Das Verhältnis Kohl – *Spiegel* sei »mittlerweile zu einer festen Größe im Beziehungsgeflecht zwischen Politik und Medien geworden«.

Statt sich über diese schöne Antwort zu freuen, die seinen törichten Glückwunsch endlich auf einfachste Weise so gut wie ungeschehen machte, zeigte sich Augstein über fünf Kolumnenspalten hinweg aufs tiefste gekränkt. »Ich erinnere mich nicht«, schrieb er, »in meinen 50 Dienstjahren als Herausgeber des *Spiegel* je solch eine Antwort aus dem Kanzleramt bekommen zu haben.« Und fügte die etwas kryptische Anmerkung hinzu: »Unter Anstrengung seiner Muskeln dürfte man sie unverschämt nennen.« Dann erregte er sich des langen und des breiten über den »pomadigen« Kohl und dessen »Generalisten-Unfähigkeit, Schwerpunkte zu setzen«, nicht einmal seinen eigenhändig geschriebenen Kohl-Titel habe der gelesen. Entdeckte, dass »man sich nicht mehr schämen muss, von ihm in die Ecke gestellt zu werden, sondern eher im Gegenteil«. Kam schließlich darauf, dass Kohl doch nicht den Zipfel des Gottesmantels in der Geschichte erwischt habe, überhaupt sei das Wort vom Zipfel bei Bismarck nicht belegbar und die »Fälschung der Emser Depesche 1870 wird man ebenfalls nicht als Gottes Mantelstück ansehen können, so wenig wie Kohls Zehn-Punkte-Plan zur deutschen Einheit, ohne den letztlich alles genauso in den Schoß dieser Regierung gefallen« wäre, und auch Martin E. Süskind in der *Süddeutschen Zeitung* meine ...[8]

Kurz, es war nur noch peinlich, wie sich Augstein 1996 echauffierte, dass seine *Spiegel*-Redakteure nicht mit Helmut Kohl Kanzlerflugzeugfliegen spielen durften.

Und genau in dieser schwärenden Wunde stochert nun der »altkluge Kohl-Jünger« an Augsteins Ehrentag in der Paulskirche mit sadistischem Genuss, es ist zum Gotterbarmen. »Wie lebt es sich mit solcher Macht? Welchen Preis kostet sie?« Schirrmacher kommt langsam zum Ende: »Welche Opfer? Wir bewegen uns jetzt in einem Bereich, zu dem er beharrlich schwieg. Es ist ein Bereich äußerster Verknappung, wo das historisch Einzigartige, ja ich sage es: Bewundernswerte mit einfachen Worten gewürdigt werden kann. Ich spreche sie jetzt aus: Glückwunsch, Rudolf Augstein!«

Das sitzt. Augsteins Glückwunsch an einen Unwürdigen zurückgegeben, an Augstein. Der erhebt sich mühsam, streckt dem triumphierend lachenden Verkünder epochaler Weisheiten mit verkniffenem Lächeln die Hand entgegen – oder hat, so genau kann ich es nicht sehen, Schirrmacher sie sich genommen? – jedenfalls Händedruck. Das Publikum klatscht, auch Ehefrau Anna, wohl ahnungslos, was da soeben mit ihrem Mann geschah, vielleicht hat er es selbst nicht völlig begriffen, anmerken lässt er sich nichts.

Dann hilft ihm ein Bismarck auf die Bühne. Fried von Bismarck, Verlagsleiter des *Spiegel*, dreiundzwanzig Jahre jünger, Augsteins Freund, wie man eben so sagt. Beide setzen sich an den Tisch, der oben steht. Stiftungsvorsitzender Gotthelf tritt hinzu, verleiht den Preis, die Begründung ablesend, so wie sie Schirrmacher ihm gegeben hat, und unterschlägt auch den treffenden Satz nicht: »Er hat dem Land damit innere Freiheit wiedergegeben.«

* * *

»Verehrte Festgesellschaft«, beginnt Augstein, mühsam sprechend, »über Nacht ist mir die Stimme abhanden gekommen, und Sie werden sagen, es war nicht der geeignete Zeitpunkt, das finde ich auch. La Rochefoucauld sagt uns: Bist du arm, umhülle dich mit dem Königsmantel deiner Armut. Aber ich frage mich, wie ich mit dem Königsmantel meiner Heiserkeit mich umhüllen soll.«

Er will, dass die Leute lachen, aber Unbehagen, Mitleid kriecht durch die Paulskirche. Augstein beginnt schon, sich zu entschuldigen: »Man hätte mich am Guy-Fawkes-Tag des letzten Jahres hierher kommen lassen sollen. Dass dies nicht geschehen ist, liegt nicht an den Veranstaltern.«

Ausgeladen wurde er also nicht, das festzustellen, darauf legt er Wert. Gekommen wäre er, wenn man ihn gelassen hätte. Feigheit war es also auch nicht, warum er nicht kam. »Ich gelte zu Hause als risikofreudig, und etwa zehn bis zwölf Menschen redeten auf mich ein, es sei ein zu großes Risiko. Ich habe widerwillig nachgegeben, allerdings die 30 000 Mark Deckungskosten auch klaglos bezahlt.«

Klaglos? Warum klagt er dann, hier bei der Preisverleihung? Verlegenheit macht sich breit. Wer wirklich durch Krankheit verhindert war, muss dem Veranstalter nicht die Kosten zahlen. Und wenn er sie anständigerweise doch zahlte, weil er genug Geld hat, warum erwähnt er es? Worauf will er hinaus? Und warum erwähnt er, dass der 5. November der Guy-Fawkes-Tag war? Die Paulskirche steht nicht in England. Dort feiert man ihn am 5. November, den Mann, der das Parlament anzünden und in die Luft sprengen wollte. Meint er den Reichstag, geht ihm sein Reichstagsbrand durch den Kopf?[9] Oder meint er, man hätte hier das 48er-Parlament, die Paulskirche, in die Luft sprengen sollen?

Nein, sagt er, die Paulskirche sei ihm nicht fremd. »Ich habe hier schon frei gesprochen in einer Sache, die mir damals wichtiger erschien, als sie es wahrscheinlich ist, in Sachen Notstandsgesetzgebung.«

Unwichtig? Er ist schon weiter: »Dies ist ein Punkt, den ich mir persönlich zurechne, denn ich habe nennenswerte Änderungen in diesem vielleicht damals notwendigen Werk durchgesetzt.«

Eine Erinnerung an bessere Zeiten. »Damals konnte ich noch frei sprechen und das mitgeführte Manuskript beiseite legen. Heute könnte ich das Manuskript gar nicht mehr lesen. Wir müssen also sehen, wie weit wir mit meiner Stimme kommen.«

Es hätte heute sein großer Tag sein sollen – nun versagt sich ihm auch noch die Stimme. Vielleicht hat er die Protestierer unten nicht gesehen, bevor sie sich davonmachten, die Transparente nicht, mit seinen schwachen Augen. Trotzdem ist er jetzt schon bei dem Thema, das ihn erregt und dessentwegen er den Börne-Preis haben musste, koste es, was es wolle. Im Aufbau-Verlag sei ein Buch erschienen, in dem »namhafte Persönlichkeiten, wie Kanzler Schröder, ich auch, natürlich Martin Walser und etliche andere, als heimliche oder offene Antisemiten, ich als Salonantisemit, bezeichnet werden, alle unter dem obersten Stichwort – wie hieß es?«

Er wendet sich hilfesuchend seinem Bismarck zu, der flüstert etwas, Augstein erleichtert: »Geistige Brandstifter. Einen geistigen Brandstifter haben Sie heute mit so viel lobenden Worten geehrt, auf die einzugehen ich mich natürlich scheue.«

Mit dem nächsten Satz schon beweist er, dass er unmöglich ein Brandstifter sein kann: »Natürlich habe ich bei der Einladungsliste auch meinen alten Freund Teddy Kollek bedacht, den großen alten Mann Israels. Wie erwartet schrieb er mir einen Absagebrief, denn er wird in den nächsten Tagen neunzig Jahre alt und kann so weit nicht mehr reisen. In gestochener Handschrift fügte er hinzu, was ich meinen langjährigen Freund und Kameraden Fried von Bismarck vorzulesen bitte.«

Der Kamerad liest: »›Ich weiß nicht‹, schreibt Teddy Kollek, ›wer heute noch Börne liest. Ich kann mich gut daran erinnern, mit welchem Interesse ich Börne in meiner Jugend gelesen habe.‹«

Augstein unterbricht: »Man sieht, es lohnt sich, alte Freundschaften warm zu halten.«

Teddy Kollek, irgendwie der Beweis, dass Augstein ein Freund der Juden ist. Und so geht es weiter, wirr, wild herumspringend, aber immer auf den einen Punkt bezogen: Ich, Rudolf Augstein, kann kein Antisemit, kein Salonantisemit sein: »Jahrelang habe ich mich an Heinrich Heine abgearbeitet, ohne Erfolg. Es konnte nicht ausbleiben, dass mir auf diese Weise der Dr. Ludwig Börne bekannt und vertraut wurde.«

Er redet über Heine, den genialen Dichter, über Börne, den Wortführer des Jungen Deutschland, über die jüdischen Emigranten in Paris, murmelt mit Bismarck und erreicht rettendes Land: »Heinrich Heine hatte auch zu Frauen ein Verhältnis, das die meisten von Ihnen heute etwas eigenartig berühren mag. Anders war das bei Ludwig Börne. Er hatte in Jeanette Wohl eine Mitstreiterin, eine Frau, die ihm ständig zur Seite ging, die ihn abschirmte, ihn anspornte, ja sie war in einem bösen Sinne sein Leben, die dem ewig Kränkelnden sein Leben verlängert hat« – die *Phoenix*-Kamera schwenkt auf Augsteins neueste Ehefrau Anna, die erst nach links, dann nach rechts schaut und schluckt. Augstein kämpft mit seiner Stimme: »Für mich ist sie die interessanteste weibliche Persönlichkeit des 19. deutschen Jahrhunderts – sie überlebte, ich glaube, Börne um fünfundzwanzig Jahre. Sie sehen: Wir müssen mit der Stimme so lange umgehen, wie der Vorrat reicht.«

Bismarck schaltet sich wieder ein: »Vielleicht kann ich ja mal ein Stück weitermachen, Rudolf, und du wirst mich unterbrechen und hinzufügen, was ich vergesse.«

Und dann ist in Augsteins Manuskript, das Bismarck verliest, vom »Dreierverhältnis« die Rede zwischen Börne, Jeanette Wohl und ihrem Mann. Im Nu und völlig unvermittelt springt es zum Finanzier Josef Süß Oppenheimer. Dem Jud

Süß, über den Veit Harlan den Film drehte, der für die Betreiber der Gasöfen zum Animierfilm wurde.

Der frühe *Spiegel* hatte Harlan stets verteidigt, wenn er dieses Mordfilms wegen vor Gericht stand. Weiß Augstein das noch? Hat er auch das vergessen? Jedenfalls spricht er jetzt in Ausführlichkeit, bis ins kleinste Detail über den »Heidelberger Schutzjuden«, der »da, wo die Musik spielt, auch Geschäfte machte, das heißt hier in Frankfurt«, und verkündet seinen sicherlich unwissenden Zuhörern, es »ist nicht übertrieben, wenn man sagt, an diesem Josef Süß Oppenheimer sei ein klassischer Justizmord verübt worden«.

Und Augstein sagt: »Ich muss sagen, nach intensiver Lektüre, kaum jemand hat im Gefängnis seelisch so sehr gelitten wie der später sogenannte Jud Süß.«

Oder doch einer? »Ich habe selbst im Gefängnis gesessen, und ich weiß, dass man sich da widerspenstig ...«

Dann ist er zurück beim Namensgeber seines Preises: »Börne war einer der wenigen wirklichen Nutznießer der Napoleonischen Kriege. Er wurde als Löb Baruch Stadtschreiber in dieser herrlichen Freien Reichsstadt Frankfurt. Eigentlich wollte er Börner heißen. Aber es gab schon einen Amtssekretär, der Börner hieß, und so ließ er das r weg, was dem Namen gut bekommen ist.«

Bismarck tuschelt ihm zu: »Zusammenfassend kann man sagen ...«

Und Augstein fasst zusammen: »Es ist viel über Börne hier gesagt worden, was ich wusste, und noch mehr, was ich nicht wusste, aber ...«

Bismarck mischt sich wieder ein: »Also vielleicht, Rudolf, noch mal: Die Ghettoisierung ist das Thema.«

Augstein: »Das Wichtigste vergisst man. Wenn man Börnes Wirken auf einen Nenner bringen will, so kann man sagen, er war gegen jede Ghettoisierung, und das war auch der Grundzug seines Wesens.«

Mit diesem Satz ist er endlich angekommen: »Sie werden

sich deshalb nicht wundern, dass ich es als große Ehre empfinde, als einer der Leute hier in Erscheinung treten zu dürfen, die in der Nachfolge Ludwig Börnes geehrt werden.«

Bismarck beugt sich zu ihm. Augstein: »Was?«

Das Publikum wird unruhig. Augstein: »Ich muss Ihnen zu meiner Person kurz einiges sagen. Natürlich hörte ich in meiner Kindheit antijüdische Sprüche. Natürlich auch andere, aber auch antijüdische. Und meine arglose Mutter führte sie im Munde. Mein Vater, der ihr wenig verbat, untersagte ihr nach der Machtergreifung Hitlers strikt jede Äußerung dieser Art.«

Die Stimme versagt. Bismarck: »Also, wir lesen mal vor. Ja?« Er greift zum Manuskript: »In meiner Familie gab es keine jüdische Frage und kein Judenproblem und auch keinen Antisemitismus. Wir wohnten ja in einer protestantischen Stadt, in Hannover, in der Diaspora, und da waren wir Katholiken eine kleine Minderheit und die Juden eine verschwindend kleine Minderheit.«

Dreimal Augstein in Kurzfassung. Erstens: Das zuvor für die Paulskirche geschriebene Manuskript: In meiner Familie gab es keinen Antisemitismus; die Juden – sie verursachen den Antisemitismus – waren ja eine Minderheit, eine verschwindende.

Zweitens: Das in der Paulskirche gesprochene Wort: Meine arglose Mutter führte antisemitische Sprüche im Mund. Mein Vater untersagte sie ihr, als Hitler die Macht ergriff.

Und drittens das offene Freundeswort, das wir schon kennen, vier Wochen bevor Walser hier an diesem Ort seine Rede hielt: »Und dann sah ich ja, dass mein Vater zu Hause – obwohl er Antisemit war – der Mutter ihre naiven Antisemitensprüche verbot.«

Wie sprach Walser, der nicht wieder in die Paulskirche zurückgekehrte Freund, im Vorgespräch von St. Tropez: »Rudolf, du bist wirklich der beste, schönste, liebenswürdigste, ungefährdetste Roman, der zu Herzen gehendste, den ich je gelesen habe. Das muss ich einfach sagen. Dagegen sind alle, die es bis jetzt probiert haben, Stümper. Nur eines ist sicher: Es ist ein Roman. Mit der Wirklichkeit kann es nichts zu tun haben. Einverstanden?«

In der Paulskirche ist Augstein inzwischen weiter. Er spricht, lässt Bismarck vorlesen: von jüdischen Freunden der Familie mit dem antisemitischen Vater und der arglos antisemitisch daherredenden Mutter, Freunde, denen man geraten habe zu emigrieren, die Rüdenbergs mit den sechzehn Gemälden von Lovis Corinth. »Wir sollten doch die Bilder zu uns nehmen. Und nach einem Krieg, wenn sie dann zurückkämen, sollten wir die Hälfte der Bilder behalten und die andere Hälfte zurückgeben.«

Augstein unterbricht: »Nach einem verlorenen Krieg, wie wir es erwarteten.«

Bismarck: »So ist es.« Und liest weiter vor: »Mein Vater hat das abgelehnt, entrüstet. Er sagte, mit solch schweinischen Bildern will ich nichts zu tun haben. Ich habe meinem Vater später gesagt, und ich verstand mich gut mit ihm, die Ablehnung war vollständig richtig, aber die Begründung war falsch. Es ist Rudolf wichtig, beiläufig zu sagen, dass Lovis Corinth kein schweinischer Maler war, sondern ein großer Künstler.«

Augstein: »Das hast du mir vorweggenommen.«

Bismarck: »Ja.« – Augstein: »Na gut.«

Irgendwann, erzählt man mir danach, ich habe es nicht bemerkt, soll Paul Spiegel, der sicherlich vorher ahnungslose Präsident des Zentralrats der Juden, die Paulskirche verlassen haben während dieser Augstein-Rede. Vielleicht war es auch nur der Wunschtraum des – natürlich – »jüdischen Mitbürgers«, der mir das sagte.

»Man hat nun vielfach versucht«, spricht Augstein, »andere Völkermorde zum Vergleich heranzuziehen. Aber der Komplex Auschwitz behielt seine Einzigartigkeit.« Er zeigt sich darum großzügig: »Man versteht, dass der Staat Israel einen Teil seiner Legitimation noch heute aus Auschwitz zu ziehen sucht.«

Doch übertreiben dürfen es die Juden nicht, sonst werden sie mit ihren eigenen Leuten zur Ordnung gerufen – das kann der Herausgeber seit 1946, seit der hinreißenden Instrumentalisierung von Victor Gollancz (siehe S. 19f.) zugunsten des gedemütigten deutschen Volkes. Augstein: »Ich zitiere jetzt etwas, was Daniel Cohn-Bendit, derzeit Abgeordneter des Europäischen Parlaments in Straßburg, damals gesagt hat. Und ich lasse das Zitat wörtlich vorlesen, weil ich nicht mit jeder Vokabel, die er 1969 benutzte, übereinstimme.«

Bismarck also darf das Judenzitat gegen die Juden verlesen: »Es ist manchmal schwierig, sich die Naziideologie von der Herrenrasse vorzustellen. Hier in Israel ist sie ständig und überall gegenwärtig und greifbar. Eine ganze Generation von Jugendlichen hält sich für die Herrenrasse und die Palästinenser für irrende Juden.«

Bismarck verliest das alles, auch, dass Augstein, dass »ich mit meinen pessimistischen Auffassungen von dem Friedensnobelpreisträger und jetzigen Außenminister Schimon Peres nicht weit entfernt bin, ich sah ihn bei der Einweihung der neuen Botschaft Israels in Berlin.«

Augstein unterbricht seinen verlesenen Text: »... sah ihn wieder.«

Bismarck: »Ja, sah ihn wieder. Entschuldigung, Rudolf.« Er verliest weiter: »Ariel Scharon kann natürlich nicht besiegt werden, Israel kann überhaupt nicht besiegt werden. Man muss fürchten, Frieden wird es auf lange Zeit nicht geben. Ein jüngerer Kollege von mir – Rudolf, jetzt du, hm?«

Augstein wendet sich dem Herrn des streuenden Krankheitsherdes – so der Duden über *focus* – zu, der mit der Hand vorm feixenden Mund in der ersten Reihe sitzt: »Helmut Markwort, ich habe mit Freude festgestellt, dass Sie da sind. Sie haben mich mal einen bekennenden Zyniker genannt. Sie wissen gar nicht und können als jüngerer Mensch auch gar nicht wissen, welche Ehre Sie mir damit angetan haben. Denn die bekennenden Zyniker waren ein Kreis um Sokrates, des ersten Rechercheurs der Weltgeschichte überhaupt. Nennen Sie mich also ruhig einen Zyniker. Aber wenn Sie in Ihrem Blatt über die besten Dentisten Auskunft geben, sollten Sie sich auch mit der Großwetterlage beschäftigen, dann wird Sie ein Anflug von Zynismus auch beschleichen. Man kann das Spiel der ganz Großen ohne Zynismus nicht betrachten.«

Allgemeiner Beifall und Markwort tuschelt – vergnügt? hämisch? – mit dem neben ihm sitzenden Hubert Burda, aber noch ist nicht Feierabend, es folgt die Bescherung: die Rudolf-Augstein-Stiftung für verdiente Journalisten und »andere findige« Leute. »Und schließlich soll die Stiftung ein caritatives Bein haben«, sagt er, und Bismarck ergänzt: »Rudolfs Frau Anna wird die Anliegen der Stiftung maßgeblich mitbetreuen.«

Augstein fährt dazwischen: »Meine Frau Anna, nicht seine.«

Bismarck begütigend: »Ja, stimmt, das war jetzt verwirrend, Rudolf, da hast du eigentlich recht. So, und jetzt kommt schon das Schlusswort, Rudolf, das machst du.«

Augstein: »Ja, meine Damen und Herren, Sie haben gesehen, wir haben uns redlich abgemüht, und wir hätten uns noch mehr Mühe gegeben, wenn es möglich wäre, jedenfalls« – die Stimme schwindet mehr und mehr – »dürfen Sie mir glauben, dass der heutige Tag zu meinen großen Ehrentagen zählen wird und ich ihn nie vergessen werde. Ich danke Ihnen für Ihre Geduld.«

Beifall. Augstein gibt sich einen Ruck. Ohne Hilfe verlässt er langsam den Saal. So hat das Publikum seine Aufgabe: die Standing ovations sind ein verlegenes Muss, an dem keiner vorbeikommt. Zurück bleiben Mitleid, Beklemmung, Peinlichkeit.

* * *

Kurz darauf werden in den Redaktionen der Republik aufgrund der schnell vorliegenden *dpa*-Meldungen die ersten Berichte über die endlich vollzogene Preisverleihung formuliert. So oder so ähnlich wie im *Hamburger Abendblatt*:

> »Zu den gegen ihn, Augstein, erhobenen Antisemitismus-Vorwürfen wollte sich der gebrechlich wirkende 77jährige nicht äußern. Wegen des publizistischen Umgangs des *Spiegel* mit der Nazi-Vergangenheit war Augstein als Preisträger in die Schlagzeilen geraten.«

Frank Schirrmacher hatte bewirkt, was vor ihm keinem gelungen war.

Als Rudolf Augstein am nächsten Morgen aus unruhigen Träumen erwachte, fand er sich verwandelt. Aus dem Journalisten des Jahrhunderts war der Träger eines Preises geworden, der ihn erdrückte.

Epilog

»›Weiterschlafen‹, denkt eine seiner Figuren bei Tagesanbruch, ›weiterschlafen und hoffen, in einer besseren Wirklichkeit aufzuwachen ...‹ Niemand ist zu beneiden, der morgens als Walserscher Held im Bett aufwacht.«[1]

Frank Schirrmacher 1998 in seiner Preisrede auf Martin Walser am 11. Oktober 1998

Als Rudolf Augstein sein fünfundsiebzigstes Jahr vollendete, gab er Cornelia Bolesch von der *Süddeutschen Zeitung* ein Interview. Schon da sagte er, es gehe ihm wie Koldinger, dem skandinavischen Eulenspiegel. Der kommt in den Laden, um seine Schnapsration zu kaufen. Ich habe nur noch zwei Flaschen, sagt der Verkäufer, in der einen ist Schnaps und in der anderen ist Methylalkohol, ich weiß nur nicht, in welcher. – Gib her, sagt Koldinger, ich habe das meiste gesehen.

»So geht es mir auch«, sprach Augstein, »ich sitze abends vor dem Fernseher und höre zu. Ich weiß jetzt viel über Kamele in der Wüste. Und über die Galapagos-Inseln. Warum muss ich noch wen kennenlernen?«

Sind Sie überhaupt noch neugierig auf Menschen?, hatte zuvor die Journalistin gefragt. Seine Antwort: »Marlene Dietrich hätte ich kennenlernen können. Ich wohnte in demselben Hotel wie sie, dem *Lancaster*. Ich hätte ihr nur einen Zettel schicken müssen. Das habe ich aber nicht gemacht. Brecht hätte ich sehr gerne kennengelernt. Ein Termin war schon fest vereinbart, aber dann ist er gestorben.«[2]

Wie wäre es, wenn er versuchte, in der Zeit, die ihm noch bleibt, und es soll ihm viel bleiben, sich selbst kennenzulernen und nicht die Kamele in der Wüste. Wenn er endlich die Memoiren zu Ende schriebe, die er seit mehr als einem Jahrzehnt verspricht?

Im Interview antwortete er auf die Frage nach großen Fehlern des *Spiegel:* »Das ist schwer zu sagen. Es hat sicher zehn, zwanzig Dinge gegeben, die nicht hätten passieren dürfen. Manche sind in der Öffentlichkeit gar nicht bemerkt worden. Aber ich kann mich nicht mehr konkret erinnern, auch an meine eigenen Fehler nicht.«

Der *Spiegel* ist das Organ der Aufklärung, welcher auch immer. Rudolf Augstein, der Herausgeber, hat alle Möglichkeiten, er hat im *Spiegel*-Haus eine Riesen-Dokumentation, und natürlich stehen alle Jahrgänge des *Spiegel* zur Verfügung. Er kann nachprüfen, nachprüfen lassen, wer was geschrieben hat, wen er ins Haus holte, um zu schreiben und zu redigieren, er kann feststellen, wie der Gestapo-Chef, die Herren aus dem Reichssicherheitshauptamt ihn und den *Spiegel* beeinflussten. Er kann prüfen, was das war, sein Leben für Deutschland, sein Wille, dass die Deutschen wieder zu sich selbst finden.

Wenn Pietro Aretino, wofür vieles spricht, der Journalist des vergangenen Jahrtausends war, warum soll Rudolf Augstein dann nicht der Journalist des letzten Jahrhunderts gewesen sein. Karl Kraus – falls wir den auch den Österreichern wegnehmen dürften – und Carl von Ossietzky, sie sind für diesen Zeitraum mit Sicherheit nicht repäsentativ, Augstein ist es.

Keiner zwingt Rudolf Augstein, irgend etwas zu bereuen. Aber aufschreiben, was war, wenn er das fertigbrächte, dann wäre er der Journalist des vergangenen Jahrhunderts. Ach was, er würde Pietro Aretino aus seinem Rang als Journalist des vergangenen Jahrtausends mühelos verdrängen.

* * *

Strauß hatte ihn zu Größe gezwungen, Augsteins (Jens Daniels) frühe Leitartikel aber gegen Adenauer, die mich als jungen Menschen begeisterten, sind durchtränkt mit nationalem Ressentiment. Dass sie mir damals gefielen, kann nur bedeuten, dass ich den kleinen Hitler in mir, der mich bis zu meinem zwölften Jahr beherrschte, zwar abgelegt, aber noch nicht ganz überwunden hatte.

Erst im Kampf gegen Strauß, gegen die atomare Bewaffnung der genuinen Wehrmachtsnachfolger, stieg er über sich hinaus, wurde er der Augstein, den man, nun bewundernd, als den Journalisten des Jahrhunderts begreifen kann. Dass er Strauß als Bundeskanzler verhindert hat, und das *hat* er, damit hat Rudolf Augstein sich um die Republik verdient gemacht. Und genau diesen Kampf gegen Strauß nimmt ihm der zum Nationaldenker emporgewachsene Freund Walser heute übel (siehe S. 341).

In dem Maße, in dem Strauß sich auf seinen Bayern-Staat zurückzog, regredierte Augstein auf seine frühen Jahre. Als Strauß gestorben war, lebte Augstein weiter, verlor aber die Orientierung – vollends, als Deutschland wieder verheilt wurde. Das ganz gemachte Deutschland gab ihm noch einmal einen Schub. Einen Schub ins Bodenlose.

Wie aber könnte Rudolf Augstein heute wieder Zugang zu sich selbst und Zugang zur Realität finden?

* * *

Der deutsche Denker Martin Walser, der trotzdem ein Meister des realistischen Romans ist und eine Koryphäe psychologischer Einfühlung, hat, wir haben es schon zitiert, dem Freund gesagt: »Rudolf, du bist wirklich der beste, schönste, liebenswürdigste, ungefährdetste Roman, der zu Herzen gehendste, den ich je gelesen habe.«

Gelesen! Wo? In Augstein. Zu seinem Privatvergnügen? Der realistische Schriftsteller Martin Walser, nicht der Friedenspreisredner, nicht der Nationaldenker, soll, das wünsch ich mir, den ungeschriebenen Roman endlich schreiben, den er im Umgang mit seinem Freund Rudolf Augstein gelesen hat. *Dieser* Roman ist mit Sicherheit nicht gut, schön, liebenswürdig, ungefährdet. Es ist nicht der phantasievolle Roman, den Augstein dem Freund Martin erzählte. Der ahnt, der durchschaut die Realität, die dahinter steckt.

* * *

Es gab eine Chance für einen anderen Augstein, für einen anderen *Spiegel,* bevor noch die erste Nummer erschienen war. Im Herbst 1946 wurde Hans Mayer, damals Chefredakteur für Politik und Nachrichten bei Radio Frankfurt in der US-Zone – 1948 zog er sich resignierend auf einen Lehrstuhl für Literaturgeschichte in Leipzig zurück –, von den englischen Militärbehörden nach Lüneburg eingeladen. Er traf dort auf Landsleute, die ihn offensichtlich nicht mochten. Gefühle, die er erwiderte: »Ich war als Emigrant zurückgekehrt und fragte mich bei jeder Begegnung, wem ich da eigentlich die Hand gebe.« In Lüneburg waren es »meist junge Leute, ganz unähnlich dem Typ, den sich amerikanische Kontrolloffiziere auszusuchen pflegten«.

Ein Mr. Chaloner sagte ihm, worum es ging, um ein Vorgespräch für die Gründung eines neuen Magazins nach der Art von *Time* in den USA. Mayer erzählt:

> »Ein junger blonder Mann, sehr gescheit offensichtlich, wurde mit mir bekannt gemacht: der sollte das Blatt herausgeben, wenn möglich zusammen mit mir. Wir verbrachten die Zeit bis zu meiner Abreise mit höflichem und gequältem Gespräch.«

Im Frühjahr 1961 auf der gemeinsamen Tagung der beiden deutschen PEN-Zentren aus Ost und aus West in Hamburg, kam Augstein auf ihn zu: »Erinnern Sie sich noch an Lüneburg?« – »Damals habe ich mein Glück verspielt«, meinte Mayer lachend, »sonst wäre ich heute ein reicher Mann.« Augstein erwiderte höflich und höhnisch: »Und wir hätten ein literarisch hochstehendes Blatt.«[3]

Mayer in seinen Erinnerungen: »Für mich steht fest: es wäre nicht gegangen. Ich nehme an, dass der Partner genauso gedacht hat in Lüneburg. Trotzdem: es war die große Chance.«

Mayer ahnte nicht, wie recht er hatte, als er dies schrieb. Es wäre eine Chance für uns alle, für dieses Land gewesen, wenn nicht die Diels, die Mahnke und die Wolff, die Herren von Gestapo und aus dem Reichssicherheitshauptamt den noch leicht beeinflussbaren jungen Augstein geformt hätten, sondern ein Hans Mayer – was für ein *Spiegel* wäre daraus geworden.

* * *

Es gibt in Alice Schwarzers WDR-Gespräch mit Rudolf Augstein eine Stelle, die mir nah geht, in der sie begründet, warum sie mit ihm das Gespräch – das dann so enttäuschend enden wird – überhaupt führt. Sie sagt: »Ich war neunzehn und hab mit glühenden Backen den *Spiegel* gelesen, als Sie verhaftet worden sind, ich hab als junge Frau davon geträumt, Journalistin zu werden, was ich dann auch geworden bin, das heißt, Sie sind für mich natürlich auch eine Figur« – ein leichtes Lachen – »ein Idol auch mal gewesen und auch wichtig.«

Augstein unterbricht sie, während sie schon weiter spricht: »Der Ton liegt aber auf gewesen.«[4]

ANHANG

Anmerkungen

Kapitel 1
Kartoffelfusel und Rübenschnaps – Ein Salut dem *Spiegel*

1 *Der Spiegel*, Sonderausgabe, S. 15.
2 Engelmann, *Millionäre*, S. 142.
3 Mlynek, *Hannover-Chronik*, S. 189ff.
4 *Hannoversches Nachrichtenblatt*, 15. 5. 1946.
5 *Der Spiegel*, 29. 12. 1986, S. 57.
6 Eigentlich Seite 3 – die Titelseiten von *Diese Woche* wurden nicht mitgezählt, ebensowenig in seinen ersten Jahren die des *Spiegel*.
7 *Diese Woche*, 16. 11. 1946, S. 1.
8 Brawand, *Augstein*, S. 36, bestätigt, dass diese ungezeichneten Artikel von Rudolf Augstein verfasst wurden, dessen »pfiffige Ironie« er in diesem Zusammenhang rühmt.
9 *Diese Woche*, 16. 11. 1946, S. 24.
10 Ebda. S. 2.
11 Brawand, das sollte den Leser, der in alten *Spiegel*-Jahrgängen blättert, nicht verwirren, brauchte lange, bis er sich zu einer endgültigen Schreibweise seines eigenen Namens entschlossen hatte. Eigentlich hieß er bis 1942 – aber das war ihm schließlich wohl nicht deutsch genug – Leo Borowiak. Nach einer Verwundung durfte er bis zum Kriegsende ein »Langemarck«-Studium absolvieren, und so tauchte er im November 1946 im Impressum von *Diese Woche* als »Klaus Brawandt« auf, im ersten *Spiegel* vom 4. Januar 1947 nannte er sich »Claus Leo Brawandt«, ab 1. Dezember 1949 verband er seine Vornamen zu »Claus-Leo«, am 2. März 1950 kam ihm der letzte Buchstabe seines Nachnamens abhanden, und am 8. Juni nahm er sich verschreckt seinen Bindestrich wieder weg, nachdem sein Ressort neun Seiten vorher über die »Angst vor der Enteignung des Privatbesitzes« berichtet hatte, die »in West-Deutschland jederzeit geschehen kann, wenn Neuwahlen Schumachers SPD zur Macht bringen«. Am 5. Oktober 1960 expropriierte er sich auch noch seines

Vornamens Claus und heißt seither laut Telefonbuch auch im Ruhestand Leo Brawand – jedenfalls noch bei Abschluss dieses Buches.
12 Brawand, *Augstein*, S. 101.
13 *Der Spiegel*, 24. 9. 1952, S. 23.
14 Bis der *Spiegel* zur heute üblichen anonymen »Hausmitteilung« auf Seite 3 überging, schrieb der Herausgeber von Fall zu Fall unter der Überschrift »Lieber *Spiegel*-Leser« über Neuigkeiten aus der Redaktion. Diese Editorials endeten stets: »Herzlichst – Ihr Rudolf Augstein«.
15 *Der Spiegel*, 23. 12. 1953, S. 4.
16 *Der Spiegel*, Sonderausgabe, S. 14.
17 Thomas, *Deutschland*, S. 247.
18 *Spiegel Spezial*, 6/1993, S. 150.
19 *Der Spiegel*, 16. 8. 1947, S. 19f.
20 *Der Spiegel*, 8. 11. 1947, S. 18f.
21 *Der Spiegel*, 25. 4. 1951, S. 5.
22 *Der Spiegel*, 18. 11. 1974, S. 92.

Kapitel 2
»Deutschland, dem man etwas weggenommen hat« – Eine Schulbank, zwei Nachrichtenmagazine

1 *Die Weltbühne*, 8. 11. 1923, S. 460.
2 Ebda., 1. 11. 1923, S. 443f.
3 Ebda., S. 444.
4 *Der Spiegel*, 14. 7. 1969, S. 17.
5 Kuby, *Schattenspiele*, S. 216.
6 *NDB* Bd. 1, S. 452f.
7 *Spiegel Spezial* 1993, Nr. 6, S. 9f.
8 Kuby, *Schattenspiele*, S. 217.
9 *Der Spiegel*, 21. 5. 1958, S. 40.
10 *Spiegel Spezial* 1993, Nr. 6, S. 11f.
11 *Der Spiegel*, 7. 11. 1956, S. 40–42.
12 *FAZ-Magazin*, 24. 10. 1980.
13 *Der Spiegel*, 25. 7. 1983, S. 138.
14 Brawand, *Augstein*, S. 62.
15 Goebbels, *Tagebücher*, Teil I, Bd. 4, S. 223f.
16 Wheatley, *Operation*, S. 124; Hachmeister, S. 228.
17 Goebbels, *Tagebücher*, Teil I, Bd. 4, S. 325.
18 Eenboom, *Undercover*, S. 171f.
19 *Der Spiegel*, 18. 2. 1959, Zitate: »Emil Dovifat, 68, Ordinarius für Publizistik (in einer Vorlesung über die politische Rede zu Konrad Adenauers rednerischem Talent): ›Er hat noch dieselbe Sprache, wie er sie als Referendar gehabt hat.‹«
Der Spiegel, 11. 3. 1959, Zitate: »Emil Dovifat, 68, Ordinarius für Publizistik an der Freien Universität Berlin, in einer Vorlesung über Konrad Adenauers Fernseh-Charme: ›Der Bundeskanzler, wenn er gut gelaunt ist und ruhig – er kann auch schlecht gelaunt sein –, ist ausgezeichnet. Ja, man würde als Laie sagen eine echte Schönheit.‹«

Der Spiegel, 18. 3.1959, Rückspiegel: »In einer seiner letzten Vorlesungen bezeichnete es Professor Dovifat als ›traurig und nicht vereinbar mit akademischer Würde und Ehre‹, dass in seinem Kolleg jemand säße, ›der Mitteilungen für fünf [!] Mark an den *Spiegel* weitergibt ... Wenn das, was in der Universität gesagt wird, Gegenstand der Berichterstattung in solchen Blättern wird, dann kann ich einfach nicht mehr alles sagen, was ich sagen möchte.‹«

Der Spiegel, 12. 8.1959, Rückspiegel: »›Ich möchte nur wissen, was ich in meiner Vorlesung sagen muss, damit ich auch mal in den *Spiegel* komme.‹ Professor Dr. Andreas Paulsen, Prorektor und Ordinarius für Volkswirtschaftslehre der Westberliner Freien Universität.« Und ebenfalls

Der Spiegel, 12. 8.1959, Rückspiegel: »›Für mich richtet der *Spiegel* sicher eine eigene Spalte ein.‹ Professor Dr. Eduard Neumann, Ordinarius für Deutsche Philologie und neu gewählter Rektor der Westberliner Freien Universität.«

20 *FAZ-Magazin*, 24.10.1980.
21 *Der Spiegel*, 21. 12.1992, S.76f.

Kapitel 3
»Ab 100 000 Mark müsste ein Köfferchen drin sein« – Wie Bonn wurde, was es war

1 *Der Spiegel*, 13. 6.1951, S. 8.
2 Thomas, *Deutschland*, S. 245ff.
3 Zitiert nach *Der Spiegel*, 11.10.1950, S. 4.
4 Es ist eine für mich lästige Unart nicht nur des Herausgebers, sondern auch des *Spiegel* wie vor allem des allwissenden *Spiegel*-Archivs, dass in den frühen Jahren ganzen Menschen nicht ihr ganzer Name gegönnt wird. Im Jahresinhaltsverzeichnis hat Artur Stegner überhaupt keinen Vornamen, nicht einmal MdB, welchselbiger Vorname Solleder anstelle von Max verliehen wird.
5 *Der Spiegel*, 11.10.1950, S. 5.
6 Schlusswort des Ausschussvorsitzenden Johannes Semler nach der letzten Vernehmung des Finanzministers Fritz Schäffer (CSU) am 10. Sitzungstag: »Meine Herren, darf ich darauf aufmerksam machen, der Zeuge hat auf Vorhalt ausgesagt, dass er seinerseits keinerlei Maßnahmen ergriffen oder Worte gesagt hat, um Bedingungen an diese geldliche Zuwendung [gemeint ist: an die Bayernpartei, die darauf auf die Aufstellung eines eigenen Kandidaten im Bundestagswahlkreis Kulmbach verzichtete – O. K.] zu knüpfen. Das ist unser Ausgangspunkt ... Sind weitere Fragen an den Zeugen zu anderen Komplexen? – Ich frage ausdrücklich, meine Herren, denn es ist in der Presse gesagt worden, wir scheuten uns, dem Herrn Bundesfinanzminister Fragen vorzulegen. Wenn das nicht der Fall ist, dann darf ich die Vernehmung abschließen.« Protokoll der Ausschusssitzung vom 26. Oktober 1950, zitiert nach: *Der Spiegel*, 1.11.1950, S.17.
7 *Der Spiegel*, 20. 6.1951, S. 36 (Rückseite).
8 *Der Spiegel*, 26.12.1951, S 4.

9 *Der Spiegel*, 20.6.1951, S. 5.
10 *Der Spiegel*, 18.10.1950, S. 5f.
11 *Der Spiegel*, 27.9.1950, S. 5.
12 *Der Spiegel*, 18.10.1950, S. 8.
13 *Der Spiegel*, 26.12.1951, S. 4.
14 *Der Spiegel*, 25.10.1950, S. 12.
15 Schreiber, *Nannen*, S. 282.
16 Thomas, *Deutschland*, S. 246f.
17 *Der Spiegel*, 25.10.1950, S. 12.
18 *Der Spiegel*, 20.6.1951, S. 4.
19 *Gekaufte Republik*, S. 327f.
20 *Der Spiegel*, 20.6.1951, S. 4.
21 *Der Spiegel*, 23.5.1951, S. 6ff.
22 *Der Spiegel*, 20.6.1951, S. 5.
23 Bundesarchiv NS 51/14–135.
24 SD = Sicherheitsdienst des Reichsführers SS. Wir ahnen jetzt noch nicht, wie sehr uns der SD in diesem Buch beschäftigen wird.
25 *Der Spiegel*, 11.10.1950, S. 42.

Kapitel 4
»Der kleine Lügendoktor hat recht behalten« – Deutsche Soldaten: Daniel im Sandkasten

1 Augstein, *Waffen*, S. 48.
2 *Der Spiegel*, 16.10.1948, S. 8.
3 Adenauer, *Briefe 1947–1949*, S. 329f.
4 Die 1921 von Frank Buchanan als »Moral Rearmament« gegründete Moralische Aufrüstung hatte vier »absolute Forderungen« zum Vereinszweck: »Ehrlichkeit, Reinheit, Selbstlosigkeit und Liebe« – so das gleichgesinnte *Bertelsmann-Lexikon*, Band 10, Seite 190 von 1984. Während Adenauers Besuchszeiten trat dieser Vereinszweck verständlicherweise in den Hintergrund. Die Moralische Aufrüstung kam spätestens im Mai 1952 unter die Kontrolle des Psychological Strategy Board, der die Aufsicht über die vom CIA durchgeführten Programme zur psychologischen Kriegführung übernahm. Zu diesen Programmen gehörte neben dem geistig hochstehenden »Kongress für Kulturelle Freiheit« schon des längeren die Moralische Aufrüstung für weniger intellektuell veranlagte Personen (Saunders, *Zeche*, S. 143).
5 ... und ausgerechnet an Augsteins 14. Geburtstag, dem 5.11.1937.
6 Müller/Volkmann: *Wehrmacht*, S. 61.
7 *Der Spiegel*, 7.10.1963, S. 66.
8 Ebda.; Augstein, *Begegnungen*, S. 37.
9 *Der Spiegel*, 29.5.1948, S. 17.
10 Zitiert nach Henning Köhler, *Adenauer*, S. 611.
11 *Der Spiegel*, 5.4.1961, S. 20.
12 Simpson, *Bumerang*, S. 75ff.
13 Damit der neugierige Leser, der so wenig wie ich vorher weiß, was »Soxhlet« ist, nicht in die nächste Universitätsbibliothek laufen muss, sei ver-

raten, womit 1942 das enzyklopädische Wissen im Dritten Reich endete: Franz von Soxhlet war ein 1926 verstorbener Agrartechniker, der ein »heute veraltetes« (1942) Verfahren der Milchsterilisation erfunden hat. Aber das hat nun wirklich mit Augstein nichts zu tun.

14 *Meyers Lexikon*, Bd. 9, 1942, Spalte 337.
15 *Der Spiegel*, 16.10.1948, S. 8.
16 SDS: Sozialistischer Deutscher Studentenbund.
17 *Spiegel-Titelbilder*, S. 131.
18 *Der Spiegel*, 10.10.1988, S. 1.
19 Zitiert nach: *Der Spiegel*, 12.12.1962, S. 21.
20 *Der Spiegel*, 2.1.1957, S. 11 – Es gibt dieses Strauß-Wort auch in der Version, er wolle Russland von der Landkarte radieren; Strauß bekam darauf bei einer Wahlversammlung einen Radiergummi überreicht von, wenn ich mich recht erinnere, meinem SDS-Genossen Günther Müller, der sich Jahre später als Bundestagsabgeordneter in der CSU wiederfand, allerdings trotzdem schon verstorben ist.
21 *Der Spiegel*, 2.1.1957, S. 3.
22 *Der Spiegel*, 2.10.1948, S. 5.
23 Ebda., S. 4.
24 *Der Spiegel*, 4.12.1948, S. 5.
25 *Kürschner* 1954, Spalte 998.
26 *Der Spiegel*, 29.1.1949, S. 6f.
27 *Der Spiegel*, 22.3.1949, S. 4.
28 *Der Spiegel*, 2.4.1949, S. 4.
29 *Der Spiegel*, 9.4.1949, S. 4.
30 *Der Spiegel*, 18.8.1949, S. 5f.
31 *Der Spiegel*, 1.9.1949, S. 25f.
32 Gemeint ist wohl, einen anderen gibt es nicht, der 1480 in Maastricht (!) verstorbene Kirchenpolitiker Dietrich von Nieheim, der das Konzil von Konstanz vorbereitete und auf dessen Verlauf mit Gutachten Einfluss nahm.
33 Zitiert nach: Brawand, *Augstein*, S. 58.
34 *Der Spiegel*, 27.10.1949, S. 38.
35 Augstein, *Begegnungen*, S. 37.
36 *Der Spiegel*, 2.3.1950, S. 5–8.
37 *Der Spiegel*, 18.5.1950, S. 15.
38 *Der Spiegel*, 18.10.1950, S. 10.
39 *Der Spiegel*, 21.5.1952, S. 4.
40 *Der Spiegel*, 26.12.1951, S. 4.

Kapitel 5
»Dein Päckchen nach drüben« – Für Großdeutschland zahlt die Zone

1 *Der Spiegel*, 2.1.1952, S. 3ff.
2 *Der Spiegel*, 9.1.1952, S. 4f.
3 Vgl. Köhler, *Publizisten*, S. 37f.
4 *Die Welt*, 9.2.1990.
5 Vgl. Köhler, *Enteignung*.

6 *Der Spiegel*, 15.11.1950, S. 23.
7 *Der Spiegel*, 25.12.1950, S. 22f.
8 Die unterscheidet sich von der in den USA, das nämlich »ergibt sich« für Elisabeth Noelle »aus der deutschen Auffassung vom Wesen der öffentlichen Meinung, nach der, in den Worten des Reichsministers Dr. Goebbels, die öffentliche Meinung ›zum größten Teil das Ergebnis einer willensmäßigen Beeinflussung ist‹«. Noelle, *Massenbefragungen*, S. 133f.
9 Elisabeth Noelle-Neumann gibt im Fernsehgespräch wiederholt die Jahreszahl 1957 an. Sie irrt. Die Kaffeesteuer wurde am 30.7.1953 auf 3 DM für Rohkaffee und 4 DM für Röstkaffee pro Kilo gesenkt. Die dazugehörige Bundestagswahl fand am 6. 9.1953 statt.
10 ZDF, *Zeugen des Jahrhunderts: Gespräch mit der Meinungsforscherin Elisabeth Noelle-Neumann*. 2001. Ausstrahlung in Phoenix, 16.12.2001, 13 Uhr.
11 *Der Spiegel*, 16. 9.1953, S. 4.
12 »Die Wiedervereinigung liegt in der Luft« – Adenauers Außenpolitik im Spiegel seiner Erinnerung/Von Rudolf Augstein, in: *Der Spiegel*, 7.11.1966, S. 22–29. Diese Rezension endet: »Er schied [1955 – O. K.] aus Moskau mit dem Gefühl, und dies ist der letzte Satz seines aufschlussreichen Buches, ›mit den Männern im Kreml vielleicht doch eines Tages eine Lösung unserer Probleme finden zu können‹.«
13 *Der Spiegel*, 24. 4.1967, S. 28.
14 Kuby, *Schattenspiele*, S. 219.

Kapitel 6
»Mit einer solchen Bande will ich nichts zu tun haben« – Souverän ist, wer den *Spiegel* beschlagnahmen kann

1 *Welt am Sonntag*, 13. 5. 2001.
2 *Der Spiegel*, 16.7.1952, S. 4.
3 Adenauer, *Teegespräche II*, S. 224. Faksimile einer Rechnung für den Teeempfang bei dem Herrn Bundeskanzler. Bei einer Teilnehmerzahl von etwa 25 Personen werden 125 Teebrötchen für 75,00 DM und 1¾ (mutmaßlich Kilo) feines Teegebäck für 8,50 DM zur »Förderung des Nachrichtenwesens« ausgewiesen. Die Angemessenheit der Kosten und die richtige und vollständige Verwendung werden vom Persönlichen Referenten des Kanzlers bescheinigt. Der idealtypische Teilnehmer muss also fünf Teebrötchen und 70 Gramm Teegebäck innerhalb von zwei bis drei Stunden zu sich genommen haben. Die so zu errechnenden Kosten der Förderung des Nachrichtenwesens mit 3,34 DM pro Spitzenjournalist entsprechen den Grundsätzen einer sparsamen Haushaltsführung.
4 Ebda., S. 321.
5 Schwarz, *Adenauer*, Bd. II, S. 9.
6 Blankenhorn, Tagebuch vom 13. 6.1952, zitiert nach: Schwarz, *Adenauer*, Bd. II, S. 9; nicht enthalten in der von Blankenhorn selbst herausgegebenen Tagebuchausgabe *Verständnis und Verständigung*, 1980.
7 Zitiert nach: Schwarz, *Adenauer*, Bd. II, S. 10.
8 *Der Spiegel*, 21. 5.1952, S. 3–6.

9 Ebda., S.1 und 36.
10 Der *Spiegel* erschien am 9. Juli – entweder irrte sich Lenz bei seiner Tagebucheintragung im Datum oder er hatte am 8. Juli bereits ein Vorausexemplar des *Spiegel*.
11 Lenz, *Zentrum*, S. 3/89 – Die Tagebucheintragung stammt vom Dienstag, den 8. Juli 1952. Der *Spiegel* mit dem Erscheinungsdatum vom Mittwoch war vielerorts bereits dienstags zugänglich.
12 *Der Spiegel*, 17.5.1999, S. 98.
13 *Der Spiegel*, 4.4.1956, S.19.
14 Lenz, *Zentrum*, S.15.
15 *Der Spiegel*, 9.7.1952, S. 5ff.
16 Es entsprach auch einem Wunsch Augsteins, Fluchtwege ins Ausland zu öffnen – allerdings für alle. Nach Beginn des Koreakrieges schrieb Jens Daniel: »... solange der Krieg im Bereich des Möglichen liegt, müssen in Westdeutschland Geheimpläne ausgearbeitet werden, auf welchen Straßen diejenigen westwärts fliehen können, die den Russen nicht als willkommenes Kriegspotential in die Hände zu fallen wünschen.« (*Der Spiegel*, 20.7.1950, S.15) Sechs Wochen später warf er Adenauer vor, er habe »noch nicht einmal ventiliert, ob denjenigen Deutschen, die bei einem Einmarsch der Russen auf keinen Fall bleiben könnten, die Flucht über die Westgrenze offenstehe«. (*Der Spiegel*, 31.8.1950, S.18)
17 Faksimile des Strafantrags vom 8.7.1952 in: *Der Spiegel*, 14.12.1955, S.14.
18 Zitiert nach: *Der Spiegel*, 16.7.1952, S. 4.
19 Ebda.
20 *Verbo*, 18.6.1940, zitiert nach: *Der Spiegel*, 12.8.1953, S.7.
21 Lenz, *Zentrum*, S.70.
22 Saunders, *Zeche*, S. 383–387.
23 Lenz, *Zentrum*, S.197.
24 *Der Spiegel*, 5.12.1951, S. 25.
25 Lenz, *Zentrum*, S.197.
26 *Warschauer Zeitung*, 10.11.1940, zitiert nach: Köpf, *Schreiben*, S. 46.
27 Zorn, *Wiederkehr*, S.45. – Werner von Lojewski ist der Vater des späteren SFB-Intendanten Günther von Lojewski, den man aber dafür nicht verantwortlich machen kann und darf – er hat genug eigene Leistungen aufzuweisen.
28 Adenauer, *Teegespräche 1950–1954*, S. 321–324.
29 Lenz, *Zentrum*, S. 398f.
30 Ebda., S. 658.
31 *Der Spiegel*, 28.1.1953, S. 6.
32 Lenz, *Zentrum*, S.712.
33 *Der Spiegel*, 26.8.1953, S. 5.
34 *Die Zeit*, 17.9.1953.
35 Lenz, *Zentrum*, S.700.
36 Ebda., S.705f.
37 *Der Spiegel*, 16.9.1953, S. 4.
38 *Der Spiegel*, 16.9.1953, S.10.
39 *Der Spiegel*, 25.12.1953, S. 4.
40 *Der Spiegel*, Neujahr 1953 (vom 31.12.1952).

41 *Der Spiegel*, 25.12.1952, S. 4.
42 *Spiegel*-Inhaltsverzeichnis Jg. 1952, Jg. 1953, S. 33.
43 Engelmann, *Wir sind wieder wer*, S. 196–201.
44 Augstein, *Begegnungen*, S. 28.
45 Zitiert nach: *Der Spiegel*, 14.12.1955, S. 12 f.
46 *Der Spiegel*, 29.12.1986.

Kapitel 7
»Verpflichtet, Landesverrat zu verfolgen« – Strauß, die *Spiegel*-Affäre und ein versuchter Putsch der Rumpf-Redaktion

1 Ritter, *Briefe*, S. 574 f.
2 Vgl. Hermann Heimpel im *Göttingschen Gelehrten Anzeiger*, 208. Jg., zitiert nach: *Der Spiegel*, 21.11.1962, S. 61 ff.
3 Bossle, »Dollfuß«.
4 *Der Spiegel*, 10. 8.1955.
5 *Der Spiegel*, 21.11.1962, S. 57.
6 Vgl. dazu: Köhler, »Doktorspiele«.
7 Bossle, »Zahlen«.
8 Jacobi: »Wenn der stellvertretende Chefredakteur Conrad Ahlers und ich gemeinsam einen Beitrag verfassten – ich formulierte, was er wusste –, schaute Engel durch die Tür und bemerkte: ›Aha, die Ameise melkt wieder die Blattlaus.‹« (Jacobi, *Fremde*, S. 146)
9 Zitiert nach: *Spiegel-Affäre*, Bd. 1, S. 255.
10 *NDB*, Bd. 4, S. 610.
11 Augstein, *Überlebensgroß*, S. 7.
12 Brawand, *Augstein*, S. 139.
13 *Der Spiegel*, 5. 4.1961, S. 30.
14 *Der Spiegel*, 5. 4.1961, S. 18 mit Zitat des *Tagesspiegel*, 20. 9.1958.
15 Schoeps, *Spiegel-Affäre*, S. 31 f.
16 Augstein, *Überlebensgroß*, S. 25.
17 *Der Spiegel*, 5. 4.1961, S. 15 f.
18 *Der Spiegel*, 5. 4.1961.
19 *Der Spiegel*, 7.11.1962, S. 53.
20 *Der Spiegel*, 21.11.1962, S. 55.
21 *Spiegel-Affäre*, Bd. 1, S. 244 f.
22 *Der Spiegel*, 19.12.1962, S. 23.
23 *Der Spiegel*, 21.11.1962, S. 38.
24 *Der Spiegel*, 12.12.1962, S. 7.
25 *Der Spiegel*, 19.12.1962, S. 23.
26 Obwohl er sich ungemein bewährt hat; Leo Brawand: »Stefan Aust mag von linksaußen kommen, aber er besitzt Profi-Qualitäten und erweist sich überdies als lernfähig ... Aust misst wie Augstein 1,69 Meter.« (Brawand, *Augstein*, S. 22)
27 *Der Spiegel*, 1.11.1961, S. 15.
28 *Der Spiegel*, 29.11.1961, S. 6.
29 *Der Spiegel*, 26.12.1962, S. 10.
30 Schenk, *Auge*, S. 214.

31 *Der Spiegel*, 7.11.1962, S. 47.
32 *Der Spiegel*, 27.2.1963, S. 30.
33 Bundesarchiv Koblenz N 1265/37, zitiert nach: Schenk, *Auge*, S. 270.

Kapitel 8
»Führen Sie die Herren aufs Scheißhaus« – Springer, Augstein und das Feigenblatt

1 Zitiert nach: *Der Spiegel*, Sonderausgabe 1947–1997, S. 362.
2 *Der Spiegel*, 29.4.1964, S. 3.
3 *Der Spiegel*, 14.11.1966, S. 184.
4 *Der Spiegel*, 14.11.1966, S. 26.
5 *Der Spiegel*, 14.11.1966, S. 40.
6 *Der Spiegel*, 14.11.1966, S. 37.
7 Es könnte aber auch – in ganz besonderer Sicht – eine Widerstandstat gegen die Renazifizierung gewesen sein. Die CSU-nahe *Demokratisch-Konservative Korrespondenz* hatte dazu eine ganz eigene Verschwörungstheorie:
»Die Pressekampagne gegen den baden-württembergischen Ministerpräsidenten und Kanzlerkandidaten der CDU/CSU, Kurt Georg Kiesinger, die von der *Neuen Zürcher Zeitung* wegen dessen angeblicher nationalsozialistischer Vergangenheit gestartet wurde, gilt in Bonn als zusammengebrochen. Dazu hat in erster Linie der Kiesinger vom *Spiegel* zugespielte Bericht über dessen Widerstandshandlungen im Auswärtigen Amt beigetragen. Über die Art der Erledigung der ›Vergangenheitsbewältigung‹ Kiesingers ist man in Unionskreisen allerdings nicht gerade glücklich, da man dort entschlossen war, den Fall Kiesinger zum Anlass zu nehmen, den Abschuss von honorigen und um die Demokratie verdienten Politikern mit der sogenannten unbewältigten Vergangenheit endgültig zu unterbinden. Große deutsche Pressekonzerne hatten ihre Unterstützung bei diesem Vorhaben zugesagt, so dass man hoffen konnte, hier eine ›Durchbruchschlacht‹ gewinnen zu können. Das vom *Spiegel* zur Verfügung gestellte Material, das von der gesamten Presse übernommen wurde, rehabilitierte aber Kiesinger auf der Basis der Rechtfertigung mit Widerstand, womit das eigentliche Vorhaben der Union verwässert wurde. In Bonner politischen Kreisen stellte man sich die Frage, ob der *Spiegel* nicht in Kenntnis der Zusage anderer Presseorgane, die unbewältigte Vergangenheit nicht mehr als Mittel für den politischen Kampf der Gegenwart zu missbrauchen, sein Rechtfertigungsmaterial über Kiesinger der Öffentlichkeit zugänglich gemacht hat.« (DKK 10.11.1966). – Doch zu soviel Bosheit war Ahlers einfach nicht fähig.
8 *Der Spiegel*, 21.11.1966, S. 185.
9 Springer, *Berlin*, S. 30.
10 *Spiegel*-Verlag, *Männer*, S. 25, S. 3, S. 25.
11 Springer, *Freund*, S. 53f.
12 *Der Spiegel*, 24.4.1967, S. 34.
13 Springer, *Berlin*, S. 252ff.
14 *Der Spiegel*, 25.9.1967, S. 25.

Kapitel 9
»Die Sauna jedoch nur den Herren« – Eine Redakteursbewegung wittert Morgenluft

1 *Der Spiegel*, 27.3.1972, S. 2.
2 *Der Spiegel*, 14.7.1969, S. 16.
3 Hellmuth Karasek, ein ehemaliger Kultur-Chef beim *Spiegel*, der einen ganzen Roman *(Das Magazin)* über die sexuellen Gepflogenheiten der RedakteurInnen des deutschen Nachrichtenmagazins geschrieben hat, scheint bei seinen Forschungen nie über das Parterre des »Salambo« hinausgekommen zu sein, wo Laufkundschaft mit einem »Herrengedeck« (Pils und Weinbrand) beziehungsweise einem »Damengedeck« (Pils und Sekt – bei dieser Kotzkombination dürfte es sich um eine üble Nachrede Karaseks handeln und nicht um eine reell recherchierte Lebenswahrheit, Herr Karasek ist keine Dame) sowie einem auf der Bühne vorgeführten fremden Koitus professioneller Kräfte abgespeist und – wie seinem Werk unschwer zu entnehmen ist – frustriert wurde. Karasek, *Magazin*, S. 160f.
4 *Der Spiegel*, 14.7.1969, S. 16.
5 Jacobi, *Fremde*, S. 152f.
6 Jacobi, *Fremde*, S. 11.
7 *Bild*, 4.1.2002.
8 *Welt am Sonntag*, 6.1.2002 – Die Reise fand nicht, wie von Augstein angegeben, 1952 statt, sondern 1954. Ergebnis war am 16.4.1954 ein *Spiegel*-Titel über Gamal Abd el Nassir mit einer Einleitung von Rudolf Augstein (S. 4) und einer Namensgeschichte von Claus Jacobi (S. 16–28). Nassir oder Nasser führte nicht, wie Augstein angibt, den Namen »der *Löwe* von Faluga«, weil er im Krieg »mit richtigen Granaten geschossen [hatte], wohingegen die meisten anderen Granaten mit Sand gefüllt waren«. Nasser führte vielmehr laut Jacobi den Titel »der *Tiger* von Faluga«, weil er »300 Juden getötet« habe (S. 28). Augsteins Angaben über Jacobis Geschicklichkeit beim Kofferpacken dürften dagegen korrekt sein.
9 *Der Spiegel*, 20.5.1964, S. 59.
10 Zitiert nach: Jacobi, *Fremde*, S. 154.
11 Augstein, *Friedrich*, 1981, S. X. – Diese gegenüber dem Original von 1968 erweiterte Taschenbuchausgabe von 1981 enthält zu Beginn einen umfangreichen und aufschlussreichen Rezensionsbericht Augsteins, der 1986 in der bibliophilen Ausgabe der »Anderen Bibliothek« des wandlungswütigen Hans Magnus Enzensberger ohne Begründung weggelassen wurde.
12 Augstein, *Friedrich*, 1986, S. 16.
13 Spitzelbericht an Axel Springer: »Die Gruppe Jacobi/Ahlers stellt vor der Redaktion offen ihr Verdienst heraus, den Springer-Titel des *Spiegel* entschärft zu haben. In seiner ersten Fassung soll dieser Artikel wesentlich schärfer und mit persönlichen Angriffen gegen Springer gespickt gewesen sein. Jacobi kam in der Woche vor Veröffentlichung des Artikels aus dem Urlaub, nahm das Manuskript und schrieb es – zur Enttäuschung des linken Flügels in der Redaktion – um.« Ohne Datum, zitiert nach: Jürgs, *Springer*, S. 247.

14 Jacobi, *Fremde*, S. 272.
15 Jacobi, *Fremde*, S. 274.
16 Zitiert nach: Jacobi, *Fremde*, S. 154f.
17 *konkret*, 24. 8. 1972, S. 9.
18 Vgl. Otto Köhler: »Orgasmus für Breslau«, in: *Der Spiegel*, 30. 11. 1970, S. 105.
19 *Vision*, 1. Jg., 1971.
20 *Der Spiegel*, 7. 2. 1972, S. 83.

Kapitel 10
»Dieser fleischstrotzende Knüppel der Unterwerfung« – Rudolf Augstein und die Frauen

1 *Der Spiegel*, 21. 11. 1962, S. 38.
2 *SZ-Magazin*, 22. 10. 1993.
3 Jacobi, *Fremde*, S. 175.
4 Ebda., S. 177.
5 Thomas, *Deutschland*, S. 246.
6 *die tageszeitung*, 1. 8. 2001.
7 Thomas, *Deutschland*, S. 246.
8 Vgl. dazu Otto Köhler: »Gottes Blitz ins Gruppensexgerücht«, in *Pardon*, 2/1970, S. 56ff.
9 »Asterix bei den Briten«, in: Franzen/Penth, *Hüten*, S. 145–151.
10 Piwitt, *Gärten*, S. 55.
11 Rowohlt-Taschenbuchausgabe (1997), hinten drauf.
12 Stelly, *Lili*, S. 65 – ebenso auch S. 73: »Das war tatsächlich ihre Hauptaufgabe: das Gepäck zu tragen, es aus- und wieder einzupacken.«
13 Brawand, *Spiegel*, S. 197. Dass *Spiegel*-Redakteure bei wörtlichem Zitat sehr frei in der Wortwahl sind, wenn nur der Sinn einigermaßen gleich bleibt, beweist Brawand als einer der »wichtigsten Mitarbeiter« Augsteins. In Brawand, *Augstein*, S. 219 lautet das Wort des Herausgebers so: »Sucht euch Freund oder Freundin meinetwegen überall sonst, aber nicht hier in der Redaktion.«
14 *Der Spiegel*, 8. 10. 1952, S. 4.
15 Trömel-Plötz, *Vatersprache*, S. 87.
16 Ebda., S. 96.
17 Ebda., S. 94.
18 Ebda., S. 105.
19 Brawand, *Augstein*, S. 226.
20 Brawand, *Spiegel*, S. 105.
21 Brawand, *Augstein*, S. 221.
22 Ebda., S. 218.
23 *Der Spiegel*, 26. 8. 1953.
24 *Die Zeit*, 14. 12. 2000.
25 Werner von Alvensleben am 21. 9. 1932 an den sehr verehrten Herrn Hitler: »... dass der Herr Otto Wolff mit sehr großer Vorsicht zu genießen ist, und ich darf dringend raten, dass Sie Ihre Herren anweisen, keinesfalls irgendeine Verbindung mit dem Herrn Otto Wolff aufzunehmen, selbst

wenn er etwa irgendwelche Gelder für unsere Bewegung zur Verfügung stellen wollte... Im Gegensatz zu ihm ist Herr Silverberg ein Mann, der sich auf wirtschaftlichem Gebiete außerordentliche Verdienste erworben hat. Er ist das Gegenteil von Herrn Wolff und hat nur den einen Fehler, dass er Judenabkömmling ist.« Bundesarchiv NS58/148f. Auch *Goebbels-Tagebuch* passim.
26 Koeppen, *Tauben*, S. 59.
27 Alvensleben, *Abgehoben*, S. 302.
28 *Der Spiegel*, 1. 9. 1969, S. 46.
29 Alvensleben, *Abgehoben*, S. 304.
30 Piwitt, *Gärten*, S. 57.
31 *Spiegel Spezial*, 6/1993, S. 110.
32 Piwitt, *Gärten*, S. 204f.
33 Ebda., S. 55.
34 Ebda., S. 54.
35 Degenhardt, *Brandstellen*, S. 137.

Kapitel 11
»An Sekundanten soll es dir nicht fehlen« – Flucht nach Bonn und zurück

1 *konkret*, 19. 10. 1972, S. 50.
2 *Der Spiegel*, 3. 11. 1969, S. 46.
3 *Der Spiegel*, 12. 10. 1970, S. 44 und S. 29.
4 *Der Spiegel*, 9. 11. 1970, S. 36ff.
5 *Der Spiegel*, 16. 11. 1970, S. 126.
6 *Der Spiegel*, 1. 3. 1962, S. 20.
7 *Verhandlungen des Deutschen Bundestags*, 4. Wahlperiode, Bd. 51, S. 1995f., vom 7. 11. 1962.
8 LDPD = Liberal-Demokratische Partei Deutschlands, das SED-abhängige DDR-Pendant zur FDP.
9 Mende, *Wende*, S. 77.
10 Schoenbaum, *Abgrund*, S. 231.
11 *konkret*, 18. 1. 1973, S. 15.
12 Augstein, *Jesus Menschensohn*, 1999, S. 8.
13 Kuby, *Vaterland*, S. 373.
14 Zitiert nach einem Beitrag des Autors in: *konkret*, 4. 1. 1973, S. 17. Die Einzelnachweise für die Augstein-Zitate über die FDP und Barzel sind verlorengegangen. Verf. versichert aber an Eides statt und gibt alle erforderlichen Ehrenworte, dass er damals alle Quellen gewissenhaft geprüft hat. Zweifler mögen sich bitte an das *Spiegel*-Archiv wenden.
15 *Spiegel Spezial*, Nr. 6, 1993, S. 13.

Kapitel 12
»Wir sind ein Volk« – Rudolf Augstein will wiedervereinigt werden

1 Augstein/Grass, *Deutschland*, S. 78.
2 Ebda., S. 74.

3 Ebda., S. 60.
4 Ebda., S. 52.
5 Ebda., S. 69f.
6 Ebda., S. 89.
7 *Welt am Sonntag*, zitiert nach: *konkret*, Heft 4, 1990, S. 10.
8 *Der Spiegel*, 11.1.1971, S. 38.
9 *Der Spiegel*, 8.10.1952, S. 4.
10 *Der Spiegel*, 31.10.1989, S. 12.
11 *Der Spiegel*, 6.11.1989, S. 22.
12 *NDB*, 1964, Band VI, S. 486.
13 *Der Spiegel*, 15.1.1990, S. 21.
14 Ebda., S. 3.
15 *Der Spiegel*, 20.11.1989, S. 18.
16 Ebda.
17 *Der Spiegel*, 8.1.1990, S. 18.
18 *Der Spiegel*, 13.11.1989, S. 45.
19 *Der Spiegel*, 27.11.1989, S. 16.
20 *Der Spiegel*, 2.1.1995, S. 70.
21 *Brockhaus-Enzyklopädie* 1968, Band 4, S. 84 – Diese siebzehnte, völlig neu bearbeitete Auflage ist völlig unverdächtig, denn sie wurde von dem NS-Professor Dr. Wilhelm Hehlmann, Dozent an den Adolf-Hitler-Schulen, unter Hinzuziehung seiner alten Kameraden gestaltet.
22 Herzfeld, *Geschichte*, 1963, Bd. 1, S. 260f. – Auch der durch und durch nationale Herausgeber Hans Herzfeld ist der Franzosenliebe unverdächtig.
23 *Der Spiegel*, 16.1.1995, S. 7.
24 Vgl. Köhler, *Enteignung*.
25 *Der Spiegel*, 10.2.1997, S. 116.
26 *Der Spiegel*, 23.3.1992, S. 92.

Kapitel 13
»Die Hosen endlich runterlassen, und zwar bis ganz unten« – Der *Spiegel* war immer schon ein Organ der Aufklärung

1 Zitiert nach: Bazon Brock, in: *Spiegel Spezial*, Nr. 6, 1993, S. 24.
2 Oskar Negt, in: *Spiegel Spezial*, Nr. 6, 1993, S. 104.
3 Wolf Biermann, in: *Spiegel Spezial* Nr. 6, 1993, S. 19.
4 *Berliner Zeitung*, 22.4.1995.
5 *Berliner Zeitung*, 6.11.1996.
6 *Der Spiegel*, 24.2.1992, S. 28.
7 *Spiegel Spezial*, 6/1993, S. 142.
8 *konkret*, Mai 1992.
9 *Die Weltbühne*, 30.6.1992.
10 *Der Spiegel*, 21.12.1992, S. 76f.

Kapitel 14
»Die Nacht der langen Messer« – Augstein und der Gestapo-Chef

1 *Meyers Lexikon*, Band 4, Spalte 1095.
2 *Der Spiegel*, 19. 5. 1949, S. 2.
3 *Der Spiegel*, 12. 5. 1949, S. 6ff.
4 Diels, *John*, S. 10.
5 Ebda., S. 14.
6 *Der Spiegel*, 19. 5. 1949, S. 3.
7 *Der Spiegel*, 12. 5. 1949, S. 6ff.
8 Augstein, vervielfältigte Rede vor den *Spiegel*-Ressortchefs vom 24. 9. 1971, zitiert nach: Zeuner, *Veto*, S. 237.
9 Diels, *Lucifer*, S. 28.
10 *Der Spiegel*, 12. 5. 1949, S. 17.
11 *Der Spiegel*, 15. 4. 1996, S. 29f.
12 Diels, *Lucifer*, S. 74f.
13 Graf, »Kontinuitäten«, S. 8f.
14 *Der Spiegel*, 23. 6. 1949, S. 22.
15 Ebda., S. 19.
16 *Der Spiegel*, 26. 2. 1949, S. 28.
17 Ebda., S. 5.

Kapitel 15
»Wir sind alle Nebes« – Augstein liest es aus den Sternen

1 *Der Spiegel*, 18. 5. 1959, S. 42, sowie Schenk, *Auge*, S. 52 und 196.
2 *Der Spiegel*, 2. 3. 1950, S. 42.
3 *Der Spiegel*, 29. 9. 1949, S. 3.
4 Jürgs, *Springer*, S. 73ff. und 82ff.
5 *Der Spiegel*, 29. 9. 1949, S. 20f.
6 Ebda., S. 3.
7 *Der Spiegel*, 23. 3. 1950, S. 31.
8 Ebda., S. 26.
9 *Der Spiegel*, 2. 5. 1951, S. 6f.
10 *Der Spiegel*, 23. 3. 1950, S. 26.
11 *Der Spiegel*, 9. 2. 1950, S. 21.
12 *Der Spiegel*, 17. 11. 1949, S. 2.
13 *Der Spiegel*, 27. 4. 1950, S. 2.
14 *Der Spiegel*, 17. 11. 1949, S. 24.
15 *Der Spiegel*, 29. 9. 1949, S. 3.
16 *Der Spiegel*, 2. 2. 1950, S. 25f.
17 *Der Spiegel*, 27. 4. 1950, S. 2.
18 Bundesarchiv Koblenz N1265/32, Bericht 9610-II/48, 30. 12. 1948, zitiert nach: Schenk, *Auge*, S. 143.
19 DP = Displaced Persons.
20 *Der Spiegel*, 14. 3. 1951, S. 7.
21 Leier, *Deutschland*, S. 89.

Kapitel 16
»Tolle Dinger wurden gedreht. Nicht immer einwandfrei. Aber für Six wurde es getan« – Die SD-Leute des *Spiegel* und ihre Barbie-Puppe

1 Kuby, *Spiegel*, S. 155.
2 Zitiert nach: Brawand, *Augstein*, S. 214.
3 *Der Spiegel*, 3. 8. 1950, S. 35.
4 *Der Spiegel*, 6. 7. 1950, S. 25.
5 *Der Spiegel*, 29. 5. 1948, S. 14.
6 *Spiegel special*, Nr. 4, 1995, S. 3.
7 *Der Spiegel*, 20. 7. 1950, S. 20ff.
8 Ebda., S. 25.
9 *Der Spiegel*, 27. 7. 1950, S. 19.
10 *Der Spiegel*, 27. 7. 1950, S. 23.
11 *Der Spiegel*, 3. 8. 1959, S. 35.
12 Hachmeister, *Gegnerforscher*, S. 228ff.
13 Ebda., S. 236f.
14 Vgl. Köhler, *Publizisten*, S. 419.
15 Hachmeister, *Gegnerforscher*, S. 318.
16 *Der Spiegel*, 29. 12. 1949, S. 6ff.
17 Hachmeister, *Gegnerforscher*, S. 318.
18 *Der Spiegel*, 16. 2. 1950, S. 41.
19 Ebda., S. 2.
20 Simpson, *Bumerang*, S. 71ff.
21 *Kölner Stadtanzeiger*, 12. 5. 2001.
22 Hachmeister, *Gegnerforscher*, S. 320f.
23 Brawand, *Spiegel-Story*, S. 167.
24 Greiwe, *Augstein*, S. 51.
25 Zumindest in seiner Zeit als *Spiegel*-Chefredakteur, vielleicht auch noch in seiner Zeit als Verlagsleiter hielt Becker den Kontakt zum BND-Chef Reinhard Gehlen und schrieb am 27. September 1954 eine wohlwollende Titelgeschichte mit dem hinreißenden Schluss: »Eines aber wird Konrad Adenauer auf sein Wort nehmen können, wenn er der Organisation Gehlen die politische Reife bescheinigt: In Gehlens Stab gibt es nicht einen ehemaligen SD- oder Gestapo-Mann.« Kann wohl sein, dass Becker wegen dieser unfreundlichen Bemerkung den beiden SD-Ressortleitern in Augsteins Stab eine Gehaltserhöhung als Schmerzensgeld bewilligen musste.
26 Der Verleger Gerhard Frey hielt als Chef der rechtsextremistischen »Deutschen Volksunion« (DVU) und der *Deutschen Nationalzeitung* intimen Kontakt zum ersten Präsidenten des Bundesnachrichtendienstes ebenso wie zum bayerischen Innen- und Verfassungsminister Alfred Seidl (CSU) und zum Grundgesetzkommentator und bayerischen Kultusminister Theodor Maunz (CSU). Jeweils nach ihrem Tod veröffentlichte der Neonaziführer freundschaftliche Briefe der drei Träger unserer freiheitlich-demokratschen Grundordnung. (Vgl. Köhler, *Deutschland*, S. 185.)
27 Brawand, *Augstein*, S. 221.
28 Hachmeister, *Gegnerforscher*, S. 269.

29 Mahnke/Wolff, *Frieden*, S. 14.
30 Ebda., S. 250.
31 Daniel, *Deutschland*, S. 5.

Kapitel 17
»Für ein gesundes Deutschland« – Das Reichssicherheitshauptamt redigiert den *Spiegel*

1 *Der Spiegel*, Sonderheft 1947–1997, S. 14.
2 *Der Spiegel*, 5. 8. 1953, S. 6.
3 *Der Spiegel*, 21. 1. 1953, S. 5ff.
4 Mehr zu Wirsing: Köhler, *Publizisten*, S. 290–327.
5 *Der Spiegel*, 30. 4. 1952, S. 33.
6 Zitiert nach: Frei, *Vergangenheitspolitik*, S. 361.
7 Herbert, *Best*, S. 463.
8 *Der Spiegel*, 17. 6. 1953, S. 3.
9 *Der Spiegel*, 22. 10. 1952, S. 3f.
10 *Der Spiegel*, 29. 10. 1952, S. 4.
11 dpa-Übersetzung vom 17. 11. 1952, zitiert nach Frei, *Vergangenheitspolitik*, S. 365.
12 *Der Spiegel*, 13. 5. 1953, S. 6.
13 *Der Spiegel*, 29. 4. 1985, S. 18.
14 *Der Spiegel*, 2. 9. 1953, S. 4.
15 Hachmeister, *Gegnerforscher*, S. 340.
16 *Der Spiegel*, 2. 9. 1953, S. 4.

Kapitel 18
»Geläuterter Nationalsozialismus« – Drei Rosen am Ausschnitt

1 *Spiegel Spezial*, Nr. 6, 1993, S. 132.
2 Oven, *Polen*, S. 63f.
3 Engelmann, *Freunde*, S. 202.
4 *Der Spiegel*, 18. 4. 1994, S. 232.
5 *Der Spiegel*, 21. 3. 1951, S. 6.
6 Léon Degrelle gründete 1930 die rechtsradikale Rex-Bewegung in Belgien und im zweiten Weltkrieg die Wallonische Legion, die mit den Deutschen gegen die UdSSR kämpfte.
7 *Der Spiegel*, 24. 1. 1951, S. 8.
8 *Kritisches Tagebuch* im Westdeutschen Rundfunk, Drittes Programm Hörfunk am 14. 2. 1997.
9 *Der Spiegel*, 21. 6. 1994, S. 35.

Kapitel 19
»Goebbels: ›Aber es stimmt.‹« – Augsteins Reichstagsbrand und seine Verfasser

1 *Die Welt*, 21.12.2000.
2 *Der Spiegel*, 21.10.1959, S. 43.
3 *Der Spiegel*, 6.4.1950, S. 41.
4 *Der Spiegel*, 24.1.1951, S. 10.
5 Bahar, *Reichstagsbrand*, S. 443f. und 462f.
6 Kubina, *Utopie*, S. 121.
7 Bahar, *Reichstagsbrand*, S. 463.
8 *Der Spiegel*, 9.4.2001, S. 52.
9 Graf, *Polizei*, S. 392.
10 Schenk, *Auge*, S. 177.
11 *Der Spiegel*, 19.12.1951, S. 10ff.
12 *Der Spiegel*, 21.10.1959, S. 43.
13 Staatsarchiv Nürnberg, NG-2424.
14 Longerich, *Propagandisten*, S. 286.
15 *Weltwoche*, 9.11.2000.
16 Vgl. dazu: Köhler, *Publizisten*, S. 194–199.
17 Ich danke Hersch Fischler für die Kopie des von ihm im Institut für Zeitgeschichte gefundenen Papiers.
18 Zu Mommsens sehr Verdienst voller Volkswagenforschung vgl. Otto Köhler in: *Die Zeit*, 12.9. und 25.10.1991, und *konkret* Nr. 12, 1996.
19 *Die Welt*, 10.1.2001.
20 Aussage von Fritz Tobias vor dem Amtsgericht Hannover am 6.7.1961. Tobias verweigerte bei dieser Gelegenheit die Aussage darüber, ob er dienstlich direkt oder indirekt beteiligt gewesen sei, wenn das Landesamt für Verfassungsschutz Material über einen Gegner seiner Reichstagsbrandthese gesammelt hat. Zitiert nach: Bahar, *Reichstagsbrand*, S. 767.
21 *Vierteljahrshefte für Zeitgeschichte*, 49. Jahrgang, Juli 2001, S. 555.
22 *Der Spiegel*, 9.5.1983, S. 100.
23 *Der Spiegel*, 27.7.1992, S. 110f.
24 Ebda., S. 111.
25 Goebbels, *Kaiserhof*, S. 270f.
26 *Der Spiegel*, 9.4.2001, S. 48.

Kapitel 20
»Meine Leitkultur war jüdisch« – Wie Rudolf Augstein mit Löhner-Beda für Hitler die Front hielt

1 Broder, *Antisemit*, S. 91.
2 *Welt am Sonntag*, 13.5.2001.
3 Hilberg, *Vernichtung*, S. 994.
4 *Metall*, 25.3.1981, S. 7 – Professor Rose konnte für sich ein berechtigtes Interesse am Fortbestehen der Konzentrationslager beanspruchen. Er verfügte für seine Medizin-Versuche über Menschenmaterial im KZ Buchenwald. Da viele seiner Versuchspersonen durch diese Versuche getö-

tet wurden und damit ausfielen, erlitt Rose einen beachtlichen Nachteil, als 1945 durch die Rücknahme der Front der unbehinderte Betrieb des KZ Buchenwald eingeschränkt wurde. – Mitscherlich, *Medizin*, S.123.

5 *Der Spiegel*, 20.11.2000, S. 30f.

6 »So viel Lärm um einen Eierkuchen« – gemeint ist: um nichts. Die deutsche Fassung des von dem französischen Dichter Jacques des Barreaux (1599–1673) geprägten Wortes wurde auch von Gestapo-Chef Diels in seinen *Spiegel*-Veröffentlichungen gern benutzt.

7 *Der Spiegel*, 19.10.1992, S.172.

8 *Der Spiegel*, 7.6.1993, S.18.

9 *Der Spiegel*, 30.11.1998, S. 32f.

10 Textauszug in: Leiser, *Deutschland*, S.74.

11 *Der Spiegel*, 11.5.1981, S. 24 und S.1.

12 *Der Spiegel*, 29.4.1985, S.18.

13 *Der Spiegel*, 17.12.2001, S.163.

14 *Der Spiegel*, 29.4.1985, S. 18.

15 Klaus von Dohnanyi am 14.11.1998 in der *Frankfurter Allgemeinen Zeitung für Deutschland*: »Allerdings müssten sich auch die jüdischen Bürger fragen, ob sie sich so sehr viel tapferer als die meisten anderen Deutschen verhalten hätten, wenn nach 1933 ›nur‹ die Behinderten, die Homosexuellen oder die Roma in die Vernichtungslager geschleppt worden wären.« – Nachdruck in: Schirrmacher, *Walser-Bubis*, S.148.

16 *Der Spiegel*, 29.4.1985, S.18.

17 Broder, *Antisemit*, S.109.

18 Die *Welt* am 23. Februar 2002 aus Anlass einer Neuerscheinung von Henryk M. Broder: »In Ihrem Buch werden viele Leute mit zum Teil unglaublichen Äußerungen zitiert. Ein Name fehlt empfindlich: Rudolf Augstein.« – Broder: »Augstein und ich haben einen Waffenstillstand. Er sagt nichts über mich, ich sage nichts über ihn. Und bei aller Kritik an seinen Äußerungen trage ich doch eine tiefe Verehrung für ihn in meinem Herzen. Das, was er aus dem *Spiegel* gemacht hat – schon bevor ich eingestellt wurde, aber natürlich war meine Einstellung eine wesentliche Qualitätssteigerung –, verdient Respekt.«

Kapitel 21
»Politisch sollten wir uns nicht mehr ducken. Wir sind ein normales Volk...« – Zwei ältere deutsche Herren trinken Wein in St.Tropez und hecken einen Streit aus

1 »Die 100 wichtigsten deutschen Intellektuellen«, *Frankfurter Allgemeine Sonntagszeitung*, 27.1.2002.

2 Zenker, *Anarchismus*, S. 91.

3 Schulze, *Namen*, S. 38.

4 Brief Stahleckers an Himmler vom 15.10.1941, L-180, zitiert nach Hilberg, S. 315.

5 John Chaloner, der Mitbegründer von *Diese Woche*, behauptete, dass 1946 zur Gründung des *Spiegel* eine Ablösesumme von 70 000 RM aufgebracht werden musste, die zu beschaffen Augstein Schwierigkeiten

gehabt habe. Das bestreitet Augstein am 14. Dezember 1987 in einem Brief an Leo Brawand. In diesem Zusammenhang schreibt er: »Naturgemäß hätte ich das gekonnt, denn meine Eltern waren nicht unvermögend und nicht ausgebombt. Drei Leicas hätten genügt, die gesamte Summe an die undurchsichtige Quelle zurückzuzahlen.« Die 1936 eingerichtete Photospezialhandlung von Vater Friedrich Augstein in der Vahrenholter Straße wurde im Krieg durch Bomben zerstört.

6 *Der Spiegel*, 2.11.1998.

7 Schirrmacher, *Walser-Bubis*, S.12–15.

8 Nach anderen Berichten blieb noch einer – zu seiner Ehre sei es gesagt – sitzen: der ostdeutsche Theologe Friedrich Schorlemmer.

9 *Spiegel Spezial*, 6/1993, S.156.

10 Nach einer im Auftrag des *Spiegel* durchgeführten repräsentativen Umfrage des Bielefelder Emnid-Instituts sind 36 Prozent der Deutschen der Meinung: »Juden haben auf der Welt zu viel Einfluss.« Gemäß den Kriterien der Untersuchung können 48 Prozent der Deutschen als frei von Antisemitismus gelten, 13 Prozent haben eine offen antisemitische Einstellung, weitere 39 Prozent sind mehr oder weniger für Antisemitismus anfällig; *Spiegel Spezial*, Nr. 2, 1992, S.70.

11 *Der Spiegel*, 30.11.1998, S.32f.

12 Schirrmacher, *Walser-Bubis*, S. 682.

Kapitel 22

»Der backenblasende Verkünder epochaler Ab- und Aufbrüche« – Schirrmachers Rache, Augsteins Not

1 Racine, *Britannicus* IV, 3 – Sollten in diesem Kapitel irgendwelche Zweifel zur historischen Faktizität gewisser Erstickungsabsichten auftauchen, so verweist Verf. – auch um juristischen Auseinandersetzungen über innere Vorgänge, die sich schwer beweisen lassen, aus dem Weg zu gehen – auf das Vorwort Racines zum *Britannicus*, in dem er über die »Poetik der Wahrscheinlichkeit« äußert, das historisch Unwahre lasse nicht selten die Dichtung wahrscheinlicher erscheinen.

2 Vgl. Otto Köhler, »Prof. h.c. J. C. Fest«, in: *konkret*, Nr.10, 1992, S. 52.

3 *Der Spiegel*, 13. 5.1996, S. 230–233.

4 *Süddeutsche Zeitung*, zitiert nach *Der Spiegel*, 20. 5.1996, S. 258.

5 *die tageszeitung*, 15.5.1996.

6 *Der Spiegel*, 3. 6.1996, S.12.

7 *Neue Zürcher Zeitung*, 8.12. 2000.

8 *Der Spiegel*, 9.1.1967, S.13.

9 *Neue Zürcher Zeitung*, 10. 5. 2001.

10 *Kölner Stadtanzeiger*, 12. 5. 2001.

11 *Neue Zürcher Zeitung*, 10. 5. 2001.

Kapitel 23
»Deutschland die innere Freiheit wiedergegeben« – Rudolf Augstein erhält doch den Börne-Preis

1 *Spiegel Spezial*, Nr. 6, 1993, S. 92.
2 *Der Spiegel*, 9.11.1998, S. 306.
3 *Der Spiegel*, 7. 5. 2001, S. 3.
4 PEN: internationale Schriftstellervereinigung (»Poets, Essayists, Novelists«).
5 Zwar ist in den Erfolgsmeldungen von Mahnkes Vorauskommando Moskau der Einsatzgruppe B auch die Ermordung von »38 jüdischen Intellektuellen« verzeichnet, die »versucht hatten, in dem neuerrichteten Ghetto von Smolensk Unruhe und Unzufriedenheit zu stiften«. Ob sich aber darunter ein Schriftsteller befand, ist auch nicht zu beweisen, es können alle Lehrer gewesen sein.
6 Habermas in: Lutz, *Kosovo-Krieg*, S. 217.
7 Reich-Ranicki, *Leben*, S. 481f.
8 *Der Spiegel*, 11.11.1996, S. 24f.
9 Augstein im Oktober 1959 zur *Spiegel*-Brand-Serie, die die Nazi-Unschuld produzierte: »Über den Reichstagsbrand wird nach dieser *Spiegel*-Serie nicht mehr gestritten werden ... Wie der Engländer Guy Fawkes, dessen Entlarvung heute noch durch Verbrennen von Symbol-Puppen gefeiert wird, gegen die Verfolgung der britischen Katholiken zu protestieren suchte, indem er einen Sprengstoffanschlag auf das Parlamentsgebäude inszenierte, so wollte van der Lubbe durch die Inbrandsetzung des, nun allerdings leeren, deutschen Reichstags gegen das Dritte Reich protestieren.« – *Der Spiegel*, 21.10.1959, S. 43.

Epilog

1 Schirrmacher, *Walser-Bubis*, S. 19f.
2 *Süddeutsche Zeitung*, 5.11.1998.
3 Mayer, *Deutscher*, S. 371; *Spiegel Spezial*, Nr. 6, 1993, S. 99.
4 Zitiert nach: Trömel-Plötz, *Vatersprache*, S. 93.

Literaturverzeichnis

Adenauer, Konrad: *Briefe 1947–1949*. Berlin 1984

Adenauer, Konrad: *Teegespräche 1950–1954*. Berlin 1984

Adenauer, Konrad: *Teegespräche 1961–1963*. Berlin 1992

Alvensleben, Annali von: *Abgehoben. Biographie*. Hamburg 1998

Augstein, Franziska: »Asterix bei den Briten«, in: Franzen, Günter/Penth, Boris (Hrsg.): *Hüten und Hassen. Geschwister-Geschichten*. München 1992, S. 145–151

Augstein, Rudolf: »Waffen statt Politik«, in: *Bilanz der Bundesrepublik*. Köln 1961

Augstein, Rudolf: »Begegnungen mit Konrad Adenauer«, in: Kohl, Helmut (Hrsg.): *Konrad Adenauer 1876/1976*. Stuttgart/Zürich 1976, S. 36–39

Augstein, Rudolf: *Preußens Friedrich und die Deutschen*. Erweiterte Neuausgabe. Frankfurt a. M. 1971

Augstein, Rudolf: *Überlebensgroß Herr Strauß. Ein Spiegelbild*. Reinbek 1980

Augstein, Rudolf: *Jesus Menschensohn*, Hamburg 1999

Augstein, Rudolf/Grass, Günter: *Deutschland, einig Vaterland? Ein Streitgespräch*. Göttingen 1990

Bahar, Alexander/Kugel, Wilfried: *Der Reichstagsbrand. Wie Geschichte gemacht wird*. Berlin 2001

Bilanz der Bundesrepublik. Köln 1961

Blankenhorn, Herbert: *Verständnis und Verständigung. Blätter eines politischen Tagebuchs 1949 bis 1979*. Frankfurt a. M. 1980

Böll, Heinrich: »Sole MIO. Zur Ästhetik diskreter Geldübergaben«, in: Kilz, Hans Werner/Preuß, Joachim (Hrsg.): *Flick – Die gekaufte Republik*. Hamburg 1983

Bossle, Lothar: »Dollfuß lebt noch«, in: *Klarer Kurs*, Januar 1954

Bossle, Lothar: »Zahlen, die für Strauß sprechen – Zur richtigen Zeit den richtigen Mann erkennen«, in: *Bayernkurier*, 9. 6. 1979

Brawand, Leo: *Rudolf Augstein*. Düsseldorf 1995

Brawand, Leo: *Die Spiegel-Story. Wie alles anfing*. Düsseldorf 1987

Broder, Henryk M.: *Der Ewige Antisemit. Über Sinn und Funktion eines beständigen Gefühls*. Frankfurt a. M. 1986

Daniel, Jens (= Rudolf Augstein): *Deutschland – ein Rheinbund?* Darmstadt 1953

Degenhardt, Franz Josef: *Brandstellen*. München 1975

Diels, Rudolf: *Der Fall Otto John. Hintergründe und Lehren*. Göttingen 1954

Diels, Rudolf: *Lucifer ante portas. Zwischen Severing und Heydrich*. Zürich 1949

Engelmann, Bernt: *Meine Freunde, die Millionäre. Ein Beitrag zur Soziologie der Wohlstandsgesellschaft nach eigenen Erlebnissen.* Darmstadt 1963

Engelmann, Bernt: *Wir sind wieder wer – Auf dem Weg ins Wirtschaftswunderland.* München 1981

Franzen, Günter/Penth, Boris (Hrsg.): *Hüten und Hassen. Geschwister-Geschichten.* München 1992

Frei, Norbert: *Vergangenheitspolitik. Die Anfänge der Bundesrepublik und die NS-Vergangenheit.* München 1996

Goebbels, Joseph: *Die Tagebücher von Joseph Goebbels. Sämtliche Fragmente 1924–1941.* Hrsg. von Elke Fröhlich. Bd 1 bis 4. München 1987

Goebbels, Dr. Joseph: *Vom Kaiserhof zur Reichskanzlei.* München, 42. Aufl., 701.–720. Tausend 1944 (1. Aufl. 1934)

Graf, Christoph: »Kontinuitäten und Brüche. Von der Politischen Polizei der Weimarer Republik zur Geheimen Staatspolizei«, in: Paul, Gerhard/Mallmann, Klaus-Michael: *Die Gestapo – Mythos und Realität.* Darmstadt 1995, S. 73–83

Graf, Christoph: *Politische Polizei zwischen Demokratie und Diktatur. Die Entwicklung der preußischen Politischen Polizei vom Staatsschutzorgan der Weimarer Republik zum Geheimen Staatspolizeiamt des Dritten Reiches.* Berlin 1983

Greiwe, Ulrich: *Augstein. Ein gewisses Doppelleben.* Berlin 1994

Habermas, Jürgen: »Bestialität und Humanität. Ein Krieg an der Grenze zwischen Recht und Moral«, in: Lutz, Dieter S. (Hrsg.): *Der Kosovo-Krieg – Rechtliche und rechtsethische Aspekte.* Baden-Baden 2000, S. 217–226

Hachmeister, Lutz: *Der Gegnerforscher. Die Karriere des SS-Führers Franz Alfred Six.* München 1998

Herbert, Ulrich: *Best. Biographische Studien über Radikalismus, Weltanschauung und Vernunft. 1903–1989.* Bonn 1996

Herzfeld, Hans (Hrsg.): *Geschichte in Gestalten.* Frankfurt a. M. 1963, Bd. 1

Hilberg, Raul: *Die Vernichtung der europäischen Juden.* Frankfurt a. M. 1991

Jacobi, Claus: *Fremde, Freunde, Feinde. Eine private Zeitgeschichte.* Berlin 1991

Jürgs, Michael: *Der Fall Axel Springer.* München 1995

Karasek, Hellmuth: *Das Magazin.* Reinbek 1998

Kilz, Hans Werner/Preuß, Joachim (Hrsg.): *Flick – Die gekaufte Republik.* Hamburg 1983

Kohl, Helmut (Hrsg.): *Konrad Adenauer 1876/1976.* Stuttgart/Zürich 1976

Köhler, Henning: *Adenauer – eine politische Biographie.* Frankfurt a. M. 1994

Köhler, Otto: »Doktorspiele in Würzburg«, in: *Die Zeit*, 4.11.1988

Köhler, Otto: *Die große Enteignung. Wie die Treuhand eine Volkswirtschaft liquidierte.* München 1994

Köhler, Otto: *Hitler ging – sie blieben. Der deutsche Nachkrieg in 16 Exempeln.* Hamburg 1996

Köhler, Otto: *Unheimliche Publizisten. Die verdrängte Vergangenheit der Medienmacher.* München 1995

Koeppen, Wolfgang: *Tauben im Gras.* Frankfurt a. M. 1974

Kubina, Michael: *Von Utopie, Widerstand und Kaltem Krieg. Das unzeitgemäße Leben des Berliner Rätekommunisten Alfredo Weiland (1906–1978).* Münster 2000

Kuby, Erich: *Der Spiegel im Spiegel.* München 1987
Kuby, Erich: *Deutsche Schattenspiele*. München 1988
Kuby, Erich: *Mein ärgerliches Vaterland.* München 1989
Kuby, Erich: *Deutschland. Von verschuldeter Teilung zur unverdienten Einheit.* Rastatt 1990
Kürschners Deutscher Gelehrten-Kalender 1954. Lexikon der lebenden deutschsprachigen Wissenschaftler. Hrsg. von Dr. Gerhard Oestreich. Berlin 1954
Leier, Manfred (Hrsg.): *Deutschland, Deutschland. 50 Jahre Frieden – Der lange Weg zur deutschen Einheit.* Gütersloh 1999
Leiser, Erwin: *»Deutschland erwache!« Propaganda im Film des Dritten Reichs.* Reinbek 1968
Lenz, Otto: *Im Zentrum der Macht: Das Tagebuch von Staatssekretär Lenz.* Bearb. von Klaus Gotto, Hans Otto Kleinmann und Reinhard Schreiner. Düsseldorf 1989
Lohmeyer, Henno: *Springer. Ein deutsches Imperium.* Berlin 1992
Longerich, Peter: *Propagandisten im Krieg. Die Presseabteilung des Auswärtigen Amtes unter Ribbentrop.* München 1987
Lutz, Dieter S. (Hrsg.): *Der Kosovo-Krieg – Rechtliche und rechtsethische Aspekte.* Baden-Baden 2000
Mahnke, Horst/Wolff, Georg: *1954 – Der Frieden hat eine Chance.* Darmstadt 1953
Mayer, Hans: *Ein Deutscher auf Widerruf. Erinnerungen.* Frankfurt a. M. 1982
Mende, Erich: *Von Wende zu Wende: 1962–1982.* München/Berlin 1986
Mitscherlich, Alexander/Mielke, Fred: *Medizin ohne Menschlichkeit.* Frankfurt a. M. 1960 (1. Aufl. 1949)
Mlynek, Klaus/Röhrbein, Waldemar R. (Hrsg.): *Hannover Chronik: Von den Anfängen bis zur Gegenwart.* Hannover 1991
Müller, Rolf-Dieter/Volkmann, Hans-Erich: *Die Wehrmacht. Mythos und Realität.* München 1999
Neue Deutsche Biographie, Berlin Bd. 1, 1954; Band 6, 1964
Noelle, Elisabeth: *Amerikanische Massenbefragungen über Politik und Presse.* Limburg 1940
Oven, Wilfred von/Frowein, Kurt: *Schluss mit Polen.* 31.–55. Tausend, Berlin 1939
Paul, Gerhard/Mallmann, Klaus-Michael: *Die Gestapo – Mythos und Realität.* Darmstadt 1995
Piwitt, Hermann Peter: *Die Gärten im März.* Reinbek 1979
Racine, Jean: *Britannicus* IV, 3
Reich-Ranicki, Marcel: *Mein Leben.* Stuttgart 1999
Ritter, Gerhard: Ein politischer Historiker in seinen Briefen. Hrsg. von Klaus Schwabe und Rolf Reichardt, Boppard 1984
Saunders, Frances Stonor: *Wer die Zeche zahlt ... Die CIA und die Kultur im Kalten Krieg.* Berlin 1999
Schenk, Dieter: *Auf dem rechten Auge blind. Die braunen Wurzeln des BKA.* Köln 2001
Schirrmacher, Frank (Hrsg.): *Die Walser-Bubis-Debatte – Eine Dokumentation,* Frankfurt a. M. 1999

Schmidt-Eenboom, Erich: *Undercover. Der BND und die deutschen Journalisten.* Düsseldorf 1998
Schoenbaum, David: *Ein Abgrund von Landesverrat.* Wien 1968
Schoeps, Joachim (Hrsg.): *Die Spiegel-Affäre des Franz Josef Strauß.* Hamburg 1983
Schreiber, Hermann: *Henri Nannen – Drei Leben.* München 1999
Schulze, Peter: *Namen und Schicksale der jüdischen Opfer des Nationalsozialismus in Hannover.* Hannover 1995
Schütt, Hans-Dieter/Schwarzkopf, Oliver (Hrsg.): *Die Spiegel-Titelbilder 1947–1999.* Berlin o. J. (2000)
Schwarz, Hans-Peter: *Adenauer. Band 1: Der Aufstieg 1876–1952.* München 1994
Simpson, Christopher: *Der amerikanische Bumerang. NS-Kriegsverbrecher im Sold der USA.* Wien 1988
Spiegel, Der. Sonderausgabe 1947–1997. Hamburg 1997
Spiegel-Affäre, Die, Bd. 1: *Die Staatsmacht und ihre Kontrolle,* hrsg. von Alfred Grosser und Jürgen Seifert; Bd. 2: *Die Reaktion der Öffentlichkeit,* hrsg. von Thomas Ellwein, Manfred Liebel und Inge Negt. Freiburg 1966
Spiegel-Verlag, (Hrsg.): *Männer, auf die es ankommt. Eine demoskopische Studie über Führungskräfte der deutschen Wirtschaft.* Düsseldorf 1959
Springer, Axel: *Von Berlin aus gesehen. Zeugnisse eines engagierten Deutschen.* Stuttgart-Degerloch 1971
Springer, Axel – Der Freund dem Freunde, hrsg. von Friede Springer. Frankfurt a. M./Berlin 1986
Stelly, Gisela: *Lili und Marleen.* Zürich 1998
Stelly, Gisela: *Tristan in New York.* Reinbek 1994
Thomas, Michael: *Deutschland, England über alles.* Berlin 1984
Trömel-Plötz, Senta: *Vatersprache – Mutterland.* 2. überarbeitete Aufl., München 1993
Weber, Gabriele: *Kritisches Tagebuch* im Westdeutschen Rundfunk, Drittes Programm Hörfunk, Sendung vom 14. 2. 1997
Wheatley, Ronald: *Operation Sea Lion. German Plans for the Invasion of England 1939–1942.* Oxford 1958
Zenker, Ernst Viktor: *Der Anarchismus, Kritische Geschichte der anarchistischen Theorie.* Jena 1895 (Reprint Berlin 1979)
Zeuner, Bodo: *Veto gegen Augstein. Der Kampf in der* Spiegel-*Redaktion um Mitbestimmung.* Hamburg 1972

Register